La hora de la verdad

Suzanne Brockmann

La hora de la verdad

Titania Editores
ARGENTINA - CHILE - COLOMBIA - ESPAÑA
ESTADOS UNIDOS - MÉXICO - URUGUAY - VENEZUELA

Título original: *Breaking Point*
Editor original: Ballantine Books, New York
Traducción: Alberto Magnet Ferrero

© Copyright 2005 *by* Suzanne Brockmann
All Rights Reserved
This translation published by arrangement with Ballantine Books,
an imprint of Random House Publishing Group,
a division of Random House, Inc.
© de la traducción: 2007 *by* Alberto Magnet Ferrero
© 2007 *by* Ediciones Urano, S. A.
Aribau, 142, pral. - 08036 Barcelona
www.titania.org
atencion@titania.org

ISBN: 978-84-96711-07-5
Depósito legal: B - 4.597 - 2007

Fotocomposición: Ediciones Urano, S. A.
Impreso por Romanyà Valls, S. A. - Verdaguer, 1 - 08786 Capellades
(Barcelona)

Impreso en España - *Printed in Spain*

*A todos los lectores que pasaron
el fin de semana conmigo en Tampa,
y también a quienes estuvieron presentes de espíritu.*

Agradecimientos

Quiero agradecer, en primer lugar, a las primeras personas que leyeron mi manuscrito, Lee Brockmann y Ed Gaffney. (Gracias también a Deede Bergeron y Patricia McMahon, que estaban siempre cerca y dispuestas a ayudar.)

Gracias a las excelentes personas del equipo de Ballantine Books, que trabajaron con ahínco para llevar con tanta rapidez a mis lectores los últimos episodios de mi actual serie, con el Equipo SEAL Dieciséis, con Troubleshooters Inc. y el equipo de lucha antiterrorista de Max Bhagat del FBI: Gina Centrello, Linda Marrow, Arielle Zibrak y Signe Pike. Gracias también a mi maravillosa editora, Shauna Summers.

Gracias a Gail LeBlanc por prestarme su nombre.

Gracias a Vivian Tönnies por ayudar con la traducción del alemán, a Erika Schutte por tener siempre a mano información sobre Kenia y a la mayor Michelle Gomez (R), de la Fuerza Aérea de Estados Unidos, por tantas cosas que es imposible nombrarlas todas.

Gracias al equipo de casa: Ed Jason y Melanie Gaffney, y a Sugar y Spice, los mejores sabuesos del mundo.

Gracias, como siempre, a Eric Ruben, Steve Axelrod y Tina Trevaskis.

Agradezco también a todos los que colaboraron en mi fin de semana *Objetivo: Tampa*: a Maya Stosskopf, del EMA, a Gilly Hailparn y al equipo de publicidad de Ballantine Books, así como a mis estupendos autores invitados: Catherine Mann, Alesia Holliday y Chuck Pfarrer.

Una mención de las coordinadoras voluntarias de *Objetivo: Tampa* —Suzie Bernhardt, Karen Metheny y Sue Smallwood— que hicieron posible esta reunión de lectores el fin de semana, así como a todos los excelentes voluntarios: Elizabeth y Lee Benjamin, Lee Brockmann, Jeanne Glynn, Michelle Gomez, Kim Harkins, Stephanie Hyacinth, Beki y Jim Keene, Regina LaMonica, Kay Luecke, Laura Luke, Jeanne Mangano, Heather McHugh, Peggy Mitchell, Barbara Mize, Dorbert Ogle, Gail Reddin, Marla Snead, Shannon Short, Erika Shutte y Melissa Thompson. ¡Sois todos estupendos!

Agradecimientos especiales a Maya por la elaboración del eslogan promocional «La guerra va por dentro» para la película (ficticia) *American Hero*, y a Kathy Lague por dejar a Max tomar prestado su pesadilla del Espacio Sideral con los Tenedores Gigantes.

Recomiendo consultar mi sitio web www.SuzanneBrockmann.com/Appearances para más información sobre mi próximo fin de semana para Lectores. También se encontrará información sobre mi gira literaria por la costa oeste para *La hora de la verdad* en julio de 2005.

Finalmente, aunque no en último lugar, gracias a mis lectores. Me encanta recibir noticias de todos ustedes vía los correos electrónicos y cartas, o charlar con unos y otros en mi boletín de noticias y conocerlos en los actos de firma de mis libros.

Como siempre, cualquier error que haya cometido o cualquier licencia que me haya tomado son de mi absoluta responsabilidad.

Prólogo

Max tenía cinco minutos.

Como máximo.

Cinco minutos antes de que los tiradores de élite del SWAT estuvieran apostados en su sitio.

Cinco minutos antes de que Leonard D'Angelo se convirtiera en apenas algo más que una tarea ingrata cuando un equipo de limpieza duro de tripas tuviera que limpiar el suelo de mármol de la sucursal bancaria.

Al fin y al cabo, en realidad, Lenny había cometido un grave error de cálculo. Había entrado en una sucursal del Westfield National Bank en una zona residencial con una pistola en el bolsillo.

Y todo ese asunto de hacerse con unos rehenes era otra idea muy, pero que muy mala.

Pero aunque el agente del FBI Max Bhagat no hubiera pasado los últimos quince minutos en la furgoneta de vigilancia mirando el vídeo de las cámaras de seguridad del banco y escuchando, mediante un micro de largo alcance de alta tecnología y muy sofisticado, aquella tragedia que se desvelaba ante sus ojos, no habría llegado a pensar que Lenny se merecía morir por sus errores.

Al parecer, Lenny había entrado en el banco con una nota en la que pedía al cajero que sacara 47.873,12 dólares de una cuenta específica. El problema era que no llevaba la identificación necesaria para tener acceso a ese dinero, de modo que, después de hablar un rato y mucho gesticular, el cajero había llamado al guardia de seguridad. Fue el momento en que Lenny sacó su pequeña pistola.

Y, al sacarla del bolsillo disparó y dejó un agujero en el techo insonorizado por encima de su cabeza.

Con aquel incidente había conseguido que todos los presentes en el banco se echaran a llorar, incluído el propio asaltante, Lenny, que seguía ahí sollozando.

El supuesto guardia de seguridad había entregado de inmediato su arma sin rechistar, y sin intentar persuadir a Lenny de que dejara la suya. Después de rendirse, el guardia se encargó de que todos los rehenes se tendieran en el suelo con las manos en la nuca. Todos, excepto dos niños pequeños junto a su madre.

Éstos se habían acurrucado contra la pared.

La jefa de los cajeros se apresuró a retirar el dinero que pedía Lenny, pero su colaboración se producía demasiado tarde.

El ruido del disparo había servido para avisar primero a la policía local, después a la policía estatal y, finalmente, puesto que uno de los cajeros era pariente de un juez federal, al equipo del FBI, del que Max era un agente novato. Una docena de coches de la policía, con sus balizas encendidas y las puertas abiertas, rodeaban el banco mientras los agentes uniformados y de paisano esperaban en la calle fuera del alcance de la pequeña pistola del atracador.

Los miembros de aquella fuerza de choque no tardaron en enterarse de que el protagonista de la toma de rehenes no tenía nada especial contra la jefa de los cajeros y que, en realidad, el tipo no era más que un aficionado. Ese hecho entrañaba a la vez una buena noticia y una mala.

La noticia positiva era que Lenny era un delincuente tan inepto que seguía parado en medio de la oficina. Se había situado justo delante del vidrio cilindrado de un gran ventanal, un blanco limpio y claro para los tiradores de élite de los SWAT.

Lo malo era que hasta que el equipo SWAT estuviera apostado, el tipo era una pistola loca. No había dicho ni una sola frase coherente en todo el rato que Max llevaba escuchando. No hacía más que lloriquear y emitía unos ruidos curiosos, estridentes, parecidos al grito de algún animal mientras sostenía torpemente su propia arma y la del guardia de seguridad.

—Déjeme entrar, señor —pidió Max a Ronald Shaw, el jefe de su equipo, que también era el agente al mando.

Pero Shaw respondió sacudiendo la cabeza, y ni siquiera se molestó en responder al joven novato. Max llevaba varias semanas trabajando con ese equipo y estaba bastante seguro de que Shaw ni siquiera sabía cómo se llamaba. Aún así, insistió.

—Señor, a ese tipo le pasa algo raro. Quisiera hablar con él.

Leonard D'Angelo no tenía antecedentes ni ficha policial. Ni siquiera había noticias de que tuviera una multa por aparcar mal. Desesperado por conseguir aunque no fuera más que una brizna de información, Max llamó a un amigo que trabajaba en Hacienda, y éste le comunicó que Lenny D. era un trabajador de la construcción responsable y que pagaba sus impuestos como era debido. También estaba casado y tenía un hijo pequeño.

Era un tipo normal y corriente. Al menos lo había sido hasta que se transformó en un loco violento.

¿Había perdido el empleo? ¿La mujer y el hijo a causa de un divorcio…? Podría haber diversas razones.

Max intentó llamar a la mujer de Lenny al teléfono de su domicilio, pero no consiguió otra cosa que un mensaje automático: «Este número está fuera de servicio».

No era buena señal.

Ajustándose al procedimiento habitual, Max pidió a la policía local que se dirigiera al minúsculo piso donde vivía D'Angelo. Le rondaba la siniestra idea de que quizá Len se había cargado a toda la familia antes de lanzarse a aquella aventura criminal.

Sin embargo, a Max le parecía una posibilidad remota.

Si ese tipo era un homicida, ya habría usado su arma.

Y ¿qué pasaba con aquella suma tan precisa que había pedido, hasta el último centavo? Hasta doce miserables centavos.

Max no tenía una experiencia muy dilatada, pero todo apuntaba a algún tipo de crimen pasional. ¿Quizás una recompensa por un dinero malgastado o invertido imprudentemente?

Algo estaba a punto de pasar, de eso no cabía duda. De lo contrario, ¿por qué Lenny no cogía el teléfono del banco y hablaba con ellos?

Tenía que saber que ellos estaban ahí. Sólo un ciego no se daría cuenta de la presencia de catorce coches de la policía.

Y, bueno, sí. Puede que Max se equivocara de lleno. Quizá Lenny *sí* había matado a toda la familia. Pero aunque así fuera, era evidente que su rabia homicida se había calmado. En ese momento, era incapaz de hacer otra cosa que quedarse ahí parado lloriqueando en medio de la oficina.

Max estaba dispuesto a jugarse cualquier cosa a que podía cruzar esas puertas, plantarse frente a Lenny y sencillamente quitarle las armas de sus blandas manos.

—Quisiera intentarlo —volvió a decir, mirando a Shaw.

—Es demasiado peligroso —respondió Shaw. Los dos estaban fuera de la furgoneta ante un monitor, mirando al atracador que lloraba parado en medio del vestíbulo. Lo enfocaban con una cámara que tenía unos lentes de última generación. Aunque captaba la imagen desde el otro lado de los vidrios antirreflectantes de la ventana, ofrecía una imagen nítida del rostro de Lenny bañado en lágrimas.

—Haz lo que tengas que hacer con tal de que coja el teléfono.

A Ronald Shaw le quedaban sólo unas semanas para jubilarse. ¿Acaso tenía miedo de ensuciar su expediente si autorizaba a uno de sus hombres más novatos e inexpertos para que negociara y luego acabara muerto?

¿Aunque aquello significara dispararle a Leonard D'Angelo sin haber cruzado palabra con él para negociar?

Maldita sea. Max pensaba que Ronald Shaw tomaría decisiones más acertadas.

—Señor, todos los teléfonos de ahí adentro no paran de sonar —informó Max a su jefe—. Pero él no los coge.

—Sigue intentándolo, Matt —ordenó Shaw, parco en palabras, y se alejó de la furgoneta.

—Me llamo Max —gritó éste al verlo alejarse—. ¿Seguir intentándolo hasta cuando? ¿Hasta que un tirador del SWAT le meta una bala en la cabeza?

Pero Shaw ya se había ido.

En la calle, Smitty Durkin se había hecho con el megáfono.

—Señor D'Angelo, ¡debe usted coger el teléfono enseguida! Leonard D'Angelo, ¡coja el teléfono! —Cuando Smit dejó de pulsar el botón del megáfono, se oyó un chirrido estridente.

En la pantalla del monitor, en un primer plano, Leonard D'Angelo ni se inmutó.

Aunque D'Angelo estaba en el interior del banco, el volumen era lo bastante fuerte.

Lo bastante fuerte como para apretar los dientes y sacudirse.

Y, de pronto, Max supo lo que estaba pasando.

Bueno, *supo* era quizás una palabra demasiado atrevida. Era más acertado decir que tuvo una *sospecha bien fundada*.

Leonard D'Angelo no había contestado al teléfono porque no lo oía. Max tenía la sospecha bien fundada de que Leonard D'Angelo, aunque no era ciego, probablemente era sordo.

Y, Dios mío, pensó, no había nada en que escribir excepto una libreta de papel amarillo que llevaba en su maletín. No era de las dimensiones que necesitaba, pero tendría que servir.

Había un rotulador, uno de esos Sharpies indelebles, sujeto con una cuerda al panel interior de la furgoneta. Max lo cogió y tiró de él.

Escribió mientras corría y se abría paso entre los agentes uniformados, hasta situarse en la calle, en el exterior del círculo protector de los coches de la policía. Se acercó y se detuvo frente a la puerta de vidrio del banco.

NO ESTOY ARMADO. Max sostuvo en alto el papel con una mano y se abrió la chaqueta. Se desabrochó la funda que llevaba al hombro y la dejó sobre el pavimento de la calle junto con la pequeña pistola que llevaba atrás, ajustada a la cintura.

En el interior de la oficina, Lenny lo vio. Max vio al hombre sacudir la cabeza y apuntar con un gesto desganado hacia la puerta por donde debía pasar él para entrar en el edificio.

Max pasó la página de la libreta. Escribió VOY A ENTRAR PARA HABLAR y sostuvo la hoja en alto.

Pero Lenny seguía sacudiendo la cabeza.

Max se quitó la corbata y la camisa blanca perfectamente planchada y utilizó el rotulador para subrayar las palabras que había escrito en la primera página. NO ESTOY ARMADO.

Mientras Lenny seguía sacudiendo la cabeza, Max oyó a Ron Shaw que gritaba.

—¿Qué se ha creído ese cabrón chalado?

Era evidente que el cabrón chalado al que se refería Shaw era él.

Sacudió los pies para quitarse los zapatos, luego se quitó los calcetines y se subió los pantalones. No llevo nada en las piernas, Lenny. ¿Lo ves? Volvió a levantar la hoja amarilla. NO ESTOY ARMADO.

No, respondió Lenny, sin dejar de sacudir la cabeza.

—¡Quita de ahí, Bhagat! —gritó Shaw. Vaya, al final se acordaba de su nombre—. ¡Los tiradores de élite están preparados y tú estás en medio, maldita sea!

Todos los policías presentes y un montón de curiosos observaron a Max mientras se quitaba los pantalones. Pero, *mierda*. Había que ver los calzoncillos que se había puesto hoy.

Max Bhagat era el orgulloso dueño de cincuenta y siete calzoncillos blancos, y estaban todos en la lavandería cuando se había vestido esa mañana. Se había visto obligado a buscar en el fondo de su cajón de ropa interior y, ante la disyuntiva de ponerse unos calzoncillos con corazones rosados o unos slips negros con la palabra *Semental* escrita con lentejuelas rojas por delante (los dos regalos de Elizabeth, una ex novia bastante despistada), se había decidido por el de las lentejuelas rojas.

En ese momento no tenía alternativa. No tenía la menor intención de quedarse ahí parado y dejar que le metieran una bala en la cabeza a Leonard D'Angelo.

Por otro lado, la idea de verse convertido en un personaje popular en el FBI con el apodo de «Señor Lentejuelas» o, Dios no lo quisiera, de «Chico Semental», era igual de insoportable.

Por todo lo cual sólo le quedaba la opción número tres.

Al quitarse los pantalones, metió los pulgares en el interior de sus calzoncillos y también se los quitó.

Y esta vez, cuando volvió a alzar la hoja de papel amarillo, cualquiera que se encontrara en un radio de dos manzanas de ahí, supo sin la más mínima duda que Max estaba total y completamente desarmado.

En el interior del banco, Lenny se quedó boquiabierto. Dejó de sacudir la cabeza y el arma que sostenía se inclinó hacia abajo. Max aprovechó para alzar el segundo mensaje que había escrito.

Y entró en la sucursal bancaria completamente desnudo.

Max seguía de pie frente al escritorio de Ronald Shaw esperando que cesara el ruido. Entretanto, ya había decidido que a partir de ese día guardaría un par de calzoncillos en su taquilla.

Era posible que fuera ligeramente alérgico a la lana.

—Ni siquiera me está escuchando, ¿eh? —gritó Shaw, rugiendo aún más furiosamente.

Diablos.

—Para serle franco, señor —reconoció Max, hablando con voz mucho menos estentórea—, cuando empezó a repetirse por tercera vez, sí, es verdad que desconecté. ¿Quería agregar algo?

Shaw se echó a reír y se sentó.

—Es un hombre muy seguro de sí mismo, ¿eh, Bhagat?

Max se quedó pensando.

—Creo que sería razonable decir que Dios me ha dotado con la habilidad de saber entender a las personas, señor.

Después de entrar en la sucursal no había tardado más de cuatro segundos en hacerse con las dos pistolas de D'Angelo.

Max estaba en lo cierto, porque aquel tipo no era un delincuente y, mucho menos, era capaz de dispararle a nadie.

Leonard D'Angelo era un padre agobiado por el dolor, y había cometido una serie de lamentables errores.

El hijo de dos años del pobre hombre había nacido con un defecto coronario. Él y su mujer habían vendido la casa y habían juntado todos sus ahorros para pagar una operación con el fin de reparar la válvula enferma del niño. Sin embargo, el pequeño había muerto en la mesa de operaciones.

Llevado por la brutal irracionalidad de los que sufren una pena profunda, Lenny había acudido al médico para pedirle que le devolviera el dinero, ya que la operación no le había salvado la vida a su hijo.

Cuando el médico se negó, Lenny consiguió averiguar en qué banco tenía éste su cuenta y decidió ir a por el dinero que, según él, debían devolverle.

Era el dinero que necesitaba para encontrar a su mujer, que, desconsolada por la pérdida del hijo, se había largado con el único coche de la pareja.

—Te advertí que no entraras en el banco —le recordó Shaw a Max—. Te lo ordené concretamente...

—Con todo el respeto, señor —interrumpió Max—, usted me dijo que hiciera lo necesario para que D'Angelo cogiera el teléfono. Pero ¿cómo iba a cogerlo si no lo oía sonar?

La intención de Max había sido entrar desnudo y, por lo tanto, desarmado, para dialogar con D'Angelo. Si el atracador se mostraba dispuesto, Max habría cogido el teléfono. Y, ya que era evidente que el hombre sordo que se había hecho con los rehenes era incapaz de hablar por teléfono, Max se propuso actuar de intermediario usando un bolígrafo y la libreta para que D'Angelo se comunicara con el negociador del FBI que esperaba en la calle.

Idealmente, alguien le habría hecho llegar su pantalón.

Pero Max ya le había contado todo aquello a Shaw. En realidad, se lo había contado varias veces, incluso por escrito.

Max también declaró que antes de actuar de intermediario para D'Angelo, le había parecido una opción elemental pedirle al atracador que le entregara sus armas.

Y D'Angelo se las había entregado. Con gran alivio del pobre hombre.

Max también había sentido un gran alivio. A partir de ese momento usó la libreta como taparrabo, mientras los rehenes salían en tropel de la sucursal al tiempo que entraban los agentes de la policía y del FBI.

Smitty Durkin entró en el banco con la ropa de Max, aunque los calzoncillos no estaban entre sus prendas. Max tenía la esperanza de que hubieran caído por una de las perneras del pantalón y que una ráfaga de viento los hubiera barrido debajo de algún coche o algún charco dejado por la lluvia de la noche anterior.

—Yo a usted lo admiro, señor —dijo Max, mirando a Shaw—. Lo admiro de verdad. Su expediente como jefe de sección es notable. Y nunca diría esto fuera de este despacho, pero mi opinión es que hoy ha dado las instrucciones equivocadas. Debería haberme autorizado para entrar en el banco. Y creo que usted lo sabe, señor.

Si Leonard D'Angelo hubiera muerto aquel día, habría sido responsabilidad de Shaw. Y Shaw tenía que agradecerle a Max haber impedido esa tragedia.

Pero Shaw no dijo palabra. Se quedó reclinado en su asiento mirando a Max. Sus ojos eran fríos como el hielo, y si no hubiera tenido la reputación de ser un jefe justo, o si no se hubiera delatado con esa risa que parecía un ladrido, quizá Max habría pensado que había hablado más de la cuenta.

Durante el largo silencio que siguió, Max se fijó en aquella manera sutil de Shaw de hacerse inescrutable, completamente inabordable. Era algo más que una deliberada ausencia de emociones en la mirada de aquel hombre, algo más que la quietud hierática de su expresión. También había algo en su lenguaje corporal. Conservaba una postura abierta, con los codos apoyados en los brazos de su silla.

Interesante. En realidad aquella pose no defensiva se añadía al talante duro del mensaje mudo de Shaw. «Tiembla, subordinado, porque no tienes ni idea de lo que diré o haré a continuación.»

Salvo que Max sí sabía. A pesar de sus gritos, Shaw se había fijado por fin en él.

Pasaron tres minutos largos antes de que Shaw hablara, pero Max no se movió. Le sostuvo la mirada, luchando contra su reflejo de tragar saliva a fuerza de pura voluntad.

—Me sustituirá Kart Herdson —dijo Shaw, finalmente.

Max ni siquiera se permitió pestañear ante el cambio de tema.

—Sí, señor, lo sé.

—¿Lo conoces?

—No, señor.

—No hay nada que le guste más que los números. —La sonrisa con que Shaw lo miró no era especialmente agradable—. Al parecer, eres uno de ésos a los que les gusta la franqueza sin contemplaciones, Bhagat, así que te lo diré sin rodeos. Herdson odiará tu jodida estampa.

—Sí, señor, es probable que sí —convino Max, sin inmutarse. Incluso sonrió—. Tengo ganas de enfrentarme a ese desafío.

Shaw volvió a reír. Y volvió a cambiar de tema.

—¿Estás casado, hijo?

—No, señor.

—¿Quieres un consejo gratis? Cásate. Pronto. Cuando llegues a jefe de sección, no tendrás tiempo para perseguir a las mujeres. Joder, no tendrás tiempo ni para respirar. Si tienes una chica allá afuera de la que no puedes prescindir, encadénate a ella antes de que se te escape. ¿Conoces el viejo dicho? Las esposas esperan pero las novias se van. Es verdad. Sobre todo en nuestro trabajo.

Max negó sacudiendo la cabeza.

—Yo no… No… le agradezco el consejo, señor. —Si había una chica allá afuera de la que no podía prescindir, todavía no la había conocido.

—Aunque te guste jugar, *semental*… —Shaw se demoró en aquella palabra. *Joder*—. Más te vale tener una que ninguna, sobre todo si esa una te está esperando en casa, si se ocupa de lavarte la ropa y de prepararte la comida.

Esta vez Max se quedó perplejo, pero por una razón del todo diferente. Se alegró de que ninguna de las mujeres que trabajaba en el despacho lo hubiera oído.

—Me defiendo bastante bien lavando mi propia ropa, señor. Y, eh, hablando de ropa sucia…

Pero Shaw ya lo estaba despachando con un gesto.

—Tu secreto está a salvo conmigo. Ahora, vete de aquí, tengo mucho trabajo.

Max se dirigió a la puerta, pero Shaw lo detuvo antes de que la cerrara.

—Bhagat.

—¿Sí, señor?

—Gracias.

Max asintió con un movimiento de la cabeza. La muerte innecesaria de Leonard D'Angelo habría sido una pesadilla con la que Shaw habría cargado el resto de sus días.

—De nada, señor. Gracias también a usted —dijo, y cerró la puerta a sus espaldas.

A medio camino hacia su despacho, Max Bhagat cayó en la cuenta de lo que Shaw había dicho. *Cuando llegues a ser jefe de sección...*

Cuando, no *si*.

Joder. Max sonrió. Ya había empezado su andadura.

Cuatro días más tarde, en East Meadow, Long Island, un barrio suburbano de la ciudad de Nueva York levantado después de la Segunda Guerra Mundial, Gina Vitagliano comenzaba su primer curso en la escuela.

Capítulo 1

CUARTEL GENERAL, WASHINGTON D.C.
20 DE JUNIO DE 2005
EN LA ACTUALIDAD

Hacía un día maravilloso. Cielos azules. Bajo nivel de humedad. Y escaso tráfico a esa hora de la mañana. Semáforos en verde en todas las esquinas. Una plaza para aparcar a tiro de piedra del edificio de oficinas.

El ascensor se abrió al pulsar el botón y él subió directo hasta la planta correspondiente. Las puertas se abrieron y aprovechó para mirarse con detenimiento en el espejo del vestíbulo.

Iba vestido para deslumbrar, con su traje negro preferido, con una camisa que se había comprado como regalo. En el FBI, Jules Cassidy no era un agente del montón, de eso no había duda. Se guardó las gafas de sol en el bolsillo y se ajustó la corbata. Acto seguido, se alejó por el pasillo con paso alegre.

Cuando uno viste bien, se siente bien. De eso no había duda alguna.

La mesa de recepción de Laronda estaba vacía, pero la puerta de la oficina de Max Bhagat permanecía cerrada.

Hoy, Jules había llegado temprano, pero su jefe, el legendario jefe de sección del FBI conocido como «el Max» entre sus subordinados más jóvenes, irreverentes y algo menos originales (aunque nunca lo llamaban así mirándolo a la cara), había llegado más temprano aún.

Aunque, para ser fieles a la verdad, también era muy posible que Max se hubiera quedado hasta muy tarde.

Tampoco nadie podía darse cuenta de la diferencia. Max nunca parecía trasnochado, aunque hubiera trabajado setenta y dos horas sin parar. De hecho, hasta podía quedarse atrapado debajo de un hipopótamo, fruto de algún insólito accidente en el zoo, y lo primero que diría después de recobrar el sentido sería: «Que alguien me traiga una camisa limpia».

Tenía siempre al menos dos mudas completas de ropa en el despacho, además de una serie de maquinillas eléctricas en el cajón de su escritorio, en su maletín, en la guantera del coche y, probablemente, en un par de sitios más de los que Jules nada sabía.

Pero, ¡un momento! Max no era el único que hoy había llegado temprano. Ahora Jules olía el aroma inconfundible de un café exprés recién hecho. Puede que Max fuera un negociador brillante, pero estaba severamente incapacitado para preparar un buen café.

Café cremoso. Ah, cómo le gustaba a Jules el café cremoso. Aunque no hubiera llegado al despacho antes que Max o que el misterioso aficionado al café, seguía siendo un día estupendo y prometedor.

Jules se detuvo en el cubículo de la cocina y... gracias a Dios, encontró su taza preferida limpia y reluciente en el escurridor. El recipiente donde se guardaba el café en grano estaba vacío, pero todavía quedaba suficiente café caliente para una taza generosa.

El televisor estaba encendido y sintonizado en el canal de noticias de la CNN, pero sin volumen. Mientras Jules llenaba su taza del Super Ratón con el café que quedaba, el locutor demasiado guapo de la CNN le lanzó una brillante sonrisa, como diciendo: «¡Buenos días, mi cielo! ¡Algo fabuloso te ocurrirá en el día de hoy!

En ese momento, la programación se interrumpió con una tanda de anuncios.

Una escena de batalla teñida de color oliva apagado y sepia de la Segunda Guerra Mundial (sin duda una publicidad del History Channel) llenó la pantalla. Pero a continuación la batalla se difumi-

La única mujer que de verdad había conseguido cautivar a Max Bhagat, que le había robado su corazón blindado a prueba de pasiones. Una mujer que Max no sólo había dejado marchar, sino que, además, había empujado hasta lograr que ella renunciara y desapareciera.

Pero eso no significaba que él no la amara. O que no la amara todavía.

—Jesús de mi corazón...

—Alguien tiene que contárselo —dijo Deb, en voz baja.

Jules levantó la vista y se percató de que todos lo miraban a él. Como si él fuera el jefe del equipo, o algo así. No era justo... Todavía no le habían dado el ascenso.

—Vale, yo se lo contaré —dijo, con una voz que no conseguía hacer sonar como propia—. Gina también era amiga mía. —Dios mío, ya lo creo que lo era. Detestaba tener que decirlo. Madre mía, ¿Cómo era posible que hubiera ocurrido algo así?

Afuera, el cielo azul sin nubes ahora parecía burlarse de él. Jules deseó retroceder en el tiempo, hasta primera hora de esa mañana, cuando lo despertó el estruendo de la radio. Esta vez, apagaría el despertador, se daría media vuelta y seguiría durmiendo.

Aunque, en realidad, eso no habría hecho más que aplazar lo inevitable.

De alguna manera, todos conseguirían llegar hasta el final de aquel día negro y de mal agüero.

Jules carraspeó.

—Yashi, averigua qué hacía Gina en Alemania. Lo último que supe de ella era que estaba en Kenia con... —Joder, ¿cómo se llamaba? Se lo sacó de la manga—. AAI, AIDS Awareness International. Ponte en contacto con ellos, averigua lo que puedas. George, encuentra a Walter Frisk. Nos interesa saberlo todo acerca de la explosión, y nos interesa saberlo *ya*. —Se volvió hacia Deb—. Ve a buscar ese café, y luego le echas una mano a George. Venga.

Cada cual partió a lo suyo.

Cuando Max viera ese correo, tendría un montón de puñeteras preguntas, y Jules no sería capaz de contestar ninguna de ellas.

Al menos, no en ese momento.

Jules se restregó los ojos y se arregló la corbata. Apesadumbrado, con el corazón derrotado bajo su camisa arrugada, que ya no importaba, se alejó por el largo pasillo que daba al despacho de Max.

ARLINGTON, VIRGINIA
12 DE ENERO DE 2004
DIECISIETE MESES ANTES

Max se obligó a relajarse. Logró que no se le agarrotaran los hombros, dejó de apretar los puños y, más difícil todavía, consiguió inmovilizar los músculos de uno y otro lado de la mandíbula para que no le rechinaran los dientes.

También consiguió cruzarse de piernas y frunció ligeramente el ceño. Sabía que con eso, además del amago de sonrisa en la comisura de los labios, parecía un tipo amable y abierto a cualquier conversación.

Como negociador del FBI... No, como *el* negociador del FBI, llevaba más años de los que podía contar con los dedos de las manos y los de un pie. Había aplicado su magia a profesionales del crimen y a terroristas desesperados, a hombres y mujeres que, con demasiada frecuencia, estaban dispuestos y decididos a morir.

Lo de ahora debería ser pan comido, una discreta conversación entre tres adultos racionales con las ideas claras. Max, Gina y Rita Hennimen, la especialista en terapia de parejas que Gina había encontrado en las Páginas Amarillas.

Sin duda en el apartado de «La peor pesadilla de Max».

Max nunca había estado tan aterrorizado en toda su vida.

Gina lo observaba desde el otro lado del sofá. Ese día se había vestido deliberadamente como una adolescente, con una camiseta muy ceñida que no le llegaba a la cintura de su pantalón vaquero corto. Era imposible mirarla y no pensar en el sexo, no pensar en sus piernas rodeándolo por la cintura y lanzándolo al espacio sideral.

Max carraspeó, se removió en su asiento, y eso le hizo levantar el brazo izquierdo un poco más de lo debido, lo cual le valió una punzada de dolor.

Dios mío, ¿algún día se le quitaría ese dolor en el hombro? Le habían disparado en el pecho. Ahora tenía un agujero preocupante en los pulmones, pero lo que más le molestaba era el final de la trayectoria de la bala, que al rebotar hacia arriba, le había destrozado la clavícula.

Cuando Rita acabó de leer los impresos que ambos habían rellenado en la sala de espera, Gina se inclinó hacia delante.

—¿Te encuentras bien? —le preguntó a Max.

—Estoy bien —mintió él.

Ella se lo quedó mirando un momento antes de continuar.

—Una de las reglas importantes de la terapia es que tenéis que ser sinceros. Cuando entramos en este despacho, tenemos que decir la verdad. De otra manera, no sería más que una farsa.

Al sentarse, Max había colgado su bastón del brazo del sofá, y ahora éste cayó al suelo ruidosamente. Gracias a Dios. Se inclinó para recogerlo. Cuando se enderezó, Rita los miraba sonriendo, a punto de empezar.

—Y bien —dijo la terapeuta—. ¿Por dónde empezamos?

Gina seguía mirándolo a él.

—Buena pregunta. ¿De qué quieres hablar, Max?

—¿De baloncesto? —contestó él, y ella rió, como él esperaba que riera.

—Supongo que es culpa mía por pedirte que seas sincero —dijo Gina, y se giró hacia Rita—. Le diré lo que pasa. Según Max, no deberíamos estar aquí, porque no somos pareja. No estamos juntos... somos amigos. Lo que pasa es que existe algo entre nosotros. Una historia. La química. Ah, sí, y el hecho de que yo esté enamorada de él también debe tener cierta importancia. Aunque Max le diga que en realidad no lo amo y que, después de años y años, lo que siento es algo así como una «transferencia». Ya le he contado a usted por teléfono: yo me encontraba en un vuelo que fue secuestrado, y Max me salvó la vida...

—Tú salvaste tu propia vida —corrigió Max.

—En fin, esa parte también depende mucho de quién la interprete —dijo Gina, mirando a la terapeuta—. Yo sé que me salvó la vida. Él, sin duda, dirá que no. Hay un factor de diferencia de edad... que, francamente, a mí no me crea ningún problema...

Rita bajó la mirada para repasar sus notas, seguramente buscando sus fechas de nacimiento. No tardaría mucho en sacar la cuenta de que Gina tenía veinticinco años y que Max tenía casi veinte más. Sin embargo, aquella mujer era una profesional con una muy buena formación, y ni siquiera pestañeó. Pero sonrió cuando levantó la vista y se encontró con que Max la estaba mirando.

—El amor no suele detenerse a hacer cálculos —señaló.

Sí, pero la mayoría de la gente sí hacía cálculos, y luego opinaba. Desde luego, Debra, una de las enfermeras del centro de rehabilitación, seguro que no lo aprobaba. Si hubiera podido, habría convertido a Max en un montón de cenizas hacía semanas. Sin embargo, por ahora se quedó callado y dejó que hablara Gina.

—No consigo que hable conmigo —le dijo Gina a la terapeuta—. Cada vez que lo intento, acabamos…

No, no podía…

—… Acabamos disfrutando del sexo.

Sí que podía.

—Pensé que si veníamos aquí … —siguió Gina—. Con usted presente, pensé que podríamos sostener una conversación de verdad, en lugar de… ya sabe.

En cuanto a lo de las pesadillas, podría haber sido peor. Podrían haberlo transportado hasta los dieciséis años, con su cuerpo de adolescente, demasiado enclenque para su edad, obligado a deambular desnudo por los pasillos del instituto mientras intentaba llegar hasta su taquilla.

Ya no había duda, tenía que despertar. Alargó el brazo para coger el bastón.

—Lo siento. No puedo hacer esto.

Se dio un empujón para levantarse del sofá, a sabiendas de que era ridículo escapar. Podría salir del despacho, era evidente, pero nunca acallaría el caos que bullía en su cabeza.

Gina también se incorporó, y le bloqueó el camino hacia la puerta.

—Max, por favor, hay tantas cosas de las que ya nunca hablamos, cosas que fingimos que nunca han ocurrido.— Gina respiró hondo—. Como Alyssa.

Dios mío. Max rió, sobre todo porque al reír se ahorraba cientos de dólares en intervenciones dentales a las que tendría que someterse por exceso de rechinar de dientes. Ni siquiera él, el maestro del rechinamiento de dientes, conseguía hacerlos rechinar mientras reía. Se giró hacia Rita.

—¿Nos puede disculpar un momento?

Pero Gina se cruzó de brazos. Era evidente que no tenía intención de salir de ahí.

—Para eso está la terapia, Max. Para hablar de cosas de las que, al parecer, no podemos hablar en otro contexto. Aquí mismo, delante de Rita.

Vale. Ahora sí prefería la situación del niño que buscaba la taquilla desnudo. O esa pesadilla recurrente que había tenido de pequeño. Tenedores gigantescos que venían del espacio exterior. Durante años había dormido de lado para poder deslizarse entre los dientes del tenedor y así evitar la muerte por empalamiento.

—¿Por qué no volvemos a este tema dentro de un rato? —sugirió Rita—. Por lo visto, se trata de un tema especialmente delicado.

—Nada de acuerdo, olvídelo —dijo Max—. Se equivoca. No es un tema delicado. —Se volvió hacia Gina—. Alyssa Locke ya no trabaja para mí. Tú lo sabes. No he hablado con ella en… —Iba a decir semanas, pero eso no era del todo cierto.

—Sé que te fue a ver al centro de rehabilitación —interrumpió Gina—. ¿No te parece un poco raro que ni siquiera me lo mencionaras?

Lo raro era hablar de todo eso delante de un público, como participantes de un horroroso *reality show* de la televisión. Y aunque Rita fuera la única, era como si en esa libreta suya anotara los tantos del partido. Al final de los cincuenta minutos, se inclinaría hacia Max con una sonrisa llena de simpatía y diría: «Aquí termina vuestro viaje. Tenéis que volver a casa».

Con las ganas que tenía de volver a casa, ya.

Al centro de rehabilitación, no. A su patético piso tampoco. Y, por supuesto, a casa de sus padres, tampoco, ni a la de la costa oeste, ni a la de la costa este.

Al final, ¿con qué se quedaba?

Gina esperaba su respuesta. ¿No le parecía un poco raro...?

—No había nada que contarte —dijo Max—. La visita de Alyssa tenía que ver con el trabajo. No quise... —dijo, y soltó un bufido—. No se puede hablar de ella. Supongo que es un buen tema si de verdad quieres convertir esto en una telenovela. —Gina hizo una mueca al oír eso, y él se calló, detestándose más de lo habitual por haber hablado—. Gina, por favor —dijo, con voz queda—. No puedo hacer esto.

—¿El qué? ¿Hablar? —respondió ella, sin intentar disimular en su mirada que consideraba que el comentario era hiriente. Gina siempre se cuidaba de no dejarle ver que la había herido. A él se le rompía el corazón.

—Nosotros sí hablamos —dijo.

—Ya sabes que recojo el correo de tu piso cada dos días. ¿Crees que no me he dado cuenta de que ese sobre tan mono de Alyssa y de no me acuerdo quién era una invitación de boda?

Otra vez Alyssa.

—Sam —puntualizó Max—. El nombre del novio de Alyssa es Sam.

Gina miró a Rita.

—En realidad, hace sólo unos meses Max le pidió a Alyssa que se casara con él. Ella trabajaba para él y él se enamoró de ella. Pero resulta que tenía esta regla de no tener relaciones de ese tipo con sus subordinados, así que se las arregló para que siguieran siendo sólo amigos... Al menos eso fue lo que me dijo Jules, sólo amigos. Hasta que un día va y le pide que se case con él. —Gina rió, pero Max sospechó que era por las mismas razones que él, algo relacionado con el cuidado de los dientes—. Y mira, algo que nunca me he atrevido a preguntarte, Max. ¿Erais *sólo amigos* con Alyssa de la misma manera que eres *sólo amigo* conmigo?

—No —dijo Max—. Alyssa y yo nunca... —Sacudió la cabeza—. Ella trabajaba para mí...

—Eso no habría sido obstáculo para algunos hombres —señaló Rita.

—Para mí lo fue —dijo él, con una voz sin inflexiones.

—De modo que para usted es importante actuar de manera honrosa —acotó Rita, y tomó debida nota, lo cual irritó aún más a Max.

Se giró hacia Gina.

—Mira, lo siento, pero todo esto es demasiado personal. Vamos a algún lugar privado donde podamos…

—¿Enrollarnos? —aventuró Gina.

Max cerró los ojos un instante.

—Hablar.

—¿Como hablamos después de que recibiste la invitación de boda de Alyssa? —preguntó ella.

Dios mío.

—¿Qué querías que te dijera? «¿Oye, mira lo que he recibido hoy en el correo?»

—Si tienes en cuenta que ni siquiera habíamos pronunciado su nombre desde que te dispararon y estuviste a punto de morir —contestó ella, indignada—, se merecía al menos un comentario, sí. Pero tú no dijiste palabra. Yo vine y te di todas las oportunidades para que hablaras conmigo, y ¿recuerdas lo que hiciste tú?

Sí, desde luego que lo recordaba. Gina desnuda en su cama no era algo que se olvidara fácilmente. Le lanzó una mirada a Rita, que era lo bastante lista como para que no hiciera falta contarlo.

Salvo que, esa noche, era Gina la que lo había seducido a él. Como solía hacer. A menudo era Gina la que tomaba la iniciativa. Aunque, en honor a la verdad, él nunca la disuadía. Sí, lo intentaba, pero nunca lo hacía de todo corazón. Y nunca lo conseguía.

Porque, si ella estaba dispuesta a entregarse con tanta libertad, ¿quién era él para rechazarla?

Además, ¿acaso no era el embustero más grande del mundo? La verdad era que se consumía por esa chica. Día y noche. Su relación era del todo equivocada por todo tipo de razones, y Max sabía que tenía que mantenerse apartado de ella, pero, joder, no podía. De modo que todo aquello que ella le ofrecía, él lo tomaba. Con ansias. Como un adicto que sabía que, tarde o temprano, se quedaría sin pan ni pedazo.

—Volvamos atrás en el tiempo —dijo la terapeuta—. Este episodio que me has comentado —dijo, mirando a Gina—. ¿Puedo volver sobre algunas de las cosas que me dijiste por teléfono?

—Por favor.

—Corregidme si me equivoco —dijo Rita—, pero os conocisteis hace cuatro años, cuando Gina iba a bordo de un avión que fue secuestrado. Esto sucedió antes del once de septiembre... El avión estaba en tierra, en... —dijo, y buscó en sus notas.

—Kasbekistán —dijo Max.

—¿Usted era el... negociador del FBI? Creí que Estados Unidos no negociaba con los terroristas.

—No negociamos —explicó él—. Pero hablamos con ellos. Intentamos convencerlos para que se rindan. En el peor de los casos, ganamos tiempo. Escuchamos sus quejas, fingimos negociar, mientras el equipo de rescate —en este caso, un comando de las Fuerzas Especiales SEAL— se preparaba para cargarse... para tomar control... del avión mediante el uso de la fuerza.

Rita asintió con la cabeza.

—Ya entiendo.

—La operación dura unos treinta segundos. —Gina aclaró para la terapeuta—. Pero está perfectamente organizada. Tienen que volar las puertas y matar a los secuestradores, intentando no herir a los pasajeros. Lleva tiempo prepararse para eso.

Rita se centró en Gina.

—Y tú estuviste en ese avión. ¿Todas esas... horas?

—Días —corrigió Max, con voz lúgubre. Volvió a sentarse. Gina necesitaba hablar de aquella experiencia, tenía que elaborar la terrible experiencia de sufrir un secuestro. A pesar de lo mucho que detestaba esa terapia, Max se habría metido palillos de bambú bajo las uñas si eso le ayudaba a cerrar el episodio—. Los terroristas que secuestraron el avión se apoderaron de una lista de pasajeros de ese vuelo donde figuraba el nombre de Karen Crawford, la hija del senador Crawford.

—Salvo que le habían robado el billete de avión —acotó Gina.

—Los secuestradores pidieron que se presentara. Pero ella no se presentó porque no estaba. Los tipos amenazaron con matar a todos los pasajeros, así que Gina se levantó y dijo que ella era Karen. —Max tuvo que hacer una pausa y carraspeó. Su impresionante valor y generosidad todavía causaban una honda admiración en él—. La llevaron hasta la cabina del piloto, lejos de los demás pasajeros.

—Siempre apuntándole con una pistola —dijo Rita, respirando con fuerza—. Y ¿completamente sola?

—No estaba sola —dijo Gina, negando con la cabeza—. Max estaba conmigo.

Maldita sea, siempre decía eso.

—Yo estaba en la terminal del aeropuerto —explicó a la terapeuta—. Tenía una radio para mantenerme en contacto con el avión. Gina actuaba como puente, porque los terroristas no querían hablar directamente conmigo. De modo que yo hablaba con ella, sabiendo que los terroristas escuchaban.

—No era sólo por eso que hablabas conmigo —dijo ella.

Era verdad. Max se había sentido atraído por ella desde el principio, y eso no era nada aconsejable.

—¿Le ha dado una lista de las heridas que sufrió mientras *yo estaba con ella* en ese avión? —le preguntó Max a la terapeuta. Las enumeró con los dedos de la mano—. La muñeca rota, las costillas rotas, un ojo morado, diversos cortes y golpes…

—Me habló de la agresión —dijo Rita—. Desde luego.

—No, nosotros no utilizamos esa palabra —dijo Max—. Preferimos la franqueza, y llamamos a las cosas por su nombre. Violación.

La palabra quedó como suspendida en el segundo de silencio que siguió, y él sintió que el nudo en la garganta luego pasaba al estómago. Ah, Dios…

—Tiene que haber sido horrible, Max —dijo Rita, con voz queda—. Ser capaz de escuchar, de ser testigo de esa violencia mientras se llevaba a cabo. Gina me ha dicho que había cámaras de vigilancia. Tiene que haber sido demoledor mirar aquello.

¿Por qué le hablaba a él?

—Para Gina fue mucho peor, ¿no le parece?

—Yo he conseguido perdonarme por lo que pasó, Max —dijo Gina—. Fuiste tú el que me dijo que no era culpa mía, que no fui yo quien lo provocó. ¿Por qué no haces lo mismo que yo?

La terapeuta ahora se volvió hacia él.

—Analicemos este punto. ¿Recuerda usted lo que sintió cuando…?

—¿Qué? ¿Me está tomando el pelo? —Desde luego que no le estaba tomando el pelo. Las terapeutas no hacían eso. De hecho, tomar el pelo figuraba en la extensa lista de prohibiciones de cualquier terapeuta que se preciara, al igual que usar cojines para simular ventosidades, poner vómitos de plástico y también, por cierto, vestir abrigos blancos después del Primero de mayo.

Pero Max acabó por entenderlo todo. No habían venido por Gina. Habían venido por él.

Como si eso ayudara en algo. Como si cavando y hurgando en su rabia y en su culpa fueran a conseguir otra cosa que hacerlo aullar de frustración y dolor.

Se sirvió de su bastón para volver a incorporarse.

—Se acabó para mí. Lo siento. No puedo…

—Entonces, ¿qué hacemos tú y yo? —preguntó Gina, con voz suave—. ¿Es verdad que nuestra relación es sólo pasajera? Sabes, no dejo de llegar a acuerdos conmigo misma. Sólo me quedaré una semana más, hasta que salgas del hospital. Sólo me quedaré hasta que te instalen en el centro de rehabilitación. Sólo me quedaré hasta que puedas caminar sin el bastón. Pero, en realidad, me estoy mintiendo a mí misma. Sigo esperando, pensando que… No lo sé… —dijo, y rió, una exhalación llena de dolor—. Quizá pienso que si seguimos haciendo el amor, una mañana te despertarás y dirás «no puedo vivir sin ti»…

Por todos los…

—Lo que no puedo hacer es darte lo que quieres —susurró Max.

—¿Aunque sólo quiera que hables conmigo? —Los ojos se le llenaron de lágrimas—. Había un tiempo en que… solías contármelo todo.

Max no podía contestar a esa pregunta. ¿Qué diablos diría? *En realidad, no, me he dejado muchas cosas en el tintero…*

El silencio los envolvía a los dos, un silencio que se hacía más y más espeso. Rita le puso fin.

—Gina, si pudieras decirle algo a Max en este momento, cualquier cosa, ¿qué le dirías?

—Deja de tratarme como si me pudiera romper en mil pedazos. Incluso cuando hacemos el amor, eres tan... *cuidadoso*. Como si te trajeras todo ese boeing setecientos cuarenta y siete y lo metieras en la cama con nosotros cada vez... ¿Nunca dejarás que... sencillamente dejarlo ir, olvidarlo?

Max no podía comenzar a ponerlo en palabras. Su rabia, su ira por lo que ella había tenido que vivir. ¿Dejarlo? ¿Olvidarlo todo? ¿Cómo podía olvidar algo que lo había tenido tan cogido de los huevos? No tenía palabras y, si lo intentaba, sólo conseguiría aullar, y nada más que aullar y aullar. En cambio, esta vez sólo carraspeó.

—No puedo hacer esto —volvió a decir.

Se dirigió hacia la puerta.

Pero Gina llegó antes que él.

—No puedo creer que haya sido tan estúpida como para pensar que esto daría algún resultado. Siento haberle hecho perder el tiempo —dijo a la terapeuta.

—Gina, espera. —Rita se había levantado de su asiento. Ahora todos estaban de pie. Qué divertido.

Pero Gina cerró la puerta a sus espaldas. Tranquilamente. Firmemente. En las narices de Max.

En fin, todo había funcionado lo mejor que cabía esperar. Max intentó agarrar el pomo de la puerta. Y todavía le esperaba un trayecto silencioso y penoso de vuelta hasta el centro de rehabilitación.

—¿Alguna vez le ha dicho cuánto la ama? —inquirió Rita.

Él consiguió ocultar su sorpresa. La respuesta a esa pregunta era: «Y ¿a usted qué le importa?» Tampoco le preguntó por qué habría de decirle eso a Gina, cuando lo que realmente quería era que ella pudiera sentirse feliz y en paz. Y nunca sería así hasta que consiguiera convertirlo a él en un recuerdo del pasado.

—Aunque, para serle sincera —añadió Rita—, es evidente que ella lo sabe, ¿no?

—A veces no basta con todo el amor del mundo —sentenció Max.

Ella contestó con una mueca.

—Ay, ay. Si ha dejado que eso se convierta en uno de sus principios, debe usted vivir en un mundo terriblemente oscuro.

Joder. Que le ahorraran ser psicoanalizado por personas que ni siquiera lo conocían.

Pero ella no se daba por vencida.

—¿De qué tiene miedo, Max?

Apoyándose con fuerza en el bastón, Max se limitó a negar con la cabeza y salió lentamente siguiendo los pasos de Gina.

CUARTEL GENERAL DEL FBI, WASHINGTON, D.C.
20 DE JUNIO DE 2005
EN LA ACTUALIDAD

Peggy Ryan estaba hablando con Max. Jules la oía, riendo por algo que había dicho el jefe, incluso cuando Max gritó «Adelante».

Los dos levantaron la mirada cuando Jules abrió la puerta del despacho y asomó la cabeza.

—Perdón, jefe.

Y con eso, sin más, Max supo que pasaba algo.

Daba un poco de miedo, pero Jules vio cómo ocurría. Max lo miró, luego miró el documento que llevaba en la mano, volvió a mirar a Jules a los ojos, intensamente. Y, de alguna manera, lo supo.

Estaba inclinado hacia atrás y apoyado en el respaldo de la silla, pero ahora se enderezó de pronto, estirando la mano para recibir la noticia que ya se esperaba, con una expresión inmutable en el rostro.

—¿Gina? —preguntó, y Jules asintió con la cabeza.

Era imposible que Max supiera que Gina estaba en Alemania y, menos aún, en cualquier lugar cercano al café del atentado con coche bomba.

Y aunque Jules admiraba a su jefe como a nadie y lo creía un hombre brillante, sumamente hábil y capaz de actos de un valor indescriptible, siempre ejerciendo su cargo de jefe en primera fila, también era un tipo con los pies en el suelo. A pesar de lo que todos creían, él *sabía* que Max no era capaz de leer el pensamiento.

Lo cual significaba que Max llevaba algún tiempo esperando algo de este cariz.

Significaba que desde el día en que se marchó Gina, él se había quedado esperando o, más bien, temiendo, una noticia como ésa.

Qué infierno de vida.

Peggy Ryan no se había dado cuenta. De hecho, seguía hablando sin parar de un caso en el que estaba trabajando, y siguió hablando cuando Jules le entregó a Max la temida lista de civiles muertos.

Jules se volvió hacia ella y la interrumpió en mitad de una frase.

—Tendrá que salir del despacho, señora.

Ella lo miró y pestañeó, impactada por la invitación. Enseguida apareció en su rostro una mueca de indignación.

—¿Perdón…?

—Ahora mismo —dijo Jules, y la cogió por el brazo para que se levantara del asiento.

—¿Qué haces? Quítame las manos de encima, especie de… bicho raro —chilló, mientras él la sacaba en andas por la puerta.

George lo esperaba afuera, junto al escritorio de Laronda, para detenerlo, con el teléfono móvil pegado a la oreja.

—Su cuerpo está en Hamburgo —le dijo a Jules.

—Gracias. Informa a Peggy.— Jules cogió la orden junto a la mujer y le cerró la puerta en sus indignadas narices.

Pero luego se preguntó si él no estaría también en el lado equivocado de la puerta. No se atrevía a darse media vuelta para enfrentarse a Max.

Max guardaba un silencio pétreo.

Habría sido preferible que se pusiera a gritar y a romper cosas. Que diera un puñetazo en la pared. Max rara vez perdía la calma, rara vez perdía el control, pero cuando eso sucedía era el equivalente de un terremoto.

—¿Puedo ayudarle en algo, señor? —inquirió Jules, que seguía mirando la puerta.

—¿Se han puesto en contacto con su familia? —preguntó Max, con una voz absolutamente normal, como si estuviera pidiendo información sobre el estado del tránsito en Capital Beltway.

—No lo sé —dijo Jules, y se volvió lentamente.

Max estaba sentado a su mesa. Solamente sentado. Jules no podía descifrar lo que pasaba por su rostro, ni percibió nada en sus ojos. Era como si Max se hubiera encerrado a solas, como si le hubiera ordenado a su corazón que dejara de latir.

—Pero lo averiguaré —siguió Jules—. También intentamos averiguar por qué Gina estaba en Hamburgo, por qué dejó Kenia, qué estaba haciendo, dónde se alojaba… Le daré esa información en cuanto la tenga. George me acaba de decir que su cuerpo está en …

Se le quebró la voz. No pudo evitarlo. Su cuerpo. El cuerpo de *Gina*. Dios mío.

—Todavía está en Hamburgo —dijo, obligándose a hablar.

—Que Laronda me consiga una plaza en el primer vuelo a Alemania —dijo Max, con la misma compostura, la misma calma. Pero entonces se dio cuenta de lo que acababa de decir y, por un instante, Jules captó una fugaz emoción que Max hizo lo posible por ocultar—. *¡Joder!* —Sin embargo, con la misma rapidez, recuperó la calma. Como una seda—. Laronda no vendrá hoy.

—Yo me encargaré, señor. —Vaya día para que caiga esa noticia. La secretaria de Max sabría exactamente qué había que hacer, qué decir… Algo así como: *Señor, ¿piensa viajar a Hamburgo para identificar el cuerpo de Gina y traerla a casa o para localizar y eliminar a la célula terrorista que cometió el atentado? Porque puede que esa segunda idea no sea la más adecuada, a menos que lo que pretenda sea tirar su carrera por la borda.*

Jules carraspeó.

—Aunque quizá no debería viajar solo…

—Comunícame con Walter Frisk —ordenó Max—. Y encuentra el número de teléfono de los padres de Gina. Laronda lo tiene en algún directorio de su ordenador.

Jules todavía vacilaba, y no había quitado la mano del pomo de la puerta.

—Por Dios, Max, siento tanto esta pérdida. —Volvió a quebrársele la voz—. Nuestra pérdida. Una pérdida para todo el mundo.

Max levantó la mirada. Daba escalofríos que a uno lo miraran con esos ojos tan despiadados y carentes de alma.

—Quiero la reserva de ese billete en mi mesa dentro de dos minutos.

—Sí, señor. —Jules cerró la puerta a sus espaldas y se puso manos a la obra.

Capítulo 2

—¿Dónde los pondremos? —preguntó Gina.

—¿En las tiendas? —preguntó Molly, mientras metía la primera bacinilla en el recipiente de agua hirviendo.

—Mol, no me estás escuchando. —Gina hizo lo mismo con la bacinilla siguiente, cuidando de no quemarse los dedos al sacarla—. No hay tiendas. Las tiendas no llegarán hasta después de que venga ese autocar lleno de voluntarios.

Molly hizo una pausa y se apartó el mechón de pelo cobrizo de la cara sudorosa con la parte no enguantada del brazo.

—¿Vendrá un autocar lleno de voluntarios? ¡Magnífico!

—La mayoría sólo viene por unos días. Sólamente se quedarán dos —explicó Gina. Por enésima vez. Adoraba a Molly Anderson, pero cuando su compañera de tienda tenía la cabeza en otra cosa, resultaba difícil captar su atención.

Y, en este caso, Molly estaba concentrada en cuatro chicas de trece años que habían traído al hospital de campaña con infecciones horribles y potencialmente mortales.

La hermana Maria-Margarit le había advertido, con su marcado acento alemán, que ya podrían considerarse afortunadas si conseguían que una de las cuatro sobreviviera más allá de la noche siguiente.

—Será por encima de mi cadáver —había murmurado Molly. Y se aplicó de inmediato a la tarea de esterilizar todos los objetos con que podrían tener contacto sus últimas pacientes.

—¿A qué hora llega el autocar? —le preguntó a Gina.

—En un par de horas —respondió ésta, y añadió un sonoro «¡mierda!» al quemarse los dedos.

—¡Jolín! —exclamó Molly, lanzándole a Gina una mirada que decía «Monja robot a las diecisiete horas».

En el campamento había dos tipos de monjas: las monjas humanas que reían y cantaban y acogían cálidamente a todos los campesinos y voluntarios que veían la vida como un vaso medio lleno; y las monjas que Molly apodaba «robots», que cuidaban de una congregación en la que sólo veían pecadores. Cualquier cosa que no llegara a la perfección bastaba para hacerles fruncir el ceño. Esas monjas robots, le había dicho Molly a Gina, podían toparse con el problema de que el vaso estaba demasiado lleno. Al fin y al cabo, podría derramarse, ¿que no lo ves?

La hermana de turno frunció el ceño al verlas.

La causa más probable eran los tres millones de grados de temperatura que había en esa cocina, porque Gina y Molly habían tenido la osadía de arremangarse las blusas.

—Creo que sería una buena idea disponer las cosas para que los dos voluntarios que se queden se sientan a gusto —dijo Gina, mientras ayudaba a Molly a levantar el recipiente y vaciarlo en el fregadero. El ritmo de llegada de voluntarios a ese lugar dejaba bastante que desear. Y ya que las condiciones del campamento eran más primitivas de lo habitual—... No queremos que la hermana Grace y Leslie Pollard cambien de parecer y se vayan en el próximo autocar.

—La hermana podrá alojarse con las demás monjas —dijo Molly, y se dirigió hacia la tienda de campaña del hospital. Cogió una máscara esterilizada del montón que había junto a la puerta.

Gina la imitó y se cogió el pelo para pasar el elástico por debajo de su coleta. Pero no había coleta. Sólo encontró unos mechones muy cortos. A Max no iba a gustarle nada el corte cuando la viera.

Nunca se lo había dicho, pero ella sabía que le encantaba su pelo largo.

Aunque tampoco importaba lo que le gustara a Max. Aquel hombre ya estaba fuera de su vida. Si hasta ahora no había aparecido por ahí buscándola, más de un año después de que Gina se marchara de Washington, D.C., había que aceptar la realidad. Ya no vendría.

Y ella no sería, no podía ser, como Molly, que seguía esperando y esperando, que no paraba de esperar que su supuesto amigo Jones volviera a aparecer de la nada. Molly juraba y rejuraba que ya no dedicaba su tiempo a pensar en ese tipo, pero Gina sabía la verdad.

Ocurría casi siempre al atardecer, cuando habían acabado su jornada. Molly fingía que se ponía a leer, pero tenía esa mirada de añoranza, y...

Habían pasado casi tres años desde que Molly viera por última vez a ese cabrón. En todo ese tiempo, él ni siquiera le había escrito una postal.

Desde luego, ella no era nadie para opinar. Las postales de Max tampoco superaban la cifra de cero en la carpeta rotulada «Materiales por reponer».

Aún así, pasarse tres años suspirando por alguien era absurdo. Diablos, con un año bastaba, y ya hacía meses que Gina había tenido que soportar esa fecha especialmente negra. Había llegado decididamente el momento de dejar de esperar algo que nunca llegaría. Se había acabado el tiempo de seguir languideciendo en el país de «qué pasaría si...» y seguir adelante.

Quizás uno de los hombres que esa tarde llegarían en el autocar sería su príncipe azul. Quizá conocería a Gina, se enamoraría perdidamente de ella y se haría voluntario para trabajar en el campamento el resto del tiempo que le quedara a ella.

No era del todo imposible. A veces es verdad que ocurren milagros.

Ahora bien, si en el autocar lleno de voluntarios sólo venían personas mayores o monjes o, lo más probable, monjes mayores, quizás había llegado la hora de reconsiderar aquella propuesta de

Paul Kibathi Jimmo, que no hablaba del todo en broma cuando le había dicho al padre Ben que estaba dispuesto a pagar una dote de cuatro cabras preñadas para obtener la mano de Gina.

Paul era un joven sumamente atractivo, bien educado y sumamente generoso que había estudiado en la Universidad de Purdue, en Indiana, gracias a una beca. Se había visto obligado a volver a Kenia a mediados de su tercer año al morir su hermano mayor, probablemente de sida, aunque no hablaran de ello. A Paul lo necesitaban para hacerse cargo de la granja familiar.

La granja, por cierto, estaba situada a unos ciento cincuenta kilómetros en plena selva. Gina no podía estar absolutamente segura, pero estaba dispuesta a jugarse su cuenta bancaria, además de la casa de sus padres en Long Island, que en la cocina de Paul no había microondas.

Y, muy posiblemente, tampoco había techo.

No era su tipo de hombre, por no mencionar el hecho de que Paul ya estaba casado con una mujer de Kenia que se llamaba Ruth.

—Ésa, como se llame, se puede quedar en nuestra tienda —dijo Molly, mirando a Gina, mientras le tomaba el pulso a Winnie y levantaba la sábana para echar una mirada al vendaje de la herida de la chica, que estaba terriblemente inflamada.

Gina aguzó la vista y miró, rogando que... No, no sangraba, gracias a Dios. Desde luego, aquello no significaba gran cosa, puesto que Gina había ayudado a la hermana Maura a cambiar el vendaje hacía sólo una hora. Aún así, en esos parajes, hasta la más pequeña bendición se contaba y se agradecía con fervor.

—¿Cómo se llama? —le preguntó Molly a Gina.

—Leslie Pollard —dijo Gina—. Es inglesa. Seguro que tiene ochenta años y espera que le sirvamos el té en cuanto llegue. —Todo lo contrario de un saco de dormir en el suelo húmedo de la tienda.— Aunque encontráramos otra tienda, nunca cabríamos en...

—Podemos hacer turnos para dormir —dijo Molly, que pasó a ver a Narari, mientras Gina ayudaba a la pequeña Patrice a beber un sorbo de agua, a pesar de sus labios partidos y secos—. Tú y yo. De todos modos, una de las dos pasará la noche con las chicas. Aunque... ¿Estamos seguras de que Leslie no es un hombre?

Qué ideas. Sin embargo, Leslie era uno de esos nombres que podían ser femenino o masculino.

—El mensaje de AAI se refería a una tal Ms. Leslie Pollard —informó Gina—. Así que, a menos que se hayan equivocado…

—Lo cual no es del todo imposible —señaló Molly. Alivió a Narari poniéndole la mano sobre la frente sudorosa—. Shh, cariño, shh. No te muevas. Ahora estás entre amigos.

Pero Narari sufría. Su herida también había vuelto a abrirse. Y había mucha sangre.

—¡Enfermera! —llamó Molly, y la hermana vino a toda prisa.

Le tuvieron que inyectar una buena dosis de morfina para que la chica se calmara.

Gina tuvo que salir un momento, mientras Molly ayudaba a la hermana Maria-Margarit a poner un nuevo vendaje.

El aire del exterior no era menos caliente y denso. Aún así, estar fuera del hospital daba una ilusión de alivio.

Gina se sentó en un banco junto a la puerta, puesto ahí seguramente para que se sentaran las personas que tenían problemas en las rodillas.

Su madre, una enfermera de traumatología, habría sonreído de verla ahí sentada. Pero también la abrazaría, y le diría lo de siempre: «La sala de urgencias no es para todos».

¿Qué estaba haciendo ahí? Gina se lo preguntaba cada día.

No pasaron más de unos minutos antes de que la puerta de rejilla volviera a abrirse con un crujido y Molly saliera.

—¿Te encuentras bien?

—Comparado con Narari… —Gina rió mientras se secaba los ojos. Ni siquiera se había dado cuenta de que estaba llorando—. Sí —dijo, y sacudió la cabeza—. No. —Ahora miró a Molly—. ¿Qué tipo de padres le harían eso a su propia hija?

—El año pasado, en esta época llegaron nueve —dijo Molly, con voz queda—. Desde luego, no estaban tan mal, no como estas chicas. El cuchillo que habrán usado este año estaría infecto. —Le refregó el pelo a Gina—. ¿Por qué no arreglas la tienda? Hazme un favor, ¿quieres? Pon mis chicos del calendario del Departamento de Policía de Nueva York en mi baúl, ¿vale? No creo que lady Leslie aprecie a mister Febrero tanto como tú o yo.

Gina rió. Molly siempre la hacía reír.

—Cuando sea mayor, quiero ser como tú.

—Ah, y ya que estás, ¿puedes sacar de mi baúl lo que queda del Earl Grey? Quizá si le hacemos una gran fiesta de bienvenida, ésta se quede más de un mes.

—¿Estás segura de que no necesitas un descanso? —preguntó Gina—, porque yo podría…

—Yo estoy bien. De todos modos, a ti se te da mejor lo de la limpieza —mintió Molly. Abrió la puerta de rejilla y volvió a entrar—. Y podrías hornear unas galletas de chocolate para nuestra invitada, ya que estás.

Gina rió. Solían quedarse sin chocolate a las cuarenta y ocho horas de recibir un paquete de casa. Todavía le quedaban unas cuantas galletas de higo Fig Newton.

—Ni lo sueñes —dijo, cuando se iba.

—Cada noche sueño con ellas —dijo Molly—. Nunca falla.

Pero Gina sabía que eso no era verdad. A veces Molly hablaba en sueños, pero no del chocolate.

A menos que hubiera una marca de chocolate *Jones* que se vendiera en Iowa, el estado donde Molly había nacido.

Gina había empezado a rezar hacía poco por las noches. *Oh, Dios, no dejes que siga soñando con Max durante años y años.*

Cuando acababa de dejar Washington, D.C., pensaba en Max casi todo el tiempo. Ahora sólo pensaba en él unas… tres o cuatro veces.

Por hora.

A ese ritmo, lo habría olvidado más o menos a los noventa años.

Claro que quizá todo eso podría cambiar en cuestión de pocas horas. Quizá su príncipe azul sí venía en ese autocar. Ella lo miraría una vez y se enamoraría perdidamente.

Y al cabo de dos meses tendría que hacer un esfuerzo para acordarse del apellido de Max.

No era probable, pero tampoco era del todo imposible. Una de las cosas que Gina había aprendido a lo largo de su vida era que los milagros a veces ocurren.

Aún así, no pensaba quedarse sentada esperando ser la protagonista de algún milagro. No, se iría de allí y saldría en busca de uno si hacía falta.

Tenía toda la intención de ser feliz y de darle un sentido a su vida, maldita sea, aunque se le fuera la vida en el intento.

HOSPITAL DE SARASOTA, SARASOTA, FLORIDA
1 DE AGOSTO DE 2003
VEINTIDÓS MESES ANTES

Max había pensado en la posibilidad de morirse.

Seguramente le habría dolido mucho menos.

El problema era que cada vez que abría un ojo, aunque fuera sólo un poco, ahí estaba Gina mirándolo, sumamente preocupada.

Era muy posible que, durante la eternidad del insoportable dolor que lo embotaba desde que lo habían traído del quirófano, Gina no se hubiera alejado de su lado más que un par de instantes.

A menos que todo fuera un sueño y ella no estuviera ahí.

Pero cuando no tenía fuerzas ni para abrir los ojos, oía su voz. Hablándole a él.

—Quédate conmigo, Max. No me dejes. Te necesito para luchar…

A veces no hablaba. A veces lloraba. En silencio, para que él no la oyera.

Pero él siempre la oía. El sonido de su llanto penetraba en su embotamiento más fácilmente que cualquier otra cosa.

Quizá no era un sueño. Quizás era el infierno.

Salvo que algunas veces la sentía tomándole la mano; sentía la suavidad de sus labios, sus mejillas contra sus dedos. En el infierno no existía ese tipo de placeres.

Pero él no tenía voz para decírselo, y sólo podía seguir respirando para que su corazón siguiera latiendo.

Y, en lugar de morir, Max vivió. Aunque aquello lo obligara a tener que dar una nueva definición del dolor. Porque el dolor que había sentido antes de que le dispararan en el pecho no podía compararse con aquel suplicio.

Sin embargo, era un suplicio que no dolía tanto como oír a Gina llorar.

Y, una noche, se despertó.

Se despertó de verdad. Con los ojos totalmente abiertos. Podía hablar.

—Gina. —Su voz se oyó demasiado bien ya que no había tenido intención de despertarla.

Pero eso fue lo que pasó. Ella estaba durmiendo, con sus largas piernas encogidas, enroscada en una silla junto a su cama. Ahora se incorporó en su asiento, se echó el pelo hacia atrás y buscó el botón para llamar a la enfermera.

—¡Max!

Él sabía que siempre recordaría ese momento, aunque viviera quinientos años. Aquella mirada de Gina. Como si se iluminara por dentro y, no obstante, con lágrimas en los ojos.

Vio la felicidad en su rostro, una mezcla de amor, esperanza y felicidad pura. Le dio un susto de muerte.

¿Cómo era posible que alguien se pusiera tan contenta?

Y, sin embargo, él era en parte responsable de esa felicidad… solamente por haber pronunciado su nombre.

—Ay, Dios mío —dijo Gina—. Ay, ¡Dios mío! No te vuelvas a dormir. No te…

—Sed —había dicho él. Pero ella ya estaba en la puerta.

—¡Diana! ¡Diana, está despierto! —Gina lloraba de lo feliz que se había puesto.

Desde luego, era mejor que oírla llorar cuando estaba triste, como había llorado en su coche… ¿Cuándo? Vaya, ¿había sido anoche? Gina estaba muy enfadada, y él cometió el error de entrar con ella en su habitación de motel. Para hablar. Sólo para hablar. Pero sucedió que después de que paró de llorar, Gina lo besó, y él la besó a ella, y…

Madre mía.

¿Qué había hecho?

Max se había dormido después de hacer el amor. Era la primera vez en años que dormía a gusto toda la noche. Eso lo recordaba.

Pero seguía ahí cuando se despertó, en la cama de Gina. En el único lugar donde había jurado que nunca acabaría. Eso también lo recordaba con toda claridad.

Aún así, le entraron ganas de quedarse ahí. Para siempre.

Así que por eso había escapado. Lo más rápido que le era humanamente posible. Y, al escapar, ella se sintió muy dolida.

Un momento.

Puede que estuviera mareado y viera el mundo a través de una nebulosa considerable, además del dolor, que nunca acababa, pero en esa habitación de hospital había tazas de café y latas de refrescos. Un par de arreglos florales un poco marchitos ocupaban las escasas superficies libres. Junto con un montón de libros y revistas. Eso sin contar que Gina conocía a las enfermeras por su nombre de pila…

Mareado o no, con su dilatada experiencia y su extensa formación como agente del FBI, Max no tardó en darse cuenta de que llevaba más de uno o dos días tendido en esa cama.

—¿Cuánto tiempo…? —le preguntó a Gina, que se había acercado a apartarle el pelo de la cara. Max sintió sus dedos frescos en su frente.

Ella entendió la pregunta.

—Semanas —dijo—. Lo siento, no puedo darte a beber nada hasta que venga la enfermera.

—¿Semanas? —No podía ser.

—Estabas bastante bien cuando saliste del quirófano —explicó Gina, entrelazando los dedos de las manos—. Pero al cabo de unos días, te subió mucho la fiebre y… Dios mío, Max, te pusiste muy mal. En realidad, los médicos me hablaban con ese tono de «prepárese-para-lo-peor».

Semanas. Gina llevaba varias semanas a su lado.

—Creí que te ibas… —consiguió decir Max— …a Kenia.

—Llamé a AAI y he vuelto a aplazar el viaje.

Aplazar no era tan bueno como cancelar. La idea de que Gina se marchara a Kenia lo desesperaba. Aunque, en realidad, lo desesperaba pensar que ella pudiera marcharse a cualquier lugar más peligroso que Islandia, un país donde los habitantes no cierran las puertas de sus casas por la noche.

—¿Hasta cuándo?

—Indefinidamente. —Gina le besó la mano y la apretó contra su mejilla—. No te preocupes. Me quedaré todo el tiempo que me necesites.

—Te necesito —dijo Max, antes de que pudiera remediarlo. Eran las dos palabras más sinceras que jamás le había dicho; quizá se le habían escapado debido a las drogas, o al dolor o la noticia de que —una vez más— había burlado a la muerte, y eso lo hacía más humano. O quizá fuera la mirada de felicidad de Gina la que surtía en él ese efecto hipnótico, como un suero de la verdad.

Pero la suerte estaba de su parte porque la enfermera escogió ese preciso momento para entrar en la habitación. Y la mujer, que era un torbellino de energía, ahogó sus palabras con una andanada de alegres felicitaciones. Gina se había girado para saludarla, pero ahora se volvió.

—Perdón, Max, ¿qué has dicho?

Quizá por un momento se había vuelto demasiado humano, o quizás estuviera mareado por las drogas y el dolor, pero no había llegado a esa posición en su carrera ni en su vida, cometiendo dos veces el mismo error.

—Necesito agua —dijo y, con la venia de la enfermera, Gina le ayudó a tomar un trago de agua fresca.

KENIA, ÁFRICA
18 DE FEBRERO DE 2005
CUATRO MESES ANTES

Al final, había un pasajero en el grupo que bajó del autocar que no estaba nada mal.

Tenía el pelo rubio, un simpático acento alemán, y unas rodillas bellísimas, pero al acercarse a él, Gina entendió que era el jefe de las visitas provisionales, voluntarios que sólo se quedarían unos cuantos días.

Eso quería decir que se trataba del padre Dieter.

Lo cual significaba que las posibilidades de que se enamorara de ella a primera vista eran cercanas, muy cercanas a cero.

Otra noticia interesante era que el autocar era un autocar de verdad, no una de esas furgonetas Volkswagen destartaladas de nueve pasajeros, que iban de aldea en aldea y de bache en bache levantando el polvo de los caminos.

En el grupo del padre Dieter había veinticuatro voluntarios, diez más de los que figuraban en la lista que tenía Gina. Eran veinticuatro individuos sin tiendas ni equipaje, y todos curas y célibes. Genial.

La mayoría de aquellos voluntarios sufrían una versión local de la venganza de Monctezuma, y estaban enfermos como perros.

El padre Ben y la hermana Maria-Margarit iban de un lado a otro organizando a los trabajadores para... ¡mierda!... cavar más letrinas y, a la vez, haciendo una especie de selección para que los huéspedes más enfermos pudieran estar a la sombra.

No querían acogerlos en el interior del hospital hasta saber con certeza qué había provocado la enfermedad, en caso de que fuera contagiosa.

Si lo era, que Dios se apiadara de ellos.

Sólo AAI podía convertir la llegada de un grupo de voluntarios en más trabajo para el equipo permanente.

Gina divisó a Paul Jimmo en medio del caos. Habría viajado de escolta en el autocar, y todavía llevaba un arma de aspecto mortífero colgando del hombro mientras ayudaba a la hermana Helen a acomodar la tienda del comedor como lugar de alojamiento provisional.

Paul la saludó de lejos y le sonrió (unos dientes blanquísimos en su rostro demasiado hermoso), intentando que se acercara. Pero en ese momento Gina tenía que encontrar a Su Majestad Leslie Pollard y asegurarse de que no volvería corriendo a Nairobi a coger el próximo vuelo de vuelta a Heathrow.

Pero, aparte de la monja recién llegada, la hermana Gracie, no había señales de que hubiera otra mujer entre la multitud de recién llegados.

Gina se acercó al padre Dieter, que le parecía de ese tipo de hombres que lo saben todo.

—Perdón —dijo.

Y ese santo varón, que no era tan guapo de cerca, por culpa de una grave insolación, le respondió vomitándole toda la comida a sus pies.

—Ay, Dios mío, *ése* es el pequeño problema —dijo una voz con un fuerte acento inglés a sus espaldas.

Pero Gina no pudo volverse para ver quién le hablaba porque el sacerdote se desplomó lentamente, enroscándose, como si fuera a besar el suelo polvoriento. Estaba demasiado enfermo para sentirse avergonzado, lo cual estaba bien. Sería mucho mejor que quedara inconsciente en lugar de intentar disculparse o limpiar el desastre del vómito.

La hermana Maria-Margarit vino a toda prisa a hacerse cargo del sacerdote, gracias a Dios, y Gina quedó pendiente de la tarea de lavarse los pies con el agua de la manguera.

Qué asqueroso.

—Me temo que el padre Dieter no compartió el estofado de cabrito que han declarado culpable del envenenamiento —siguió esa voz de aspirante al Master Theater de la BBC. Por cierto, era una voz que no tenía nada de femenina.

Gina se giró y vio reflejada su expresión de consternación en un par de gafas oscuras.

—Por favor, dígame que usted no es Leslie Pollard —dijo. Pero, la verdad es que era Leslie Pollard. Ella tenía vómito entre los dedos de los pies. Aquel día todavía podían pasarle cosas peores.

Él suspiró.

—Las autoridades han vuelto a poner mi nombre con una «miss» por delante, ¿no es así?

—No —dijo ella—. Venía con un «miz».

—Ah. Y ¿eso mejora… las cosas en algo? —inquirió él, e hizo girar los lentes oscuros hacia arriba. Era el tipo de lentes que se añaden a las gafas normales. El hombre pestañeó. Tenía unos ojos de color marrón, nada especial, y la cara embadurnada con una gruesa capa de loción solar, que en algunas partes era literalmente blanca. Era evidente que se trataba de un voluntario de clase B.

—Soy de Estados Unidos —dijo Gina, y le tendió la mano para saludarlo—. Y sí, es mejor. Pero en este caso, sólo marginalmente.

Gina Vitagliano. Soy de Nueva York. —Normalmente era lo único que decía.

Leslie Pollard le tendió una mano blanda como un pescado muerto... aaagh. Era decididamente un clase B.

Eso saltaba a la vista por la espantosa camisa a cuadros que colgaba de su británica percha. Sí, ese tipo había salido rara vez de su piso en Londres con otra cosa que no fuera una chaqueta y pantalones de tweed y con manchas de té de la semana pasada en la corbata.

Era más alto que ella. Tampoco nadie se daría cuenta de ese detalle puesto que, siguiendo la gran tradición de la clase B, el tipo iba encorvado. Bajo su sombrero de tela flexible, su pelo cano era lacio y estaba sucio. Resultaba difícil saber si aquello era el resultado del largo viaje en autocar o bien una mala decisión en cuestión de higiene personal, producto del mal que suele aquejar a los individuos de clase B, a saber, una depresión severa.

Gina se inclinaba por la segunda explicación.

Los de clase B solían aparecer por ahí después de haber sufrido alguna terrible tragedia personal. Al igual que los voluntarios de las clases A, C y D, pretendían que sus vidas arrancaran hacia algo, querían encontrar un sentido a la existencia, «marcar una diferencia». Pero, a diferencia de los otros, los de clase B jamás habían estado en un campamento en toda su vida. Tenían buenas intenciones, sí, claro, pero, Dios mío, estaban mal equipados y nada preparados para una vida como ésa, sin ningún tipo de lujo.

Al cabo de una semana, solían preguntar por la lavadora automática más próxima. A veces las monjas —las más humanas— incluso montaban porras. Ganaba el bote la hermana que decía la fecha más próxima al día en que renunciaría el individuo de la clase B.

Sí, éste de aquí no se quedaría mucho tiempo.

Lo bueno era que, a pesar del pelo canoso, aquel tipo todavía era joven. Durante las dos o tres semanas que estaría por ahí, conseguiría hacer cosas. Por ejemplo, podría ayudar al Padre Ben a cavar el pozo nuevo.

Y mientras ella observaba, Leslie Pollard se echó al hombro su bolsa de lona y recogió un bastón que había dejado en el suelo. Genial. Era igual al bastón que utilizaba Max mientras estaba en el centro de rehabilitación.

Estupendo. Un voluntario de clase B que no sólo no podía caminar sin bastón sino que cada vez que ella lo viera, le recordaría precisamente al hombre que intentaba olvidar.

Gina se obligó a sonreír.

—Vale, bienvenido. ¿Me disculpas un momento mientras voy a buscar un poco de agua para, ya sabes, quitarme el vómito?

Él sonrió con una expresión vaga, distraído por la actividad en el campamento. A pesar de todo, Gina agradecía los pequeños milagros. No solían abundar los de clase B con sentido del humor, y una sonrisa vaga era mejor que nada.

—En realidad —dijo él—, si me pudiera señalar dónde está mi tienda…

—Eeh, sí —dijo Gina—. A propósito de ese detalle, estamos esperando que lleguen las provisiones y, hasta entonces, pues, me temo que tendrás que dormir en un espacio compartido.

Él asintió, casi sin escuchar, mientras miraba a su alrededor.

—Ningún problema. Créame, después de ese viaje en autocar, podría dormir en cualquier sitio.

Gina lo creería sólo cuando lo viera con sus propios ojos. Aún así, volvió a sonreírle.

—Bien. Porque he arreglado un espacio para tus cosas en la tienda que comparto con mi amiga, Molly Anderson…

—¿Perdón?

Y con ese comentario logró captar toda la atención de Leslie Pollard. Su mirada se volvió de pronto tan aguda que a Gina le pareció alarmante. Dio un paso atrás, preguntándose si acaso lo había juzgado del todo mal y después de todo el tipo pertenecía a la clase A en lugar de a la B.

Pero luego el tipo pestañeó varias veces muy rápidamente, casi como en una mala imitación de Hugh Grant, cuando dijo:

—Perdón. ¿Me ha arreglado un espacio a mí en su tienda? No, eso no. Me temo que de eso, nada. ¿No hay unas normas en AAI a propósito de eso? ¿De mezclar, cohabitar? ¿Siempre le abre así la tienda a desconocidos… a hombres desconocidos?

Hablaba en serio. Al parecer, Leslie Pollard era más recatado que la hermana doble M.

—Si me hubieras dejado terminar la frase —dijo Gina—, me habrías oído decir que en los próximos días mi compañera y yo pasaremos la mayor parte del tiempo en el hospital. Aún sin la invasión de los enfermos de ahora, tenemos unas cuantas pacientes, unas chicas, que necesitan cuidados las veinticuatro horas del día. Por la noche tendrás la tienda para ti solo. Y si tienes que sacar algo de tu bolsa durante el día, sólo te pedimos que avises antes de entrar. He vaciado un baúl para ti, y tiene una llave. No es muy grande, pero asegúrate de dejar ahí cualquier cosa de valor y echarle llave. La hermana Leah es una cleptómana de mucho cuidado.

Leslie la miró y volvió a pestañear.

—Eso era una broma —dijo Gina—. Al parecer, se había equivocado con lo del sentido del humor.— Ni siquiera hay una hermana Leah y... No importa. La tercera tienda a la izquierda. Es una que tiene una lata de té sobre la mesa, con un cartel que dice, «Bienvenido señor Pollard. Por favor, siéntase como en casa».

Y, tras esa explicación, Gina se escabulló a buscar un poco de agua.

Leslie Pollard se quedó parado con su equipaje justo en el interior de la tienda.

En la mesa estaba la lata de té —un Earl Grey— que (¿cómo se llamaba la chica?)... Gina le había mencionado. Estaba junto a una tetera, una lata de combustible Sterno y un *tupper*, a todas luces muy cotizado, de galletas de higo Fig Newton.

El cartel que le había descrito también estaba ahí: «Bienvenida a nuestro hogar, Ms. Pollard».

En lo que se refería a hogares, aquella era una de las tiendas más roñosas que había visto en toda su vida. La lona había sido reparada tantas veces que tenía más parches que tela original. En cuanto al armazón, le recordaba a una mula mal cargada. Vieja y fea, y seguramente nada estable bajo una tormenta, pero capaz de cumplir su función durante un día normal.

Como si hubiera días normales en ese campamento, aquel lugar santo, madriguera de benefactores venidos en una misión para salvar a esta región desastrada en un mundo que lo era todo menos irredimible.

Sin embargo, de una cosa no había duda. En esta parte de África había más curas y monjas por kilómetro cuadrado de lo que había visto en cualquier otro de sus viajes. Si alguien necesitaba ser salvado, se encontraba en el lugar más indicado.

Y, sin embargo, Gina, la del pelo castaño y cuerpo despampanante, de verdad creía que a nadie le... ¿qué? ¿Importaría? ¿O quizá no se darían cuenta de que de pronto los voluntarios tenían invitados del sexo opuesto?

Según las normas y reglamentos de AAI, recogidos en el manual que le habían entregado en la oficina de Nairobi, los hombres y mujeres no casados no podían «confraternizar por parejas». Esto incluía cualquier excursión fuera del campamento. A los trabajadores voluntarios se les estimulaba para que viajaran y socializaran en grupo, y tres era el número mágico.

El manual decía que el objetivo de aquellas normas era brindar protección a los trabajadores voluntarios y ser un ejemplo visible del gran respeto que observaba AAI por las diversas costumbres y culturas de Kenia.

Así que... ¿compartir una tienda en un campamento de AAI con dos mujeres muy atractivas?

No le parecía muy realista.

Se dirigió, presa de una absoluta incredulidad, a hablar con la monja nazi de expresión severa. Pensó que así iría directo a la autoridad para saber dónde se alojaría efectivamente esa noche.

Pero, al parecer, en el campamento había una política de «consentimiento con el recién llegado», y la hermana Brunhilda también se mostró de acuerdo con que su alojamiento provisional en esa tienda, mientras las dos mujeres dormían en el hospital (¿dónde, en el suelo?), era la mejor solución para el problema del hacinamiento. También le hizo saber que todo ocurriría bajo su mirada vigilante. Y él supo enseguida que la hermana Brunhilda era de las que duermen con un ojo abierto.

Cuando se tomaba la molestia de dormir.

De modo que ahí estaba ahora.

Dejó su bastón y su bolsa en la cama más cerca de la puerta, la que tenía un baúl encadenado al marco metálico.

Las dos mujeres habían colgado unos dibujos de colores vivos en las paredes interiores de la tienda, que en algunas partes se habían desprendido, lo que le daba al ambiente un aire exótico en lugar de patético. Sobre las camas había unos edredones bellamente teñidos, una mesa y sillas artesanales muy acogedoras, estanterías hechas con cajones viejos llenas a rebosar.

Toda superficie disponible estaba cubierta de velas y tallas y todo tipo de chucherías y fotos y dibujos y estampitas coleccionables, cada uno con su historia, y eso convertía esa tienda dejada de la mano de Dios en lo más parecido a una casa que cualquier lugar donde él se hubiera alojado desde que tenía memoria.

También había otro cartel en la mesa: «Sólo beber agua embotellada», con seis signos de exclamación a los lados y subrayado tres veces.

Aquello le recordó al sacerdote que vomitaba. Salir ahí fuera y ofrecer su ayuda le haría ganar puntos para la salvación.

También desaparecería su tentación de hurgar en papeles ajenos, cartas, diarios. Se había jurado que no caería en eso.

O, al menos, que no lo pillarían haciéndolo.

Y habría menos posibilidades de que entrara alguien y lo viera hurgando sin permiso cuando todos en el campamento estuvieran durmiendo.

Además, parecía que todo lo que tenía algún interés se guardaba en uno de los baúles más grandes.

Los baúles tenían unas cerraduras que cualquier principiante de ladrón podría hacer saltar en un abrir y cerrar de ojos.

Abrió con gesto rápido su bolsa, puso toda su ropa en un baúl vacío y lo cerró.

Guardaría sus objetos verdaderamente valiosos en otro sitio. Tampoco tenía tantos. Metió sus latas de spray «Silver Fox», irremplazables en esa tierra de Nunca Jamás, entre el techo de la tienda y el falso techo de telas. Las colgó del palo de la tienda, de modo que no se podrían ver desde fuera ni por dentro. Se guardó su pasaporte en el bolsillo, junto con el dinero que le quedaba.

Salió y ya había dado varios pasos hacia la tienda del comedor cuando de pronto se acordó, y volvió rápidamente al interior. Madre mía. Era un error imperdonable, estúpido. ¿Qué diablos le pasaba, después de haber llegado tan lejos?

Pero nadie lo había visto. Gracias a Dios.

Con el corazón todavía latiéndole con fuerza, recogió el bastón y, apoyándose con fuerza en él, salió por la puerta cojeando.

Capítulo **3**

AEROPUERTO INTERNACIONAL DULLES
20 DE JUNIO DE 2005
EN LA ACTUALIDAD

Jules conducía a Max al aeropuerto.

La emisora NPR transmitía un animado diálogo sobre las alternativas a los combustibles fósiles, y eso, más el ruido rítmico de los limpiaparabrisas sobre el vidrio despejando la lluvia del comienzo de la tarde, les permitía no hablar más de lo necesario.

Pero ahora Max carraspeó.

—¿Llamaste al hotel en Hamburgo?

Jules bajó el volumen de la radio.

—Donde Gina se...

—Sí.

—... se alojaba. Sí. No han tocado la habitación —informó Jules—. Siempre y cuando estés dispuesto a pagar por las noches posteriores a...

—Eso dije que haría.

—Sí, señor. Están avisados. El gerente del hotel me dijo que pondrán un cartel de no molestar en la puerta —dijo Jules—. La habitación estará tal como ella la dejó.

Max asintió con un lacónico gesto de la cabeza.

—Bien —dijo, y volvió a subir la radio.

Jules se sintió obligado a volver a bajarla.

—Su habitación no es la escena del crimen —le recordó amablemente a su jefe—. Gina no estaba…

—Lo sé —dijo Max, interrumpiéndolo, pero Jules se quedó pensando.

—Fue una cuestión de azar —le recordó a Max—. La muerte de Gina. No tiene nada que ver contigo. No te puedes culpar de que ella estuviera en el lugar equivocado en el momento equivocado.

Max se inclinó y volvió a subir el volumen de la radio.

—Limítate a conducir —ordenó.

Así que Jules siguió conduciendo mientras Teri Grove entrevistaba a Willie Nelson (vaya elección) a propósito de combustibles fabricados con aceite vegetal.

Volvió a mirar a Max.

Su bolso de viaje no era mucho más grande que un maletín de gran tamaño. Jules se lo tomó como una buena señal, la señal de que su jefe tenía realmente la intención de llegar a Hamburgo, identificar a Gina, recoger sus cosas en el hotel y regresar a casa con el cuerpo (Dios santo) en el próximo vuelo.

Victor, el hermano de Gina, se reuniría con ellos en el aeropuerto de Nueva York. Jules quedó en llamarlo para darle los datos sobre el vuelo de vuelta. Jules ya había hablado varias veces por teléfono con Victor durante el día, para comunicarle a la familia Vitagliano que Max volvería con el cuerpo de Gina.

Esta vez, la forma de hablar habitualmente áspera y vulgar del neoyorquino típico, había sido conmovedora en su gratitud y elocuente por su sencillez. Vic le había dicho a Jules que gracias a la generosidad de Max él y sus hermanos podrían consolar a los padres durante esos días de duelo.

Se merecían que les devolvieran el cuerpo de Gina lo antes posible.

Jules volvió a mirar a Max de reojo. Desde luego, si Max pensaba dedicarse seriamente a cazar terroristas, no habría traído un equipaje tan ligero.

Aún así, Jules no se habría atrevido a adivinar qué había, concretamente, en la maleta de Max. Era demasiado pequeña para un bazuca o una escopeta de cañones recortados. Aunque un arma semiautomática desmontada no plantearía el menor problema. Junto con un pequeño arsenal de pistolas.

Sería interesante ver si el todopoderoso Max Bhagat se vería obligado a pasar su equipaje por la máquina de rayos X cuando fuera a embarcar o si lo dejarían pasar sin más.

La lluvia se hizo más ligera, pero el atasco empeoró al entrar en el circuito del aeropuerto. Jules siguió las señales para entrar en la zona de aparcamiento, hasta que, finalmente, habló Max.

—Déjame en la terminal de salida.

Había llegado el momento de la verdad.

Durante la mayor parte del trayecto, Jules se había concentrado en atender al programa sobre el combustible fabricado con semillas de soja para no obsesionarse con cómo se lo diría a Max cuando llegara el momento.

—No te enfades —empezó diciendo y luego entornó los ojos. *¿No te enfades?* Desde luego que Max se enfadaría. Su jefe estaba que explotaba de rabia. Claro está, la tenía bien guardada en su interior, pero Jules sabía que estaba ahí. Porque él también la percibía.

Había una razón que explicaba todas esas películas en las que un agente del FBI se lanzaba a una sanguinaria caza del hombre después de que uno de sus seres queridos moría asesinado. Las cualidades que hacían de Max y de Jules dignos candidatos para una larga carrera en el FBI eran las mismas que les impedían quedarse sentados y dejar que otro equipo diera con los terroristas culpables de la muerte de Gina.

Jules carraspeó y volvió a empezar.

—Jefe, sé que esto no te va a gustar...

Al pasar junto a la rampa de acceso de la terminal de salida, Max miró con un dejo de añoranza no disimulada.

—No necesito una canguro —dijo.

—No, jefe —convino Jules—. No lo necesitas. Pero sí necesitas a un amigo.

Max respondió con un sonoro bufido.

—Tú y yo no somos amigos, Cassidy.

Jules se detuvo ante la barrera automática del aparcamiento y estiró el brazo por la ventanilla para recoger la tarjeta, mientras Max seguía.

—Y si de verdad crees que quiero tu compañía...

—Creo que amas a Gina —dijo Jules, con voz queda—. Y creo que nadie más en el mundo podrá jamás medirse con ella.

Max no había acabado. Le lanzó a Jules una terrible mirada de desprecio.

—Ya veo que estás desesperado por ese ascenso.

Ay.

—Sabes que sí —dijo Jules, cuando se alzó la barrera y el coche entró. Se inclinó Jules hacia delante para mirar por el vidrio aún mojado en busca de la señal que indicaba las plazas de aparcamiento para varios días. Ahí estaban. Recto hacia delante. No les quitó la vista de encima, porque era bien sabido que esa cara de Max daba tanto miedo que los subordinados se cagaban en los pantalones. En el bolso que Jules llevaba en el maletero del coche sólo había camisas limpias y un pantalón vaquero perfectamente enrollado.

Sentía la mirada de Max, dura como la piedra, cuando pasaron junto a una señal que decía «Plazas agotadas», y siguió por una rampa hacia el nivel superior.

—Aunque creo que el maltrato y los gritos a Peggy Ryan ya habrán cumplido su cometido —le dijo Jules a su jefe—. Se habrá cagado de la impresión, ¿no crees? Yo ya estoy metido en esto. Hasta el fondo. Esto de pagar de mi propio bolsillo por un billete de última hora a Hamburgo... no es más que un seguro. Porque supuse, ya sabes, que probablemente no querrías favores sexuales.

Max volvió a soltar esa media carcajada suya, pero Jules no sabía si aquello era de buen o mal agüero.

—Debería despedirte.

—Podrías —convino Jules—. Pero ya sabes, es probable que Peggy también se vaya, sólo porque le caigo tan bien. Y sigo con la intención de acompañarte a Hamburgo, me despidas o no, así que ¿de qué te sirve?

Jules encontró la que bien podría ser la última plaza libre en todo el aparcamiento. Estaba en el sitio más alejado del pasillo mecánico que conducía a la terminal. Aún así, al aparcar rezó una oración secreta al patrón de los aparcamientos, y también a su ilustre hermano, el héroe que había inventado las maletas con ruedas.

Max había vuelto a callar. Pero llegado ese momento, lo intentó una última vez, justo cuando Jules retiraba la llave del contacto.

—Tú y yo no somos amigos.

Jules se preparó y miró a Max. Eran unos ojos diabólicos.

—Puede que no pienses en mí como un amigo —dijo—, pero yo pienso en ti como si lo fueras. Siempre me has tratado con amabilidad y respeto, y tengo la intención de devolverte el favor, te guste o no. No fingiré saber lo que debes estar sintiendo en este momento, pero Gina también era amiga mía, y sé muy bien cómo me duele a mí. Así que, adelante, cariño. Desquítate conmigo. Puedes ser todo lo desagradable que quieras. O ni siquiera tienes que hablarme, no me lo tomaré personalmente. Me limitaré a viajar sentado a tu lado. Me ocuparé de todos los trámites. Me ocuparé de los detalles de dónde tenemos que ir y qué tenemos que hacer, de modo que no tengas que hacerlo tú. Y, te guste o no, entraré en ese depósito de cadáveres contigo. Porque nadie tendría nunca que hacer algo así solo, sobre todo si lo acompaña un amigo que lo estima.

Max no dijo palabra durante mucho rato. Se quedó parado, intentando incinerar a Jules con la mirada.

—Debería matarte sin más y meterte en el maletero —dijo, cuando por fin habló.

Joder. Jules tuvo que reprimirse para no reaccionar. Se limitó a asentir con la cabeza, e incluso consiguió encogerse de hombros, como si no le importara.

—Bueno, creo que sin duda podrías intentarlo…

Max no hacía más que mirarlo con los ojos llenos de veneno. Pero luego sacudió la cabeza. Bajó del coche y comenzó a caminar hacia la terminal, sin molestarse a esperarlo.

Jules cogió su impermeable y su maleta y lo siguió.

—No sigas —dijo Max, y cerró los ojos para que Gina dejara de tomar fotos con su nueva cámara digital, registrando para la posteridad su invalidez, vestido con pijama y bien arropado en su cama del Centro Sheffield de Rehabilitación, a las cuatro de la tarde, a punto de hacer la siesta.

—¿Cómo ha ido? —inquirió ella.

—Bien —mintió él. En realidad, la sesión le había dolido. Mucho. También estaba decepcionado al verse tan débil, lo poco que tardaba en cansarse. Cómo había quedado exhausto.

Gina se acercó a la mesa empotrada en la pared junto a su cama y dejó la cámara. Se había comprado el maldito chisme para su viaje a Kenia. Max confiaba en que el hecho de sacarla de su caja y aprender a usarla no significara que había vuelto a aplazar su vuelo.

A Kenia. Dios mío.

Él había intentado estimularla para que se entregara a la emoción y a las aventuras de la facultad de derecho. Max tenía contactos en la Universidad de Nueva York. A Gina la aceptarían si llevaba una recomendación de Max, y lo harían al instante.

—Kevin me ha dicho que sufrías mucho pero que no te dabas por vencido —dijo Gina, mientras le movía las piernas para sentarse en la cama—. Estaba muy impresionado.

Kevin era uno de esos fisioterapeutas sobones que celebraba con gritos de animadora con pompones el acontecimiento más insignificante. La anciana señora Klinger, que se recuperaba de un infarto, había levantado el dedo índice de la mano derecha hasta ¡un centímetro! ¡Bravo! ¡Ra, ra, ra! Ajay Moseley sostuvo un lápiz y le escribió una carta a su madre por primera vez ¡desde el accidente de coche! ¡Braavo! Olvidarse de que el pobre chico no volvería a caminar. Olvidarse de que su frágil cuerpo había quedado tan dañado que necesitaba un nuevo riñon, y que sólo se mantenía vivo gracias a la diálisis.

—Si ya le has preguntado a Kevin cómo ha ido, ¿por qué te tomas el trabajo de preguntármelo a mí?

—Porque me encanta cuando haces tu numerito de «macho estoico» —dijo ella, inclinándose hacia él, con la boca peligrosamente cerca y la mano quemándole el muslo—. Me pone muy cachonda.

Era una broma. Se suponía que tenía gracia. Una broma. Él lo sabía, pero la boca se le secó de todas maneras.

Max se dio cuenta de que la miraba a los ojos, muy cerca.

Y se dio cuenta de que la deseaba. Se moría de ganas. Sí, el doctor Yao tenía razón. Era evidente que empezaba a sentirse el mismo de siempre.

Tuvo que echar mano de hasta el último gramo de autocontrol para no lanzarse encima de Gina. Hasta el último gramo.

Lo bueno era que ella estaba tan nerviosa como él al constatar que los envolvía esa energía sexual repentina, casi palpable.

Gina se giró. Se levantó y se acercó a la ventana.

Nerviosa y vulnerable.

No se habían besado ni una sola vez desde la noche en que él cayó, víctima del disparo; esa noche que habían... habían...

Se equivocaba. Gina lo había besado varias veces, en el hospital, en Florida, y después de que lo trasladaran a Washington. Pero eran besos de «hasta luego». Nada parecido a cómo lo había besado esa noche.

Tampoco tenían demasiadas oportunidades para besarse como querían con él enganchado a todos esos tubos y máquinas. No con tanta gente entrando y saliendo del hospital, día y noche.

Ahora, mientras miraba, apoyó la cabeza contra la ventana. Su habitación, de una sola cama, era pequeña, pero la vista del paisaje rural era agradable. Más agradable que ese callejón deprimente y lleno de escombros que veía desde la ventana de su piso en Washington, D.C.

—Ha llamado mi hermano, Victor. Así, de repente. —Gina miró a Max por encima del hombro—. Llega en un vuelo esta noche. Nunca ha estado en Washington, se perdió el viaje de final de curso cuando estaba en séptimo. Tenía anginas.

—No te olvides de llevarlo al Monumento a los caídos en la Segunda Guerra —dijo Max, feliz por el cambio de tema. Creía que Gina se lanzaría en dirección opuesta, es decir, que se enfrentaría a él. Y le preguntaría *¿Has querido besarme hace un momento? Porque he tenido una sensación muy fuerte de que querías besarme.*

Y entonces, ¿él qué diría? *Cariño, no pasa ni un momento del día en que no piense en besarte...* Sí, eso funcionaría bien.

—Está en la lista —dijo Gina, y por fin se giró para encararlo, sentada en el alféizar de la ventana, con la falda agitada por el chorro del aire acondicionado. Tuvo que sujetársela—. Tenemos todo el día programado para ver cosas. El muro de Vietnam, el Museo del Holocausto, la guerra de Corea, el Monumento a Lincoln... —decía, enumerando los sitios con los dedos—. Aunque creo que, en realidad, viene a ver cómo estoy. Creo que toda mi familia está un poco asustada. Ya sabes, porque estoy viviendo en el piso de Jules.

Max imaginó lo asustados que estarían si él hubiera optado por una terapia externa, si hubiera vuelto a su piso en lugar de venir a vivir aquí. De haber elegido esa alternativa, Gina habría venido con él para ocuparse de que tuviera todo lo que necesitaba. Y, diez minutos después de que se hubieran quedado solos, se habrían metido a la cama. Y diez minutos después, ella habría vaciado su maleta y estaría colgando su ropa en el armario de Max.

Porque la verdad era que Max sólo tenía voluntad para mantenerse alejado de ella por muy poco tiempo. Si Gina se hubiera propuesto convertir aquello de «los machos estoicos me ponen cachonda» en algo más que una broma, habría sido su final. Su resistencia ante ella era nula. Rogaba por que ella jamás se diera cuenta. Si se diera cuenta...

Aunque, bueno. Aquel lugar no era tan público como el hospital, pero todavía venía gente llamando a su puerta en cualquier momento del día. Ella no pensaba meterse en la cama con él. De ninguna manera.

Era la segunda razón por la que había escogido la terapia de rehabilitación para pacientes internos.

Así que, en lugar de mudarse a lo de Max, Gina se había ido a vivir al piso de Jules Cassidy. El bloque de pisos del joven agente no quedaba lejos del centro de rehabilitación. Además, Max nunca habría permitido que Gina se quedara sola en el piso de él. Su barrio no era seguro. No para una mujer joven que viviera sola.

A Max le habían entrado a robar dos veces en los últimos diez meses.

Tampoco tenía objetos dignos de ser robados.

—No creo que de verdad piensen que Jules sea gay —siguió Gina, ahora, volviendo a su lado—. O quizá piensen que soy tan irresistible que quizá lo vuelva hetero. —Entornó los ojos y rió—. Vic no es precisamente el señor Políticamente Correcto, y creo que ni siquiera conoce a nadie que sea gay. Jules y yo hemos hecho una apuesta. Le doy a Vic unas doce horas, como máximo, para que se saque alguna excusa de la manga para volver corriendo a casa. Jules cree que se quedará más tiempo. —Se detuvo a los pies de la cama—. La enfermera me ha dicho que sólo te dieron un masaje, pero no pareces muy relajado.

Ay, qué guapa era. Había una canción de Van Morrison, «Brown-Eyed Girl». Max la escuchaba interiormente cada vez que Gina le sonreía como le estaba sonriendo ahora.

—¿Sabes lo que necesitas? —preguntó. Max se preparó porque sabía que las palabras que saldrían de su boca podían ser algo de lo más inesperado.

—Necesito muchas cosas —dijo, con una voz sin inflexiones—. Paz en el mundo. Una sociedad no violenta. El fin del fanatismo religioso…

—Un final feliz. Deberías haberlo pedido —interrumpió Gina, con una mirada maliciosa y la sonrisa a flor de piel.

Durante una fracción de segundo, él no entendió. Y luego sí lo entendió. Y se echó a reír.

—Sí, no creo que eso figure en el menú de los masajes. Además, el masajista, un tipo grande, ¿sabes?, se llama Pete, y no es mi tipo.

—Yo soy tu tipo —dijo ella, y él dejó de reír.

Diablos.

Y, sí. En su vida, Max había tenido sus saludables fantasías sexuales, empezando por cuando tenía unos diez años y vio a Ann-Margret por primera vez, cuando pasaron *Viva Las Vegas* en la Película del Millón de Dólares del canal once. Entonces, como ahora, en su fantasía había una joven de formas esculturales e increíblemente guapa que llamaba a la puerta y… (Rellenar el espacio en blanco. Un despacho, unos lavabos, una sala de reuniones, un dormitorio…) se acercaba con una sonrisa de cómplice, se quitaba todo lo puesto hasta quedar sólo con esa ropa interior tan sexy.

—Oye —dijo Max, cuando la falda de Gina cayó al suelo, aunque no daba la impresión de que tuviera muchas ganas de insistir en que no siguiera—. Esto no es…

—Shh —avisó ella, llevándose un dedo a los labios—. No hables.

Al parecer, Gina seguía siendo cliente de Victoria's Secret. Hoy llevaba un sujetador negro sumamente atractivo y unas braguitas minúsculas… un tanga. Sí. Oh, Dios. El sol de final de la tarde que se filtraba por la ventana hizo brillar el *piercing* que llevaba en el ombligo y la iluminó en toda su desnudez.

Su piel era tan bella. Max sabía perfectamente cómo sería de suave al contacto de sus manos, su boca…

—Gina —dijo, pero la palabra sonó como un suspiro.

Ella sonrió al meterse en la cama a su lado, esta vez de rodillas, y volvió a inclinarse hacia él. Pero esta vez no paró.

Esta vez, lo besó.

Primero en la boca, mientras manipulaba los mandos de la cama para dejarlo en una posición más horizontal, mientras ella, toda su piel, se deslizaba entre sus dedos.

—Gina —intentó nuevamente, pero ella lo silenció con otro beso profundo y de una dulzura desgarradora.

Mientras seguía besándolo, echó hacia atrás la ropa de cama, le aflojó el pantalón del pijama y… Lo besó una vez más.

Oh, sí.

Era el momento de decirle (ahora que tenía la boca libre) que parara, que volviera a ponerse la ropa. Ellos eran sólo amigos.

Recordaba que habían tenido esa discusión, de no más de dos frases, cuando estaba en el hospital. Él había dicho: «No quiero darte ideas falsas. Lo que sucedió entre nosotros esa noche…» y ella lo había cortado en seco diciendo: «He venido como amiga».

Pero su «amiga» ahora estaba…

Oh, Dios.

—Gina —alcanzó a decir una vez más, pero no consiguió encontrar el aliento necesario para decirle que la amaba, que de verdad la amaba, pero que ése no era el tipo de relación que él quería con ella.

Mentiroso. En realidad, Max quería que Gina viviera debajo de su mesa de trabajo, y así poder hacer precisamente lo que hacía ahora, unas seis o siete veces al día y... Dioos...

La ropa interior de Gina quedó en el suelo con el resto de las prendas. Le había puesto un condón sacado de quién sabe dónde, y ahora se montó sobre él a horcajadas, la mujer más bella, vibrante, magnífica, valiente, inteligente, divertida y excitante que jamás había conocido, desnuda y con la respiración temblorosa de placer porque él estaba dentro de ella.

Era un estímulo increíble.

Gina se movía lentamente sobre él, con los ojos cerrados, el rostro girado hacia arriba y el pelo derramándose sobre sus hombros, y Max sintió que el esfuerzo de retenerse empezaba a hacerlo sudar, mientras la miraba, la memorizaba, guardando una imagen indeleble de ese momento, y de esa mujer, en su cerebro. Esta mujer que le hacía sentir una lujuria sin límites, con todas las células de su organismo, con cada aliento que aspiraba...

Con la boca semiabierta, los labios suaves y humedecidos. Su cuello, largo, tan elegante y grácil. Sus pestañas oscuras en contraste con sus mejillas suaves. Sus pechos, tan llenos, con su cuerpo henchido de deseo, suave, satinado, acogiéndolo a él. Y suya.

Toda suya.

Se corrió con una excitación que lo cogió por sorpresa, desgarrándolo por dentro con una intensidad y una fuerza que lo hizo gritar cosas sin sentido.

Sí.

¿Sí?

¿Sí, qué? Sí, se estaba corriendo. Sí, era una sensación increíble, tan placentera.

Sin ningún género de broma.

También la sintió a ella corriéndose, y abrió los ojos intentando enfocar mientras el corazón se le quería salir por la boca. Quería mirarla, quería sacarle el mayor partido posible a ese estúpido error que acababa de cometer.

Era un error en el que no podía volver a caer.

Cuando ella acabó, no se dejó caer encima de él, todavía muy atenta a las heridas de su pecho, a la delicada lesión de la clavícula. Se quedó a horcajadas sobre él con los brazos recogidos sobre el pecho y apretándolo con los muslos, con los ojos todavía cerrados y el rostro todavía girado hacia arriba, mientras intentaba recuperar el aliento.

Con la luz del sol que se colaba por la ventana a sus espaldas, Gina parecía una sacerdotisa pagana celebrando una ofrenda.

Y luego abrió los ojos y lo miró, frunciendo levemente el ceño.

—¿Estará todavía abierta esa exposición del Museo del Espionaje? Estoy segura de que a Vic le encantaría verla.

¿Qué?

—No, creo que ya la han cerrado —se contestó a sí misma—. Era una exposición itinerante, ¿no?

—Yo no… eh… recuerdo —dijo Max, sacudiendo la cabeza. Una parte de él era puro desconcierto ante el hecho de que siguieran hablando de la visita del hermano, como si nada, como si no acabaran de haber consumado una relación sexual y él no estuviera todavía dentro de ella. La otra parte, la que siempre esperaba con la ilusión de ver qué haría o diría Gina, ya empezaba a excitarse de nuevo.

Las mujeres desnudas provocaban esa reacción en él, y Gina era una mujer mayúscula en su desnudez.

Le costaba creer lo bella que era.

—No te importa si uso tu portátil para mirarlo en el Google? —preguntó.

Siempre y cuando no te vistas. Max tuvo que apretar los dientes para tragarse esas palabras. Aquella bromita convertiría esa locura de error en el comienzo de una relación auténtica.

De final feliz, nada. Gina no pretendía poner punto final a nada.

Y Max abrió la boca para decirle a Gina que no podía hacer eso, que todavía no estaba preparado, que quizá nunca estaría preparado para lo que ella quería, cuando alguien llamó a la puerta.

—Vengo a tomarle la presión. —El pomo de la puerta giró, bloqueado, como si la enfermera tuviera intención de entrar sin más. Pero estaba cerrado. La enfermera volvió a llamar.

—Mierda —dijo Gina, en un respiro, y rió mientras desmontaba a Max. Recogió el condón que acababan de usar y se encontró frente al rostro de Max. Lo miró a los ojos un instante. Pero luego cogió toda su ropa y se escabulló corriendo al lavabo.

—¿Señor Bhagat? —La enfermera volvió a llamar a la puerta. Esta vez, más enérgicamente—. ¿Se encuentra bien?

Joder, ya lo creo que sí.

—Adelante —dijo Max, mientras tiraba de la manta y pulsaba el botón para volver a poner la cama en posición de sentado. El mismo mando tenía una tecla para llamar a la enfermera y otra para desbloquear el cierre de la puerta.

—Está cerrado —dijo la enfermera, tal como él esperaba.

—Lo siento —dijo él, limpiándose la cara con el borde de la sábana. ¿Suda mucho cuando está solo en la cama, señor Bhagat?—. Me habré quedado… A ver, veamos cómo… —Tardó un segundo en alisarse el pelo, ponerse la chaqueta del pijama y luego, rogando que la enfermera tuviera un resfriado y no pudiera oler la esencia de sexo que flotaba en el ambiente, le dio a la tecla para desbloquear la puerta.

—Por favor, no cierre la puerta durante el día —lo riñó la mujer al entrar en la habitación. Se acercó a su cama. Era Debra Forsythe, una mujer más o menos de su edad, que Max había conocido de paso al ingresar en el centro. En aquella ocasión, ella se marchaba para solucionar una especie de crisis con sus hijos en casa, y ahora tampoco parecía muy contenta—. Y tampoco la cierre por la noche —añadió—, hasta que lleve aquí unos cuantos días.

—Lo siento —dijo Max, con una sonrisa de disculpa que no se le borró de la cara mientras la mujer lo miraba con ojos dudosos.

Ella no dijo palabra, sólo le puso el brazalete para tomar la presión en el brazo y lo hinchó un poco más de la cuenta —ay— en el momento en que Gina apareció en la habitación.

—¿He oído a alguien en la puerta? —preguntó, con voz animada—. Ah, hola. Te llamas Debbie, ¿no?

—Debra —corrigió la mujer. Le lanzó una mirada a Gina y luego a Max. Tenía el reproche pintado en la raya de sus labios apretados. Pero luego se concentró en la válvula y le puso el estetoscopio en el brazo.

Gina entró en la habitación, cruzó por detrás de la enfermera e hizo una mueca mirando a Max como diciendo... «¿?»

Max le respondió con su propia mirada de interrogación, y ella lo sorprendió. Se levantó la falda y le regaló una visión rápida pero completa. Eso quería decir que... Oh, no. Joder.

La enfermera se volvió para mirar con rabia a Gina, que se incorporó del suelo donde estaba buscando algo.

¿Por qué le pasaba a él eso de las bragas que desaparecían?

Gina sonrió dulcemente y dijo.

—Debería tener muy bien la presión. Está muy relajado... le acaban de dar un masaje.

—¿Sabe una cosa? No pensé que fuera un paciente problemático cuando ingresó ayer —le dijo Debra a Max, mientras anotaba sus datos en un cuadro.

Gina volvió a buscar en el suelo y, una vez más, se enderezó con expresión inocente cuando la enfermera se giró hacia ella.

—Creo que está buscando esto —dijo Debra, inclinándose hacia delante y...

Las bragas de Gina colgaban del extremo de su bolígrafo. Estaban en el suelo, justo ante los pies bien calzados de la enfermera.

—Aay —dijo Gina. Max sabía que sentía vergüenza, pero sólo porque la conocía tan bien. Gina forzó una sonrisa con una mirada aún más simpática e intentó dar una explicación.

—Era sólo que... Él llevaba tanto tiempo en el hospital, y...

—Y los hombres tienen unas urgencias... —siguió Debra, con tono de hastío, inconmovible—, créame, ya he escuchado todas las versiones.

—No, en realidad —dijo Gina, que no renunciaba a la posibilidad de convertir aquello en un episodio divertido para todos—, soy yo la que tiene las urgencias.

Sin embargo, era evidente que aquella enfermera no había reído desde 1985.

—Entonces quizá deberías jugar con alguien de tu propia edad. Acaba de llegar un jugador de hockey profesional. Está en el ala este, segunda planta. —Luego bajó la voz con gesto de conspiración—. Tiene mucho dinero. Es justo tu tipo, estoy segura.

—*¿Perdón?* —Gina no iba a dejar pasar ese comentario. Puede que no llevara puestas las bragas, pero ella era de Long Island, y de pronto su actitud cambió, como si se envolviera con la capa de una superheroína. Incluso adoptó la posición de combate, con las manos en las caderas.

—Las visitas por la noche están prohibidas. Sin excepciones.

—¿Cómo se atreve usted a juzgarme? —Gina se interpuso entre la enfermera y la puerta—. ¿Sin conocerme en lo más mínimo?

Debra frunció el ceño.

—Y bien, te he visto las bragas, querida.

—Exactamente —dijo Gina—. Ha visto mis bragas, pero no mi perfil psicológico, ni mi currículum, ni mis notas en la universidad, ni...

—Si crees por un segundo —replicó la enfermera—, que esta situación tiene algo de remotamente singular...

—Ya, basta —dijo Max.

Gina, desde luego, lo ignoró.

—No es que lo piense, es que lo sé —dijo—. Es único porque yo soy única, porque Max es único, porque...

Debra acabó por echarse a reír.

—Ay, cariño, eres tan... *joven.* Te daré un consejo, cosa que no acostumbro a hacer con chicas como tú: si encuentro unas bragas en el suelo, no tardaré mucho en encontrar otro par de bragas en el suelo. Y, lamento mucho decírtelo, cariño, pero la chica que salga del baño la próxima vez... pues, no serás tú.

—Para empezar —respondió Gina—, no soy una chica, sino una mujer. Y, segundo, *abuela*... ¿quieres apostar a que no seré yo?

—He dicho que basta —repitió Max, y las dos se giraron para mirarlo. Ya era hora. Max estaba acostumbrado a que una sala entera quedara en posición de firme con sólo carraspear—. Señora Forsythe, me ha tomado la presión, tiene la información que necesitaba, tenga usted unos buenos días, señora. Gina,... —Quería decirle que se pusiera las bragas, pero no se atrevió—. Siéntate —ordenó, señalando la silla junto a la mesa—. Por favor —añadió, cuando la señora Maligna hizo una mueca al salir.

—No me puedo quedar. El vuelo de Vic llega justo a las once. Si no me voy ahora, llegaré tarde. —Se acercó a besarlo, en toda la boca—. Humm —dijo, y volvió a besarlo, esta vez más largo, demorándose, ahora que volvían a estar solos. Le acarició el pelo—. Gracias por una tarde preciosa.

Sí, a propósito…

—Tenemos que… —empezó a decir Max.

Pero ella cogió la cámara y saludó al salir por la puerta.

Y él se quedó con…

Sí, ella se las había dejado en las manos durante ese último beso.

Sus bragas.

Desde luego.

Su intención era evidente. Quería que pasara las próximas horas pensando en ella paseando por la terminal del aeropuerto de Baltimore-Washington sin las bragas.

Vale.

Ya podía olvidarse de la siesta.

Capítulo 4

Cuarenta y ocho penosas horas después de que Narari exhalara su último suspiro, Molly supo que las otras tres chicas sobrevivirían.

Al menos por ahora. Las mujeres que sufrían ese tipo de cortes solían tener infecciones recurrentes. Infecciones graves. Los partos serían complicados, cuando no abiertamente peligrosos. Y si se casaban con hombres (prácticamente vendidas por sus padres) que eran seropositivos, también tenían un riesgo mucho mayor de contraer la infección.

¿Un riesgo? Para la mayoría, era casi una garantía.

Molly se metió en la ducha cuando vino la familia de Narari a buscar el cuerpo, porque la hermana Maria-Margarit le tenía prohibido hablar con ellos. Se quedó ahí más tiempo del que debería, dejando que el agua le golpeara en la cara mientras lloraba, intentando con sus lágrimas liberar la rabia que sentía contra los padres de Narari, contra la monja, contra sí misma.

Por no tomarse el tiempo para conocer mejor a esas chicas. Por no haber intuido que corrían peligro y decirles que escaparan.

Por no protegerlas.

Pasó un rato largo antes de que Molly cerrara el grifo. Exhausta, sin moverse de su sitio, dejó que éste goteara, aunque sabiendo que tarde o temprano tendría que salir de ahí.

El problema era que en ese momento no había un lugar donde quisiera estar.

Gina dormía en su tienda. Tener una compañera tenía sus cosas buenas y sus cosas malas.

Pero, al menos no tenía dos compañeros de tienda. Ella y Gina volvieron a reclamar su espacio esa misma mañana a su huésped inglés, en cuanto el autocar lleno de curas emprendió el regreso a Nairobi.

Molly lamentaba no haberlos conocido mejor. Tener una conversación con alguien de afuera habría sido una experiencia agradable. Pero algunos curas todavía estaban bastante enfermos y el equipo del hospital no podía seguir ocupándose de ellos.

Gina le había contado lo del incidente del vómito a sus pies, lo cual hizo a Molly pensar en Dave Jones aunque, en realidad, aquel no fuera su verdadero nombre.

Ahora se refería a él sólo por el nombre de Jones, aunque se llamara Grady Morant, porque ya había demasiadas malas personas que querían ver a Morant muerto. Y aunque Molly dudaba que esa gente se tomara la molestia de viajar desde las selvas del Sudeste asiático hasta los paisajes desolados de esa región de Kenia, sabía que el brazo ejecutor del mal llegaba muy lejos.

Por eso, se esforzaba en recordar que sólo debía llamarlo Jones, en los raros momentos en que se permitía pensar en él.

Como pensaba ahora.

Y, teniendo en cuenta que uno de los primeros encuentros que había tenido con Jones acabó con éste vomitando en sus zapatillas deportivas, tenía una buena razón para pensar en él en ese momento.

A diferencia del episodio de Gina con el padre Dieter, Molly no iba calzada cuando se produjo lo del vómito, y eso se agradecía. Ella y Jones se encontraban en una tienda, en un campamento muy parecido a ése, con la salvedad de que estaba situado al otro lado del mundo, en una pequeña isla selvática de Indonesia.

El expatriado y empresario estadounidense (un eufemismo para referirse al contrabandista del mercado negro) se había puesto enfermo, y Molly cuidó de él como buena samaritana. Con la misma bondad que habría demostrado si no le hubiera parecido tan atractivo.

Ese episodio, producto de una gripe, marcó el comienzo de lo que luego se convertiría en una tórrida relación amorosa. Y, como suele suceder con las tórridas relaciones amorosas, ésta había acabado mal.

Aún así, Molly buscó a Jones por todas partes. Creía que algún día se daría la vuelta y ahí estaría él.

Durante un tiempo, albergó la ilusión de que él daría con su paradero, que no podría prescindir de ella. Jones la había amado. Y, donde quiera que estuviese, seguía amándola. Molly lo creía de todo corazón.

Sin embargo, habían pasado tres largos años y Molly ya no lo esperaba ni lo buscaba.

Sólo se obsesionaba de verdad pensando en él en aquellos momentos en que una buena obsesión romántica podía servir para olvidarse de los pesares de cada día.

Como el problema de ver morir a una adolescente de trece años por culpa de la ignorancia misógina.

Molly acabó de peinarse y guardó sus objetos de aseo en su taquilla. Colgó su toalla en el tendedero y se quedó ahí, dudando de si necesitaba más comer o dormir.

Ganó el hambre, y se dirigió a la tienda del comedor.

A esa hora de la tarde, estaba vacío. Ni siquiera se veía por ahí a la hermana Helen, la monja que se había adueñado de la cocina, una mujer muy amable pero demasiado habladora. Y soledad era lo que Molly necesitaba. Era una suerte que, a pesar de que a menudo chocaba con la hermana Maria-Margarit, ésta le hubiera pedido a la hermana Helen que la dejara a solas.

Cogió una bandeja del montón y se sirvió un vaso de té, y luego se sirvió un poco de pan y un plato de verduras con un aroma exquisito que la hermana Helen guardaba caliente para el personal del hospital.

Compensaba con creces la grave carencia de chocolate.

Se giró para llevar su bandeja a una mesa y…

El inglés, Leslie no-sé-cuántos, estaba apoyado en su bastón justo por el lado interior de la puerta. Qué curioso, no lo había oído al abrirla. Casi como si, de pronto, se hubiera materializado de la nada.

Desde su llegada al campamento, Molly sólo lo había visto desde lejos. Era la primera vez que se encontraban los dos a solas.

Y el hombre era exactamente como lo había descrito Gina, un tipo terriblemente delgado y desgarbado. Era, en realidad, tal como Gina decía, el ejemplo perfecto del niño con un corte de pelo fatal, y llevaba suficiente crema solar en la cara para protegerse, que poco importaría que decidiera alzar el vuelo y realizar una órbita muy cerrada alrededor del sol. Sus gafas de montura de hace veinte años y su silencio un poco torpe acababan de definir el aspecto de aquel profesor de antropología salido del pasado.

Molly no estaba lo bastante cerca para saber si el ingrato huésped de Gina tenía mal aliento, pero no le habría sorprendido descubrir que sí. Lo menos que se podía decir era que el tipo sufría a todas luces de cierto abandono emocional.

—Eres Leslie, ¿no? —dijo, con una sonrisa, porque no era culpa suya entrar en el comedor justo cuando ella tenía un rato a solas, ni ser un inglés a la caza permanente de una taza de té—. Soy Molly Anderson.

Él ni se movió, y algo en su manera de coger el bastón hizo que Molly se fijara en sus manos. Eran grandes y no tan pálidas como habría esperado. Tenía los dedos largos y fuertes y apretaba el bastón con tanta fuerza que los nudillos estaban casi blancos.

Tenía las manos…

Madre de Dios. Lo miró fijamente a los ojos, ocultos detrás de esas gafas, y…

Él se lanzó hacia ella, pero era demasiado tarde. Ella dejó caer al suelo de madera la bandeja que llevaba. El estrépito de los utensilios métalicos habría bastado para despertar a los muertos.

Él lanzó una imprecación sonora. Esa voz, todavía familiar, que escuchaba de aquel… desconocido, era la voz de David Jones.

—¿Tienes idea de lo increíblemente difícil que ha sido encontrarme a solas contigo?

¿Acaso había comenzado a tener alucinaciones?

Pero él se quitó las gafas, y ella le vio los ojos con más nitidez, y...

—Eres tú —dijo, y se le humedecieron los ojos—. Eres tú, de verdad. —Se le acercó pero él dio un paso atrás.

Las hermanas Helen y Grace cruzaban el patio a toda prisa hacia el comedor, atraídas por el estruendo, y ahora intentaban ver a través de la rejilla qué sucedía en el interior.

—Nadie debe saber que me conoces —dijo rápidamente Jones, en voz baja y ronca—. No se lo puedes decir a nadie, ni siquiera a tu amigo cura durante la confesión. ¿Me has entendido?

—¿Corres peligro? —preguntó ella. Dios mío, qué delgado estaba. Y ¿el bastón era necesario o era sólo un apoyo—. Ponte recto, por favor, para que pueda...

—No. No podemos... —balbuceó él, y volvió a dar un paso atrás—. Si dices una palabra, Molly, te lo juro, desapareceré y no volveré. A menos que... no me quieras aquí... Y no te culpo si no...

—¡No! —alcanzó a decir ella, antes de que la hermana Helen abriera la puerta y viera el desbarajuste en el suelo y luego la expresión de asombro de Molly.

—Ay, Dios.

—Temo que ha sido culpa mía —dijo Jones con su acento británico, con una voz muy diferente a la suya, mientras Helen se acercaba a Molly—. Es culpa mía. Le he tenido que comunicar malas noticias a la señorita Molly. No sabía que sería tan grave.

Molly empezó a llorar. Era algo más que una manera adecuada de ocultar su risa ante ese acento. Eran lágrimas de verdad las que lloraba y no podía parar. Helen la llevó hasta una de las mesas y le ayudó a sentarse.

—Ay, Dios mío —dijo la monja. Se arrodilló frente a ella con la consternación pintada en la cara y le cogió una mano—. ¿Qué ha pasado?

—Tenemos un amigo en común —contestó Jones en lugar de Molly—. Bill Bolten. Al saber que yo venía a Kenia, me pidió que si llegaba a conocer a la señorita Anderson, le comunicara que un amigo de los dos ha... fallecido recientemente. Ahora la noticia es oficial. Un tipo llamado Grady Morant, que se hacía pasar por un tal Jones.

—Ay, Dios mío —repitió la hermana Helen, tapándose la boca con un gesto de profunda compasión.

Jones se acercó a la monja y le habló en voz muy baja, pero no tanto para que Molly no lo oyera.

—El avión en que viajaba se estrelló, se quemó… El depósito de combustible explotó… Un espectáculo dantesco. No hay ninguna posibilidad de que haya sobrevivido.

Molly ocultó la cara entre las manos. Casi era incapaz de pensar.

—A Bill le preocupaba que la noticia le hubiera llegado por otra vía —explicó—. Pero, al parecer, ella no lo sabía.

Molly negó con la cabeza. No. Las noticias viajaban rápido por radio macuto. Los trabajadores de una organización conocían a los de otra… Podría haberse enterado de la muerte de Jones sin que él estuviera ahí contándosela.

Habría sido espantoso.

—Me alegro mucho —continuó Jones, animado, con la voz de un imitador autorizado de Colin Firth—. Me alegro mucho. No se imagina el alivio… —dijo, y carraspeó—. Detesto ser portador de más malas noticias, pero, por lo visto, su… amigo era una especie de delincuente, según me han contado. Le habían puesto precio a su cabeza… millones… Un barón de la droga que lo quería ver muerto. Lo había buscado incansablemente, durante años. Supongo que este tipo, Jones, trabajaría para él y… me temo que se trata de una historia muy sórdida. Y muy peligrosa. Morant tenía que estar siempre huyendo. Era peligroso incluso tomarse una copa con él porque uno se exponía al riesgo de morir en medio del fuego cruzado. Por cierto, lo más paradójico de este caso es que el barón de la droga murió dos semanas antes que Jones. Él nunca lo supo, pero por fin era un hombre libre.

Mientras él la miraba con esos ojos que tanto la habían hecho soñar, Molly entendió que Jones estaba ahí en ese momento porque el capo de la droga, conocido como Chai, un tío peligroso y sádico que llevaba años persiguiéndolo, por fin había muerto.

—Es muy posible que el que haya tomado el relevo en los negocios de este barón de la droga —siguió—, también se haya propuesto cazar a ese Jones. Desde luego, no iría hasta el fin del mundo para encontrarlo... Aunque, tratándose de tipos tan peligrosos, supongo que tiene sentido andarse con cuidado.

Mensaje recibido.

—No es que Jones tenga que preocuparse de eso —siguió—. Considerando que ha dejado este mundo. Aún así, sospecho que estará en un lugar donde hace más bien calor.

Sí, desde luego que hacía calor en Kenia. Molly se tapó la boca y fingió que sollozaba en lugar de reír.

—Shh —le advirtió la hermana Helen, pensado, claro está, que se refería a un calor que no era de este mundo—. No diga eso. Ella lo estimaba —dijo, y miró a Molly—. ¿Este Jones era el hombre del que tanto hablabas?

Molly vio por la expresión de Jones que la hermana Helen acababa de delatarla. Quizá tendría que contar toda la verdad.

Se secó los ojos con un pañuelo que le pasó Helen, y luego lo miró.

—Lo quería mucho. Siempre lo querré —le dijo a aquel hombre que había recorrido medio mundo para encontrarla y que, por lo visto, había pasado varios años esperando que fuera seguro reunirse con ella, y que incluso había pensado que, al presentarse, ella lo rechazaría sin más.

Si no quieres que esté aquí, y no te culpo por ello, sólo tienes que decir una palabra...

—Era un hombre bueno —dijo Molly—, y era bueno de corazón. —La voz le tembló porque, vaya, ahora él también tenía lágrimas en los ojos—. Se merecía el perdón. Estoy segura de que ahora está en el cielo.

—No sé si lo tendrá tan fácil —murmuró él—. Yo no debería... —Carraspeó y volvió a ponerse las gafas—. Siento mucho haberle dado una noticia tan descorazonadora, señorita Anderson. Ni siquiera me he presentado correctamente. ¡Qué maleducado soy! —dijo, y le tendió la mano—. Leslie Pollard.

Aunque llevara puestas las gafas, a Molly no le costó ver que Jones habría preferido mil veces besarla.

Pero para eso tendría que esperar, cuando él viniera a la tienda... No, un momento, Gina estaría ahí. Molly tendría que ir a la tienda de él.

Más tarde, le dijo con la mirada y, por primera vez en muchos años, tocó la mano del hombre que amaba.

No tuvo que esforzarse para que las lágrimas parecieran convincentes, y Helen la ayudó a incorporarse.

—Ven, querida, te acompañaré a tu tienda. Te llevaré una bandeja con algo de comer.

Cuando Molly salía de la tienda del comedor, se giró para mirar a Leslie Pollard, que ya ayudaba a la hermana Grace a limpiar el desaguisado en el suelo.

Gina se equivocaba. Leslie Pollard no tenía ni una pizca de mal aliento.

CENTRO DE REHABILITACIÓN DE SHEFFIELD, MCLEAN, VIRGINIA 13 DE NOVIEMBRE DIECINUEVE MESES ANTES

Gina encontró a Max en la sala de actividades.

Estaba sentado ante una mesa junto a la ventana, absorto en la lectura de un libro.

¿Sería una apasionante novela romántica?

Sonrió ante la ridícula ocurrencia de que Max leyera algo que no estuviera relacionado con su trabajo. Se detuvo en el umbral, en la sombra, donde él no podría verla si levantaba la vista. Estaba esperando a que su hermano saliera del lavabo, no quería desaparecer y dejarlo solo. Tampoco quería entrar ahí sola y darle a Max la oportunidad de decirle que aquella relación sexual había sido un gran error.

Era la primera vez desde... aquella otra primera vez, hacía meses, antes de que le dispararan a Max. Que hubiera vuelto a ocurrir, ahí, ni más ni menos que en el centro de rehabilitación, la había sorprendido tanto a ella como, a todas luces, a él. No quería discutir el asunto aunque, si hacía falta, estaba preparada para entrar en combate.

Porque, vaya, había que ver cómo la miraba él cuando creía que ella no se daba cuenta.

No sucedía muy a menudo. Sobre todo cuando estaba agotado, o cuando acababa de despertarse.

Pero Max la deseaba, y ella lo sabía. Estaba tan segura de eso como que el cielo era azul y la tierra redonda.

Esa certeza le había dado el valor para montar esa escena de seducción, un par de días antes. Eso, y haber entendido una verdad durante esos días y noches interminables en el hospital, mientras Max coqueteaba con la muerte.

Amaba a ese hombre con todo su corazón y con toda su alma.

Y todos los motivos por los que había estado tan dispuesta a dejarlo, para ir a Kenia y comenzar una nueva vida, ya no importaban tanto.

Él le había pedido a otra chica, a Alyssa Locke, una mujer estupenda y perfecta que antes trabajaba con él en el FBI, que se casara con él. Y ¿qué? Alyssa no lo quería. En un arranque de insensatez, le había dicho que no. Ella se lo perdía.

Y Gina lo ganaba.

Porque, ¿qué importaba si Gina se lo quedaba de rebote? Ya no le importaba que fuera la segunda opción de Max. Ni siquiera le importaría ser la *quinta* opción.

Ver a Max al borde de la muerte hizo que Gina pensara en lo fundamental. Y eso era que simplemente quería estar a su lado.

Y dos días atrás había descubierto que el sexo era su talón de Aquiles. Ahora sabía que esa atracción mutua sería su salvoconducto. Y se proponía usarlo descaradamente para conseguir lo que quería, una oportunidad de entrar en la vida de ese hombre.

Y si la relación de rebote adquiría un tinte malsano era porque el rebotado se distanciaba, cosa que aquí no pasaría. Gina iba a aferrarse a Max con todas sus fuerzas.

Al otro lado de la sala, Max giró la página.

Era agradable observarlo sin que él le devolviera la mirada.

Sin que él adoptara una posición defensiva.

Max llevaba un pantalón vaquero desteñido, una especie de camisa remotamente hawaiana y chancletas. La camisa y las chancletas eran una moda necesaria, ya que le resultaba imposible ponerse una camiseta debido a la herida en la clavícula. Además, Max había acabado por reconocer que era demasiado doloroso abrocharse las zapatillas deportivas.

Llevaba las gafas para leer y Gina sabía que si se le acercaba, se las quitaría enseguida. Quizás era porque no la veía bien con las gafas puestas. O quizás era vanidad.

¿Quizá tenía miedo de parecer viejo?

Tenía que averiguar por qué la diferencia de edad que había entre los dos era tan problemática para él. Desde luego, sería agradable hablar con él del tema.

Ja. Como si alguna vez se hubiera prestado a hablar.

¿Cómo era esa expresión que había oído hace unos días? Antes nevaría en los montes del infierno.

Antes pensaba que a Max le gustaba hablar. Cuántas horas habían pasado hablando por teléfono, en aquellos tiempos en que ella intentaba rehacer su vida después del secuestro. Pero sólo ahora se daba cuenta de que a Max no le gustaba hablar. Lo que él sabía hacer era *escuchar*.

Con el tiempo, ella se fue abriendo con él, le contó sus secretos, sus sueños y esperanzas, mientras que él le devolvía muy poca cosa. Le fascinaba Jimi Hendrix. Sus padres se divorciaron cuando él iba a la universidad. Tenía una hermana con problemas de salud mental. Era demasiado tímido en el instituto para tener novia, pero en Princeton salió tres años con una chica llamada Beverly. Se separaron cuando él se graduó un año antes. Ella se casó con otro un año después y ahora tenía dos hijos.

Gina estaba bastante segura de que Max no le había contado *esa* historia hasta el final, aunque le recalcó que esos dos hijos tenían más o menos la misma edad de ella.

Ahora se apoyó en el marco de la puerta y vio que Max ponía un marcador en el libro. Hasta ahí llegaba su teoría sobre la novela romántica, a menos que estuviera tomando notas para la próxima vez que estuvieran juntos y desnudos.

Se oyó un estrépito y una voz sonora junto a la mesa de billar lo hizo levantar la vista. Gina se echó hacia atrás.

—¡Sí! ¡Sí!

Había un chico en una silla de ruedas muy alta y de diseño dinámico, jugando al billar con una de las enfermeras. Aparentaba unos doce años, aunque Gina pensó que simplemente era demasiado pequeño para su edad.

El chico soltó el palo, que cayó al suelo de baldosas, y empezó a dar vueltas alrededor de la mesa en son de victoria.

—¿Quién ha ganado? ¡Yo! ¿Quién ha ganado? ¡Yo!

Tenía un rostro angelical, ojos marrones y grandes y la tez morena y saludable. Sin embargo, sus brazos y manos daban a entender que había pasado una larga temporada en el infierno. Se le habían quemado tanto las manos que, en realidad, ya no eran manos. Tenía las falanges que quedaban de sus dedos torcidas como garras, y la piel surcada por profundas cicatrices.

—¡Ajay! ¡Ajay! —dijo la enfermera, riendo—. Shh, el señor está leyendo.

El chico estaba sentado en una posición rara, como si fuera incapaz de usar las piernas, con las rodillas plegadas ligeramente hacia un lado y los pies juntos. Pero se acercó a Max maniobrando la silla motorizada con velocidad y destreza, sirviéndose de un control al alcance de la mano en el brazo derecho de la silla.

—Me estoy entrenando para ser campeón de billar. Ya sabe, para cuando se acabe el dinero del seguro. ¿Se atreve a perder veinte pavos?

Max sonrió y dejó el libro.

—Ahora mismo, no, gracias. Viene una amiga a visitarme.

Gina era la amiga a la que se refería. Una amiga. No era la novia. Ni la amante.

Pero ¿qué se le iba a hacer? Era deprimente saberlo, pero le convenía saber cómo se refería a ella.

Mientras Gina seguía mirando, Ajay le tendió la mano a Max.

—Soy Ajay Moseley. Accidente de coche.

Era a todas luces una prueba y Max la superó con holgura. Estrechó la mano deforme del chico sin vacilar.

—Max Bhagat. Herida de bala.

—Sí, lo sé. Tú eres el gran héroe del que habla todo el mundo. El señor FBI, que aguantó una bala en el pecho pero consiguió detener al cabronazo. —Ajay se reclinó en su silla—. Y ¿qué dicen de mí estos días? ¿Pobrecito Ajay, pronto morirá si no le encuentran un riñón? —Fingió un sollozo y luego el gesto de secarse una lágrima de los ojos.

Max negó con la cabeza.

—Qué va. Tú eres como yo. Me he enterado de que ya te has ganado una buena reputación de triple D-M.

Ajay se echó hacia atrás en la silla y entrecerró los ojos un momento.

—Hey, tío —dijo, finalmente—. Me rindo. ¿Qué es eso de no sé qué-M?

—Triple D-M: Demasiado duro de matar —dijo Max.

Ajay rió de buena gana.

—Eso sí que es verdad, maldita sea.

Se acercó la enfermera.

—Ajay, es la hora de tu visita con Kevin.

—Kevin, el torturador —dijo Ajay—. Ay, ¡qué día feliz! ¿Ya has conocido a Kevin el monstruo, señor FBI? —dijo, imitando a la perfección el acento de un surfista de California—. ¡Tío! ¡Así me gusta! ¡Los dos sabemos que mañana serás mucho más feliz si hoy te duele hasta que sangres por los oídos, tío!

—Sí —dijo Max, riendo—. Tengo que visitar su sala de torturas dos veces al día para mi fisioterapia. Y me llamo Max.

—¿Qué te parece una partida de billar en plan amistoso, mañana por la mañana? —preguntó Ajay—. A las diez. No hace falta que traigas la cartera, todavía. Por lo menos hasta que averigüe si eres mejor que yo.

La terapeuta hizo una maniobra con la silla para irse.

—Estoy segura de que el señor Bhagat tiene cosas que…

—Mañana por la mañana me va bien —interrumpió Max—. Pero estaré con Kevin hasta las diez, y después necesitaré un baño. ¿Qué te parece a las diez y media, si sobrevivo?

—Señorita Leblanc —dijo Ajay a la enfermera, con un marcado acento inglés—. Por favor consulte mi agenda y anote mi cita de mañana con mi buen amigo Max. —Luego, sonrió—. Hasta ahora, hermano.

Gina retrocedió un paso más cuando el chico y la enfermera salieron de la sala.

Pero era demasiado tarde. Max la había visto.

—¿Victor ha vuelto a Nueva York? —preguntó.

—No, está aquí —dijo Gina, y señaló hacia el pasillo donde había visto a su hermano hacía un rato—. Creo que está ligando con las enfermeras —dijo, y entró—. ¿Cómo estás tú?

La mirada de Max era cauta, y su expresión, neutra.

—Sigo durmiendo demasiado.

Y de pronto ahí estaban, cara a cara. Era evidente que los dos pensaban en la última vez que habían estado juntos, en esa manera de Gina de empujarlo hacia atrás en la cama y montarse sobre él y...

Ay, sí, no había duda de que él pensaba en eso. Intentaba ocultarlo, pero ella se dio cuenta.

Quizá traer a su hermano de carabina no era buena idea. Quizá si hubiera venido sola, no tendrían la discusión que ella tanto temía. Tal vez sólo tenía que dejar que Max la mirara a los ojos y viera las ganas que tenía de volver a hacer el amor, estirar el brazo y...

—Disculpen.

Max y Gina se giraron y vieron a la enfermera con que Ajay había jugado al billar. Estaba junto a la puerta.

—Siento interrumpir —dijo la mujer—. Sólo... Soy Gail —dijo, y se acercó para saludarlos—. Todavía no nos han presentado. Trabajo sobre todo con Ajay. —Era una mujer de cara agradable y una sonrisa simpática—. Sólo quería... Verá, es para pedirle un favor, y espero que no le importe, pero Ajay tiene un hermano, Rick, que siempre dice que vendrá a visitarlo, y en el último año y medio ha venido sólo una vez, y... sólo quería decirle que no se comprometa a hacer cosas con Ajay si después no puede cumplir. Lo lamento si así dicho parece un insulto. Pero la decepción... Yo lo oigo llorar por las noches —dijo, a manera de conclusión y disculpándose.

—¿Qué edad tiene? —preguntó Max.

—Catorce —dijo Gail—. No sé si ha sido el accidente o el tratamiento lo que ha detenido su crecimiento. Lo único que sé es que es un milagro que esté vivo. Murió toda su familia, excepto Rick, que no viajaba en el coche con ellos. Han pasado tres años, y Ajay ha estado varias veces en el centro. Cada vez que lo operan, vuelve por aquí... Ha tenido problemas para que todo cicatrice, y ahora tiene esto del riñón...

—Le puede decir que mañana a las diez y media estaré aquí —dijo Max, asintiendo con la cabeza.

Gail también asintió, pero se notaba que todavía le preocupaba algo.

—Max será puntual —dijo Gina—. Pero estoy segura de que no le importará si quiere llamar a su habitación, para recordárselo.

—Ningún problema —dijo Max—. Si así está más tranquila.

—Gracias —dijo Gail.

—Por lo visto —dijo Gina, cuando la enfermera salió de la sala—, en este centro hay gente muy dedicada a su trabajo. ¿Debería tener celos?

Era una pregunta estúpida. Abría innumerables puertas.

—Tenemos que hablar acerca de lo que sucedió el otro día —dijo Max.

—Vale —dijo Gina, y se sentó frente a él—. ¿De qué parte quieres que hablemos primero? ¿De la más salvaje? ¿Esa parte cuando me hiciste tener el mejor orgasmo de toda mi vida?

Él cerró los ojos.

—Gina...

Ella se inclinó y bajó la voz.

—O la parte de cuando te hice penetrar hasta lo más hondo de mí, hasta adentro, y... Dios mío, qué maravilloso...

—Basta.

—... estupendo. —No había manera. Gina le cogió la mano—. Desde que me fui de aquí que no he parado de pensar en volver a hacer el amor contigo. Pienso en lo maravilloso que fue. Y pienso que con sólo estar aquí sentada contigo me pone cachonda.

Él no retiró la mano. Y cuando levantó la mirada para verla cara a cara, en sus ojos había fuego.

—Sé lo que intentas hacer —dijo—. Y es algo...

—¿...que funciona? —acabó ella, riendo, porque sí, sus palabras funcionaban. Al menos para ella. Si hubieran estado en su habitación, habría vuelto a cerrar la puerta con llave.

Y él no se resistiría. Gina lo sabía.

O, al menos no se resistiría demasiado.

Así que fue más allá.

—Sabes, creía que si volvíamos a enrollarnos, dejaría de desearte tanto. Pero lo único que he conseguido es tener más ganas de ti. —Se inclinó, más cerca—. Día y noche, Max. No he parado de pensar en ti. A veces me parece que si pudiéramos hacer el amor cada hora, tampoco sería suficiente. Me gustaría pasar, digamos, dos semanas contigo dentro de mí, sin parar.

Aay, sí. Impacto directo. Su acercamiento rotundo lo ponía a la vez incómodo y cachondo. Qué historia más divertida.

—Y luego, ¿qué? —preguntó él—. Al cabo de dos semanas…

—No lo sé —dijo ella, haciendo alarde de sinceridad—. ¿Por qué no lo intentamos? No nos puede hacer ningún daño…

—A ti —dijo él, con voz ronca—. Te puede hacer daño a ti, y yo no quiero hacerte eso, Gina…

—Ah, por fin te encuentro.

Gina miró y vio a su hermano que se acercaba a ellos, y Max aprovechó para retirar la mano. Mierda, Victor llegaba en el peor momento. O quizás era un buen momento.

—Hola, Max —dijo Vic.

Max se quedó sentado mientras le estrechaba la mano a Vic. Aún tenía el bastón al alcance de la mano. Quizá se marearía si se levantaba.

O quizá no se levantaba por otro motivo.

Era lo que esperaba Gina.

Como era previsible, Vic le apretó con fuerza la mano a Max, midiéndolo con descaro, con ese apretón de machote que Gina no soportaba.

—Es más joven de lo que recordaba —le dijo a Gina. Perfecto. Muchas gracias, Victor. Y, después, se volvió hacia Max—. Nos conocimos muy brevemente, hace unos años. Parece que el disparo te ha sentado bien.

—Eso es lo más estúpido que jamás te he oído decir —dijo Gina. Victor acababa de pasar al primer lugar en el *ranking* de la estupidez de sus tres muy estúpidos hermanos.

—¿Qué? —preguntó Vic, encogiéndose de hombros y arrimando una silla—. Sólo quiero decir que… Max tiene buen aspecto. Ya sabes, para un tío mayor. ¿Qué ha pasado? ¿Has perdido peso en el hospital?

—Sí, Victor —dijo Gina—. Lo llaman la Dieta del Borde de la Muerte.— Se giró hacia Max—. Mi hermano es un imbécil.

—No pasa nada —dijo él, flexionando los dedos, sin duda comprobando que Victor no le hubiera roto la mano—. ¿Sigues viviendo en Manhattan, Vic?

—Qué va, la oficina se trasladó a Jersey como un año después del once de septiembre. Me aburrí de cruzar el río cada día, así que al final cargué la furgoneta de alquiler y me mudé al otro lado —explicó Victor—. Ahora estoy en Hackensack, joder. Me despierto casi todos los días y me pregunto cómo he llegado hasta aquí.

—Ya conozco esa sensación —dijo Max. Era un comentario que apuntaba a ella, claramente, pero Gina se negó a responder a la provocación.

—¿Podrías buscar otro trabajo? —sugirió Gina.

—¿En este mercado? No lo creo —dijo Vic, sacudiendo la cabeza—. Con la suerte que tengo, se sabría que ando buscando algo y me despedirían. No todos tenemos la suerte de que una gran línea aérea nos ingrese un buen talón en la cuenta bancaria, ¿eh, Gina?

—¿Suerte? —repitió Max, y fue lo único que la incredulidad le permitió pronunciar.

Gina sabía que Max pensaba que Victor de verdad creía que era una suerte que los terroristas hubieran secuestrado el avión en que viajaba la banda de jazz de la universidad en su gira por Europa. O que la indemnización que Gina había recibido de la línea aérea hacía que aquella experiencia valiera algo.

Gina le tocó el brazo a Max.

—No lo decía en ese sentido.

Victor ni se daba cuenta de que acababa de meter la pata con Max de la manera más tonta.

—Además, compré el piso con tasas de interés muy bajas. Ahora no podría conseguir una oferta igual.

A Max se le hincharon los músculos de la cara de tanto apretar los dientes.

—Déjalo —dijo Gina, con voz suave—. A mí no me molesta.

No pronunció las palabras, porque no se atrevía a reconocerlo, pero Gina sabía que todo lo que ella había vivido en ese avión a él le seguía rondando la cabeza, y eso le molestaba.

Le molestaba mucho.

Victor se miró el reloj.

—Deberíamos irnos —dijo, y se incorporó—. Hemos quedado con unos amigos de la universidad, en Fairfax. —Volvió a tenderle la mano—. Max, me alegro de volver a verte, aunque me parezca un poco raro que tú y mi hermana menor estéis...

—Gracias, Victor —interrumpió Gina. Él se encogió de hombros.

—Sólo digo lo que pienso. Tú siempre me dices que sea sincero.

—Ve a ser sincero un rato en el pasillo. Espérame un segundo que enseguida vengo —ordenó.

—Que te mejores, tío —dijo Victor, y salió caminando tranquilamente.

—Si no vuelve a casa pronto —avisó Gina—, puede que acabe enfrentándome a una acusación de asesinato. Tendrías que haber oído las cosas que le preguntaba a Jules —dijo, entornando los ojos—. Intentaba que reconociera que, en realidad, no es gay. «Catherine Zeta Jones, tío» —dijo, imitando a su hermano—. «Llegas a casa del trabajo y ella está desnuda en tu cama... ¿Me dices en serio que le darías la espalda a ese milagro? Y si me dices que sí, ¿esperas que me lo crea?»

Max sonrió, pero con desgana.

—Deberías dejármelo para que lo mate yo.

—Todavía te pone los pelos de punta, ¿no? —preguntó Gina—. Lo que me pasó en el avión.— No esperó a que Max contestara—. Deberías haber visto lo tenso que te has puesto cuando ha hecho ese estúpido comentario sobre la indemnización de la línea aérea. Estaría bien que habláramos de ello algún día. Digamos, dentro de un par de semanas...

Esperaba que su referencia a la conversación de hacía un rato lo haría sonreír de nuevo, pero él se limitó a hacer rechinar los dientes con más fuerza.

Gina se inclinó sobre la mesa para besarlo. Lo de Max no fue precisamente una respuesta, pero tampoco la rechazó.

—Su avión sale mañana a las doce y media —dijo Gina—. Lo dejaré en el aeropuerto temprano. Te veré en tu habitación después de tu partida de billar. No tendrás problemas para reconocerme. Seré esa mujer que no tardará en desnudarse, y estará sentada en tu cama con un *picnic* para la comida.

Volvió a besarlo y se dirigió hacia la puerta antes de que él reclamara.

Desde luego, era muy posible que Max no apareciera. Que... ¿cómo había dicho Victor?... le diera la espalda a ese milagro.

Pero al volverse para mirarlo vio ese mismo deseo en su mirada.

Y supo que estaría ahí.

Capítulo 5

El cuerpo de Gina permanecía bajo custodia en las instalaciones del aeropuerto.

Walter Frisk, jefe de equipo del FBI, se reunió con Max en el avión. Seguramente se debía a las gestiones de Jules Cassidy.

Frisk se limitó a estrecharle la mano a Max, murmuró algo muy breve a propósito del dolor y las pérdidas, y luego, gracias a su influencia, los hizo pasar por aduana, salieron a la terminal y bajaron a la morgue del aeropuerto.

Todo aquello también era obra de Jules. El joven agente los tenía bien puestos, de eso no cabía duda. Cuando llegaron a la puerta de la sala donde se guardaba el cuerpo, Jules le dio las gracias a Frisk y luego lo despachó con una mezcla de buena educación y firmeza, diciéndole (no pidiéndole) que esperara en la sala exterior con el guardia de seguridad.

Era una manera de dar a Max la intimidad que necesitaba.

Y Max lo aprovechó. Aunque, de pronto, sintiera que las piernas le pesaban como si fueran de plomo. Por muy duras que hubieran sido las últimas veinte y pico horas, los próximos minutos serían peores, y Max se preparó para ello.

El cuerpo de Gina no era el único en el depósito. Había docenas de aquellos ataúdes blancos, como salidos de la era espacial, etiquetados y ordenados contra la pared. Sin duda pertenecían a las otras víctimas del ataque terrorista, o a otros turistas que habían padecido un infarto o sufrido un accidente de coche, además de algún expatriado que, por fin, volvía a casa.

Alguien había colocado el contenedor abierto de Gina (Max no conseguía pensar en un ataúd) sobre una mesa en el centro de la sala. También le habían puesto una sábana sobre la cabeza. Él se quedó parado, mirando el perfil de su cara debajo de aquel sudario.

Su nariz prominente.

Gina decía en broma que su nariz era un pico. Su garantía para disfrutar de un trozo más que grande de tiramisú cuando comía en Little Italy.

Él nunca le había dicho que, en su opinión, ese rasgo le embellecía aún más su exótico rostro. Nunca le había dicho cuánto amaba su nariz.

Cuánto la amaba a ella.

Los minutos corrían. Muchos minutos.

Y Max no levantaba la sábana. No podía moverse.

No quería verla muerta.

Sin embargo, sabía que debía mirar. No podía mandarla de vuelta a casa sin antes haberla identificado.

Pero antes de verla, antes de tocarle el rostro frío e inerte, podía imaginar que se habían equivocado. Que Gina, en realidad, no había muerto.

Que sus ojos seguían brillando cada vez que reía y se acercaba a besarlo.

Me quedaré todo el tiempo que me necesites.

Pero no se quedó. Probablemente porque Max la había convencido de que él no la necesitaba.

Y ahora, ella no volvería jamás a besarlo.

Porque a él le entró el miedo. Maldita sea.

—Max, voy a entrar —anunció Jules Cassidy, y cerró la puerta a sus espaldas con un golpe sordo y seco.

Dios mío. Max consiguió hablar.

—No —dijo, con un sonido que parecía apenas algo más que un gruñido. Cassidy no se amilanó.

—Escucha, cariño, llevas casi media hora aquí parado —dijo, con voz amable—. Sólo voy a retirar esto de su cara para que puedas verla, ¿de acuerdo?

Era evidente que no se trataba de una pregunta a la que Max tenía que contestar. Sólo estiró el brazo y...

¡Dios mío! Gina estaba quemada. Era horrible, atroz. Max dio un paso atrás, pero entonces...

Se detuvo. Sintió que no podía respirar, como si le hubieran dado en todo el vientre. Se había quedado sin aliento y no podía hablar.

Jules sí podía.

—No es ella —murmuró, con una voz que traducía todo su asombro—. Mierda, no es Gina.

La persona que yacía en ese ataúd era una mujer joven, de pelo negro y largo y una nariz prominente. En vida, era probable que se hubiera parecido mucho a Gina, sobre todo de lejos. Al anochecer.

Pero, fuera quien fuera, no era Gina Vitagliano.

Max parecía estar a punto de vomitar.

Pero sabía que no podía vomitar, que eso le haría perder mucho, demasiado tiempo.

De pronto, se giró para mirar los otros ataúdes en la sala, y Jules —un tipo listo— supo exactamente lo que estaba pensando. Rápidamente decidió echarle una mano.

Las presillas no estaban cerradas. Se abrieron con un sonido seco y...

Un anciano.

—Siento molestarlo, señor. —Jules Cassidy cerró la tapa suavemente.

Max siguió hasta el ataúd siguiente, y soltó una especie de ladrido.

—Está muerto. No le importará.

Abrió los cierres, levantó la tapa y el corazón le dio un vuelco cuando vio el cuerpo de otra mujer joven de cabello oscuro. Gracias a Dios, tampoco era Gina.

Aún así, sintió que algo en él por fin cedía.

Debió de haber emitido algún tipo de ruido, porque ahí estaba Jules, junto a él. Jules, el único hombre que Max conocía capaz de disculparse ante un cadáver.

O que se atrevería a coger por los hombros al jefe y darle un reconfortante abrazo, al hombre cuya intolerancia ante los errores estúpidos (un error bastaba para tener que abandonar su equipo) era rotunda y legendaria.

—La encontraremos, cariño —le dijo a Max, pegado a su oreja—. La encontraremos. Pero, sinceramente, no creo que sea aquí.

Durante varios segundos, Max se sostuvo únicamente gracias al apoyo que le prestó Jules.

—Dios, cómo deseo que esté viva. —Max estrujó las palabras, se atrevió a darle una voz a su emoción. Lo deseaba con tanto fervor que no confiaba en poder hacer un cálculo de probabilidades con objetividad. Se separó de Jules y se secó las lágrimas de la cara. A la mierda, mientras no encontrara a Gina, no tenía tiempo de llorar—. ¿De verdad crees que todavía está viva?

La generosidad y simpatía que vio en la mirada de Jules lo cabrearon.

—Y no te atrevas a darme una maldita respuesta como amigo. Tú y yo no somos amigos. A la mierda la amistad —sentenció Max, aunque sabía que esa conversación no la tendría con cualquier subalterno—. Tú trabajas para mí. Contesta como si te jugaras tu empleo si no dijeras la verdad tal como la ves… como un agente experimentado.

Jules asintió con la cabeza mientras cerraba el segundo ataúd, esta vez guardándose las disculpas para con el ocupante.

—No sería la primera vez que ocurre algo así —dijo, mirando de reojo a Max mientras seguían hacia el ataúd siguiente—. Un cuerpo extraviado. Lo sabes tan bien como yo, jefe. Cae en la categoría de chapuzas, algo que es demasiado habitual.

Abrió los cierres y se preparó mientras destapaban el contenedor…

Hombre joven. Hombre joven muy maltrecho. Muy muerto. En alguna parte su madre lo estaría llorando.

—Sin embargo, pienso —siguió Jules cuando pasaron al siguiente—, que a estas alturas estaría justificado pensar que hay al menos una leve esperanza.

Max tuvo que volver a secarse la cara. No había derramado ni una sola lágrima al imaginarse a Gina muerta. Tenía el corazón convertido en una piedra. Pero, ahora, esas puñeteras lágrimas no paraban.

Porque el corazón volvía a latir. Lo sentía, desbocado, en medio del pecho.

Esperanza no era lo único que sentía. También sintió miedo. Si Gina estaba viva, ¿dónde diablos estaba? Si no estaba muerta, entonces estaría en peligro.

—Necesitaremos que nos echen una mano —siguió Jules, mirando hacia el montón de ataúdes, algunos dispuestos de seis en seis—. Yo me quedaré. Frisk nos enviará a gente suya para ayudarnos. —Guardó silencio un momento. Quería estar seguro de que Max lo escuchaba—. También tendremos que verificar con el laboratorio encargado de las pruebas de ADN. Lo sabías, ¿no?

—Sí. —Algunas víctimas del atentado terrorista quedaron convertidas en poco más que trozos de cuerpos. Esa cruda realidad le ayudó a Max a olvidarse de las jodidas lágrimas.

—¿Por qué no vuelves al hotel? —sugirió Jules—. Yo lo comprobaré con el equipo de Frisk, averiguaré por qué han puesto a esta otra chica en la lista con el nombre de Gina Vitagliano. Ya sabes, quizá llevaba el pasaporte de Gina, o quizás encontraron el pasaporte entre los escombros y pensaron que pertenecía a esta chica. Joder, Max, si a Gina se le perdió el pasaporte o si se lo robaron…

Podría haber sucedido así. Puede que Gina hubiera viajado, por ejemplo, a Berlín. A algún lugar del interior. Quizá ni supiera que se había quedado sin pasaporte. Joder, puede que ni siquiera supiera que se la daba por muerta.

Si le habían robado el pasaporte, quizá volvería al hotel.

—Ya sé que es una hipótesis descabellada —dijo Jules—, pero no sería la primera vez que nos topamos con una chapuza así, y… ¡Vaya!

La sola mención de esa esperanza hizo caer de rodillas a Max.

Al parecer, si no se permitía llorar como una niña pequeña para aliviar esa tensión emocional que acumulaba, corría el peligro de desplomarse.

Jules se arrodilló a su lado y le tomó el pulso.

—¿Te encuentras bien? No estarás a punto de tener un infarto, ¿no?

—Que te jodan —consiguió articular Max, y retiró la mano con gesto brusco—. No soy tan viejo.

—Si de verdad piensas que las enfermedades coronarias tienen que ver con la edad, seguro que deberías consultar con un cardiólogo, digamos, mañana mismo.

—Sólo he... tropezado —dijo Max. Pero cuando intentó levantarse, se dio cuenta de que todavía no recuperaba el equilibrio. Mierda.

—O quizá lo que necesitabas era ponerte de rodillas y rezar —dijo Jules, mientras Max bajaba la cabeza y esperaba que pasara el mareo—. Esa excusa suena un poquito más creíble, si quieres que te diga la verdad.— «Hola, Dios, soy yo, Max. Ya sé que no te he dedicado mucha atención en los últimos... eeh... cuarenta y pico años, pero si me das una segunda oportunidad, te aseguro que esta vez iré y le diré a Gina cuánto la amo. Porque guardarse esa información seguro que no nos ha hecho ningún bien, ni a ella ni a mí, ¿no?»

—Hice lo que... —Max calló. Nada de eso—. No tengo por qué darte explicaciones.

—Eso, no tienes por qué. —Jules ignoró el intento de Max de apartarlo y lo ayudó a levantarse—. Pero quizá te convenga pensar en un discurso que se parezca algo a Perdóname-por-ser-un-testarudo-de-mierda, cuando te encuentres con Gina. Aunque debo reconocer que lo de caer de rodillas podría tener su impacto. Sin duda te darán puntos por la actuación.

Max se alisó el traje y se limpió los pantalones. Respiró hondo y dejó escapar un sonoro bufido. Tenía que recordar que debía seguir respirando.

Porque Gina no estaría esperándolo en la habitación del hotel. La vida no era tan sencilla ni tan fácil.

Para empezar, todavía no sabía por qué se había marchado de Kenia. Ni siquiera sabía con quien había viajado.

—¿Quieres que te acompañe? ¿Al hotel? Para que no vuelvas a tropezar y ojalá no te rompas la nariz y...

Max negó con la cabeza.

—Te necesito aquí. —Jules era el único que podía identificar a Gina aparte de él. Todavía existía la posibilidad de que estuviera en una de esas cajas, que su cuerpo estuviera en el lugar equivocado, y nada más.

Existía una posibilidad aún mayor de que, de todos modos, necesitara uno de esos cajones para devolverla a casa.

Era importante tenerlo en cuenta.

Aunque estuviera viva, seguía desaparecida.

Las probabilidades, no obstante, indicaban que no estaba viva. Porque aunque no hubiera muerto en el atentado, puede que su pasaporte estuviera en manos de alguien que no quería que ella denunciara el robo. En el mejor de los casos, Gina estaba atada y secuestrada en un viejo sótano en alguna parte. En el peor de los casos, ya estaría enterrada bajo el suelo de tierra de algún sótano.

Aún así, las probabilidades de encontrarla viva eran mayores ahora que antes de entrar en esa sala. Y sólo por eso ya se sentía agradecido.

Jules estaba junto a la puerta, y su lenguaje corporal le decía: *¿Preparado?*

Max se secó la cara por última vez. Si no estaba preparado ahora, no lo estaría más, pero primero carraspeó.

—Gracias —dijo.

Sería la primera vez en su vida, pero Jules no intentó sacarse un chiste de la manga. Tampoco intentó pronunciar frases grandilocuentes. Se limitó a asentir con la cabeza y empujó la puerta.

—No hay de qué, y lo digo en serio, jefe —dijo, cuando los dos salían de la sala.

Jefe.

No «cariño». Ni siquiera Max.

Ahí no, porque alguien podía escucharlos.

Pero cuando se alejaban por el pasillo en busca de Frisk y el guardia de seguridad, Jules no pudo reprimir al menos un comentario.

—En cuanto a ese ascenso —murmuró, en voz tan baja que a Max le costó escucharlo—. Ya está hecho, ¿no, señor llorica?

Y Max hizo algo que una hora antes, al entrar en la terminal del aeropuerto de Hamburgo para reconocer el cuerpo de Gina y llevarlo a casa, creía que nunca volvería a hacer.

Por increíble que parezca, se echó a reír.

KENIA, ÁFRICA
23 DE FEBRERO DE 2005
CUATRO MESES ANTES

Era pasada la medianoche cuando Molly por fin fue a su tienda.

Jones la esperaba. La esperaba a ella, y sabía lo que tenía que hacer.

Sólo que no se había dado cuenta de lo difícil que sería hacerlo.

—No puedes entrar —le dijo, pero ella abrió la puerta y entró sin más.

—Nadie me ha visto —dijo, y lo besó.

¿Qué se había creído? ¿Qué Molly esperaría afuera sin rechistar, que comprendería que aunque el riesgo era menor, el peligro no había desaparecido, y que no podían estar seguros de que nadie la había visto entrar ahí?

Y, vaya, ¿de verdad creía (¡qué estupidez!) que cuando volviera a estar con ella, de esa manera, a solas, sería capaz de resistirse y decirle que no lo besara?

Llevaba una eternidad esperando a estar con ella... Y había sido una espera puñeteramente larga.

Ella lo besaba como desesperada. Y, por muy héroe que quisiera ser, él comenzó también a besarla con desesperación, sin dudarlo un instante.

La besó, aún sabiendo que no debía, que no podía. A la mierda. Molly era como fuego en sus brazos, se apretaba contra él, y a él, después de tantos años deseándola con ese ardor, los ojos casi se le quedaron en blanco.

Molly no dejaba de tocarlo, y le deslizó las manos por la espalda y los hombros, siguió por el cuello hasta el pelo, como si quisiera comprobar que estaba entero. Como un auténtico caballero, él se concentró en su exquisito culo, sujetándolo con las dos manos, mientras ella se abría a él, rodeándolo con una pierna en un intento de acercarse todavía más.

—Estás muy delgado —dijo, en una pausa—. Y ese bastón, ¿te pasa algo?

—Estoy bien —dijo él—. El bastón es para despistar. —Sabía que ahora tenía que decirle que lo llamara Leslie. O Les. Pero, joder, le encantaba ser Dave Jones. Era Jones el que la había conocido. De Jones se había enamorado ella.

Molly volvió a besarlo. Y, sí, no cabía duda de que quería estar con él, porque le desabrochó los pantalones, se levantó el vestido, se giró, y...

Molly dejó escapar un gemido similar al de Jones, y fue sólo gracias a esa repentina conciencia de que estaban haciendo demasiado ruido que él no se derramó enseguida en ella, después de esa primera y dulce penetración.

Oh, Dios, oh, Dios, oh, Dios. *Gracias, muchas gracias...*

Aunque aquello no estaba resultando como él lo había imaginado.

En su fantasía más salvaje de aquella reunión, Molly siempre lo besaba con dulzura para saludarlo, la mejor de las bienvenidas. Era tan suave y cálida y sus bellos ojos estaban llenos de lágrimas. Una se le escapaba y él la secaba con el pulgar mientras le cogía el rostro que tanto añoraba, murmurándole que había soñado con ese día.

Al contrario, la besó, hambriento, intentando absorber los ruidos que ella emitía mientras se apretaba contra él, equilibrándose en un pie, de puntillas, mientras él la follaba.

O, mejor dicho, le hacía apasionadamente el amor. A Molly no le agradaba especialmente la palabra follar.

A pesar de que a él, sin duda, le fascinaba follar. En su fantasía no había reparado en ese detalle, pero debería haberlo pensado. Al parecer, no era el único que había pasado por una larga época de abstinencia.

Molly también lo había esperado, aunque alimentándose únicamente de fe. No estaba enterada de sus planes para encontrarla. No tenía ni idea de que, desde la última vez que se habían visto, Jones había pasado todos y cada uno de los días pensando en ese momento.

Sintió una emoción arrolladora, y supo que ese gusto a sal mientras la besaba no era sólo por las lágrimas de ella.

Y, ya que le agradecía a Dios, añadió la oscuridad en la tienda a su Lista de Cosas que Agradecer. Había un límite a lo que un hombre podía aguantar.

Sintió que Molly se abandonaba al orgasmo... Gracias, otra vez, Dios, porque quizá le quedaban unos tres segundos antes de...

¡Diablos! No se había puesto un condón. Se salió de ella, rápido, y ella enseguida supo por qué.

—Yo tengo uno —dijo Molly, hurgando en su bolsillo.

Molly lo había traído consigo, y Jones supo que no era por casualidad. Esa noche había venido con la intención de volver a empezar donde lo habían dejado, caliente y seductora. Nada de preguntas, nada de «¿dónde has estado, si se puede saber, en los últimos tres años?»

Y mientras seguían ahí, de pie, respirando con fuerza, él intentando verle la cara en la oscuridad, volvió a enamorarse de ella una vez más.

Su mujer.

Es verdad que nunca se lo había dicho a la cara.

Sin embargo, ahora mismo no tenían tiempo.

—Déjalo —dijo Jones, pero ella se aferró a él.

—No, Molly, *basta*. —Vio la incredulidad pintada en su rostro, a pesar de la oscuridad—. Ya llevamos demasiado tiempo aquí dentro —dijo, mientras se subía la cremallera, cosa nada fácil, dejándose la camisa afuera. Se secó los ojos con la manga, se alisó el pelo, encontró las gafas de Leslie y se ajustó el marco de metal flexible a las orejas—. Arréglate el vestido.

Ella no entendió, y no se movió para arreglarse la falda hasta que él la cogió de una mano, agarró el bastón con la otra y la sacó de la tienda a la luz de la luna.

—Me temo que ha sido muy poco formal de su parte —dijo, con el acento británico de Leslie Pollard, mientras tomaba la delantera, cojeando hacia la tienda del comedor, donde todavía había luz— venir a mi tienda, sin una acompañante, a estas horas de la noche, señorita Anderson.

—Lo siento —dijo ella. No tenía el aspecto de una mujer que acaba de gozar del sexo. No, aquel rostro encendido, surcado por lágrimas, y el pelo enmarañado hacían pensar más bien en una mujer desesperada por el sufrimiento. Si uno tenía una imaginación aceptable para todo tipo de públicos—. Pero yo...

—Sé que tiene más preguntas que hacerme sobre su querido amigo. Dave Jones. —Hurgó en sus pantalones buscando su pañuelo, aprovechando de paso para ajustarse los huevos para que no acabaran totalmente aplastados. Pero, no había nada que hacer. Estaba condenado. Antes de pasarle el pañuelo a Molly, lo usó para limpiarse la boca. Supuso que Molly no le habría dejado en la cara una mancha de pintalabios que lo delatara—. Sin embargo, no sé muy bien qué más puedo decirle —añadió—. Sólo lo he visto un par de veces.

Resultaba difícil saber qué la confundía más. ¿Su fingimiento a propósito de las buenas maneras, su cojera penosamente real, o el hecho de que llevara consigo un pañuelo? Molly se secó los ojos y se sonó.

—He oído rumores de que... Cosas absurdas, como que había matado a un hombre y, no sé, supongo que había escapado con su mujer —dijo ella—. Pero luego alguien contaba que también la mató a ella...

No podía ser. ¿Aquel viejo cuento había llegado hasta África...? Al parecer, sí, aunque con ligeras deformaciones, como suele ocurrir con los mensajes que viajan de boca en boca. Pero, aún así...

—Yo lo conocía bien —afirmó Molly—. Dave Jones jamás le habría hecho daño a nadie.

Eeh... Jones tomó nota mentalmente, y lo archivó en la carpeta de temas de los que hablar más tarde. Ahora mismo tenía otras prioridades. Finalmente se habían alejado de las otras tiendas donde podían oírlos, y Jones se inclinó hacia ella, bajó la voz y cambió de tema.

—Es importante que no hagas nada que se salga de tu rutina, Mol. Puede que te parezca una locura y una paranoia, pero, maldita sea, si a ti te ha llegado ese rumor... Mira, no quiero que llegue a oídos de nadie la noticia de que mi ex novia, una bonita voluntaria, de pronto se ha hecho muy amiga de un tipo que acaba de conocer. A menos que tengas la costumbre de enrollarte con desconocidos ocasionales...

—Sabes que no —dijo ella.

Ya. Jones asintió con la cabeza.

—Eso significa que cualquiera con dos dedos de frente sabrá relacionar una cosa con otra y sabrá que soy yo.

Ella lo detuvo poniéndole una mano en el brazo. Pero apenas lo tocó, pues sabía que la hermana Maura estaba en el comedor preparándose una taza de té, aprovechando una pausa durante el turno de noche. Por lo visto, la monja no había reparado en que estaban ahí afuera a la luz de la luna, pero no podían estar seguros.

—Así que tendremos que ser discretos —dijo ella. Los ojos volvieron a llenársele de lágrimas—. No puedo creer que de verdad estés aquí. Vaya, llevas un corte de pelo horrible.

—Fuimos discretos en Indonesia —dijo Jones. Se quitó las gafas y se las limpió con la punta de la camisa. Así tenía algo en que ocupar las manos. Todo lo contrario de lo que deseaba, que era apartarle el pelo de la cara. O volver a tenerla en sus brazos, besarla, acabar lo que habían empezado—. Y ¿cuánto tiempo pasó antes de que se enterara todo el campamento? ¿Dos o tres días?

—Entonces tendremos que ser más... —empezó a decir ella.

Él la interrumpió.

—No basta con ser discretos —dijo él, y volvió a ponerse las gafas—. Lo que ha pasado en mi tienda esta noche... Mol, no volverá a ocurrir.

—Lo que ocurrió en tu tienda —susurró ella—, sólo ocurrió a medias.

Ya. Él lo sabía mejor que nadie.

—En cualquier caso, al menos durante un tiempo —añadió.

—Lo dices en serio, ¿no? —preguntó Molly, buscando su mirada.

Él se forzó a adoptar un semblante resuelto. Era todo mucho más fácil en teoría, como parte de su gran plan.

—Tenemos que hacerlo bien —dijo, recordándoselo también a sí mismo.

—¿Cuándo? —preguntó ella—. ¿Cuánto es *un tiempo*?

—Meses —dijo él.

Molly rió con un dejo de incredulidad.

—Has viajado por medio mundo para…

—Tomar un café.— Jones asintió—. Contigo. Sentarme a la misma mesa, frente a ti. Mol, estar sentado en la misma tienda contigo es suficiente… Ni siquiera tengo que estar en la misma mesa.

—Los meses —dijo ella—, son unidades de tiempo que normalmente se miden por el ciclo lunar.

—Sí —dijo Jones—. Y deberíamos empezar por aclarar que tú no debes volver a hablarme, digamos… durante un par de semanas.

Molly comenzaba a enfadarse. No lo entendía.

—No estarás hablando en serio…

—Jones está muerto —advirtió él—. Piensa en ello, yo sólo soy el que te ha traído la noticia. ¿Cómo dice esa expresión, eso de matar al mensajero…? De acuerdo, las mujeres buenas que van a la iglesia no suelen matar a los mensajeros, pero seguro que los evitan durante un tiempo.

—Oye, soy una mujer lo bastante madura que sabe distinguir entre las malas noticias y el mensajero que las trae —alegó ella—. ¿O es que no te has fijado en las arrugas que me han salido en los últimos tres años?

—Tenemos que hacer que esto parezca real —volvió a interrumpir Jones—. ¿No te das cuenta de que el sólo hecho de estar aquí me da un miedo de muerte? No quiero exponerte al peligro. Una vez más. Dios sabe que me consumiré en el infierno por lo que hice la última vez…

Ella lo interrumpió con un gesto de la mano, y con eso despachó sus pecados mortales y los años que había dedicado desesperadamente a redimirse.

—Así que piensas que con ignorarte durante una o dos semanas podré convencer a todos los que nos observan de que tú no eres tú. Por cierto, puede que ni siquiera se fijen en nosotros. Y entonces, ¿qué?

Una de las personas que quizá ni siquiera se fijaría en ellos —el hacha de guerra que era la hermana Maria-Margarit— había abierto la puerta de la tienda más grande, con estructura de madera, de las monjas. Era una puerta que siempre chirriaba. La hermana se apretó el cinturón de su hábito mientras se dirigía hacia ellos.

Jones tenía que darse prisa.

—Así que lo haremos poco a poco. Tendremos una conversación en la tienda del comedor de vez en cuando. Con el tiempo, me puedes invitar a un té. Durante el día. Estando tu compañera de tienda presente. Lo alargamos, los meses que sean necesarios para que un cretino como Leslie Pollard caiga en la cuenta de que está enamorado de ti... y luego se arme de valor para hacer algo.

Y la hermana ya llegaba. Leslie se giró hacia ella.

—Lo siento. ¿La hemos despertado? La señorita Anderson no podía conciliar el sueño, como es natural, después de una noticia tan atroz... Vino a mi tienda a hacerme unas cuantas preguntas y, desde luego, ése no es el lugar más adecuado para conversar, así que... pensé que, ¿quizá, un vaso de leche tibia...? —dijo, y bajó la voz, que se volvió cómplice con la monja—. Estaba tan afectada, no he querido dejarla sola.

La hermana Maria-Margarit ni se inmutó, ni se volvió para consolar a Molly; no mostró ni una pizca de simpatía. En realidad, la mirada que le lanzó a Jones estaba cargada de recelo.

Pero probablemente no fuera diferente de la mirada que proyectaba sobre todos los hombres que habitaban en la tierra del Señor.

Él se giró hacia Molly, disculpándose con un gesto mudo al despedirse.

—Entonces, la dejo en buenas manos, señorita Anderson.

—Gracias por su amabilidad, señor Pollard —dijo ella—. Y le vuelvo a pedir perdón por haberlo molestado y... todo eso.

Jones sabía perfectamente a qué se refería con el «todo eso». Y, sí, cuando volvió a la tienda ya sospechaba que los próximos meses serían los más largos de toda su vida.

Capítulo 6

—¿Cómo eras de pequeño? —Gina interrumpió la paz después del sexo para preguntar.

Era un momento breve, justo después de hacer el amor, en que Max la tenía en sus brazos y parecía casi relajado.

A ella se le ocurrió que, en lugar de quedarse ahí tendida disfrutando del momento, quizá podía conseguir que hablara.

Pero Max negó con la cabeza.

—Nunca fui pequeño.

Ella rió y se giró para mirarlo.

—Sí que lo fuiste. Venga. ¿Cuál era tu... programa de tele preferido cuando eras un chaval?

—No miraba mucho la televisión —dijo Max, y volvió a sacudir la cabeza.

—*Los ángeles de Charlie* —aventuró ella, y rió cuando él entornó la mirada—. Apuesto a que eras uno de esos que tenía una foto de... ¿cómo se llamaba?... Farah, en tu habitación de la universidad.

—Sin comentarios. —Pero Max había sonreído—. Me gustaba más la música que la tele cuando estaba en la universidad. Quiero decir, mirábamos *Saturday Night Live*, claro, pero... Prefiero mil

111

veces a Chrissie Hynde, de los Pretenders. Era una chica excitante. Y sabía cantar.

La música. Solían hablar bastante de música. Era fácil hablar de música.

—¿Cuál era tu programa preferido en la tele cuando tenías, pongamos, diez años? —preguntó ella.

—Jo, yo qué sé —dijo Max—. Miraba lo que querían ver mi hermano y mi hermana. Ellos eran mucho mayores... A Tim le gustaba el deporte, así que veíamos mucho béisbol y baloncesto. Y cuando no estaban... A mi abuelo le gustaba mucho Elvis. Vi muchas películas de Elvis con él.

Las películas de Elvis. Era demasiado divertido.

—¿Qué edad tenías —preguntó Gina—, cuando tu abuelo tuvo el infarto?

—Nueve.

—Tuvo que ser muy chungo.

—Sí.

Ella guardó silencio un momento, y se lo quedó mirando, esperando que dijera algo más aunque, en el fondo, sabía que no lo haría. En una ocasión —hacía mucho tiempo— Max le había contado que tenía nueve años la primera vez que su hermana intentó matarse. Tuvo que ser un año horrible.

El primero de muchos.

No era de extrañar que Max se sintiera como si no hubiera tenido infancia.

Gina se inclinó para besarlo en la mejilla, pero él se giró y le ofreció su boca.

Dios, ese hombre sabía besar. Habría sido tan fácil dejar que ese beso fuera el signo de puntuación postrero, el que marcaba el final de la conversación. Dejar que el beso los llevara hacia una de esas noches de dos condones.

Pero se estaba haciendo tarde y ella no se podía quedar para siempre.

Por mucho que lo quisiera en ese momento.

Gina se apartó suavemente.

—Y ¿cuál es tu película favorita de Elvis? —preguntó.

Él se echó a reír.

—Venga —insistió Gina—. No tiene nada de difícil... no te pasará nada si contestas.

—No lo sé —respondió él—. En realidad, sólo miraba porque mi abuelo quería.

—Y... ¿qué? —preguntó Gina, apoyándose en un codo para mirarlo—. ¿Te quedabas sentado ahí en el salón haciendo ejercicios de cálculo mental mientras mirabas al vacío?

Él volvió a entornar los ojos.

—Vale —dijo—, dame un respiro, ¿quieres? Sólo tenía nueve años, ¿vale? Y mi abuelo ya no podía hablar, pero cuando miraba esas películas, no sé, era como si... Casi parecía feliz. A veces incluso se echaba a reír. Joder, yo me habría metido en una de esas pelis para irme a vivir ahí para siempre, si hubiera podido. Y, sí, tenía una que era mi preferida. *Follow that Dream.* Que a ti probablemente no te dice nada.

—Oye, yo también recibí mi dosis de Elvis. Ésa es la de los chicos aquellos con la furgoneta, ¿no?

—Fans secretos de Elvis, uníos —dijo él, riendo.

Gina lo adoraba cuando sonreía así.

—Una tía abuela mía tenía sólo dos fotos en su piso de Bayside —dijo Gina—. Una era de Jesús, la otra, de Elvis.

—¿En terciopelo negro?

—Por supuesto. El idiota de mi hermano me dijo que era uno de los santos más importantes, y yo... pues, yo le creí. Me da vergüenza decir la edad que tenía cuando me enteré de que era una broma. —Ahora le tocaba a ella entornar los ojos.

Aquello le valió una risa apagada de Max.

—El santo patrón del *rock and roll* —dijo—. Me gusta. Quiero decir, fue como un peldaño para música más sofisticada pero, en mi caso, diría que todo empezó con Elvis.

Volvían a la música. Pero no importaba.

—¿Alguna vez llegaste a tocar un instrumento cuando eras un crío? —preguntó Gina.

Él la miró y, por lo visto, decidió que el tema seguía siendo seguro, así que dijo:

—Antes del instituto, tenía muchas ganas de tocar la guitarra. Ya había descubierto a Hendrix, ¿sabes?

Ella dijo que sí con la cabeza.

—Así que fui a hablar con la profe de música del colegio y... ella me pasó un violín que siempre tenía a mano... para los chicos que quisieran probar antes de alquilarlo un año entero.

—¿Un violín?

—Sí —asintió Max—. Parece que había que empezar por ahí, en la sección de cuerda del cole. Recuerdo que me dijo que tenía que ganarme el derecho de tocar la guitarra.

—Madre mía —dijo Gina—. A mi profesor de música tu profesora de música le habría provocado un infarto. Dios, creo que habríamos visto una pelea a navajazos en la sala de profesores. Y tú, ¿qué? Supongo que habrás renunciado a volver al aula de música, ¿no?

—En realidad, no —reconoció él—. Me sentí... Bueno, me preguntaba si de verdad era tan difícil —dijo, emitiendo un ruido de desagrado—. Qué desastre. Yo siempre fui bueno en todo, pero...

—No con el violín —dijo ella—. Es uno de los instrumentos más difíciles de tocar.

—Sí —convino Max—. Yo había empezado a escuchar temas como «Crosstown Traffic», de Hendrix, y «All Along the Watchtower», de Dylan, y la profe quería que ensayara «Three Blind Mice» con esa mierda a la que jamás pude arrancarle ni una sola nota afinada. Tampoco me ayudaba mucho que en casa la tolerancia al ruido hubiera bajado a menos cinco. Claro, podía escuchar a Hendrix con los auriculares, pero para practicar... —dijo, y se encogió de hombros—. Al cabo de una semana, renuncié.

—¿Fue cuando tu hermana...?

—Sí —dijo él—. ¿Cuál era tu película preferida de Elvis?

Vale. Gina había conseguido más de lo que esperaba con aquel cuento del violín, así que cedió terreno.

—Ésa en que hace de cura —dijo ella—. Quiero decir, yo pensaba que era un santo, ¿me entiendes?

—Y ¿qué edad tenías cuando supiste que no lo era?

—Estaba en tercero —dijo ella—. Fue horrible. Había un chico de quinto, un imbécil que se llamaba Patrick O'Brien que no paraba de decir que Elvis era una mierda, que había muerto de una sobredosis. Así que le pegué, le partí el labio y le dejé un ojo morado. De verdad, le hice morder el polvo del patio a la hora del recreo. Me metí en un buen lío. La directora me mandó a la biblioteca enseguida. Tenía toda la ropa llena de barro, y fue muy humillante. Pero me puso de deberes investigar todos los detalles sobre la muerte de Elvis. —Gina dejó escapar un suspiro—. No fue un buen día. Recuerdo que mi madre estaba trabajando, así que mi tío Frank, que vivía en el sótano de casa porque no encontraba trabajo, vino a buscarme al colegio. Pelearse era un asunto serio. Me expulsaron durante dos días y tuve que pedir perdón a Patrick y a sus padres antes de que me readmitieran. Aunque sabía que eso empeoraría las cosas, ¿sabes? Tú imagina que eres ese chaval, y que viene una niña de tercero a tu casa y…

—Pobre cabrón —murmuró Max, que ahora sonreía.

—Claro, a ti te parece divertido, pero yo estaba muy desilusionada. Me había roto el corazón. ¿Todas esas oraciones… dedicadas a un farsante, a un anticristo? Resulta que mi héroe era un drogadicto. Sabes, vengo de una familia con una larga tradición en el cuerpo de bomberos y en la policía. En mi familia, meterse con drogas era considerado tan grave como un asesinato o un incendio provocado. —Gina se acurrucó contra él y le tiró del brazo para que la estrechara con más fuerza—. No puedo creer que no te haya contado esto antes. No te lo he contado, ¿no?

—No —dijo él, y le apartó un mechón que le tapaba la cara.

—El tío Frank se sentó conmigo y me contó que a veces los héroes cometen errores —dijo Gina—. Me dijo que, a pesar de los errores que Elvis había cometido, tendrían que haberlo nombrado santo de todas maneras, porque iluminó las vidas de muchas personas. Como a la tía abuela Tilly, que no tenía gran cosa que la alegrara después de la muerte del tío Herman.

»También me obligó a ducharme y a cambiarme de ropa —siguió Gina—, y me llevó directo a casa de los O'Brien, y me dijo lo que debía decir para que Patrick no siguiera aterrorizándome durante el resto del año —dijo Gina, recordando el episodio con un bufido—. Frank me dijo que tenía que devolverle a Patrick su orgullo y decirle «Lo siento, he hecho mal. Gracias por no pegarme, porque sólo soy una niña y, además, soy más pequeña que tú y, claro, tú sabes que los niños no deberían pegar a las niñas». Y yo no paraba de decirle a mi tío que sí, que Patrick me había pegado. «¡Yo gané esa pelea con todas las de la ley! ¿Qué hay de *mi* orgullo?», preguntaba yo. Así que mi tío me dejó escribir una nota para que se la diera a Patrick sin que sus padres lo vieran, y la nota decía: «Si vuelvo a escucharte decir que Elvis es una mierda, haré que te arrepientas». —Gina rió—. Y cuando volvimos a casa, Frank me dejó tocar su batería por primera vez. Los pequeños teníamos prohibido tocarla, pero ese día, mi tío Frank dejó que me sentara… En realidad, fue toda una lección, y fue como mágica… Desde luego, a partir de ese día, yo me iba al sótano cuando no había nadie en casa y me ponía a tocar. Creo que él se daba cuenta… En fin, después de eso Patrick O'Brien me evitaba en el patio.

Max sonreía.

—A mi abuelo le habrías encantado.

Max le había contado hacía mucho tiempo que su abuelo había conocido a su abuela, una estadounidense, en India, en los años veinte. Los dos tenían trece años y un día su abuela, Wendy, se separó de su grupo en el colegio, y Raza Bhagat la acompañó hasta su casa. Luego se fue y empezó a estudiar inglés, que aprendió a una velocidad asombrosa, en un tiempo récord, algo así como dos semanas, para poder hablar con ella con más soltura.

Al parecer, la atracción era mutua. Se casaron en 1930 y, como en aquella época las relaciones interraciales no eran bien vistas, fue bastante escandaloso. El asunto era aún más grave por el hecho de que Raza no viniera de una casta superior.

Después de la Segunda Guerra Mundial, Raza, Wendy y su hijo Timothy, el padre de Max, se fueron a vivir a Estados Unidos, donde su marginación fue algo más mitigada, sobre todo porque Raza consiguió un empleo bien pagado en la industria aeronáutica.

Raza se adaptó al país de su mujer con entusiasmo. Lo veía como un lugar donde un científico especializado en cohetes que nacía en una familia campesina no tenía que pasarse la vida cargando estiércol.

—Me habría fascinado conocerlo —dijo Gina—. A tus padres también.

La mirada que le lanzó Max era de pura incredulidad.

—¿Qué pasa? —inquirió Gina.

—Nada.

—¿Qué edad tenías cuando se divorciaron? —preguntó Gina.

—Estaba en el primer año de la facultad —dijo él, con un suspiro—. ¿Tenemos que hablar de esto?

—Tuvo que ser muy duro para ti —dijo ella. *Venga, Max, habla de algo que sea importante...*

—Qué va —dijo él—. Ya había acabado todo entre ellos.

—Y entonces, ¿por qué no quieres hablar de ello?

—Porque no hay nada que decir —dijo Max—. Hice lo mismo que hacía siempre. Saqué las mejores notas. Me licencié muy pronto. Mira, Gina, se está haciendo tarde.

Qué bien. La conversación había cobrado un sesgo un poco más incómodo para él, así que Max hacía lo de siempre. Intentaba deshacerse de ella.

No serviría de nada cabrearse. Si ella se cabreaba, Max se cerraría en banda.

Así que decidió tomárselo a la ligera.

—Mañana es un gran día, ¿eh? —dijo, provocadora—. ¿Vas a jugar al gin rummy con Ajay?

—Lo decía por ti. Tienes que volver a lo de Jules esta noche.

—Sí, y tengo que ir a recoger tu correo mañana. Qué agotador —dijo Gina.

Él no sonrió. Estaba a punto de decirle algo acerca de por qué debería volver a Nueva York y matricularse en la Facultad de Derecho de la Universidad de Nueva York. Gina lo intuía. Y entonces no podría sino cabrearse con él y...

Acabaría por irse, enojada. Había sido una noche demasiado agradable para acabar así, aunque era sobre todo ella la que había hablado.

—Y entonces, ¿cómo te las arreglas para canalizar tu creatividad? —preguntó Gina, antes de que él dijera alguna tontería.

—¿Qué?

Lo había confundido. Bien.

—Cuando dejaste el violín —explicó—. Si yo no tuviera mi batería, me volvería loca.

—No tienes tu batería —señaló él—. Tu batería está en Nueva York.

Grrr.

—Sí —dijo ella—, aunque, no, porque he descubierto un estudio de grabación a unas dos manzanas de casa de Jules. Tienen una batería. Al dueño, Ernie, no le importa que yo vaya, fuera del horario normal y... ¿No te lo había contado?

—No —dijo Max, y frunció el ceño—. ¿Ernie?

—Ay, ay. —Gina lo besó—. ¿Celoso? —No le dio tiempo a responder—. Está casado y tiene dos hijos. Así que deja de hacerle el quite a mi pregunta. ¿Qué haces? ¿Escribes poemas? O... ya lo sé... Recortas los periódicos, ¿no?

Él rió, como ella había esperado.

—Sí, con todo el tiempo libre que tengo.

—En serio —dijo Gina—. ¿Alguna vez has intentado pintar, o esculpir, o...?

—Algunas personas nacen para crear arte, otros nacen para sentarse entre el público.

Gina se incorporó y se lo quedó mirando.

—Eso no lo dices en serio, ¿no? —Estaba indignada—. Eso es tan estúpido como decirle a un niño que antes de tocar la guitarra tiene que aprender a dominar el violín. Por cierto, son dos instrumentos totalmente diferentes...

—Shh —dijo él, aunque sonriendo—. Hay gente durmiendo.

—Me encanta cuando sonríes —dijo ella—. Deberías sonreír más a menudo.

Y, tal como había aparecido, la sonrisa se desvaneció.

—Lo sé —dijo Max—. Lo siento.

Y así se quedaron, mirándose el uno al otro.

Cansados. Y asustados. O al menos *ella* estaba asustada. Insegura. Emocionalmente agotada por tener que andarse con tanto cuidado cuando estaba con él. Temerosa de que, al final, Max le dijera que estaba harto, y que no podían seguir.

No sabía cómo se sentía él, porque Max nunca se lo decía.

Por favor, rezó, pensando en San Elvis, *dame una señal...* No necesitaba que Max le dijera que la amaba, pero si lo decía no le haría ningún daño, eso era seguro.

Quizás influyera el hecho de que estuvieran desnudos y en la cama de él pero, como siempre, cuando se miraban de esa manera había como una chispa. Se encendía y restallaba y bailaba alrededor de ellos.

¿Qué estamos haciendo aquí, Max? No le preguntó eso. Sólo dijo:

—Es tarde.

—Sí —convino él. Y entonces le dio una sorpresa. Se puso a cantarle una canción, muy suavemente y desafinando un poco, pero sin duda con la intención de imitar a Elvis.

—... *Lord Almighty, I feel my temperature rising...*

Gina se echó a reír.

Max la buscó, y por el calor de sus ojos Gina supo que no pensaba marcharse.

Al menos durante un rato.

HOTEL ELBE HOF, HAMBURGO, ALEMANIA
21 DE JUNIO DE 2005
EN LA ACTUALIDAD

Gina no lo esperaba en su habitación del hotel Elbe Hof.

En realidad, Max no esperaba encontrársela.

Pero sólo Dios sabía lo mucho que lo deseaba.

Había un sobre en el suelo, justo al otro lado de la puerta, sin duda una factura del hotel que alguien había deslizado por debajo. Max la recogió al pasar.

No se molestó en encender la luz después de cerrar la puerta. Las cortinas estaban abiertas y la luz del atardecer bañaba las dos camas, perfectamente arregladas. La habitación tenía una distribución típica. Las camas, una cómoda, una mesa con un teléfono, un televisor. Una silla muy mullida y una lámpara de pie. Mesa de desayuno y sillas junto a la ventana.

La decoración era relativamente impersonal, como en cualquier lugar del mundo donde se alojaran turistas de Estados Unidos.

Salvo que ahí dentro olía a ella. Gina no solía ponerse perfume, al menos no de los que vienen en frascos, pero su champú, su jabón y sus lociones tenían un aroma muy dulce.

El olor era más fuerte en el cuarto de baño. Como si ella estuviera ahí, pero invisible.

El maquillaje estaba sobre el lavabo, como si acabara de usarlo. Como si hubiera salido con la intención de volver enseguida.

En el dormitorio, había montones de libros de bolsillo sobre la cómoda, la mesa e incluso en el suelo. Gina era una amante de las librerías. Lo único que podía motivarla a levantarse la camiseta en público era la promesa de un ejemplar del último Dean R. Koontz o J.D. Robb.

No había librerías en aquel remoto lugar de Kenia donde se había ido a trabajar, y Max sintió una punzada de remordimiento. Ojalá se hubiera acordado de comprarle las últimas novedades. Le habría pedido a Jules que se las mandara, y a ninguno de los dos les habría costado demasiado tiempo ni esfuerzo.

Max tiró el sobre en la cama situada más cerca de la ventana para tener las manos libres y abrir todos los cajones.

Gina era de las que sacaban la ropa del equipaje. En lugar de guardar sus cosas en la maleta cuando viajaba, como la gente normal, usaba las cómodas de los hoteles.

Seguro que había hecho lo mismo aquí.

También había ropa colgada en el armario, y Max se acercó a mirar.

Ropa de Gina y de otra persona.

Pero no había ni camisas ni trajes, ni zapatos de la talla de un hombre en el suelo del armario. La otra persona era una mujer.

Max se quedó mirando un vestido que no era ni del estilo ni de la talla de Gina, y sintió… ¿Qué fue lo que sintió? ¿Alivio?

No, no era eso.

Aunque, sí, quizás. Un poco. En el registro del hotel decía Gina Vitagliano y acompañante. Hasta ahora, Max había dado por sentado que su acompañante era un hombre.

Leslie Pollard, llegado al campamento de Kenia hacía unos cuatro meses. Inglés. Unos treinta y cinco años. Académico.

Fascinante.

Al menos así había descrito Gina a ese hijo de perra en breves cartas a Jules. *¡He conocido a un hombre fascinante!*

Sin embargo, a menos que una de las cosas fascinantes de Pollard fuera la tendencia a vestir prendas con espectaculares estampados de flores, no era el compañero de viaje de Gina.

Jules le había mostrado a Max la nota de Gina sólo después de realizar una rápida pesquisa y averiguar que, según los informes de la AAI, Pollard se había inscrito como voluntario tras la muerte de la que fuera su mujer durante más de diez años.

El tipo había trabajado para otras organizaciones de voluntarios, en China, el sudeste asiático e India. Venía de un pequeño pueblo de Inglaterra, donde había dado clases a chicas de buena familia en una escuela privada. Mucho antes de que decidieran contratarlo, la escuela había llevado a cabo una investigación mucho más exhaustiva de la que realizaría la mayoría de organismos de gobierno para dar luz verde a los candidatos a un puesto.

Leslie Pollard, según informó el funcionario de AAI a Jules, que a su vez informó a Max, era un hombre tranquilo y espiritual que lloraba la pérdida de su mujer, a la que seguía amando profundamente.

El problema era que Gina, con su amor a la vida, su actitud abierta, su sentido del humor y un cuerpo de estrella de cine, tenía lo que hay que tener para enseñarle a cualquier hombre el camino de vuelta a la vida. Y al amor.

Dios mío, aquello era como salido de una novela. Gina se marcha a Kenia, huyendo con el corazón destrozado por una relación frustrada con Max, que estaba siempre encantado de pasar una noche con ella cuando Gina se lo pedía, pero que se portaba como un capullo porque tenía un corazón de hielo y era incapaz de abrirse y compartir sus sentimientos personales.

Entretanto, Pollard se dedicaba a ayudar al prójimo después de que su esposa muriera, probablemente de una enfermedad dolorosa y larga, como el cáncer. Es un hombre amable, sensible y herido, pero no teme abrir su corazón para darse a conocer. Ella es franca y divertida, y tan puñeteramente bella y vibrante que a él lo deja sin aliento.

Mientras ayudan a los pobladores a buscar una cabra perdida… no, mejor, a un niño perdido, se extravían en la jungla, lejos del campamento. Obligados a acurrucarse uno junto al otro para conservar el calor, la pasión se enciende y…

Sí. Pensar en todo eso era una ayuda genial. Elucubrar acerca de cómo había sido la primera vez que Gina y ese jodido inglés hacían el amor era una ayuda realmente genial para que Max encontrara pistas.

Buscó más detenidamente entre la ropa de Gina, hurgando en sus bolsillos para ver si encontraba una caja de cerillas de un restaurante o cualquier cosa que le diera una clave para seguir sus pasos. Intentaba concentrarse pensando en lo difícil que habría sido hacer todo eso si el cuerpo en la morgue hubiera sido realmente el de Gina.

Aquello le ayudaba a no imaginársela disfrutando del sexo con el señor Fascinante pero, entre tanto, él volvía a derrumbarse.

Sí, eso tampoco servía de mucho. *Señor llorica*. ¿Qué le estaba pasando?

La mayoría de las cosas en el cajón de Gina era ropa de trabajo. Pantalones cortos. Vaqueros. Camisetas. Un par de chándals ligeros. Calcetines gruesos. Ropa interior… no tan de trabajo. Tenía un surtido de sus habituales prendas de encaje y volantes.

Madre mía.

Pero no había ninguna tarjeta de visita de Osama Bin Laden ni de ninguno de sus socios en los bolsillos de su ropa.

En la mesa había un montón de papeles. Folletos de museos locales. Un mapa de la ciudad, bastante ajado. Una breve lista de cosas que comprar en una farmacia, con la letra abigarrada de Gina: «Jabón, crema solar, bastoncillos y bolas de algodón, agua, galletas…»

Pero no había recibos de tarjetas de crédito, ni ningún otro tipo de tiques.

Max buscó en su equipaje y encontró un par de bolsas de lona vacías metidas en una estantería del armario.

Metió la mano para sacarlas y… ¿Qué diablos había ahí dentro?

La bolsa de abajo era demasiado pesada para estar vacía. También estaba cerrada y enganchada a la estantería de metal con uno de esos candados baratos de bicicleta, cerrado con combinación secreta, enrollado alrededor de la correa de la bolsa.

Como si eso fuera a impedir que un ladrón robara su contenido.

Max sacó su pequeña navaja y cortó la correa.

Era una bolsa de Gina. Tenía su apellido escrito claramente con tinta indeleble. Max la dejó sobre la cama, echando a un lado el sobre que había dejado encima.

Pero…, vaya. O estaba agotado o simplemente se estaba volviendo viejo, porque aquel sobre no era del hotel, como había pensado al principio. Había llegado por correo, con un sello timbrado. Su destinataria era Gina, con dirección del hotel y número de habitación, la ocho dieciséis. El remitente era alguien con las iniciales A.M.C., de Hamburgo.

Ya que tenía la navaja abierta en la mano, primero se ocupó de la bolsa, y cortó a lo largo de la cremallera,

Adentro había…

La cámara digital de Gina y, en efecto, como había esperado, un montón de recibos.

Max se sentó en la cama y miró los trozos de papel. Gina había escrito directamente sobre ellos, cuando no quedaba claro a qué correspondían. Cena, cena, cena, comida, desayuno, comida. Libros, libros, libros.

Había más de veinte recibos de diferentes tamaños y formas y de legibilidad variable. Los revisaría detalladamente después de enterarse de quién era A.M.C….

Un momento.

Al final del montón había un trozo de papel más grande, doblado en tres para darle el mismo tamaño de los demás. Era un papel muy delgado, casi translúcido, y Max lo leyó al revés y de arriba abajo, letras gruesas que decían American Medical Clinic.

A.M.C.

Lo desplegó y…

Era una factura por servicios médicos.

En la cabecera estaba el nombre de Gina, con su dirección del hotel, habitación ocho diecisiete. Al parecer, había acudido a una visita médica y...

Dios mío.

Gina se había hecho una prueba de embarazo.

Max rasgó el sobre sellado. Dentro había una carta. La sacó, la agitó para desplegarla y...

En efecto, A.M.C. era la American Medical Clinic.

Volvía a figurar el nombre de Gina y su dirección provisional en la cabecera. «Estimada paciente», comenzaba.

Eran varios párrafos, breves, escritos en inglés. En el primero se le informaba que los resultados ya estaban, aunque no le decían si eran positivos o negativos.

Claro que no.

En el segundo, se le amonestaba por no haber acudido a una visita médica y se le avisaba que le facturarían igual puesto que no había cancelado la visita con veinticuatro horas de antelación.

Y el tercero era el plato fuerte de la sorpresa. En él, se le recordaba a la paciente la importancia de los cuidados prenatales adecuados.

Volvió a leerlo y la palabra seguía ahí. *Prenatal.*

¿Gina estaba de verdad *embarazada*?

Excepto que... vale. Se trataba, evidentemente, de una carta tipo. La fecha —del día anterior— de la visita a la que no había acudido estaba escrita a mano.

Era probablemente el tipo de clínica de mujeres que destacaba la importancia del cuidado prenatal siempre que se presentara la oportunidad.

Aquello no significaba nada.

Y, aunque estuviera embarazada, ¿qué? Sin duda prefería verla viva y embarazada que no embarazada pero muerta.

Aún así, ¿cómo podría haber sido tan iluso? Max tuvo que poner la cabeza entre las rodillas. De pronto le faltó el aire y se sintió mareado. Ella se habría quedado si él se lo hubiera pedido. Habría estado a salvo y...

Si se hubiera quedado, ese bebé habría sido suyo.

Y eso, ¿no era acaso una idea espantosa? ¿Qué coño haría él con un bebé?

La pregunta no tenía sentido. Gina no se había quedado.

Y, por lo visto, Max había conseguido lo que se propuso, alejarla para siempre de su vida. Dejársela a otro, a un hombre demasiado estúpido, o egoísta o desaprensivo para protegerla como se merecía.

A menos que ella amara a ese hijo de perra y que el embarazo fuera voluntario.

Pero, si era eso, ¿por qué no la había acompañado él en ese viaje? Y ¿quién diablos era esa mujer que viajaba con ella?

Aparte de la ropa, no había nada en aquella habitación que la identificara.

Max había encontrado las facturas de Gina. ¿Dónde estaban las de su amiga?

Dejó la cama para acabar la inspección… empezando por las papeleras.

KENIA, ÁFRICA
23 DE FEBRERO DE 2005
CUATRO MESES ANTES

David Jones había muerto.

Gina ayudó a Molly a encajar la terrible noticia reemplazándola en sus turnos en el hospital.

También sugirió que esa noche celebraran una velada. Ellas dos solas, con una botella de vino que la hermana Helen había donado a la causa, y todas las historias que Molly quisiera compartir —sin sonrojarse— acerca de ese tiempo demasiado breve vivido con aquel hombre tan amado.

Molly dijo que sí, que era una buena idea, pero sorprendió a Gina. Dos veces.

Primero, le contó que era una ex alcohólica, de modo que no probaría el vino aunque se lo agradecía de todas maneras.

Si pensaba en ello, no era una noticia que la tomara tan por sorpresa. Molly le había contado lo de los inicios de su carrera en los proyectos de cooperación como una auténtica voluntaria de tipo B.

Un embarazo adolescente, el bebé entregado en adopción, un novio muerto... Molly había tenido que luchar durante años antes de encontrar su camino.

La segunda sorpresa era que Molly tenía la intención de invitar a Leslie Pollard a la velada.

Aunque le pareciera raro al principio, Gina no tardó en entender que Molly no sólo quería *contar* historias sobre Jones. También quería escucharlas. Y ese inglés tartamudo y de pelo hirsuto había conocido a Jones. O al menos se habían cruzado unas cuantas veces.

Esa noche el ambiente en la tienda sería bastante raro.

Suponiendo, desde luego, que el señor Leslie Malhumorado aceptara la invitación.

Gina acabó de esterilizar las bacinillas del hospital y se dirigió a la tienda del comedor para recoger las bandejas de Winnie y las otras chicas.

El trajín del personal en el campamento disminuía considerablemente con el calor del mediodía.

«Disminuía» era una manera de decir.

Aquel campamento solía moverse al paso lento y exasperante de una tortuga, y alrededor de las doce era como si entrara en coma.

Al principio, como neoyorquina de pura cepa, Gina se mostraba impaciente con aquel ritmo lento. Tenía que respirar hondo muchas veces para no ponerse a golpear de manos y gritar «¡Más rápido, caminad más rápido!» Y puesto que no era aficionada a la siesta, el descanso de mediodía le parecía una pérdida de tiempo.

Pero ahora le gustaba. El campamento dormía, y así tenía todo el lugar para ella sola. Era como encontrarse en ese episodio de *Star Trek* en que el capitán Kirk está solo a bordo del *Enterprise*. La verdad era que a Kirk lo habían acelerado hasta tal punto y se movía tan velozmente que su tripulación no podía verlo... No, lo estaba confundiendo con el episodio en que los alienígenas construyen una nave falsa y...

Mierda. Dieciocho meses sin sexo, y ya se estaba pareciendo a su prima Karol-con-K, que pasaba demasiado tiempo preguntándose si, de haber sido capaz de penetrar en el buffyverso, mister Spock se habría enamorado de Winifred.

Karol-con-K era una chica rara, y no sólo porque era evidente que los opuestos se atraen y porque Spock se habría vuelto loco por Buffy y se lo habría pasado en grande.

—¡Señorita! ¡Perdón, señorita!

Gina se volvió y vio a una mujer escondida en la sombra, cerca de la tienda de la ducha. Era joven, una chica, en realidad, no tendría ni dieciocho años, e iba vestida con una túnica de colores chillones típica de una mujer con dinero. ¿De dónde habría salido?

—Tengo que hablar con usted. —Hablaba el inglés de las clases altas de Londres, y su rostro era de una belleza perfecta, con su tez oscura y sus ojos grandes y expresivos—. Pero no nos pueden ver juntas. ¿Podemos entrar?

¿En la tienda de la ducha? La ansiedad de la chica era palpable y Gina asintió.

—De acuerdo —dijo.

En la tienda de la ducha había un cartel que decía «Hombres», pero el campamento seguiría dormido durante otra hora larga. Además, a esa hora del día el generador estaba apagado, y si alguien quisiera ducharse sólo tendría agua tibia.

La chica abrió la puerta de madera.

—Dése prisa —le urgió a Gina, lo cual parecía una broma, puesto que ella misma se movía como muchas mujeres de por ahí, lentamente, con pasos suaves y dolorosos.

También era visible, por cómo se movía, que no gozaba de una salud perfecta, como Gina había pensado. Estaba embarazada.

—¿Necesitas un médico? —preguntó Gina—. ¿O una enfermera?

Muchas mujeres en esa región de Kenia se negaban a ser tratadas por médicos hombres. O, mejor dicho, los maridos se negaban en su nombre.

Tanto el padre Ben como AAI llevaban años buscando a una médico para el campamento. Las monjas habían llegado al extremo de empezar a juntar dinero con la intención de enviar a la hermana Maria-Margarit a estudiar medicina. Aunque, a esas alturas, Gina estaba segura de que la hermana Maria-Margarit podía enseñar a los profesores de obstetricia y ginecología de la escuela de medicina de

Harvard un par de cosas acerca de la atención prenatal y posnatal de las mujeres del Tercer Mundo.

—Tenemos una enfermera muy buena —siguió Gina, intentando darle seguridad.

—Sí, ya lo sé —dijo la chica—. Hemos venido aquí, mi marido y yo, a visitar a tu enfermera. Pero mi marido está iluminado, verás. Está decidido a que vea a un médico, lo cual significa que, por desgracia, estará conmigo durante la revisión y... —Abrió apenas la puerta y miró afuera—. No tengo mucho tiempo. Se supone que a estas horas debería estar descansando. Me trajeron a una tienda y... ¿Tú eres la mujer de Estados Unidos de la que tanto he oído hablar?

—Soy de Estados Unidos —dijo Gina—. Sí, pero...

—Necesito tu ayuda —dijo la chica, cogiéndole las manos—. Mi hermana, Lucy, cumplirá dieciséis años de aquí a unas semanas. Y cuando llegue ese día, ellos dirán que ella dio su consentimiento, y le harán lo mismo que me hicieron a mí.

Joder.

—Pero eso es ilegal —dijo Gina, y enseguida se sintió como una tonta. Qué frase más estúpida. Era evidente que era ilegal.

—¿Sí, no? —convino la chica—. Pero intenta perseguir a alguien en Narok. Es la gran ciudad, donde está la granja de mi tío, donde todavía vive Lucy. Ahora está de visita, pero ella y mi tía se irán una semana después del miércoles. Así que, ya ves, tenemos que darnos mucha prisa para hacer esto.

—¿Hacer esto? —repitió Gina, sin convicción.

—Voy a hacer algo para distraerlos —dijo la chica—. En algún momento en los próximos días. Ya le he dado a Lucy el poco dinero que tengo, unas cuantas joyas... Tenemos una amiga en el norte, en Marsabit, que le ayudará a llegar a Londres. Vivimos en Inglaterra, un año, antes de que muriera mi padre. Tenemos amigos que cuidarán de ella allí. Ella está preparada para irse, señorita. Por favor, dime que puedo decirle que venga aquí, a ti, que tú la ayudarás a llegar a Marsabit.

—Desde luego —dijo Gina. Vaya lío...

—Gracias. —La chica empezó a llorar—. Que Dios te bendiga. Una mujer que trabaja en la cocina de mi suegra me dijo que tú ayudaste a sus siete hijas a huír, que eres un ángel por haber arriesgado tanto por sus hijas. Dijo que hay gente dispuesta a hacerte desaparecer para siempre en cuanto te atrevas a cruzar los límites del campamento, pero que, aún así, me ayudarías.

Era la pieza que faltaba.

Era la razón por la que Molly —la única otra mujer de Estados Unidos en todo el campamento— rechazaba una y otra vez las invitaciones a salir de safari y ver los paisajes de Kenia. La tenían como objetivo por ser la responsable de una versión siglo veintiuno del tren subterráneo para las chicas kenianas.

—Vuelve a tu tienda —dijo Gina, y la llevó de vuelta a la puerta—. Encontraré a Molly, ¿de acuerdo? Ella es la mujer de la que te habló tu amiga. Yo sólo soy su… ayudante. —Al menos lo era a partir de ese momento. Miró para asegurarse de que no había nadie fuera de la tienda—. Dile a Lucy que pregunte por Molly o Gina cuando venga, ¿de acuerdo? Dile que la estaremos esperando, que la ayudaremos a llegar sana y salva a Marsabit.

La chica respondió asintiendo con la cabeza y desapareció. Gina ni siquiera le había preguntado cómo se llamaba.

Sacudió la cabeza mientras esperaba en la tienda. No quería salir justo detrás de la chica por si alguien estuviera mirando. Aunque, si alguien miraba, daba lo mismo que contara hasta diez o hasta diez mil antes de salir. La tienda no tenía puerta trasera, así que si dos personas salían en un intervalo de pocos minutos, era evidente que habían estado dentro juntas.

¿Para qué molestarse en esperar?

Sólo lo hacía porque así actuaban los espías en las películas. No dejaba de ser un motivo bastante necio.

Desde luego, ella era la mentirosa más grande del mundo. Los subterfugios no eran su fuerte.

En cambio, daba la impresión de que Molly era una experta.

Desde hacía meses eran grandes amigas, y Gina sin sospechar nada.

¿Qué otros secretos tendría su compañera de tienda?

Gina miró por la ventana y… ¡oh, mierda! Leslie Pollard se acercaba en dirección a la tienda de la ducha, con la toalla al hombro.

La suerte quería que hubiera escogido ese día para su blanquea-miento mensual.

El instinto la hizo retroceder. El instinto la hizo agacharse y esconderse en uno de los vestidores para cambiarse.

Su instinto era una mierda. Bien mirado, en veloz retrospectiva, Gina se dio cuenta de que, en lugar de esconderse, debería haber abierto la puerta y salido sin más. Habría saludado alegremente al señor Malhumorado Pollard y anunciado en voz alta —por si a él le importaba— que el problema del agua ya estaba resuelto.

Desde luego, seguía siendo una opción válida.

Y en ese momento el ruido de una cremallera que se abría dejó un extraño eco en la tienda.

Joder, joder.

Aunque, en realidad, era una buena señal, ¿no? Significaba que él estaba dentro de otro vestidor, preparándose tranquilamente para que el jabón y el agua entraran en contacto con su cuerpo.

Gina no tenía más que pasar silenciosamente junto a la cortina, avanzar de puntillas hasta la puerta y...

¡*Scriiich!* Si su vida tuviera una banda sonora, el ruido de una aguja rayando un viejo disco de vinilo habría despertado a todo el campamento.

Porque, al parecer, Leslie Pollard no sentía la necesidad de pasar a uno de los vestidores si creía estar a solas en la tienda de la ducha.

Él parecía tan asombrado como ella, ahí plantada ante sus ojos. Aún había esperanzas, puesto que él no encontraba la voz para preguntarle qué hacía en la tienda de la ducha a pesar de que el cartel en la puerta decía claramente HOMBRES.

Sin embargo, uno de los dos tenía que decir algo, así que Gina dijo:

—Hola. —Porque, joder, Leslie Pollard en calzoncillos era... Ni tan delgado ni tan pálido como ella había imaginado.

Tampoco había pasado mucho rato imaginando nada, porque la verdad era que no le había dedicado ni un minuto de su tiempo.

Pero el tipo también era mucho más joven de lo que pensaba, mucho más cerca de los treinta que de los cincuenta.

También tenía los músculos del vientre muy firmes. Y un bronceado que empezaba a desvanecerse, pero todavía bastante visible. No había duda, ni un centímetro de piel de gallina a la vista. Aunque el bronceado acababa a la altura de sus muslos y…

Madre mía.

Podría haberse vuelto de espaldas. En cambio, cogió su toalla y se la envolvió alrededor de la cintura con un movimiento rápido. Los brazos y el torso se flexionaron y endurecieron como los de un héroe en una película de acción.

Leslie Pollard le había salvado el día.

Gina rió pensando en *ese* cartel de cine, lo cual estaba mal, muy mal. Sería indignante que un hombre entrara donde estuviera ella vestida sólo con ropa interior y no se echara a reír, así que convirtió la risilla en una tos.

—Lo siento. El polvo en mi… No me haga caso… Sólo estaba comprobando… —Iba a decir las tuberías, pero calló, porque sonaba tan ambiguo. Mirar las tuberías, como quien dice *tu* tubería. Que, desde luego, no era lo que prentedía hacer. En absoluto. Quizás, antes de la toalla, al mirarle el bronceado, o la falta de bronceado, en cierta parte, era sólo… ahí.

—La presión del agua —dijo, para salir del apuro—. Buenas noticias. Ya tenemos presión. Es muy… del agua, y de la presión… —De alguna manera consiguió llegar trastabillando hasta la puerta—. Que tenga un buen día.

Vale. Ya está.

La mayor parte del campamento todavía estaba en coma, y Gina volvió a la tienda que compartía con Molly sin ver a ningún otro compañero de trabajo desnudo. La hermana Maria-Margarit, por ejemplo. Aaag.

Cuando irrumpió por la puerta, fue tal el sobresalto de Molly que tiró un frasco de esmalte de uñas al suelo.

—Diablos —dijo, intentando arreglar el desastre. Llevaba puesta la bata color turquesa, una toalla alrededor de la cabeza y se había embadurnado con un poco de barro de mascarilla de Gina.

Aquella tarde todo se iba volviendo cada vez más raro. En lugar de tenderse a derramar unas lágrimas sobre la almohada, Molly se estaba regalando lo que Gina llamaba «un día de balneario», y hasta se había pintado de rojo las uñas de los pies.

Desde luego, cada cual tenía su propia manera de llorar a los seres queridos.

—Siento mucho molestarte —dijo Gina—, pero esto no puede esperar...

HOTEL ELBE HOF, HAMBURGO, ALEMANIA
21 DE JUNIO DE 2005
EN LA ACTUALIDAD

Max perdía el tiempo intentando persuadir a los administrativos de la American Medical Clinic de que violaran las normas de su política de privacidad para los pacientes.

Sabía que no podían darle información personal acerca de Gina, sobre todo por teléfono, pero no podía dejar de intentarlo.

Cuando quiso explicar quién era y por qué estaba en Hamburgo, junto con su descubrimiento de la factura y la carta de A.M.C., la mujer que lo atendía, dijo:

—Espere un momento, por favor.

Así que esperó. Y esperó. Sabía que lo hacían para desanimarlo, pero tenía muy pocas pistas.

Mientras esperaba, esparció sobre la cama los recibos de Gina, ordenándolos por fechas.

Descubrió, tras un examen más detenido de los recibos, que Gina había pagado por las comidas, desayunos y cenas de su amiga.

A menos que estuviera comiendo por dos, literalmente.

Genial. Ahora tenía una buena idea de dónde y qué había comido Gina durante su visita a Hamburgo, además de saber dónde había comprado libros, todo muy cerca del hotel, pero poca cosa más.

Su análisis de la papelera no había servido de nada. Y a pesar de haber buscado por toda la habitación, no había dado con ninguna pista sobre la identidad de la compañera de Gina.

Era muy raro. Como si estuviera viajando con la señora Anónimo. O, quizá con la señora Bond. Quien quiera que fuera, estaba más limpia que muchos de los hombres sin nombre de la Agencia que había conocido en el terreno a lo largo de su carrera.

¿Qué posibilidades había de que esa falta de pistas no fuera intencional?

Mientras seguía esperando, volvió a mirar la ropa en busca de marcas de lavandería y descubrió que, en algún momento en el pasado, Gina llevaba etiquetas con su nombre en casi todas las prendas. En un trozo de tela más gruesa.

Etiquetas que habían sido cortadas.

La mujer de fuerte acento alemán volvió a hablar.

—Lo siento, señor. Sin una autorización firmada por la paciente...

—Quisiera pedir hora para hablar con el médico que la atendió —dijo Max. Miró de reojo la factura—. El doctor Liesle Kramer.

Ella guardó silencio un momento y luego preguntó:

—¿Qué le parece septiembre? El día siete. Es un miércoles...

Faltaban tres meses.

—Lo siento. No me ha entendido. Trabajo para...

—Sí —lo interrumpió ella—. Entiendo. Trabaja para el FBI, o eso dice. Me temo que su historia no es muy original.

—¿Qué?

—Recibimos muchas llamadas cada semana del FBI, la policía, la CIA. Como si fueran palabras mágicas que nos harán entregar información confidencial.

El busca empezó a sonar. Tenía otra llamada. Miró el número. Era Jules.

—Sí —dijo Max a la empleada de la A.M.C.—, pero yo realmente...

—Lo siento, señor. Le sugiero que hable directamente con su amiga si quiere saber de su salud. Nosotros no entregamos información sin una autorización de descargo firmada por...

—Escuche —dijo él—. Está desaparecida. Intento encontrarla. Quiero hablar con el doctor Kramer para saber si Gina estaba sola o acompañada cuando fue a verlo.

—Lo siento, señor.

—¿El doctor Kramer vendrá esta noche? —En el membrete de la factura había visto los horarios de tarde aquel día.

—Lo siento, señor, no damos información acerca de nuestro personal.

A locos potenciales. No lo dijo con esas palabras, pero Max sabía que eso era lo que pensaba.

—Buenos días —dijo ella, y le colgó.

Maldita sea.

Jules no había insistido. Max le devolvió la llamada.

—¿Qué sabes de la mujer que viajaba con Gina? —preguntó, cuando Jules contestó.

Al joven agente no pareció molestarle la falta de un saludo más tradicional, como *Hola*.

—Nada —dijo—. Todavía. Aunque estoy esperando una llamada de George. Se ha puesto en contacto con un operativo en Nairobi que de hecho viajará al campamento para que podamos hablar con el cura que dirige el asunto. La comunicación por esos lados es muy irregular y no hemos podido dar con él de ninguna otra manera. Se llama Ben Soldano. El cura. Te informaré en cuanto sepa algo de George.

—¿Qué más tienes? —inquirió Max.

—Hemos localizado a la compañía de la tarjeta de crédito de Gina. No ha hecho ningún gasto desde el día de la bomba.

—Mierda —dijo Max.

—Sí, lo siento —dijo Jules—. Y esto te va a gustar aún menos. El mismo día de la bomba hay registrado el pago de un billete sólo de ida de Hamburgo a Nueva York, un vuelo que salía a última hora de la tarde. A nombre de Gina. Antes, ese mismo día, hay una transferencia importante, de veinte mil dólares, a una empresa llamada NTS International, que curiosamente ya no existe.

Dios mío.

—Estamos intentando seguirle la pista —afirmó Jules—, pero hasta ahora no ha habido suerte.

—Entonces le robaron la tarjeta de crédito —dijo Max. No quería pensar en lo que eso podía significar. Si a Gina le habían robado la cartera y el pasaporte...

—Es lo que creíamos nosotros —dijo Jules—. Aunque, espera, que hay más. Esto es bastante raro. Gina tenía una segunda tarjeta con una compañía diferente. Retiró una suma importante de dinero en efectivo, diez mil dólares, con esa tarjeta diez días antes del atentado, en un banco de Nairobi.

—¿Qué dices? ¿Diez mil dólares en efectivo?

—Espera —dijo Jules—. Me está llamando George. Te devolveré la llamada, aunque puede que tarde unos minutos.

Jules cortó y Max cerró su teléfono móvil. Maldita sea. ¿En qué historia se había metido Gina?

Un tío del tres al cuarto que no sólo la había dejado embarazada sino que le sacaba grandes cantidades de dinero, va y luego le roba su tarjeta de crédito y su pasaporte y...

Y luego la mata.

No.

Por favor, Dios, no.

La cámara digital estaba sobre la cama, y Max la cogió.

Venga, Cassidy. Llámame.

Y dime que has hablado con el sacerdote del campamento en Kenia y te has enterado de que Gina está de vuelta, sana y salva...

¿Dejando todas sus pertenencias en Hamburgo?

Si sólo fuera su ropa y su maquillaje, Max podría albergar alguna esperanza.

Pero Gina nunca habría dejado todos esos libros.

Su teléfono no sonaba, y seguía sin sonar, así que Max encendió la cámara. Como de costumbre, Gina tenía muchas fotos guardadas, y...

La primera foto que apareció en la pequeña pantalla era de él.

¿Qué significaba que hubiera guardado esa foto?

¿Sería porque todavía le importaba?

¿O la había guardado como una advertencia?, como diciendo: «Nunca olvides el desastre que fue tu relación con este perdedor...»

No era una foto especialmente buena. Era, más bien, vergonzosa.

Max estaba sentado en su cama, en Sheffield. Era la foto que Gina había tomado el día después de que lo trasladaran. Tenía un aspecto de mierda, justo después de su primera sesión de rehabilitación física, y miraba con rabia a la cámara porque, maldita sea, no quería que le tomaran fotos.

Tampoco la había querido a ella en la habitación.

Como si eso fuera a impedirle entrar...

¿Sabes lo que necesitas? Un final feliz...

Avanzó hacia la foto siguiente.

Otra foto de él. Esta vez, con Ajay.

Ay, Dios.

Estaban sentados a una mesa en la sala recreativa del centro de rehabilitación, jugando a las cartas. Ajay con una gran sonrisa, a pesar de que estaba sentado en esa silla de ruedas, a pesar de que sus graves quemaduras le habían convertido las manos en una especie de garras de aspecto horripilante.

Era Navidad, y la sala estaba toda decorada. Max acababa de echarse a reír por algo que había dicho el chico, seguramente un chiste tonto y grosero. El chico había entendido, desde el primer juego de naipes, que el humor ligero hacía reír a Gina. Y cuando Gina reía, Max también reía.

La foto siguiente era una que Ajay había tomado de él con Gina. Ella estaba sentada sobre sus rodillas, ante la misma mesa de la sala recreativa, con el brazo alrededor de su cuello, con el sombrero de cuernos de reno que ella le había regalado a Ajay.

La sonrisa de Max era forzada, y daba la impresión de que tenía miedo de tocarla. Miedo de que quedara registrado en una foto, miedo de...

Maldita sea, él tenía ganas de entrar en esa foto. Quería darse unas cuantas cachetadas en la cabeza y preguntarse... ¿Qué?

Disfruta de este momento. Tómate tu tiempo. Saboréalo. Atesóralo.

Porque seguro que no iba a durar.

Capítulo 7

Se había convertido en un juego.

Max intentaba que Jules o Ajay se quedaran. Gina intentaba deshacerse discretamente de ellos. Para estar a solas con Max.

Aunque, la verdad sea dicha, Max no lo intentaba con demasiada convicción. Cada dos días, más o menos, cedía.

Pronto se convirtió en el episodio preferido de la semana. Gina montada encima de él.

También era interesante ver la rapidez con que el sexo pasaba de ser un lujo ocasional a ser una necesidad con raíces profundas.

Una adicción.

Lo verdaderamente peligroso era que Gina lo sabía.

—Buenos días, Debra —oyó que Gina saludaba a la enfermera en el pasillo.

Con sólo oír la voz le subía la presión arterial. Jules no la acompañaba hoy, así que era el momento de llamar a Ajay y decirle que se pasara un rato a jugar a las cartas.

Pero no se movió. Hoy no quería jugar a las cartas. Se quedó sentado escuchando a las dos mujeres mientras hablaban del tiempo.

—…unos cuantos copos de nieve y todos se ponen a conducir como mi tía abuela Lucía.

En realidad, era Gina la que hablaba. Debra asentía con monosílabos.

—Sí. Ajá.

—Tengo un primo que es profesor de quinto de primaria en un suburbio de Boston. Me contaba que allá no cierran los colegios a menos que les caiga una buena tormenta. ¿Max está en su habitación?

—Está descansando.

—Gracias. No meteré ruido.

—Ya.

Fue el comentario que, para Gina, colmaba el vaso. Por lo visto, ya había soportado bastante.

—¿Se puede saber qué tiene contra mí? —preguntó. Así, a bocajarro.

Hablaba en voz baja. Él podía oírlas porque estaban justo al lado de su puerta entreabierta.

Debra soltó una risilla nerviosa. Sí. Debra, es una chica de temer. Gina podía ser un pit bull. Era poco probable que se marchara sin una respuesta satisfactoria.

Y Debra no tenía esa posibilidad de distraerla con el sexo.

—No seas ridícula, cariño. No tengo nada contra ti.

No había dado ni de lejos en el blanco. Max imaginaba a Gina cruzándose de brazos. Primera señal de que había entrado en combate.

Rendirse ya no era una alternativa. Para ninguna de las dos.

—Venga. Las dos sabemos que no es sincera. Sé perfectamente en qué está pensando cada vez que vengo por aquí. —Gina imitó a la perfección el tono de la enfermera—: Ah, hola, querida. Es la hora del polvo del señor Bhagat, ¿no?

—¿Acaso negarás que…? —Ahora era Debra la que estaba tensa.

—No.

—Ay, Dios.

—El sexo es una parte importante de nuestra relación. Eso no lo negaré —dijo Gina—. No me avergüenzo de ello. ¿Por qué habría de avergonzarme? Lo amo.

Eso no era ninguna novedad, aunque, claro, escuchar que lo decía en voz alta... Pero no había terminado.

—¿Podemos volver a empezar? ¿O, al menos, puede usted tratarme correctamente? Se equivocó con lo de las bragas en el suelo, ¿verdad? No han venido un montón de mujeres a verlo...

—Me temo que eso no lo puedo comentar. Tendrás que preguntárselo a él.

—Una grandísima perra, eso es lo que es usted —dijo Gina, y la enfermera se quedó muda de indignación—. ¿Por qué se empeña en insinuar...?

La voz de Debra se hizo más estridente, habló por encima de Gina.

—No tengo por qué aguantar...

—Y yo no tengo por qué aguantar sus estrechos prejuicios ni un minuto más —respondió Gina—. Claro, usted pensará, una mujer joven con un hombre maduro, y luego llegará a la conclusión de que he destrozado su feliz hogar, ¿no? Pues le diré una cosa, Max nunca se ha casado, y usted lo ha entendido todo mal. A Max nadie lo quiere excepto yo. Soy la única loca que piensa en una relación con él a largo plazo, y ¡le diré ahora mismo que la cosa ya pinta muy mal!

¡Ay!

Gina no había acabado.

—Sólo porque su marido la dejó por una chica más joven...

—¿De dónde habrás sacado...? Mi vida personal no tiene nada... —balbuceó Debra.

Pero Gina ya estaba encima de ella como una apisonadora.

—Escúcheme, Deb, lamento que su ex marido sea un capullo, y que le haya hecho daño de esa manera, pero Max no se parece en nada a él. Ha vivido durante años en un piso que es como una cueva, solo. Está casado con su trabajo, y si eso me convierte en su amante, pues, ¿qué se le va a hacer? Estoy dispuesta a ser eso. ¡Oiga! ¡No se vaya ahora! Llevo demasiadas semanas soportando su censura y su silencio. Si tiene algo que decirme, ¡dígamelo ahora!

—No eres la única mujer que viene a verlo —dijo Debra, con voz tensa—. Yo no soy nadie para decirte quién entra y cierra la puerta, pero si tuvieras un poco de cacumen, sabrías que todas las visitas tienen que firmar en la entrada.

—Peggy Ryan, Deb Erlanger, su secretaria Laronda. —Gina las nombró—. Frannie Stuart... Son todas mujeres que trabajan para él. Punto. Final. Y usted lo sabe. ¿Sabe lo que le digo? Olvídelo, Debra, ¿vale? Si quiere, puede seguir ignorándome. No me interesa trabar amistad con una persona tan venenosa como usted.

Max cerró los ojos cuando Gina abrió la puerta y la cerró al entrar.

—Mierda —dijo—. *Mierda*. Ni siquiera sé por qué me tomo la molestia.

Guardó silencio un momento, y luego se lo quedó mirando. Max respiraba acompasada y lentamente.

Como si estuviera durmiendo.

Le había dicho que traería la comida, y Max finalmente la oyó moverse y dejar al menos dos bolsas de papel sobre la mesa.

Se sentó, no en su cama, sino en la silla. Y dejó escapar un suspiro.

—Sé que no estás dormido. Y sé que has escuchado hasta la última palabra.

Max abrió los ojos y la miró. Las cortinas estaban cerradas de tal modo que proyectaban un dibujo de luces y sombras en el techo. Gina tenía el rostro iluminado por un fulgor suave, y daba la sensación de que su tristeza brillaba. Max deseó tener la cámara a mano.

—Cuando he dicho que pinta muy mal —intentó explicar—, lo que quise decir es que... —dijo, y dudó.

—...¿Que pinta muy mal? —Max acabó la frase por ella.

Ella rió, pero todavía había una profunda tristeza en su mirada. Él sintió que le destrozaba el corazón, porque eso no era lo que quería para ella.

Gina tenía que estar loca para quererlo. Era una buena cosa que ella misma lo supiera. Porque el próximo paso consistía en que se diera cuenta de que no estaba lo bastante loca.

En cuanto a lo que él quería...

—Yo sólo... —empezó a decir Gina—, pensé que... ya no sé ni lo que pienso, Max. Yo... te amo, pero..., por Dios.

Gina lo miró y, por primera vez, él no pudo descifrar su mirada. Solía estar rebosante de esperanza y optimismo. De confianza. Pero ahora él sólo veía su tristeza.

Quizás había llegado el momento final. Quizás ella se levantaría y saldría de la habitación.

Saldría de su vida.

Fue el momento en que Max se vio a sí mismo hacer lo que no debía. Sabía que no debía, que debería quedarse tranquilo y dejar que las cosas siguieran su curso.

En cambio, le tendió la mano. Su mensaje era claro. Ven aquí.

Nunca había sido el que daba el primer paso. La instigadora, por así decir, era siempre ella.

Y si la tristeza en los ojos de Gina se transformó en otra cosa, si su expresión se volvió sentimental cuando él le cogió la mano, él no lo vio. Max cerró los ojos y la invitó a meterse en la cama con él.

Gina solía desnudarse cuando se metía en la cama, pero esta vez se dejó toda la ropa puesta. Era muy sexy, en un sentido anticuado.

Pero, claro, para Max Gina también era sexy cuando saludaba a las enfermeras en el pasillo. O cuando jugaba al gin ruMaxy con Ajay. O cuando hacía caras ante esos pastelitos rosados que para Ajay eran la delicia de los postres. Cuando reía, cuando hablaba, cuando respiraba…

Él sólo quería tenerla en sus brazos, dejarla descansar contra su pecho, rodeándola con sus brazos, pero cuando ella le pasó la pierna por encima, sintió su… respuesta entusiasta.

Gina rió y se incorporó para coger el mando y cerrar la puerta.

—Bueno, al menos ahora me siento un poco más querida. —Lo besó, pero Max se echó hacia atrás para mirarla a los ojos.

—Yo siempre te he querido, Gina. Ésa no es la cuestión.

—Y ¿cuál es la cuestión? —preguntó ella—. Y si me echas ese rollo de que tú no me mereces, te juro que gritaré.

—Lo que yo me merezca no tiene nada que ver con esto —le aseguró él—. Sólo que creo que… —se corrigió—. Sé que no puedo darte lo que necesitas.

—¿Cuánto te juegas? —Gina volvió a besarlo y, como siempre, él estuvo perdido.

Le ayudó a quitarse justo la ropa necesaria, y sus manos recorrieron la suavidad de su piel cuando ella se giró para buscar un condón y...

Sí.

—¿Max?

Max abrió los ojos y se la encontró mirándolo desde arriba, con el pelo revuelto, la blusa a medio abrochar, el sujetador negro y brillante apenas conteniendo la plenitud de sus pechos perfectos.

Era una cara seria. En los ojos se insinuaba una pregunta.

—¿Esto es realmente sólo sexo para ti? —murmuró—. ¿Todo no es... más que un juego que estamos jugando?

Él vaciló, y luego en el silencio escuchó que la tierra se detenía en su órbita con un espantoso chirrido de frenos, y que el universo entero se quedaba esperando, inmóvil, su respuesta.

Las dos opciones evidentes eran A, no o B, sí. Max escogió la C. Cerró los ojos y la besó, esperando que ella entendiera y no entendiera algo que ni él mismo atinaba todavía a explicarse.

Y, al parecer, aunque no fuera la respuesta perfecta, sirvió para alegrar el ambiente.

KENIA, ÁFRICA
23 DE FEBRERO DE 2005
CUATRO MESES ANTES

—Todo el mundo —dijo Gina, mientras Molly acababa de preparar la tienda para la visita de Dave Jones—, o sea, *casi* todas las personas en nuestra línea de trabajo han sufrido algún tipo de tragedia en su vida.

Molly alisó el cubrecama y miró para ver si el agua había comenzado a hervir. Al ver que ya hervía, llenó la tetera.

—La hermana Helen —dijo Gina—. Me dijo que decidió dedicar su vida a Dios después de que a su hermana la asesinaron en el salón de su casa.

Gina aún estaba molesta con Molly. Se había sorprendido al enterarse esa tarde de que, en su tiempo libre, Molly se dedicaba a ayudar a chicas que huían del hogar.

—Y la hermana Maria-Margarit tiene historias bastante siniestras —siguió Gina. Seguía empeñada en que Molly la dejara ayudar.

—Lo sé —dijo Molly—, y yo no le pediría a ninguna de las dos que me ayude a trasladar a Lucy hasta Marsabit. —Comprobó que no hubiera bichos dentro de las tazas de té mirándolas a la luz temblorosa de la lámpara.

En opinión de Molly, no era buena idea que Gina se arriesgara. Sólo habían pasado unos pocos años desde que sobreviviera a la experiencia infernal de encontrarse en un avión secuestrado.

—Además —añadió Molly—. Yo no viajaré personalmente al norte. Tengo un contacto en que puedo confiar. —Alzó una mano para rechazar las preguntas—. No tienes que saber quién es, sólo tienes que saber que Lucy estará bien cuidada.

—Y... luego, ¿qué? —preguntó Gina—. ¿Se supone que tengo que olvidarme de que sé algo de todo esto? ¿Qué pasará cuando llegue la próxima chica?

—Harás lo que has hecho hoy y luego me lo cuentas. Y también me ocuparé de ella —dijo Molly—. Mira, Gina, lo siento. Debería haberte contado esto hace tiempo.

—Sí —convino Gina—, deberías. —Molly sabía que Gina no estaba enfadada sólo porque ella no la dejaba participar. Estaba enfadada porque le había ocultado un secreto durante todo ese tiempo que habían sido amigas.

Pero ahora Molly tenía otro secreto. Más grande, si cabe. Y si tenía que decir algo a propósito de él, se lo haría saber a Gina en unos minutos.

En cuanto llegara Jones.

Era una solución tan evidente, contarle a Gina que Leslie Pollard y Dave Jones eran la misma persona. A Gina no le entraría la curiosidad al verla pintándose las uñas en lugar de retirarse por ahí a llorar desconsoladamente. Y Molly no tendría que cargar con la culpa de guardar un secreto más sin contárselo a su mejor amiga.

Lo mejor era que Jones las visitaría en la tienda para tomar el té y, mirado desde fuera, todo parecería muy correcto, salvo que él y Molly tendrían libertad para hablar sin tapujos.

Delante de Gina, desde luego. Las normas del campo exigían una dama de compañía.

Pero prefería eso a tener que hablarse con susurros en la tienda del comedor.

Seguro que Jones estaría de acuerdo.

—Venga —dijo Molly—, ayúdame.

Gina acabó de limpiar su lado de la tienda a desgana. Quitó un par de calcetines de la cuerda para tender la ropa, unos calcetines que había lavado y colgado hacía días.

—¿En serio crees que Leslie vendrá esta noche? —preguntó, lanzando los calcetines al baúl.

Molly no sólo lo creía. Lo sabía.

—¿Por qué no habría de venir? —preguntó.

Gina sacudió la cabeza.

Y, en ese momento, Jones llamó a la puerta de la tienda.

A Molly le dio un vuelco el corazón. Se suponía que aquello era un velorio, así que adoptó un aspecto recatado al abrir la puerta.

—Señor Pollard, por favor, pase.

—Gracias. —Jones cruzó apenas una mirada con ella, pero fue suficiente para que le entraran ganas de sonreír. *No sonrías*.

Llevaba una de sus horribles camisas, abrochada hasta el cuello y en ambos puños. Un sombrero adornaba su cabeza, aunque afuera ya estuviera oscuro. Él tampoco le sonrió a ella. Pero consiguió rozarla al entrar en la tienda.

Dios mío.

—¿Té? —preguntó Molly, con una voz extrañamente aguda.

—Por favor —dijo él, y saludó a Gina con un movimiento de la cabeza mientras se sentaba en una de las dos sillas.

Molly sentía que él la miraba mientras servía el té. De pronto, empezó a hacer bastante calor ahí dentro. Gina carraspeó.

—Bueno, eeh, Leslie —dijo, con un gesto tímido Qué raro Gina nunca se mostraba tímida con nadie—. ¿Conoció usted mucho a David Jones?

Él también carraspeó.

—No, me temo que no demasiado —dijo.

Molly le entregó su taza al tiempo que le lanzaba una mirada implorante.

—Creo que deberíamos contarle a Gina la verdad sobre...

Jones le lanzó una mirada de advertencia.

—La verdad es que Jones despertó la cólera de unos hombres muy peligrosos en Indonesia —dijo, con ese acento de traficante de marfil—. Si no hubiera muerto, a la larga unos hombres despiadados lo habrían encontrado, porque no era lo bastante cauto.

Y, por si Molly no hubiera recibido el mensaje con claridad, enseguida pasó a contar la larga historia de su viaje desde Nairobi en el autocar lleno de curas.

Dándole la espalda a Gina, Molly le hizo una mueca.

Él no titubeó ni por un segundo, y describió el autocar con todo lujo de detalles, y luego siguió con los pasajeros. Era insoportable.

—El padre Dieter... vosotras lo habéis conocido, desde luego. Tiene una voz notable...

Molly se habría contentado con quedarse ahí sentada, tomando el té, y escuchándolo aunque recitara el listín telefónico. Mirar sus manos mientras sostenía la taza, volviendo a los recuerdos de cuando la acariciaba...

¿Cuánto tiempo tendrían que seguir con ese juego?

Sin duda, él sabía qué estaba pensando, porque evitaba deliberadamente su mirada.

Y siguió con su historia.

—El padre Tom nos dijo que de pequeño vivió en Manila. Tenía siete años cuando atacaron los japoneses.

Al otro lado de la tienda, Gina estaba callada, lo que no era habitual en ella. Estaba sentada en la cama, lo más lejos posible de Jones, y su lenguaje corporal era de total rechazo. Estaba girada hacia un lado y tenía los brazos firmemente cruzados.

—A la madre de Tom la mataron —siguió Jones—. Supongo que fue algo brutal. Su hermano mayor, Alvin, escapó con él a la selva.

Mientras Molly miraba, Gina examinaba una mancha en la manga de su blusa. Era como si prefiriera fijarse en cualquier otra cosa antes que mirar a Jones.

Que seguía hablando.

—Eran toda una pareja de guerrilleros, responsables de graves sabotajes durante la guerra.

¿Era posible que Gina se sintiera incómoda estando él ahí dentro? No es que vinieran hombres a su tienda todos los días. Y, cuando venían, solían ser sacerdotes. O un ejemplar de los que Gina llamaba CAF: Cincuentón, Amigable y Felizmente casado.

—Se mezclaban con los lugareños y nunca los pillaban —seguía Jones—. Nadie imaginaba que un par de críos fueran los responsables de tantas dificultades en las líneas de aprovisionamiento. Hombres notables. Alvin todavía está vivo y reside en San Francisco. Sólo tenía once años en aquella época.

Siguió con una descripción detallada del padre Jurgen.

Quizá Jones tuviera el mismo físico y fuera igual de alto que uno de los hombres que había secuestrado a Gina a punta de pistola. O quizá su ridículo acento falso era similar al de alguno de sus agresores.

Por lo visto, Gina había superado con cierta facilidad su terrible experiencia, a pesar de que había sucedido hacía sólo unos años. Parecía psicológicamente sana y bien repuesta.

Desde luego, la palabra clave era *parecía*. Molly no podía leer la mente de Gina.

En cualquier caso, era muy posible que fuera una impostura.

Era evidente que Molly y Gina tenían que hablar.

—No recuerdo bien —decía Jones—, si era el padre Dieter o el padre Jurgen el que cantaba aquel verso de Baltasar, «Somos los tres reyes», cuando llegamos a Nakuru, aunque creo que era el padre Jurgen.

Aprovechando una pausa, Molly lo interrumpió.

—¿Más té, señor Pollard?

Él miró su reloj.

—No, gracias. Es tarde. Tengo que irme.

¿Era una broma? Si acababa de llegar hacía quince minutos. Molly no pudo evitar un suspiro de decepción.

Y entonces Gina se inclinó hacia delante.

—Se supone que estamos aquí para compartir recuerdos de Dave Jones. Yo no lo conocí, así que no puedo aportar nada, pero usted sí. ¿Cómo era él?

Jones miró a Molly.

—Pues, era… alto.

—Alto. —Gina también le lanzó una mirada a Molly. Salvo que su mirada decía *¿Te puedes creer a este imbécil?*

—Muy alto —dijo Jones—. Más alto que yo. —Se incorporó—. Ahora debo irme.

Le pasó su taza a Molly, asegurándose de que sus dedos se tocaran, aunque brevemente, y luego salió de la tienda diciendo gracias y buenas noches.

Molly no esperó a que sus pasos se alejaran para girarse hacia Gina.

—¿Te encuentras bien?

—¿Te encuentras bien *tú*? Ésa es la pregunta —contestó Gina en voz baja—. Madre mía, en mi vida he visto a un tipo tan soso. Tú querías hablar de Jones y… lo único que se le ocurre a él es que es *alto*. Y ¿realmente se habrá creído que me interesaba escucharle contar que quizás el cuarto o quinto asiento detrás del conductor del autocar todavía tenía buena parte del relleno?

Molly se tapó la sonrisa con la mano. Había sido un detalle exagerado.

—Algunas personas hablan cuando están nerviosas —sugirió. Y algunas personas hablan para asegurarse de que no hablen otros.

Gina volvió a tenderse sobre el camastro, con el brazo tapándose los ojos.

—Dios mío, Molly, ¿qué puedo hacer? El hecho de que haya venido esta noche es… Se le ve bastante interesado, pero eso probablemente se deba a que cree que soy una pervertida.

—Epa —dijo Molly—. Espera un momento. Ahí me he perdido.

Gina se incorporó y se quedó sentada. Su expresión era una mezcla de sinceridad, terror y diversión, todo reflejado en su bello rostro.

—No te lo había contado, pero después de hablar con la hermana de Lucy, en la tienda de la ducha para que no nos vieran, la dejé salir primero a ella y yo esperé, más o menos un minuto, pensando que no deberían vernos salir juntas de la tienda. Y antes de que pudiera salir, entró él.

—Leslie Pollard —aclaró Molly.

Gina asintió con la cabeza.

—Me asusté al verlo venir y, ya sé que es una estupidez, pero me escondí. Y tendría que haber esperado hasta escuchar la ducha, pero, Dios mío, quizás él no había corrido la cortina pensando que estaba solo ahí dentro.

Molly se echó a reír.

—Ay, ay, ay.

—Sí —dijo Gina—. Ay, ay, ay. Así que yo decido salir, pero él no está en uno de los vestidores sino junto al banquillo, ¿sabes?

Molly asintió. El banquillo en el centro de la tienda.

—Y en ropa interior —concluyó Gina, entornando la mirada—. Madre mía.

—¿En serio? —preguntó Molly. Se diría que Jones se estaba tomando muy en serio su cambio de identidad. Detestaba todo tipo de ropa interior pero seguramente habría estimado que no encajaría con el personaje de Leslie Pollard ir sin calzoncillos—. ¿En bóxers o en eslips?

Gina la miró, pero ahora ella también había empezado a reír, por suerte.

—Slips, y muy pequeños —dijo, tapándose la boca con la mano—. Dios mío, Molly, estaba... Creo que se ducha a mediodía porque sabe que no habrá nadie ahí, y entonces, ya sabes, puede marcarse un pequeño encuentro de cinco contra uno.

Ay, por Dios.

—Y ahora yo lo sé, y él sabe que yo sé y también es probable que crea que a mí me gusta esconderme en la ducha de los hombres —siguió Gina—. Y el hecho de que haya venido esta noche a tomar el té, en lugar de esconderse de mí para siempre en su tienda, eso significa... algo horrible, ¿no te parece? ¿Te he comentado que tiene un cuerpo increíble?

Molly negó con la cabeza.

—No.

—Sí —dijo Gina, con un aire algo desganado, para tratarse de un tema como ése—. ¿Quién habría dicho que debajo de esa espantosa camiseta se esconde un cuerpo divino? Y quizá sea eso lo que más me asusta.

—¿Quieres decir porque… te sientes atraída por él? —preguntó Molly.

—¡No! —dijo Gina—. Por Dios, todo lo contrario, porque no me siento atraída. No sentí nada. Voy y me quedo ahí parada y él… ¿Te acuerdas que te había dicho que se parece a Hugh Grant?

Molly asintió con la cabeza, demasiado aliviada como para hablar.

—Pues, me equivoqué de Hugh. Este tipo más bien tiene un cuerpo como Hugh Jackman. Y debajo del sombrero, las gafas y la crema solar, hasta tiene pómulos y un mentón bien perfilado. Estoy hablando como si me pusiera caliente. Y, sí, eso decididamente lo siento en un nivel, pero… —Lanzó una mirada hacia la mesa, donde estaba la cámara digital. La había sacado del baúl esa tarde.

Molly sabía que eso significaba que esa tarde Gina había pasado un buen rato mirando las fotos que tenía guardadas.

Entre ellas, unas cuantas fotos de Max.

El alivio de Molly por no tener que lidiar con una Gina enamorada de Leslie ya no era tan intenso. Molly deseó que viniera alguien y le robara la cámara a Gina. Quizás eso le ayudaría a seguir adelante.

—Cariño, no tienes que tener un motivo para sentirte atraída por Leslie Pollard —dijo, y le cogió las manos a Gina—. Tarde o temprano conocerás a alguien, y te sentirás bien y…

—Lo sé. Sólo que… —dijo, y volvió a entornar los ojos—. Aparte del hecho de que Leslie se interese por mí sólo porque piensa que soy una pervertida, yo creo que… Y bien, está aquí, ¿no? Con AAI. Así que tiene que portarse bien. Aburrido, pero bien. Y yo no quiero herir sus sentimientos. Así que… no vuelvas a invitarlo a tomar el té, ¿vale? No quiero que entre en esta tienda. Creo que si lo evito durante un tiempo, se dará cuenta de que no me interesa.

¿Que no lo invitara a tomar el té? Ni pensarlo.

—Sabes, es divertido —musitó Gina—, ver a alguien como Leslie bajo una luz totalmente diferente. Como que una no lo mira y piensa «Guau, ese tipo desnudo debe estar como un tren». Quiero decir, ¿qué otras cosas no sabemos de él? ¿Crees que es uno de esos tipos que les ponen nombre a su pene? O puede que tenga un *piercing* en la lengua, o...

—Y ¿qué pasaría si te equivocas? —preguntó Molly—. ¿Qué pasaría si no eres tú la que le interesa?

—¿Qué? —El rostro de Gina era la viva imagen de la incredulidad.

Al parecer, la idea de que Leslie Pollard hubiera venido a tomar el té por Molly, no por Gina, ni siquiera se le había pasado por la cabeza a la más joven de ellas.

Aquello fue un golpe duro de encajar, y Molly estaba que echaba chispas.

—¿Crees que soy demasiado vieja para él? —preguntó, y en su voz se adivinaba cierta irritación.

—¿Tú? ¿Y... Leslie? —La sorpresa de Gina fue genuina, pero no tardó en darse cuenta de lo insultante de su tono, y enseguida quiso arreglarlo—. Claro que no eres demasiado vieja. Quiero decir, no eres vieja. Quiero decir, sí, probablemente eres mayor que él. Y él seguro que es más joven de lo que tú crees... Yo también creía que era mayor, pero ahora, después de, ya sabes... Calculo que tendrá unos treinta y pocos años, como máximo.

Se estaba hundiendo en unas arenas cada vez más profundas, y lo sabía.

—Lo cual no es demasiado joven para ti —siguió—. Es que... pensé que tú no... quiero decir... Estás de duelo —añadió. Pero Gina era una chica lista, lo bastante para pensar en lo que acababa de decir. Y entonces reparó en los pies con las uñas pintadas y luego miró a Molly a los ojos, y llegó a la conclusión de que Molly no estaba de duelo. En realidad, no.

—Dios mío. —De pronto cayó en la cuenta—. Leslie es...

—Shh, no lo digas —la interrumpió Molly.

Gina se la quedó mirando con los ojos desorbitados.

—Joder, ¿es verdad lo que estoy pensando?

Maldita sea.

—Sí, lo es —dijo Gina, con un bufido—. Dios mío, otro secreto que tú... ¿qué? ¿Qué quizá no pensabas contarme? —Su rabia se transformó casi de inmediato en alegría—. Oh, Mol, eres una cabrona y voy a estar muy enfadada contigo más tarde, te lo juro, pero ¡esto es maravilloso! Me alegro tanto por ti... ¡creo que me estoy ahogando de emoción! —Gina la abrazó—. ¿Tú sabías que venía? ¿Te escribió, o...?

Molly negó con la cabeza.

—¿Apareció, de repente? —Gina se esforzaba para hablar en voz baja—. Oh, Dios mío, ¡te estarás subiendo por las paredes!

Molly asintió, con lágrimas en los ojos.

—Gina, no se lo puedes decir a nadie.

—No lo contaré. Lo juro.

—Quería contártelo, pero él no... Le han puesto precio a su cabeza, y teme que todavía haya gente que lo siga buscando.

—¿Gente? —inquirió Gina.

—Gente relacionada con el hombre que puso precio a su cabeza —explicó Molly—. Incluso puede que haya algún cazarecompensas, no lo sé. Lo único que sé es que quiere tomárselo con mucha calma. Tiene miedo de que se sepa por ahí que yo de pronto me he enrollado con un tipo en el campamento, y de que eso pueda delatarlo. Y tiene razón. La gente empieza a hablar y... —Sacudió la cabeza—. Por muchas ganas que tenga, no podré ir a meterme en su tienda durante un tiempo. Dice que tenemos que ser muy discretos, que tendremos que esperar meses antes de que podamos, no sé, tomarnos de las manos...

—Jesús.

—Dice que ni siquiera vendrá a tomar el té con demasiada frecuencia, que llamaría la atención sobre mí.

—No necesariamente —dijo Gina—. La gente ve lo que quiere, sobre todo si les ayudamos un poco. Seré *yo* quien lo invite a tomar el té. Yo me sentaré a su lado durante la comida, y luego puedes venir tú, ¿vale? Escribiré unas cuantas cartas, a PaMaxy, en la oficina de Nairobi. Y ¿no me dijiste que Electra viajaba a Sri Lanka? También le escribiré a ella. *He conocido al hombre más fascinante...* Luego, al cabo de un par de meses, lo dejaré correr, y tú lo puedes coger de rebote. Con lo guarra que eres.

Molly se echó a reír, como si viera una esperanza.

—¿Crees que funcionará?

—Te apuesto lo que quieras —dijo Gina—. Ahora, bien. La pregunta del millón. Jones…

—Leslie. Ahora se llama así.

—De acuerdo. ¿Sabe que tú no puedes salir del campamento sin que te acompañe un guardia armado, porque corres el riesgo de que te encuentren y te maten? Y, perdón, acabo de citar casi textualmente a Lucy.

—Venga —dijo Molly—. Eso es una exageración y tú lo sabes. —Por un momento pensó que la pregunta del millón tendría que ver con nombres de penes. Pensaba que Gina se inventaría una pregunta que la haría sentirse aún más incómoda.

—¿Lo sabe? —insistió Gina.

—Tú sabes que no —respondió Molly—. Y no, no pienso decírselo. Todavía no. Se pondrá como una fiera cuando se entere de que tú sabes quién es. Gina, me ha dicho que tendrá que marcharse si no obedezco sus reglas.

—Vale, de acuerdo —dijo Gina, y se sentó con las piernas cruzadas sobre la cama—. Sólo si tú me dejas ayudar a Lucy.

Capítulo 8

Victor, el hermano de Gina, llamó a Jules en cuanto dejó de llorar. Vic le había dado una excusa ridícula para explicar por qué había tenido que colgar (una llamada en espera), pero Jules no se lo había tragado ni por un minuto. *¿Qué dices? ¿Que mi hermana, que, según nos habían informado, ha muerto en un horrible atentado terrorista, puede que no esté muerta? Ay, perdón, tengo que contestar a esta llamada, es de la biblioteca. Será a propósito de un libro que les había encargado.*

En fin, sí, muy bien.

—Entonces, ¿seguro que no es Gina?

—Decididamente no lo es —afirmó Jules. Era lo mismo que le había dicho a Max—. Tampoco es que el cuerpo esté perdido. No está en la morgue. Y, hasta ahora, todas las pruebas de ADN han dado negativo. —Respiró hondo—. Lo cual no significa que no esté muerta.

Se había acostumbrado a decir esa frase últimamente, como el señor Mal Agüero, repartiendo tristeza y desconsuelo mientras deambulaba —en realidad, habría que decir mientras lo conducían— por las calles de Hamburgo.

Su chofer era un tipo alto y rubio y tenía un acento sexi, pero, por desgracia, no tenía nada de gay. Conducía con facilidad por la ciudad atestada de gente, y llevó a Jules al lugar del atentado siguiendo las instrucciones de Max.

Jules habría preferido reunirse con su jefe en el hotel de Gina. No estaba seguro de sacar algo en claro con una investigación en el lugar del desastre. Pero él no era quien para preguntar por qué. Lo suyo era cumplir o morir, costara lo que costara.

Pero a menos que Max pensara que encontraría algo perteneciente a Gina entre los escombros —su zapato, o aquel anillo que siempre llevaba— no tenía sentido visitar aquel lugar.

Era casi como si Max le estuviera encontrando cosas de que ocuparse para tenerlo alejado del hotel.

Jules entendió que ése era, precisamente, el punto. Max quería cierta intimidad mientras revisaba las cosas de Gina, mientras se enfrentaba a la verdad de que al dejarla ir había cometido un error superlativo digno de un tarado.

—Esto es increíble —dijo Victor, ignorando descaradamente la sombría advertencia de Jules.

—Lo cual no significa que... —volvió a decir, pero Vic lo interrumpió.

—Ya, ya —dijo éste—. Que no esté muerta. Esa parte ya la he entendido. Pero ahora no nos hace falta que vengas con esa mierda del vaso medio vacío. ¿Puedes atenerte a los hechos que tienes por seguros?

Pero Victor no quería todos los hechos. Sólo quería los que fueran positivos y dieran pie a albergar alguna esperanza.

La esperanza, y Jules lo sabía, podía ser maravillosa, pero en dosis adecuadas. Si la esperanza era demasiado grande, si le hacía sombra a la realidad, si ignoraban todas las noticias malas con el fin de apoyar la teoría de que Gina seguía con vida, pues todo resultaría bastante desagradable cuando la verdad decidiera asomar su cara más cruel.

—El pasaporte de Gina estaba en poder de una mujer que, sospechamos, es una terrorista. —Jules repitió la noticia que acababa de dar a Max. En su opinión, no era una noticia particularmente buena. En realidad, no era nada buena. Significaba que aunque Gina no hubiera muerto en la explosión, era probable que hubiera muerto varios días antes. Pero si lo decía con un talante lo bastante alegre, quizá Victor no se enteraría—. Esta mujer lo llevaba en un bolsillo de seguridad cosido en el interior de la blusa —añadió.

Los testigos oculares aseguraban que la mujer que él y Max habían visto en el ataúd había bajado de un Volkswagen Jetta y entrado a la carrera en una pastelería momentos antes de que el coche explotara.

Era un detalle que Jules había contado a Max, pero que todavía no podía compartir con la familia de Gina. Tampoco podía compartir el hecho de que sólo había un billete de ida comprado a nombre de Gina para un vuelo a Nueva York, para el mismo día del atentado.

En la jerga del FBI, a eso se le llamaba una Gran Clave Alucinante. Por ejemplo, si alguien acaba de pagar una porrada de euros por un billete de avión a Nueva York, parecía una locura ir y hacerse saltar por los aires con una bomba en un café cualquiera de Hamburgo.

Aún así, no estaban del todo seguros de que Gina no hubiera comprado el billete. Era uno de los motivos por los que Jules tenía que hablar con su hermano.

—La última vez que Gina habló contigo, ¿te dijo algo de que volvía a casa? —le preguntó Jules a Victor—. Ya sabes, ¿una visita relámpago?

—No.

—¿No habrá querido daros una sorpresa? —insistió—. ¿No tenéis una abuela o alguien que celebre su cumpleaños, o quizás una reunión familiar? ¿Una boda? ¿Un funeral? Ya sabes, algo que todos daban por supuesto que ella se perdería, y luego…

—No. Ni siquiera sabíamos que estaba en la maldita Alemania. —Vic contestó, seco—. Lo último que supimos de ella era que se pensaba quedar en Kenia otros nueve meses. —Siguió una pausa—. ¿No es posible que todavía esté en África? ¿Qué le hayan robado el pasaporte, o se lo hayan copiado, o algo?

—No, por fin hemos podido hablar con Ben Soldano, el director del campamento de AAI donde estaba Gina. —Jules ya había pensado en esa posibilidad—. Ella y una amiga, una chica llamada Molly Anderson, salieron de Kenia el jueves pasado.

—¿Estás seguro de que ese tío está diciendo la verdad?

—Teniendo en cuenta que figuraban en la lista de pasajeros del vuelo de Lufthansa a Hamburgo, además del detalle de que Soldano es sacerdote, y que a Dios nunca le han gustado demasiado los curas que mienten... Jooder. —Jules miró por la ventanilla del coche cuando pasó un autobús a toda velocidad. En un lado se veían las caras de Adam y Robin, parte de una gigantesca campaña de publicidad para la película *American Hero. Der Amerikanische Held. Ab Donnerstag. Manche Kriege führst Du in Dir* debía ser una traducción del eslogan de la película: La guerra va por dentro—. ¡Dios mío!

—¿Qué?

—Nada —dijo Jules—. Pensaba que aquí estaría a salvo, que las películas de Hollywood sobre la Segunda Guerra Mundial no serían demasiado bien recibidas.

Estaba muy equivocado.

—¿Qué? —insistió Vic—. No puedes decir *jooder,* y *Jesús* y luego *nada.*

—No tiene nada que ver con Gina —rió Jules—. En serio, Victor, no te interesaría.

—Que te jodan, capullo... Tú sólo dime qué ha pasado.

Vale. De acuerdo.

—Érase una vez un ex amante y su nuevo amiguito, dos actores en una película que, al parecer, están pasando en los cines de todo el mundo —dijo Jules, aunque eso no fuera del todo verdad. Robin sólo se había acostado con Adam esa única vez, experimentando, o al menos eso había dicho el actor supuestamente hetero. Pero Jules no iba a explicarle eso a Victor por ningún motivo—. Me topo con los carteles de la publicidad de la película donde quiera que vaya. Aquí estoy, en la Alemania maldita —dijo, tomando prestado el adjetivo de Victor— y todavía no me los puedo quitar de encima.

Silencio.

—¿Todavía estás ahí? —preguntó Jules—. O quizá mi uso de la expresión *ex amante* y *su novio* te ha provocado un infarto fulminante.

—No —dijo Victor—. Es que... debe ser una mierda, nada más. ¿Sale... Tom Cruise?

Jules se echó a reír. ¿Por qué sería que toda la población masculina hetero y vagamente homofóbica de Estados Unidos pensaba que Tom Cruise era gay? ¿Era porque lo encontraban atractivo, y eso los asustaba?

—No, cariño. Se llama Adam. Tú no lo conocerías. Es su primera película de verdad. —Y se diría que por el ruido mediático que acompañaba a *American Hero*, no sería su última.

—A mí no me gustaría ver a una de mis ex en un cartel publicitario. —En realidad, daba la impresión de que Victor simpatizaba con él—. Lamento que tengas que tragártelo. Quiero decir, además de... Sé... Sé cuánto aprecias a Gina.

Era extraño oír esas palabras delicadas de boca de un hombre que en una ocasión le había preguntado si eso de ser gay no era más que un truco para ligar con las chavalas. Vic había usado esa palabra, *chavalas*. ¿Quién hablaba así? Pero también era el mismo caballero que le había preguntado si no le parecía macabro que un tío viejo como Max anduviera metiéndole el rabo a una chica tan joven como Gina.

Sí, expresado de esa manera sonaba bastante macabro. Sobre todo porque hablaba nada menos que de su propia hermana.

—Gracias, pero ver a un ex en un anuncio no es nada comparado con lo que está viviendo tu familia —dijo Jules, mientras el chofer giraba en una esquina hacia una calle de adoquines. Los edificios de esa parte de la ciudad parecían salidos de un cuento de hadas—. Oye, ¿Gina mencionó alguna vez a un tío llamado Leslie Pollard? ¿De Inglaterra? Apareció en el campamento de Kenia hace unos cuatro meses...

—No me suena de nada —dijo Vic—, pero se lo preguntaré a Leo y a Bobby. Y a mamá. Ella y Geenie ya no son tan amigas como antes. Ya sabes. Antes del secuestro. ¿Has dicho que se llama Lester?

—Leslie —corrigió Jules.

—Oye tío, pero si ése es un nombre de chica.

—En realidad, no lo es —dijo Jules—. Es decir, sirve para los dos.

—Sí, pero ¿qué padres son capaces de ponerle un nombre como Leslie a su hijo? —preguntó Vic. Es como tatuarle *Soy marica* en toda la frente al pobre caraculo y luego mandarlo al colegio para que lo maten.

Jules carraspeó. Hasta ahí llegaba la faceta delicada de Victor.

—Es un decir —dijo Victor—. No quería ofender.

—Sí, eso no ha sido nada ofensivo.

—Tú sabes que es verdad. Quiero decir, venga.

—Eso lo hace todavía más ofensivo —señaló Jules cuando el chofer detuvo el coche junto a la acera. Tendría que caminar hasta el lugar de la explosión—. Espéreme, por favor —le pidió al chofer al bajar. No pensaba estar mucho rato.

Victor cambió de tema, con cierto tacto, aunque no exactamente con elocuencia, mientras Jules le enseñaba su placa al guardia armado que vigilaba junto a grandes barreras de hormigón que… ¿Para qué servirían esas barreras? ¿Para impedir que viniera otro hombre en un coche bomba y se estrellara contra los escombros?

Demasiado poco, y demasiado tarde.

Quizá la idea era crear una ilusión de seguridad en un mundo que sencillamente ya no era seguro.

—¿Así que, qué es esto que hemos oído en las noticias? —preguntó Vic—. ¿Que la explosión de Hamburgo fue un error monumental, una metedura de pata de los terroristas que no estaba prevista…? ¿Qué hay de todo eso?

La teoría en auge era, de hecho, que la explosión de Hamburgo había sido un error.

—Creemos que es probable que los explosivos hayan estallado accidentalmente —dijo Jules, y se cubrió la nariz con un pañuelo mientras avanzaba por la calle sembrada de ruinas. Por Dios, qué olor.

—¿Qué coño significa eso? —preguntó Vic.

Significaba que en lugar de una megaexplosión en una parte nada estratégica de la ciudad, los analistas sospechaban que los terroristas estaban preparados para hacer detonar cuatro bombas diferentes.

En cuatro líneas aéreas, con vuelos no sólo a Nueva York, sino a Londres, París y Madrid.

Tenía sentido. Eso explicaba el pasaporte, el billete de avión a nombre de Gina, la tontería de cuatro hombres bomba en el coche cuando un solo mártir habría bastado para hacer el trabajo.

En caso de que hacer explotar la bomba frente a la pastelería y café Schneider y cargarse a los clientes hubiera sido el plan.

—Lo siento Vic, no puedo entrar en detalles a propósito de eso —dijo Jules—. Ahora mismo, no.

Pero Victor no era tan estúpido como a veces parecía.

—Esa chica en el ataúd de Gina —dijo—. La que tenía su pasaporte. Si era una terrorista... Iba a venir a Nueva York y se iba a cargar el avión y un trozo del aeropuerto, o a estrellarse contra un objetivo en Manhattan, ¿no? —preguntó. Y luego rió—. Está bien, no me contestes, no quisiera meterte en líos. Es que... gente como ésa... gente capaz de planear algo tan repugnante como eso... Le habrán dicho *por favor* cuando le quitaron el pasaporte, ¿no?

—No —dijo Jules, con voz queda.

Victor guardó silencio un momento. La realidad le había quitado cierto brillo a su esperanza.

—¿Podrás encontrarla? —preguntó finalmente, entregado a la verdad—. Si está, ya sabes...

Muerta.

—Haremos lo que podamos —prometió Jules.

Cuando apagó el teléfono móvil, llegó a la esquina y se detuvo.

Madre mía.

El cráter de la explosión era enorme y profundo, y ahora realmente entendió por qué Max lo había enviado. Era para que viera todo aquello con sus propios ojos. Que eran los únicos dos ojos en que Max confiaba aparte de los suyos. Lo cual era todo un cumplido. Jules pensó que merecía la pena pararse a pensar en ello detenidamente. Más tarde.

Ahora mismo...

Por Dios, aquello no podía haber sido sino un accidente.

Y todo un milagro. El hecho de que la bomba hubiera explotado en un lugar tan poco concurrido era, de verdad, milagroso. Si el coche hubiera estado media manzana más al norte, las víctimas se habrían contado por miles, no por docenas. Ante sus ojos tenía lo que para un hombre bomba equivalía sin duda a una eyaculación precoz.

Además, con sólo mirar la profundidad del cráter, Jules pensó que si los terroristas hubieran querido atentar con un verdadero coche bomba, habrían reforzado el maletero del coche, de manera que la explosión se produjera hacia fuera y hacia arriba, y no hacia abajo. Si hubieran hecho eso, también habría muerto más gente.

A juzgar por el agujero, cualquiera que estuviera cerca del coche, por ejemplo, el cuerpo de alguien que hubieran matado para robarle el pasaporte y luego dejado en el maletero, habría quedado pulverizado.

Seguro que no habrían quedado huellas de ADN.

Desde luego, mirando el agujero, y calculando vagamente los metros cúbicos del maletero del Jetta, que era grande para ser un coche pequeño, pero no enorme... Con la cantidad de explosivos necesarios para hacer ese agujero, Jules creía que no habría espacio suficiente para un cuerpo.

Toda esa información no era demasiado útil en lo que se refería a cómo encontrar a Gina. Pero le ayudaba a poner una cruz en un lugar más de la lista titulada: «Posibles lugares en Hamburgo donde podría haber muerto Gina Vitagliano».

El problema era que infinito menos uno seguía siendo un número muy elevado.

Sin dejar de cubrirse la nariz con el pañuelo, Jules dio media vuelta y volvió al coche y al chofer que lo esperaba.

KENIA, ÁFRICA
25 DE FEBRERO DE 2005
CUATRO MESES ANTES

—No puedo creer que se lo hayas dicho —susurró Gina.

—Y yo no puedo creer que tú pensaras que yo *no* se lo contaría —dijo Molly, también susurrando, pero no menos intensa—. ¿Desde cuando las amigas recurren al chantaje?

—Hola. —Era Jones, que intentaba interrumpir, pero ellas lo ignoraron por completo. Se sentó en la cama de Molly.

—Pues, quizá —dijo Gina—, justo después de que una amiga descubre que la otra le ha mentido.

—Ah, no, eso no. —Molly se plantó delante—. Yo nunca te he mentido.

—¿Adónde vas? —Gina se imitó a sí misma y luego la respuesta de Molly—: «Sólo salgo a tomar un poco de aire». Te has olvidado de algo, ¿no? Algo así como «voy a ayudar a unas chicas de por aquí a escapar de sus padres para llevarlas donde no les hagan daño».

Su discusión, que se desenvolvía en medio de susurros para que nadie pudiera oírlas, era todavía más extraña porque Gina estaba metida en la cama tiritando, enferma de algo que parecía cada vez más una versión del virus estomacal que había tumbado a todos los curas del autocar.

Jones no se había contagiado. Probablemente porque no había nada en él que fuera ni siquiera remotamente piadoso.

Molly no paraba de discutir con Gina mientras le aplicaba un paño fresco en la frente.

—No te pongas melodramática —le dijo ahora—. Yo sólo soy una intermediaria.

—Últimamente —la corrigió Gina—. Porque eres un blanco potencial. —Se giró para mirar a Jones—. Son capaces de atacarla si sale del campamento. ¿Te lo ha contado?

—¿La atacarían? ¡Dios mío, Molly! —exclamó Jones, y se percibió la frustración en su voz.

Las dos se volvieron para mirarlo.

—¡Shh!

Habría sido divertido si no fuera tan serio. A Jones le daba retortijones de sólo pensar que Molly pudiera exponerse al peligro.

—Ahora me toca hablar a mí —dijo él, intentando hacerlo en voz baja.

—De acuerdo —reconoció Molly—, es verdad que en algún momento me he expuesto, pero en el último año Paul Jimmo se ha llevado a las chicas a la granja y luego…

—Me… toca… hablar a mí —dijo Jones.

O no hablar, mientras intentaba darle un sentido a toda la información que le había llegado en los últimos minutos.

Empezando por el hecho de que Gina había «deducido», según Molly, que él era Dave Jones.

Lo cual era una ilusión, teniendo en cuenta que él no era, en realidad, Jones. Su verdadero nombre era Grady Morant. Jones era sólo un alias, uno más en una cadena larga de alias. Pero eso, al menos, Gina no lo sabía.

Algunos hechos eran mucho más claros.

A Paul Jimmo, un keniano joven que visitaba con frecuencia el campamento, acababan de herirlo gravemente en una disputa tribal sobre los derechos del agua. Lo habían tenido que trasladar en avión al hospital de Nairobi. Todavía no se sabía si sobreviviría.

Una chica keniana de quince años llamada Lucy se ocultaba ahora ahí, precisamente en la tienda de Jones. Al parecer, justo el día anterior Molly había llegado a un acuerdo con Paul para que llevara a la chica a Marsabit.

Algo que Jimmo, evidentemente, ahora no podía hacer.

—¿De qué huye la chica? —preguntó Jones—. ¿La obligan a casarse?

Molly y Gina intercambiaron una mirada, y Jones se olió algo feo. Lo que iban a decirle no pintaba nada bien.

—¿Sabes lo que es la MGF? —le preguntó Molly.

Él negó con la cabeza.

—No. —Pero sabía que ahora se enteraría.

—La mutilación genital femenina —dijo Gina—. También conocida como circuncisión femenina, en términos menos descriptivos.

Mierda.

—Ya, vale —dijo Jones—. Sé lo que es. —Era un rito de paso hecho a las mujeres, y era tan horrible como parecía su denominación. El término clínico era la clitoridectomía. Pero solían llevarla a cabo personas sin formación médica, y utilizaban cuchillos o incluso trozos de vidrio que distaban mucho de ser objetos esterilizados. La sola idea lo hizo estremecerse.

—Yo pensaba que sabía lo que era —dijo Gina—. Hasta que vine aquí.

—Es un rito de purificación —explicó Molly—. Ciertas culturas creen que los genitales femeninos son sucios, y que tener contacto con una mujer sin mutilar puede ser peligroso para el hombre.

Jones rió, incrédulo.

—Como quien dice. «¡Os voy a tocar con mis partes sucias!» ¿Y todo el mundo sale corriendo?

Él venía de una cultura muy diferente.

—El corte es sólo una parte del proceso —dijo Molly—. Algunas tribus también practican algo que se llama infibulación.

—Es cuando cosen a las chicas para unir lo que queda, de modo que cuando sana, la chica ha quedado cerrada por una cicatriz, con una abertura apenas más grande que la cabeza de un alfiler —dijo Gina—. Es el equivalente a un cinturón de castidad físico. Qué manera de tener a todas las chicas y mujeres bien puestas, ¿no? Si el hecho de que su clítoris quede oculto por completo no les quita las ganas de desobedecer el orden establecido, no pueden hacer nada porque la penetración es imposible.

—La cosa se pone peor —dijo Molly, observando que Jones empezaba a palidecer—. Cuando se casan, la noche de bodas, el novio tiene que cortar o abrir a la fuerza el tejido cicatrizado para...

—Ya —dijo Jones—, ya entiendo—. Vale, eso a él lo haría salir huyendo de espanto.

—Eso cuando sobreviven al rito inicial —dijo Gina—. Narari no sobrevivió.

Narari era... Oh, maldita sea, ¿esas chicas todavía estaban en el hospital?

No tendrían más de trece años. Miró a Molly, que asintió con la cabeza.

—Hay una nueva ley en Kenia —dijo Molly, que teóricamente prohíbe que se corte a las muchachas menores de dieciséis años. Y, alcanzada esa edad, la chica tiene que dar su consentimiento para que la operación pueda llevarse a cabo.

—Pero las chicas en esta parte del mundo no tienen ningún poder —acotó Gina—. Una chica no infibulada no puede demostrar su pureza, así que los hombres no quieren casarse con ella. Y eso significa que una familia pierde la dote de la novia. Puede que una chica diga que no, pero cuando la familia que la alimenta y le da un techo dice que sí...

—Esta chica, Lucy —dijo Molly—, ha dicho que no.

Jones asintió con la cabeza.

—De acuerdo —dijo—. Si Paul Jimmo está en la UCI, ¿cómo vamos a conseguir que llegue a Marsabit?

CENTRO SHEFFIELD DE REHABILITACIÓN, MCLEAN, VIRGINIA
9 DE ENERO DE 2004
DIECISIETE MESES ANTES

Por fin, el hermano mayor de Ajay vino a visitarlo.

Después de una ausencia que se hizo notar durante Navidad y Año Nuevo, un día apareció sin previo aviso, y entró en la sala de actividades donde Ajay y Max jugaban una mano de gin rummy mientras esperaban que llegara Gina.

—Hola, Ajay.

El chico levantó la mirada y pestañeó.

—Hey, guau, Ricky. —La falta de entusiasmo que mostró Ajay era sorprendente, teniendo en cuenta sobre todo que solía hablar de su hermano en tono reverencial—. Finalmente has encontrado el centro éste, ¿eh?

Rick Moseley era alto y delgado, y mucho mayor de lo que Max había imaginado. Tendría unos veinticinco años. También era mucho más blanco, y tendría el pelo rubio si se tomara la molestia de lavárselo. Pero no era el caso. Además, parecía que esa noche había dormido con la ropa puesta.

Aunque muchos jóvenes hacían todo lo que podían para vestirse de manera desastrada y llevar los pelos revueltos, en este caso no era una cuestión de estar a la moda. El tipo era un asco, como si hubiera dormido con la ropa puesta junto a un contenedor de basura.

También se movía como si no pudiera estarse quieto demasiado tiempo.

—¡Colega! —Rick dio un rodeo alrededor de la mesa y se dirigió hacia las ventanas que daban a la campiña—. Esta vista que tienes no está nada mal, ¿eh?

—Sí —dijo Ajay—. Mola.

Rick no se acercó a darle un abrazo a Ajay, ni siquiera le tocó el hombro. Quizá no quería acercarse demasiado para no molestarlo con su hedor, pero Max sospechaba que no era por eso. Rick ni siquiera miraba a Ajay. No hizo más que mirar por la ventana durante todo el rato que duró la conversación. ¿Tanto le costaría preguntar *Cómo estás?*

Ajay intentó preguntárselo con una variación, ya que era evidente que Rick tampoco se encontraba demasiado bien.

—Oye, ¿qué hay de Cindy?

—Ashley —corrigió Rick—. Cindy es cosa del pasado. Ashley es más enrollada. Está, eh..., ya sabes, está afuera en el coche... Sí, esto sí que es una buena vista, tío.

Max carraspeó.

—Ah, oye, te presento a Max —dijo Ajay, que entendió la indirecta—. Max, Ricky. Somos hermanastros, por si tienes alguna duda —explicó—. Mi padre hizo como en La tribu de los Brady con su madre. Teníamos una hermanastra, pero ella no... ya sabes.

Max lo sabía. La hermanastra no había sobrevivido a la colisión.

Junto a la ventana, Ricky se pasó la mano por la cara.

Era verdad que tenía que haber sido duro para él sobreponerse a la muerte de toda su familia. Sin duda también era duro ver a su hermano pequeño en una silla de ruedas, incapaz de caminar, con esas manos horriblemente deformadas por las cicatrices. Max sólo podía imaginarlo.

Aún así, esa actitud de Rick, que se negaba a mirar al chico se entendía como repugnancia, o al menos así parecía sentirlo Ajay. Metió las manos debajo de la camisa demasiado grande, como si quisiera ocultar algo.

—Max —dijo Rick, que por fin se había girado—. ¿Trabajas aquí, Max? Porque me pregunto si no podrías llevar a Ajay a su habitación para que podamos...

—Max es un paciente —dijo Ajay, en un tono un poco más agudo de lo habitual—. Aunque no te lo creas, tío, Max juega conmigo a las cartas porque quiere.

—Es un Max con suerte —dijo Rick, y se acercó por detrás de la silla de Ajay—. Algunos tenemos que pagar las facturas. —Intentó mover la silla, sin resultado—. ¿Cómo coño funciona esto?

—Tiene un freno —dijo Max—. Tienes que soltarlo... Sabes, Ajay puede usar los controles...

—No, yo puedo... —Rick intentó soltar el freno, con demasiada fuerza, y Ajay se agarró a los brazos de la silla. Pero no tardó en volver a ocultar las manos.

Max se levantó, pero al final Rick consiguió dominar la silla y se llevó a su hermano.

—¿Cómo te tratan las enfermeras? ¿Bien? —Max oyó que le preguntaba a Ajay cuando salían al pasillo.

No oyó la respuesta de Ajay.

Max se dio cuenta de que los seguía, aunque no muy de cerca. Todavía era incapaz de alcanzar esa velocidad.

Cuando llegó a la mesa de recepción, el pasillo que conducía a la habitación de Ajay estaba vacío. Él y su hermano habían desaparecido.

Max se quedó parado, tentado de pasar por la puerta de Ajay, para ver si la habían cerrado, o si podía escuchar la conversación.

Pero era una locura. Se notaba que llevaba demasiados años trabajando como agente de la ley. No todos eran unos criminales.

Rick no era peligroso. No era una amenaza, al menos no lo era para su propio hermano. No era más que un veinteañero holgazán que no había tenido una noche de sábado genial y que ahora luchaba por rehacer su vida después de una gran tragedia. Él no iba en el coche con Ajay, pero era evidente que, en cierto sentido, las cicatrices que tenía eran igual de graves.

Max se obligó a girar a la derecha, cruzó las puertas de la entrada y salió al jardín, con su hermoso rincón de descanso al abrigo del viento. En un día insólitamente caluroso como ése, era un buen lugar donde esperar a Gina.

Un lugar público y agradable.

Acababa de sentarse cuando la puerta principal se abrió con demasiado ímpetu y golpeó la pared con un estruendo.

Era el hermanastro de Ajay, que salía.

Vaya con la visita. No habían transcurrido ni cinco minutos desde que se había llevado a Ajay de la sala de actividades.

El chico caminaba a toda prisa mientras lanzaba imprecaciones. Estuvo a punto de chocar con un anciano y dar con él en el suelo (un tipo simpático llamado Ted, que había servido en un submarino durante la Segunda Guerra Mundial) que venía a visitar a su hermana.

Max se incorporó.

—¡Oye!

Rick no se detuvo, ni siquiera aminoró la marcha.

Max se dirigió hacia las puertas del centro, pero Rick echó a correr hasta que llegó a su vehículo, una vieja *pickup* con matrícula de West Virginia. Subió del lado del conductor y salió del aparcamiento haciendo chirriar las ruedas.

La anciana señora Lane había dejado su silla de ruedas fuera del aseo de mujeres y Max se la apropió. Se dejó caer en el asiento y salió disparado por el pasillo.

La puerta de Ajay estaba entreabierta.

Casi se estrelló al frenar y se fue contra la pared hasta detenerse del todo. Instintivamente, se inclinó demasiado para detenerse y sintió una punzada de dolor en la clavícula fracturada. Joder. Se incorporó, empujó la silla de vuelta hacia el pasillo y entró llamando a la puerta, que dejó abierta de par en par.

Ajay estaba sentado junto a la ventana.

—¿Te encuentras bien? —preguntó Max—. He visto salir a Rick. Iba muy deprisa…

—Ashley lo estaba esperando en el coche —dijo Ajay, que estaba a punto de echarse a llorar.

Había píldoras en el suelo. Muchas píldoras, y estaban aplastadas.

—¿Qué ha pasado aquí? —preguntó Max.

—Nada.

—¿Se te ha caído un frasco de Tylenol? —preguntó, sabiendo que no era eso. Se agachó y recogió una píldora para mirarla de cerca.

—Sí —dijo Ajay—. Eso es lo que ha pasado. Me duele la cabeza. Mucho. Creo que me acostaré…

—Esto no es Tylenol —dijo Max.

—Qué raro —dijo Ajay—, porque el frasco decía…

—¿Qué has hecho? —preguntó Max—. ¿Lo has robado del cuarto de medicamentos para tu hermano, sólo que te equivocaste de frasco?

—¡No! ¡Que te jodan! ¡Tú no sabes una mierda!

—Sé que Ricky estaba un poco alterado. ¿Qué está tomando, Ajay? ¿Metanfetamina?

—¡Fuera de aquí!

—Necesitaría dinero, ¿es eso? Es una adicción que sale bastante cara…

—Oye, no tienes derecho a entrar aquí y…

—También sé —dijo Max, levantando la voz—, lo que ocurre cuando se venden estos fármacos a los chavales en la calle. Habrá alguno que se los toma para pasarse un buen rato, no se da cuenta de que merma su capacidad de juicio y va, coge su coche y se empotra contra otro coche y mata a toda una familia. Sencillamente los borra de la faz de la Tierra.

—¡Yo no los he robado! —Ajay se echó a llorar—. ¡No los he robado! Él quería que los robara, pero yo no lo hice. Me dijo que guardaban una cosa que se llamaba oxi-algo en el armario, que había frascos y más frascos, y que yo podría sacar unos cuantos y nadie se daría cuenta. Pero los fármacos están guardados bajo llave e inventariados, y aunque no lo estuvieran, yo no soy un ladrón… ¡Puede que él lo sea, pero yo no! Éstas eran mis píldoras, pero él no las quería…

Max vio que había más de un tipo de fármacos en el suelo. Eran varias dosis de medicamentos. Por lo visto, Ajay engañaba a las enfermeras para que pensaran que se los tomaba pero, en realidad, nunca se los metía en la boca.

Porque las guardaba para el loco perverso de su hermanastro.

Maldita sea.

—Hola chicos —dijo Gina, que acababa de llamar a la puerta al entrar—. ¿Qué…?

—Ve a buscar a la enfermera —dijo Max—. Este idiota no se ha tomado ninguno de sus medicamentos durante... —dijo, y miró a Ajay—. ¿Cuánto tiempo?

—Desde Navidad —reconoció éste, entre lágrimas—. Lo siento mucho. Sólo quería que viniera a verme, así que le dije que tenía lo que él quería, salvo que no lo era, y me lo tiró todo por la cabeza...

Gina volvió casi enseguida, acompañada no sólo de Gail sino de Debra y también del médico de turno.

—La has cagado —dijo Max.

—Lo sé —dijo Ajay—. Lo sé.

Gina lo tiraba de la manga, llevándolo hacia la puerta.

—Tienen que examinarlo.

—Lo siento —dijo Ajay—. No quiero que te enfades conmigo, Max.

—Mala suerte. Porque estoy enfadado —dijo Max—. Sabías que tu hermano tenía un problema y no pediste ayuda. ¿Sabes lo que haría yo si me enterara de que mi hermano tiene un problema con las drogas? Pediría ayuda porque, aunque sé muchas cosas, no sé cómo ayudar a un drogadicto. Tú eres un chico. En silla de ruedas. Con graves problemas médicos. ¿Cómo vas a ayudar a Ricky? ¿Sobornándolo para que venga a verte?

—Creo que ya debe sentirse bastante mal tal como están las cosas —dijo la enfermera Gail, mientras intentaba llevarlo hacia el pasillo. Pero Max no había terminado.

—Con eso no lo ayudabas para nada —dijo, mirándolo—. Te has portado como un egoísta.

—Lo sé —dijo Ajay, entre sollozos—. Lo sé.

—¿Quieres ayudar a tu hermano? —preguntó Max—. Yo te ayudaré a saber con quién hay que hablar aunque, tengo que prevenirte, a alguna gente sencillamente no se le puede salvar. Él mismo tiene que tener ganas de salir de ahí.

—Señor Bhagat, por favor, esto no sirve de gran cosa en este momento. —Gail estaba a punto a echarlo de la habitación.

Pero Max se resistió.

—Después de que te vea el médico, y si la estupidez de no tomarte tus medicamentos durante tres semanas no te envía de vuelta al hospital —le dijo a Ajay—, ven a la sala de actividades. Estaré ahí con Gina. Quizá Gail también quiera venir. Puede que tenga alguna propuesta para ayudar a tu hermano. Y luego, después de que hablemos, podremos acabar la partida de cartas, porque tengo una mano que no pienso perder.

Con Gina tirando de él y la enfermera empujándolo, por fin consiguieron sacarlo al pasillo y cerrarle la puerta en las narices.

Él se quedó ahí, sacudiendo la cabeza, respirando con fuerza, irremediablemente cabreado. ¿Tres semanas? ¿En qué estaría pensando Ajay?

Y ¿en qué estaría pensando él, que había expresado su rabia de esa manera?

Gina le pasó el brazo por la cintura y lo abrazó por detrás, acoplándose suavemente al cuerpo de Max.

—Se equivoca, ¿sabes? Con eso de que no sirve de nada.

—Sí —dijo Max—. Nunca está de más tratar a un chico inválido de estúpido y egoísta.

—Le has hablado con sinceridad —dijo Gina—. Por eso le gustas tanto, ya sabes. No te andas con rodeos. Tampoco lo humillas cuando le hablas. Sólo... hablas con él. —Volvió a abrazarlo con fuerza y lo soltó—. Mi hermano es trabajador social. —Sacó su teléfono móvil mientras lo acompañaba de vuelta a la sala de actividades, y buscó en la agenda—. Está en Nueva York, pero puede que sepa de algún centro aquí en Washington. Ya sabes, para Rick.

¿Cuál de los tres hermanos era...?

—El agente de Bolsa, el profesor, el bombero...

Gina se llevó el teléfono al oído.

—El bombero, Rob, también es profesor en Hofstra. Vic es el agente de Bolsa, pero Leo también ha trabajado en Wall Street. Ganó tanto dinero que pudo jubilarse a los... veintiocho, pero se aburrió y volvió a la universidad y... —Se giró para hablar por el móvil—. Sí, TaMaxy, soy Gina. ¿Está mi hermano? —preguntó, y luego se echó reír—. Sí, gracias. —Se volvió hacia Max. —Tal vez te acordarías de lo que hacen mis hermanos si pasáramos más tiempo hablando en lugar de... Sí, Lee, soy yo. Hola. —Le lanzó un guiño a

Max para terminar la frase—. No, todavía estoy en D.C. —le dijo a su hermano—. Pues es en los suburbios, en Virginia…

La sala de actividades estaba vacía, y Max se acercó a la ventana mientras Gina hablaba. Su risa lo envolvía por todos lados.

Lo paradójico era que habían llegado a un punto en su relación (si se podía llamar así) en que él no quería hablar. Se había convertido en todo un experto fingiendo que dormía.

Gina, en cambio, había adquirido una gran habilidad para desentenderse de temas delicados.

—Volverá a llamar con algunos números de teléfono. —Gina avisó a Max, mientras devolvía el móvil a su bolso. Se sentó en el alféizar de la ventana, mirándolo a él y de espaldas al paisaje—. Sabes, de verdad me encantaría que fueras tan sincero conmigo como lo eres con Ajay.

Maldita sea. Max suspiró.

—Oye, ya sé que todo esto te sobra ahora —dijo Gina, con voz queda—. Sé que estás preocupado por Ajay, y… Y luego Jules me ha dicho que te ha dejado unas carpetas más, que cada día estás trabajando más, y eso no es lo que te ordenó el médico, por cierto. Pero… he encontrado a esta mujer, una terapeuta, que se dedica a terapias de pareja.

Dios mío.

—Gina…

—He hablado con ella por teléfono —dijo Gina—. Hablamos un par de horas. Se lo conté todo. Lo de la violación y… todo.

Si había algo capaz de hacerlo callar, era eso. Max cerró los ojos y le vino al recuerdo la súbita imagen de Gina tirada en el suelo de la cabina del piloto, intentado liberarse, llorando de pánico y dolor.

—Me ha gustado —dijo ella—. La mayoría de las terapeutas me cabrean, pero ella es… Creo que de verdad le importo. Así que me ha dado hora para ir a verla el miércoles. —Sonrió maliciosamente cuando encontró la mirada de Max. Ya hacía tiempo que él le insistía en la necesidad de que volviera a su terapia—. Es un gran paso, ¿no te parece? Y tú, ¿tú vendrás conmigo?

—Por supuesto —dijo Max—. Pero… —Ella quería sinceridad—… ¿somos de verdad una pareja? —Sí, no era su intención que eso sonara tan duro, una simple idea que se le había pasado por la cabeza—. Quiero decir, todo esto está tan… no sé, aislado, supongo. Como si no fuera real.— Intentó explicar—. Ya sé que es enero, pero cualquiera diría que estamos viviendo un amor de verano.

Max no se atrevía ni a pensar en lo que iba a pasar cuando saliera de ahí y volviera a la vida real.

—El médico dice que sobreviviré.

Los dos se giraron y vieron a Ajay entrando en la sala.

—Danos un segundo —le dijo Max al chico, pero Gina ya se había incorporado.

—No te molestes, ya te he entendido —dijo Gina, pero era evidente que la había ofendido.

Maldita sea.

No era la primera vez que hería sus sentimientos, y no sería la última.

Y así comenzaba.

El comienzo del fin.

Capítulo 9

Max tuvo que dejar el teléfono móvil porque le temblaban las manos.

Molly Anderson.

Era el nombre de la compañera de viaje de Gina, confirmado por una llamada de Jules Cassidy. Aquella trabajadora de proyectos para el desarrollo no había cambiado demasiado desde que Max la conociera, unos años atrás. Todavía llevaba el pelo largo y rizado, de color cobrizo y recogido al estilo de una hippy de San Francisco. Su sonrisa era igual de cálida y sincera

Mientras miraba las fotos guardadas en la cámara digital, Max supo por qué había desaparecido Gina, por qué su pasaporte había acabado en manos de otra mujer. Ahora sabía de qué iba todo aquel asunto.

Tenía que ver con un hombre llamado Grady Morant, alias David Jones, además de una lista larga de posibles alias.

Tenía que ser eso.

Grady Morant era un hombre peligroso, un estadounidense expatriado que había sido suboficial del ejército. Lo buscaban en Estados Unidos por una larga lista de delitos, entre ellos, deserción del ejército y tráfico de drogas.

Durante un breve periodo, Morant había creído estar enamorado de Molly Anderson. Pero todo acabó cuando decidió venderla por una maleta llena de dinero.

Max estaba sentado en una cama de la habitación.

Y se echaba la culpa de todo.

Si Gina estaba muerta, era culpa suya.

Dios mío.

Cogió la cámara y volvió a pasar las fotos. No podía dejar de mirarlas. Gina con Molly y un grupo de mujeres, algunas sonriendo, otras con semblante serio. Gina, con el pelo muy corto, riendo, tomada de las manos con dos niños kenianos. Molly, con una camisa hawaiana, bailando en lo que parecía el interior de una tienda. Un hombre, de pelo entrecano y gafas que reflejaban el destello del flash, sentado muy formalmente, con la espalda recta, con una taza de té. Gina, detrás de su silla, riendo al objetivo, con los brazos alrededor de su cuello con gesto afectuoso. Otra foto, del mismo hombre, esta vez solo, formato de pasaporte.

Max no tenía que ver el nombre que llevaba cosido en el dorso de la camiseta para saber que aquél era el fascinante Leslie Pollard.

Tenían su descripción gracias al sacerdote que dirigía el campamento de AAI, junto con la noticia de que Pollard había desaparecido justo después de que Molly y Gina se marcharan a Alemania.

Sí, era verdad. Pollard se había despedido dos días antes de que esa bomba explotara en el café de Hamburgo y matara a una mujer que tenía en su poder el pasaporte de Gina.

Como regla general, Max no creía en las coincidencias. Pollard tenía que estar metido en aquello... lo que fuera. Quizás un secuestro.

Dios, por favor, haz que no sea un homicidio.

Según fuentes de inteligencia de Estados Unidos (Jules tenía la información incluso antes de que Max se la pidiera), no figuraba en ningún registro el nombre de Leslie Pollard en ningún vuelo desde Kenia a cualquier destino de Europa. Tampoco había entrado una persona con ese nombre en ningún aeropuerto de Alemania. Max le había pedido a su equipo que ampliaran la búsqueda, que revisaran las listas de pasajeros en trenes y barcos. Pero ya sabía lo que encontrarían.

Nada.

Volvió a mirar la foto en la cámara de Gina, intentando convertir la cara de aquel inglés en la de Grady Morant, pero no lo conseguía. Sólo había visto a Morant en una ocasión, justo después de que el hombre hubiera sido víctima de una paliza brutal.

Max abrió el teléfono, marcó la oficina de Washington y le pidió a Peggy Ryan que encontrara una foto de Morant en sus tiempos de servicio en el ejército y se la mandara por correo electrónico.

Cuando apagó la cámara, se dio cuenta de que se estaba poniendo el sol. Se había ocultado detrás del edificio de enfrente, que proyectaba una sombra larga. Sin la luz de la cámara, la habitación de hotel quedó a oscuras y...

Sobre la mesa, la luz roja de los mensajes del teléfono estaba encendida, apenas un parpadeo en la penumbra.

Max se incorporó.

¿Cómo era posible que no lo hubiera visto antes?

¿Acaso estaba perdiendo sus facultades? Sin embargo, se había asegurado de mirar el teléfono al entrar. Recordó haber observado, muy concretamente, que la luz de los mensajes estaba apagada.

Max encendió la luz de la mesa, y vio que la bombilla de escasa potencia bastaba para anular el brillo de la luz de los mensajes.

Joder.

Cogió el teléfono y pulsó la tecla necesaria para escuchar el mensaje.

Era probable que sólo fuera un saludo de parte del hotel, para asegurarse de que Gina y Molly estaban cómodas y...

—Tiene un mensaje nuevo —dijo la voz sintética, una voz femenina y seca. Hablaba un inglés perfecto, con un agradable acento alemán—. Mensaje número uno, del 19 de junio, a las 6:57 horas.

—Mierda. ¿Dónde estás? —Ahora era una voz de hombre, perceptiblemente tensa—. Tienes que irte de Hamburgo. —La conexión era terrible y la voz se perdía. Resultaba difícil decir si era un acento británico o de Estados Unidos. Max tuvo que concentrarse para entender lo que decía—. Tienes que salir de ese hotel ahora mismo. No metas nada en la maleta, deja tus cosas y sal. Dios mío, vete a la embajada de Estados Unidos, si es necesario. Ve y quédate ahí. No salgas para nada, ¿me entiendes? Estás en peligro...

Siguió un ruido de estática y luego el silencio.

—Final del mensaje —dijo el ordenador—. Para borrarlo, pulse siete. Para volver a escucharlo, pulse dos. Para guardar el mensaje...

Max pulsó el dos. Un mensaje nuevo, decía el contestador. Eso significaba que Gina y Molly no lo habían recibido. Mientras volvía a escuchar el mensaje, sacó su móvil y llamó a Jules Cassidy.

—¿Dónde estás? —preguntó cuando Jules le contestó.

—Acabo de salir del lugar del atentado —informó el joven agente—. Este tráfico es una mierda. Por cierto, sin duda la bomba fue un accidente. ¿Qué pasa, jefe? ¿Quieres que haga algo?

—Te necesito aquí —dijo Max—. Ahora. Necesito una copia digital de un mensaje que hay en el teléfono de Gina, aquí en el hotel. Es un mensaje de un hombre no identificado. —Cuando volvió a sonar el mensaje, sostuvo el móvil junto al teléfono para que Jules lo escuchara.

—¿Crees que es Pollard? —preguntó Jules.

—No lo sé —dijo Max, con voz sombría, cerciorándose de que había guardado el mensaje antes de colgar el teléfono del hotel—. Mira. Necesito tu portátil lo antes posible para bajar una foto de la cámara de Gina.

Luego mandaría el archivo a su propio laboratorio y equipo en Washington D.C. Sería más rápido que mandar la cámara al equipo del FBI en Hamburgo. Además, el equipo de Frisk ya tenía trabajo de sobras.

—El chofer dice que estamos a unos cuarenta minutos —informó Jules—. Eso, en el mejor de los casos, si el tráfico se normaliza. ¿Qué hay en la foto?

—No es qué sino quién —dijo Max—. Leslie Pollard. Gina tiene una foto que debe ser de él. Entretanto, Peggy está buscando una foto de Grady Morant. Pediré a los informáticos que hagan una comparación de las dos caras.

—Vale —dijo Jules—. Vaya. Grady Morant. El mismo Grady Morant sobre el que me pediste un perfil... ¿cuándo fue eso? Fue después del caso del secuestro de von Hopf, ¿no?

Años atrás, Max había incluido a Jules en un equipo encargado de localizar a un VIP secuestrado, el hijo de un ex agente de la CIA. Los autores del secuestro del VIP pertenecían a uno de los numerosos grupos rebeldes, traficantes de droga, terroristas y ladrones que tenían su campamento en una remota isla de Indonesia.

Era la misma isla remota donde trabajaba Molly Anderson en aquel entonces, como voluntaria en un proyecto de cooperación.

El VIP fue devuelto con vida a su familia, pero antes de que se despejara la polvareda, Molly Anderson se había metido en un buen lío, debido a su relación con... ding, ding, ding (respuesta correcta válida por dos puntos)... Grady Morant.

Al volver a Washington, Max le asignó una tarea a Jules. Recopilar información, muy discretamente y no por canales oficiales.

—Averigua lo que puedas sobre un ex suboficial de las Fuerzas Especiales SEAL, de nombre Grady Morant, pero que no se sepa. —Cuando Jules lo miró, intrigado, Max añadió—: No quiero recibir una llamada del Pentágono o de la CIA preguntándome qué coño pasa aquí. ¿Queda claro?

—Era el supuesto desertor, ¿verdad? —dijo Jules ahora—. ¿Y tú crees... que Morant es Leslie Pollard?

—Creo que tenemos que descartar esa posibilidad —dijo Max—. Se puede hacer comparando las dos fotos.

Seguro que Morant estaba implicado.

Maldita sea.

Cuando a Gina la había contratado AIDS Awareness International, a Max le había alarmado enterarse de que Gina se presentaba para trabajar como voluntaria en Kenia con la misma Molly Anderson. Un amigo común, el jefe de las Fuerzas Especiales SEAL, Ken Karmody (que el infierno se lo lleve), las había presentado. Las dos mujeres se pusieron en contacto enseguida por correo electrónico.

Sin embargo, después de una minuciosa investigación, Max llegó a la conclusión de que Molly había roto todo vínculo con Morant. Ella se marchó a África mientras que, hasta hacía poco, a Morant todavía lo divisaban volando regularmente por los cielos de Indonesia en su destartalada avioneta. Molly no había vuelto a tener contacto con él, al menos eso creía Max.

Le daba bastante rabia. Max se había propuesto saberlo todo, mantener el control, mantener a raya los desastres, evitar las tragedias.

—Espera un momento —dijo Jules, rompiendo el silencio que se volvía cada vez más pesado—. ¿No hemos recibido un informe interno de los organismos de seguridad, un documento de «caso cerrado», con el nombre de Morant, al que daban por muerto? ¿Te lo enseñé, no, jefe? Fue hace unos cuatro o cinco meses.

—Sí —dijo Max. Recordó que había sido lo bastante tonto como para que la noticia causara en él cierto remordimiento—. Quiero una confirmación de esa información. Quiero saber si alguien vio el cuerpo, si se hizo un análisis de la dentadura.

—Eso está hecho —dijo Jules.

Max sospechaba que la respuesta sería no. Y que Morant estaba todavía muy vivo.

Jules intentaba seguirlo.

—¿Así que crees… que Morant fingió su muerte para ir a buscar a Molly Anderson porque… no podía vivir sin ella?

Cassidy era un romántico empedernido.

—Creo que oyó hablar de la recompensa que Molly recibió por su participación en el rescate del tipo ése, von Hopf —dijo Max, con tono sombrío.

—Alex —dijo Jules, que recordaba el nombre. Como si importara.

—Creo que Morant fue a Kenia a pedir su parte —señaló Max.
—Y si Molly se negaba, él la haría desaparecer para cobrarlo todo. Gina sólo habría sido una espectadora inocente, pero también encajaba en el perfil de Morant conseguir un beneficio vendiendo su pasaporte al mejor postor.

Madre mía.

Max jamás debió dejar que Gina se acercara a Molly Anderson, algo que sólo habría funcionado en teoría. En la realidad, sabía que él no estaba en condiciones de impedirle a Gina hacer lo que quisiera.

Sin embargo, podría haberlo hecho. Podría haber dicho: «Quédate, porque te quiero, porque mi vida asquerosa será todavía más asquerosa sin ti». Quizás entonces se habría quedado.

Al menos durante un tiempo.

—No me lo creo —dijo Jules—. No encaja con el expediente de Morant cuando estaba en el ejército. Era un hombre ejemplar...

—También fue ejemplar —señaló Max—, cuando le enseñó a los equipos de seguridad a custodiar los cargamentos de heroína para Nang-Klao Chai.

—No les dio ninguna información que no pudiera conseguirse con facilidad en Internet —alegó Jules—. Y la mayor parte del tiempo que pasó con Chai fue como médico. —Sin duda Jules podía ser el abogado del diablo. *Su caída de la gracia del cielo no fue culpa suya...*—. Recuerda que Chai lo sacó de la cárcel. ¿Tú sabes el tipo de torturas que practicaban a diario en ese lugar?

—¿De las que romperían a un hombre para siempre? —respondió Max, con la voz tensa.

—Oye. Cariño —dijo Jules—, ya sé qué estás pensando, pero, venga. No es probable que esto sea una venganza. Y, aunque lo fuera, desde luego no es contra ti. Tú dejaste que el tío se escapara.

Sí. Sí. Max lo había dejado irse, al muy cabrón.

Tenía a Morant en custodia, y lo dejó ir en un momento de delirante reblandecimiento sentimental.

Porque el tío se lo había montado a lo Han Solo, porque acabó sacrificándose a sí mismo y esa maleta llena de dinero y, finalmente, salvó muchas vidas, incluyendo la de aquel VIP secuestrado. A Morant el gesto sólo le había servido para que lo dejaran hecho papilla, hundido en un torbellino de dolor, listo para ser enviado de vuelta a Chai para otra ronda de torturas, hasta que un equipo de las Fuerzas Especiales SEAL decidió ir a rescatarlo y sacarlo de ahí.

Después, Max había facilitado su huída del hospital.

Y la verdad es que no lo tenía nada fácil. El muy cabrón tuvo que salir con una pierna escayolada.

Pero había conseguido caminar. Y desaparecer.

Ahora era Gina la desaparecida, y probablemente estaría muerta.

Jules, que era un tipo muy perceptivo, interpretó correctamente el silencio de Max. Y suspiró.

—No puedes culparte por esto.

—Llama a Frisk —dijo Max, seco—. Averigua si alguno de sus agentes anda cerca del hotel. En cualquier caso, van a tener que echarle una mirada a esta habitación, sólo que diles que se lo tomen como prioridad. Asegúrate de que traigan el equipo necesario para copiar este mensaje de voz. Y llama a la embajada de Estados Unidos. Comprueba que Gina y Molly no se encuentran sanas y salvas en alguna habitación.

Mientras decía aquello, sintió una punzada en el vientre. Maldita sea, estaba dispuesto a darlo todo por que así fuera.

Jules se encargó de acabar con sus esperanzas.

—No lo están —dijo—. Lo siento, jefe. Eso ya se me había ocurrido y… ¡mierda! Estamos parados. Joder, esto es como un aparcamiento, y encima hay uno que se ha bajado del coche más adelante. Jefe, llamaré al hotel. Deben tener salas de trabajo para ejecutivos o, no sé, un portátil que puedas alquilar o pedir prestado para bajar esa foto.

Claro que sí. Era una suerte que al menos uno de los dos pensara con la cabeza despejada.

—Llamaré a recepción —dijo Max—. Ven lo más rápido que puedas.

KENIA, ÁFRICA
25 DE FEBRERO DE 2005
CUATRO MESES ANTES

Molly estaba a punto de gritar.

Según las reglas de AAI, tenían que ir con una maldita dama de compañía. Con el fin de respetar las diversas costumbres de los pueblos autóctonos, un hombre y una mujer que no estuvieran casados no podían emprender juntos un viaje de cuatro días al norte.

Jo, ni siquiera podían ir juntos al supermercado. Si hubiera un supermercado adonde ir.

Ella y Jones, alias Leslie Pollard, tenían que ir con una tercera persona cuando acompañaran a la pequeña Lucy al norte.

Pero hacía ya media hora que Gina no se sentía nada bien.

—Iré con vosotros de todos modos —dijo Gina. Estaba pálida y temblaba a causa de los escalofríos y el sudor de la fiebre, pero consiguió esbozar una sonrisa—. Puedo ir. Es sólo algo que he comido. Ahora me siento mucho mejor.

Sin embargo, perdió credibilidad cuando tuvo que inclinarse por un lado de la cama para volver a echar mano de la palangana.

Y era más que evidente que no era la comida. Se había contagiado con el mismo bicho que tumbó a los curas que llegaron de visita. Lo habían traído ellos, entrega ultra rápida.

Por favor, Dios mío, imploraba Molly mientras le limpiaba la cara a Gina, *no dejes que me contagie hasta que Lucy esté en Marsabit*.

—Creo que es sensato pensar que no irás a ninguna parte —le dijo a su amiga.

—Me podríais poner en la parte de atrás del camión —sugirió Gina.

—¿Qué? ¿Y atarte para que no caigas del camión en uno de esos baches enormes? Por Dios, ¿cómo no se me había ocurrido antes?

—Lo digo en serio —dijo Gina, y le cogió la mano—. Mol, en cualquier momento los tíos de Lucy se darán cuenta de que se ha ido, sacarán sus conclusiones y vendrán directamente al campamento.

Molly lo sabía muy bien. Tenían que marcharse.

Ahora mismo.

Jones estaba dispuesto a coger a Lucy y llevársela al norte, solo. Sin embargo, un adulto occidental con una chica menor de edad… Se fijarían en ellos. Y los pararían para interrogarlos. El tráfico de menores era un problema grave en Kenia y en la mayoría de países menos desarrollados. Era una tentativa demasiado arriesgada.

Y las razones por las que Molly no podía hacer el viaje sola eran evidentes. Una de ellas era que Jones —¿cómo decía esa expresión de Gina?— se subiría por las paredes.

Por eso lo había mandado a buscar a la hermana Helen. Salvo que, cuando volvió a la tienda, lo acompañaba la temida hermana Maria-Margarit.

¿Qué se habría imaginado? Molly le hizo unas elocuentes muecas y con los ojos le decía que «no».

—Tenemos un problema —dijo él—. Todo el personal del campamento tiene lo mismo que Gina. La hermana Helen, la hermana Grace... Todas están de baja. Os he traído a la última hermana que se tiene en pie.

—¿Dónde está la chica? —preguntó la hermana Maria Margarit con mirada severa.

Ay, Dios mío, ¿se lo había contado...? Pero Jones sacudió la cabeza.

—Oye, no he dicho ni una palabra.

—No debería sorprenderte —dijo la monja, amonestadora—. No soy tonta. La he visto llegar. Y cuando recibimos el mensaje de la mujer del señor Jimmo, diciendo que estaba en el hospital, había una frase curiosa que decía: «Por lo tanto, Paul no podrá ayudar a la chica». —Se quedó mirando a Molly—. Sabía que tú estarías mezclada en esto. Sólo que no me esperaba que fueras a implicar al señor Pollard. Al menos no tan rápido.

Molly tenía dos opciones: decir la verdad o mentir.

—Quiero llevar a la chica a un lugar en el que esté a salvo. —Molly detestaba a los mentirosos—. El señor Pollard ha dicho que está de acuerdo en acompañarme. Pensábamos que Gina podría venir, como nuestra dama de compañía.

La monja sacudía la cabeza.

—Está enferma —dijo—. Y aunque no lo estuviera, nosotros no nos dedicamos a esto.

—Usted sabe que la norma sobre las damas de compañía de AAI son anticuadas.

—Si lo que pretendes es permiso para infringirlas —avisó la hermana Maria Margarit—, mi respuesta es un no rotundo.

—Podríamos ponernos un anillo —sugirió Jones—. Fingir que estamos casados.

—Y ¿si alguien os ve por el camino? —preguntó la hermana—, que seguramente os verán. —Negó con la cabeza—. Las normas de AAI han sido elaboradas para ganarse y mantener la confianza de las muchas culturas de la región, algunas de las cuales son profundamente religiosas. Sí, salvais a una chica violando la norma. Pero ¿a cuántas perdemos después? Hemos trabajado duro para que nos acepten, para tener la posibilidad de sugerir alternativas, ceremonias de iniciación menos dolorosas para estas chicas, una oportunidad para educar, para enseñar...

—Lucy será nuestra dama de compañía —dijo Molly—. Al menos para el viaje al norte. Y luego podremos pagarle a alguien en Marsabit para que viaje de vuelta con nosotros. —Era la solución, tenía que serlo.

Sin embargo, la hermana Maria-Margarit no se dejó impresionar.

—Y ¿cuando vengan los tíos y los primos de Lucy? —preguntó—. ¿Cuando vengan a buscarla? Enfadados. ¿Seguros de que nos hemos deshecho del espíritu de la chica? ¿Qué les diré cuando me pregunten dónde habéis ido?

—A la granja de Paul Jimmo —dijo Molly—. Para ayudar a su familia mientras él está en el hospital. No será una mentira, nos detendremos ahí de camino al norte.

—Y ¿cuándo se enteren de que no era tu destino final? —La hermana sacudía la cabeza—. Se enterarán de la verdad. Y a AAI se le conocerá no como la organización que ayuda y educa sino como la organización que les roba sus hijas —dijo, y seguía sacudiendo la cabeza—. No, si os vais del campamento esta noche, no permitiré que volváis.

Molly se sentó en su baúl. Ir a buscar ayuda entre las monjas había sido una apuesta, y la había perdido.

—Entonces recogeré mis cosas —dijo, con voz queda. La gente de aquel lugar eran sus amigos, su familia, y dejarlos le destrozaría el corazón. Pero estaba en juego la vida de una chica. ¿Tenía que quedarse ahí quieta y dejar que los tíos de Lucy se la llevaran a casa? ¿Gritando y pataleando, pidiendo ayuda?

Molly buscó su mochila debajo de la cama y la dejó a su lado en el camastro. Empezó a abrir las cremalleras de sus distintos bolsillos.

—Gina, ¿guardarás en las cajas todo lo que no pueda...?

—¿Qué pasará si les dice a los tíos de Lucy que nos hemos ido de viaje, de manera legal? —interrumpió Jones—. ¿Qué pasará si les dice que nos hemos ido de luna de miel?

—¿Qué?

—Molly y yo —aclaró él.

No era la única que lo miraba, paralizada.

—Soluciona los dos problemas, ¿no le parece? —preguntó—. Lo de la dama de compañía y lo otro. Tomaremos prestado el camión del campamento y saldremos, en un viaje de acampada… una oportunidad para pasar un tiempo a solas. La verdad es que siempre he soñado con conocer Marsabit. Y si en el camino paramos para llevar a alguien que va en nuestra dirección, pues, es asunto nuestro, y sólo nuestro. No tendrá nada que ver con AAI.

—Y ¿piensas que alguien se va a creer que os casasteis durante una epidemia? —preguntó Gina.

—Una mentira piadosa —dijo Jones—. Nos fuimos justo antes de que empezara todo —dijo, dirigiéndose a la monja—. Usted contaría una mentira piadosa para salvar a una chica, ¿no? —No esperó su respuesta antes de volverse a Molly—. ¿Estás preparada para casarte?

Hablaba en serio. ¿Qué había pasado con su temor de que alguien se diera cuenta… aquello de que si empezaba a compartir tienda con él saltarían las alarmas…? Y, a propósito de imposturas, su acento comenzaba a desdibujarse.

—Leslie —dijo, para recordárselo—. Es una locura.

—No lo es si salvamos a Lucy —añadió él, recuperando su acento inglés—. Es verdad que apenas nos conocemos, aunque me gustas. Mucho. Sí, a algunos les parecerá precipitado, pero para la gente, tus amigos, que ya conocen bien tu generosidad… Entenderán que ha sido para salvar a Lucy.

Y, con eso, Molly también entendió. A través de las noticias que correrían, se sabría que ella se había casado con un hombre, casi desconocido, para salvar la vida de una chica. Los habitantes locales podían creer y creerían que lo suyo había sido amor a primera vista, ya que los habitantes locales no era lo que le preocupaba a Jones.

—¿De verdad crees que funcionaría? —preguntó, con un suspiro.

—Sí —murmuró él, sin quitarle los ojos de encima—. Creo que sí.

La hermana Maria-Margarit hacía lo que podía para aguarles la fiesta.

—Una mentira piadosa es una cosa. Pero el matrimonio es un sacramento, y no se ha de tomar a la ligera.

—Nadie se está tomando esto a la ligera, hermana —la interrumpió Gina. Se sentía enferma a morir, pero tenía algo que decir—. Si vas a hacer esto, Leslie, tienes que ponerte de rodillas y hacerlo bien.

Jones las ignoró a las dos.

—¿Lo deseas? —le preguntó a Molly, y volvió a equivocarse de acento—. Quiero decir, ¿lo deseas de verdad? Porque lo podríamos anular más tarde, si... si no quisieras realmente estar... ya sabes, casada. Conmigo.

Molly se quedó ahí parada, mirando a aquel hombre al que amaba con todo su corazón. La duda que vio era real. De verdad él pensaba...

—¿Me lo estás pidiendo de verdad? —preguntó—. Porque todavía no me has preguntado aquello que, de preguntarlo tú, yo respondería decididamente con... un sí.

Jones no la besó. No se atrevería mientras estuviera mirando Atila la Monja. Pero Molly sabía que deseaba besarla.

Al contrario, se arrodilló en el suelo frente a ella, y le lanzó una mirada a Gina.

—¿Así está bien?

—Por mí, vale —admitió ella.

Le tomó la mano a Molly y alzó la mirada.

—Cásate conmigo.

—Eso no es una pregunta. Es una orden —protestó Gina—. Inténtalo de nuevo.

Molly empezó a reír. Aquello era para reír o llorar.

—Molly, ¿quieres casarte conmigo?

—Sí —dijo Molly—. Para salvar a Lucy —añadió, mirando a la hermana Maria-Margarit.

La monja carraspeó y Molly se volvió hacia ella, dispuesta a dar más guerra.

Sin embargo, la anciana tenía los ojos llenos de lágrimas.

—Iré a buscar al padre Ben —dijo—. Sin duda Dios ayuda a sus hijos de maneras muy misteriosas.

Cinco minutos más tarde, cuando hicieron sus votos en el interior de la tienda, con Gina, que seguía en cama, como testigo, los dos dijeron «Para salvar a Lucy» después de decir «Sí, quiero».

Aunque los dos sabían que no era verdad.

Al final, era Lucy la que los salvaba a ellos.

MCLEAN, VIRGINIA
28 DE ENERO DE 2004
DIECISIETE MESES ANTES

Gina no podía creerlo.

—¿Has dicho que no?

Jules miró por el espejo retrovisor antes de poner el intermitente y pasar al carril izquierdo.

—Es un gran paso.

—Es sólo una cita —dijo ella, que iba en el asiento del pasajero. Jules la llevaba a Sheffield, a ver a Max. Acababan de dejar su coche en el mecánico porque volvía a fallar el sistema eléctrico—. Y es sólo una cita de nada. ¿Encontrarnos después del trabajo para tomar una copa? Ni siquiera es una cena.

Aunque ese día Jules trabajaba en casa, lo que era todo un desafío ya que Gina se había convertido en la huésped que no se iba, estaba vestido con su traje de oficina. Se había quitado la chaqueta del traje antes de subir al coche, pero estaba igual de impresionante. Con su camisa blanca arremangada, la corbata suelta y las gafas de sol, con su pelo perfecto, su nariz perfecta, su mandíbula perfecta y sus pómulos perfectos, además, claro está, de su sonrisa matadora de dientes blanquísimos, era posiblemente el hombre más guapo que Gina había conocido en toda su vida.

Era raro que no se le acercaran más a menudo otros hombres guapos.

O quizá no. Gina tenía una compañera de piso, una chica en

primer año de la facultad que, al igual que Jules, era de una belleza sin parangón. Pasaba muchas noches a solas porque los chicos tenían demasiado miedo de pedirle una cita.

—Tampoco dirás que Stephen no te atrae —señaló Gina.

Jules comenzó a anunciar su alegre disposición desde el momento mismo en que se detuvo la furgoneta y su nuevo vecino comenzó a sacar los muebles y meterlos en un piso situado unas casas más abajo. En las últimas semanas, él y Gina habían pasado un tiempo no desdeñable mirando por la ventana lanzando risillas, o saliendo rápido a comprar algo que habían «olvidado» en el coche, sólo para echarle un vistazo al Tío Bueno.

Alto, moreno y auténticamente fantástico, Stephen, el nuevo vecino, tenía ojos de color avellana y las pestañas más largas que Gina jamás había visto en un hombre. Jules era la única excepción. Los ojos de Jules eran de un intenso tono marrón chocolate.

—Sí, vale, la atracción a distancia es una cosa —suspiró Jules—. Sólo que… Sé que acabaré decepcionado. El Stephen de mis fantasías es mucho más… perfecto que la versión real.

—Y ¿qué pasa si no lo es? ¿Qué pasará si el tipo es incluso mejor que tus fantasías más salvajes? —inquirió Gina.

Jules rió con aquella idea, como si fuera ridícula.

—Eso lo dudo. Además, camina como si estuviera en posición de navegación. Tiene el paso puesto piloto automático.

—Corrígeme si me equivoco —dijo Gina—. Pero los tíos que sólo quieren relaciones superficiales y sexo, ¿no crees que más bien rechazarían una invitación a tomar una copa?

—Sí, puede ser —reconoció Jules—. Pero… quizá tenía sed.

—Quizá —respondió Gina—, eres un cobarde.

—No lo soy —dijo Jules, con un chasquido de la lengua, como si lo hubieran insultado.

—Sí que lo eres. Y no has contestado a mi pregunta —dijo Gina—. ¿Qué pasaría si sales a tomar una copa con él y descubres que es genial?

Jules señaló la salida que los llevaba al centro de rehabilitación.

—Sencillamente, creo que… no estoy preparado para esto. Aunque sea genial…

Y Gina entendió.

—Digamos que eres doblemente cobarde, porque tienes miedo de que este tipo sea genial. Tienes miedo de enrollarte con él, y entonces piensas que Adam dejará a Branford y volverá con la cola entre las piernas. Y entonce ¿qué harás?

Jules suspiró.

—Sigue. Ya sé que no has acabado. Sigue, ya que estás.

—¿Cuánto tiempo te piensas quedar esperando a este... este...?

—¿Gilipollas? —sugirió Jules.

—¡Eso! ¿Que vuelva para decirte que cometió un error... una vez más? —preguntó Gina—. Además, ¿de dónde ha sacado ese nombre de Los Ángeles, que parece de plástico? ¿Branford? Aag. Adam no tiene muy buen gusto. Olvídalo, ya. Stephen podría ser perfecto...

—Sabes que te quiero —interrumpió Jules—, pero ya que estamos hablando de nuestras debilidades y fracasos, quisiera señalarte que no soy yo el que no está en Kenia en este momento. Hola, ¿es AAI? —dijo, imitando la voz de Gina, más aguda y nasal—, sólo quería decirles que me pasaré el resto de mi vida esperando, indefinidamente, a un hombre que no quiere o no puede decir que me ama, y que acaba de comparar nuestra relación amorosa, perdón, nuestra *amistad* (porque aunque le damos al mambo sin música cada vez que tenemos la oportunidad, sólo somos amigos), digo, ha comparado nuestra amistad con un romance de verano.

Gina soltó una risa forzada.

—Guau, habré tocado algún punto sensible al hablar de Adam —dijo, y no pudo evitar que le temblara la voz—, porque has dicho algo con mucha, mucha mala leche.

—Lo siento —dijo Jules, suspirando. Y se le veía en la cara que lo decía de todo corazón.

Se tomaron de la mano y entrelazaron los dedos. Ella se los apretó con fuerza.

—No pasa nada —dijo—. Porque tienes razón, ¿ sabes?

—Y tú también —dijo él—. Stephen me asusta porque, sí, pienso que puede ser perfecto. Es tan... simpático... e inteligente y divertido. Es casi un chiste. No te lo he contado, pero el otro día sacó a pasear a su perro. Yo estaba llegando a casa y charlamos un momento y... Madre mía. Tienes toda la razón. No quiero reconocer que todavía no he olvidado a ése. Porque, hay que ser...

—¿Gilipollas? —sugirió Gina.

—Sí —aprobó él—. Hay que ser gilipollas para estar todavía pensando en un bodrio como Adam... cuando el señor Potencialmente Perfecto está tocando a tu puerta.

A Gina se le partía el corazón de sólo escucharlo.

—Vale —dijo—. Puede que tengas razón. Quizá no estés preparado para salir.

—Y tú, ¿qué? —preguntó Jules, después de haber asimilado esa revelación. Se dirigió a un lugar cerca de la puerta—. ¿Estás preparada para dejar al señor Gruñón?

—No lo sé —dijo Gina—. Lo que pasa es que... —Sacudió la cabeza mientras él aparcaba—. Le prometí que me quedaría todo el tiempo que me necesite. Quizá sean sólo las ganas que tengo, pero no puedo quitarme de encima esta sensación de que sí, que me necesita.

—Cariño —dijo Jules, y la abrazó—. Siento haber sido tan malo.

Era interesante que Jules no dijera que pensaba que Max la necesitaba de verdad. Gina también cambió de tema.

—¿Qué es este proyecto tan importante en que trabaja Max últimamente?

Llevaba días pegado al teléfono. El día anterior no lo había visto en toda la jornada.

Habían quedado para cenar, pero el tráfico era un desastre, llovía a cántaros, el coche tenía encendida la luz del *airbag* y ella tenía dolores menstruales. Al llamar para avisarle que llegaría tarde, él respondió apenas con monosílabos, y ella decidió cancelar la cita.

Con la esperanza de que él se quedara decepcionado.

Pero Max no dijo palabra. Sólo dijo: «Tengo que responder una llamada...»

—Sabes que no te puedo contar nada —dijo Jules, cuando bajaba del coche.

—Tiene algo que ver con ese intento de asesinato en Afganistán —dijo ella, mientras se apeaba también—. ¿No? Hay un terrorista que...

—Siempre hay un terrorista en alguna parte —dijo Jules—. Gina, tú sabes que nos dedicamos a eso. Hazte un favor a ti misma y no le preguntes a Max por ello.

Se puso la chaqueta y luego el abrigo. Hacía frío.

—Genial —farfulló Gina, y se enrolló la bufanda en torno al cuello—. Más temas de los que no se puede hablar. —Recogió el montón de cómics que le traía a Ajay. Y a Max. Sospechaba que también le gustaba leerlos. Hizo equilibrios con las flores que le traía a la señora Klinger—. Cógeme esto, por favor.

Jules sacó la guitarra del asiento trasero.

—¿De verdad piensas… regalarle esto a Max?

Gina sabía que Max nunca compraría una por iniciativa propia.

—Siempre ha querido tener una guitarra —dijo.

—¿Max? —inquirió Jules, con mirada escéptica.

—Voy a darle un par de lecciones.

—¿Tú tocas?

—Un poco —dijo ella—. Ya sabes, lo bastante para hacer los coros de acompañamiento de «All Shook Up».

—¿Yo podría mirar mientras aprende a tocar? —preguntó Jules—. Por lo que más quieras. Ver a Max tocando un tema de Elvis —rió—. Pero, igual no me recupero nunca de la impresión.

—Max es un fan de Elvis —dijo Gina, mientras caminaba por delante cruzando el aparcamiento.

—No… puede… ser.

—Lo es.

—¿Él te dijo eso? —Jules no le creía.

—Sí —dijo Gina—. Sabes, la verdad es que a veces incluso me habla. Con frases completas y todo.

—Él pronunció esas palabras —dijo Jules—. Dijo «Yo, Max Bhagat, soy un fan de Elvis».

—Por favor, ni se te ocurra provocarlo con eso —dijo Gina—. Te juro que esta historia del asesinato del que supuestamente no debo saber nada lo está poniendo muy mal. Muy mal. Ni siquiera recuerdo la última vez que lo vi sonreír.

—¿Max sonríe? —preguntó Jules, incrédulo—. ¿Es un fan de Elvis y, además, lo has visto *sonreír…*?

—Basta —dijo Gina, riendo—. O invitaré a Stephen, el vecino nuevo, a cenar. Con mi hermano Victor. «Tío, no, no, tío... tres palabras. Sarah Michelle Gellar. Dímelo a la cara, directamente a la cara, tío, que no te lo montarías con Sarah Michelle Gellar.

—Vale, vale —dijo Jules, y le abrió la puerta—. Tú ganas.

Capítulo *10*

HOTEL ELBE HOF, HAMBURGO, ALEMANIA
21 DE JUNIO DE 2005
EN LA ACTUALIDAD

Mientras Max descargaba las fotos de la cámara de Gina al ordenador que había conseguido en la sala de reuniones de negocios del hotel, se maldijo por enésima vez en la última media hora por no haber traído su propio portátil.

La llamada a la puerta se produjo en el momento preciso, justo antes de que le estallara una vena, antes de que hiciera rechinar los dientes hasta molerlos y antes también de que lanzara el jodido disco duro por la ventana.

—No has tardado demasiado —le dijo a Jules, seco, al verlo entrar, y...

—Hola, Max.

La realidad apareció antes sus ojos a cámara lenta.

A Max le pareció casi media vida, el tiempo que transcurrió mientras él, petrificado, miraba a los ojos de Grady Morant, alias Dave Jones, alias el cabrón que, además de Max, era responsable de que Gina hubiera desaparecido.

La parte de él que durante veinte años había sido agente del FBI se puso en posición de piloto automático, y enseguida registró información importante.

Las manos… arriba y vacías, puestas así deliberadamente donde Max pudiera verlas.

Un bulto, por debajo del brazo izquierdo de la chaqueta. Podía ser una cartera muy gruesa, o un arma.

—Hola, Max. —Morant esperaba que él abriera esa puerta, sabía que estaría ahí.

Más alto, más grande, pesaba diez kilos más que él.

Fuerzas Especiales SEAL. Lo habían entrenado para duros combates cuerpo a cuerpo.

Eso fue por allá por mil novecientos noventa y algo. Hacía muchos años que Morant había estado en el ejército. Muchos años para perder la rapidez, la forma, volverse blando.

Este hijoputa no parecía blando.

Oyó la voz amable de su médico.

—Tienes buen aspecto, Max. La clavícula ha sanado bien. Sólo… intenta tomártelo con calma durante un tiempo.

Pero Max también tenía una parte delirante, y por eso no esperó a revisar la información rápida y llegar a la conclusión de que lo mejor que podía hacer era echar mano de su arma y obligar a Morant a entrar en la habitación del hotel a punta de pistola para interrogarlo sobre el paradero de Gina.

Esa parte tan jodidamente delirante de Max fue tragada por el caos, la furia y el miedo, y por una amarga frustración.

El recuerdo sobrecogedor del nombre de Gina, negro sobre blanco en una hoja con la lista oficial de muertos.

Aquel cuerpo, bajo el velo, con una cara que no era la suya.

La caída libre hacia el impacto, mientras el dolor y la rabia seguían su danza macabra, ahora con un atisbo de esperanza, un punto ínfimo de esperanza que comenzaba a abrirse ante él y aclararlo.

Debió de haber cogido a Morant para meterlo en la habitación. La puerta debió haberse cerrado de golpe a sus espaldas, pero Max no la oyó.

Sólo sabía que Morant se había estrellado contra la mesa y rebotado contra la pared, junto a la ventana.

Max estaba justo detrás suyo, pistola en mano. Era una Astra que no conocía; se la habría quitado a Morant de alguna manera. La tiró al otro lado de la habitación y quitó la silla de en medio.

Morant se incorporó diciendo algo que Max no podía escuchar por encima de la tormenta que tenía en la cabeza.

—¿Dónde está Gina? —preguntó Max con un rugido que ahogó su caos mental—. Será mejor que me digas donde está Gina, maldito seas, joder, o te mataré. Te haré pedazos, ¡ahora mismo, cabrón hijo de puta!

Morant intentó escapar bordeando la mesa del desayuno, pero Max lo cogió, lo hizo tropezar y juntos cayeron, arrastrando una lámpara que se rompió al estrellarse contra el suelo.

Dio con la cabeza en el marco de la cama. Fue un golpe duro, y aunque las luces lo marearon por un momento, no consiguieron pararlo. Se lanzó al cuello de Morant, aunque no lo veía bien, y lo agarró por el cinturón, la camisa, el pelo.

—Dije que no sé dónde... Au, ¡Joder!

Un puñetazo en la cara a Max no le hizo nada al muy cabrón... no tenía fuerza. Pero luego sintió el gusto a sangre. Quizás había alcanzado un punto más allá del dolor, mientras Morant intentaba zafarse de nuevo.

Le dio un codazo a Max en el costado y sintió un fuerte tirón en el pelo, pero no desistió.

Morant creyó haber ganado un par de segundos. Ése fue su error. Quiso alejarse a cuatro patas, pero quedó justo donde Max lo quería, en un abrazo mortal, agarrándolo por el cuello y clavándole la rodilla en la espalda, presionándola contra su columna.

—¿Te has vuelto loco? —Morant alcanzó a escupir, pero Max seguía apretando, impidiéndole tragar el aire que necesitaba para hablar.

Que necesitaba para respirar.

Desde luego, Morant estaba demasiado bien entrenado para quedarse ahí quieto esperando la muerte. Se giró hasta tener a Max, que era más bajo, detrás, e intentó romper su abrazo. Se lanzó con fuerza contra la pared, intentando una y otra vez aplastar a Max con el peso de su cuerpo, intentando al menos que aflojara su abrazo mortal.

Porque era, de verdad, mortal.

Max quería matar a Morant.

Max estaba matando a Morant.

El tipo arañó a Max en el brazo, intentando desesperadamente llegar a su cara, a sus ojos, sin éxito. Empezó a retorcerse como un pez fuera del agua, hasta que Max vio que quería meter la mano en el bolsillo, como si buscara algo.

No era una navaja, ni era una pistola, sino un bolígrafo. Barato, de plástico, con punta retráctil.

Un hombre bien entrenado podía matar con un bolígrafo, o al menos herir, y Max aplastó la cara contra la espalda de Morant y se preparó para otra embestida.

Max Bhagat había enloquecido. Jones había visto cómo ocurría en otras ocasiones. Durante el entrenamiento con las Fuerzas Especiales SEAL y trabajando con Chai, cuando a los hombres los empujaban demasiado duro e iban demasiado lejos.

Incluso lo había vivido él mismo, en la cárcel.

La tortura, una táctica utilizada para soltar la lengua que ahora, al parecer, pertenecía al arsenal de Estados Unidos, podía hacerle eso a un hombre.

La cordura se desvanece y domina el instinto. Se tomaban decisiones, se optaba por cosas que poco tenían que ver con las creencias personales o con la percepción que uno pudiera tener del bien y el mal.

Era evidente que Max no oía o que se había metido en algún oscuro rincón donde no le llegaban las explicaciones de Morant, que salían a borbotones.

—No sé dónde está Gina, pero está con Molly y las dos todavía están vivas.

O:

—Escúchame cabezota de mierda. ¡Estamos en el mismo bando!

Y luego, cuando Max siguió apretándole el cuello, Morant ya no podía hablar. Ya no podía respirar.

—¿Qué coño...?

La probabilidad de que fuera a morir en un futuro inmediato era sumamente alta.

De esa manera.

No estaba preparado.

Pensó en Molly, y luchó con más fuerzas, pero vio parches de luz, y luego unos puntos negros le nublaron la visión, y supo que todo llegaba a su fin.

Sin haberle contado a Max lo que necesitaba saber.

Maldita sea. Quiso coger el bolígrafo que llevaba en los pantalones y se maldijo por su costumbre de seguir las reglas, nunca escribir nada. Jamás dejar un papel que dé una pista. Cuando Max le revisara los bolsillos, no encontraría gran cosa.

Pulsó el bolígrafo, su regalo de boda, y dio gracias a Dios de tenerlo consigo. Había empezado a llevarlo para no tener que volver a la tienda o al despacho del hospital cada vez que Molly le preguntaba: «¿Tienes un boli?»

Mierda, la pared estaba demasiado lejos para escribir.

La mano le tembló y soltó el bolígrafo. Arañó el suelo hasta dar con él.

Y entonces se arremangó la camisa y, aprovechando los últimos segundos de vida, escribió directamente en su otro brazo, hasta que la palabra se nubló por última vez y todo se convirtió en oscuridad permanente.

CENTRO SHEFFIELD DE REHABILITACIÓN, MCLEAN, VIRGINIA
28 DE ENERO DE 2004
DIECISIETE MESES ANTES

Jules entró en el edificio detrás de Gina con la guitarra de Max bajo el brazo.

En realidad, todavía no era la guitarra de Max, pero a Jules le gustaba decirlo así. Era algo tan absolutamente anti-Max, aunque le recordaba una noche hacía meses en que Jules había visto a su jefe vestido con un estrambótico y curioso pantalón de pijama a cuadros y una camiseta de Snoopy.

Gina también había estado presente en esa gran sorpresa.

Aquel día, la Enfermera Terrible estaba en la mesa de recepción, y santa Gina la saludó alegremente, a pesar de la enemistad que persistía entre las dos, y agitó los cómics que traía.

—Hola, Debra. ¿Has visto dónde se ha metido Ajay? Le he traído los últimos *Hombres-X*.

Jules no oyó la respuesta de Debra mientras sostenía la puerta para que pasaran un par de tipos. Parecían jugadores de hockey que habrían venido a ver a un compañero de equipo que se estaba recuperando.

Y, ¡vaya!, el guaperas de pelo rubio le sostuvo la mirada al darle las gracias. Qué interesante. El chico no tenía más de veinte años, seguro que era un canadiense ingenuo y... pero no. Jules vio que el chico se giraba por segunda vez, y le daba un repaso visual en toda regla, hasta acabar en otro cruce de miradas, esta vez saldado con un auténtico guiño.

Vale. Guau. Habría que fijarse en los partidos de hockey a partir de ahora.

El ruido de un vidrio que se rompía hizo que Jules apartara la vista del aparcamiento. Ay. A Gina se le habían caído las flores que traía para la señora Klinger. El frasco de mayonesa donde las llevaba se hizo trizas en el suelo.

Los cómics también salieron volando y, al principio, Jules pensó que Gina se ponía de rodillas para recogerlos, pero cuando se acercó a toda prisa, salió Debra de detrás del mostrador y...

Vio que las dos mujeres se abrazaban. ¿Qué...?

Ay, Dios mío... Jules echó a correr cuando vio que Gina lloraba, y oyó que le preguntaba a Debra:

—¿Max lo sabe?

Era una buena noticia, porque significaba que el que había muerto no era Max. Era otra persona, sólo que ahora Deb también se echó a llorar y, con una certeza desgarradora, Jules supo que eso sólo podía significar una cosa. Esas dos mujeres que tanto se odiaban tenían algo en común...

—Max lo encontró —dijo Debra.

—Dios mío, no —dijo Gina, entre sollozos.

—¿Encontró a quién? —preguntó Jules, arrodillándose junto a ellas, aunque ya lo sabía.

Ajay. Las dos adoraban a Ajay.

—Pero, si estaba tan bien —dijo Gina, como si las razones por las qué no debería haber muerto pudieran devolverle al chico la vida.

—¿Fue un fallo del riñón? —preguntó Jules.

Deb sacudió la cabeza mientras se secaba los ojos.

—Una infección. Le destrozó el sistema inmune. Se quejó de dolor de garganta durante la cena, así que le puse el termómetro. Tenía la fiebre un poco más alta de lo normal. Nadie pensó… Cuando Max lo encontró, sólo unas horas más tarde, estaba ardiendo. Lo llevamos de prisa al hospital, y murió en la sala de urgencias alrededor de medianoche. Su corazón simplemente no lo resistió.

Ahora todos lloraban.

—Pobre Max —dijo Gina—. Estará destrozado. —Empezó a incorporarse—. Será mejor que vaya a verlo. No puedo creer que no me haya llamado.

Jules sí lo creía. Puede que Max estuviera destrozado, pero nunca se lo haría saber a nadie. Ni siquiera a Gina. Quizá sobre todo a Gina. También ayudó a levantarse a Debra.

—Tiene que haber pasado justo después de que llamara anoche —dijo Gina.

—No, no —dijo Debra—. No fue anoche, sino antenoche.

Mierda.

Al principio, Gina no podía creerlo. Jules veía que intentaba que la información encajara.

—¿Estás segura? Hablé con Max ayer y…

Jules sabía lo que estaba pensando. *Y no dijo ni una palabra.*

Ajay había muerto y Max ni siquiera se había molestado en contárselo.

Gina se giró bruscamente y se dirigió a la habitación de Max.

—Ay, Dios mío —dijo Debra, mirando los vidrios rotos en el suelo—. Ya me ocuparé yo de este desastre —le dijo a Jules—. A ver si tú puedes intentar arreglar ese otro.

Era el verbo más adecuado. *Intentar.* Jules cogió la guitarra de Max y salió corriendo detrás de Gina.

—Cariño, quizá deberías calmarte un poco, contar hasta diez…

—¿Para qué? ¿Para no decir algo que después lamentaré? No te preocupes. Lo resumiré en tres palabras a prueba de remordimientos: *Que te jodan*. Puede que agregue una cuarta. *Max*.

—Gina…

—Y yo que creía que me necesitaba —dijo—. Madre mía, ¡que manera de equivocarse!

La puerta de Max estaba cerrada, pero Gina entró sin llamar.

Él estaba hablando por teléfono, de pie y mirando por la ventana, pero se giró. Quizá fuera porque Gina lanzaba humo por las orejas, y él supo que no le serviría de nada pedirle que esperara un segundo.

—Te llamaré más tarde —dijo en el auricular, y colgó.

Max era un negociador de primera, pero iba a hacerle falta un milagro para salir de ésa.

Jules se quedó en el pasillo. Sabía que lo mejor sería dar media vuelta e irse, pero no podía. Era como ver un choque de trenes en cámara lenta.

—¿No se te ocurrió —dijo Gina— que quizá habría querido saber que Ajay había muerto?

Max se quedó de piedra.

—Pensé que… —dijo, y sacudió la cabeza—. No te sentías bien —añadió.

—No me sentía bien a las 5:25 de la tarde —le recordó ella—. ¿Dieciséis horas después de que Ajay había muerto? —Empezó a llorar—. ¡Dios mío, Max! ¿No se te ocurrió coger el teléfono antes?

Él no dijo palabra. ¿Qué iba a decir?

—¿Qué? ¿Tenías mucho trabajo? —preguntó Gina—. Como quien dice, vaya, la vida es así. Todos los días mueren chicos, ¿qué tiene de especial que muera uno más?

Para Jules, era evidente que Max se sentía fatal. Que estaba destrozado. Que no había sabido cómo decírselo, que no sabía qué decir ahora, que era incapaz de encontrar palabras para expresar su dolor.

O quizás eso era lo que Jules quería ver. En lugar de aquel hombre silencioso, inexpresivo, sumido en un vacío emocional.

—¿Se puede saber qué es lo que te pasa? —preguntó Gina, con un susurro de voz.

Sus palabras quedaron como suspendidas, como el polvo en el rayo de luz que entraba por la ventana, mientras los tres guardaban silencio.

Hasta que empezó a sonar el teléfono de Max.

Él carraspeó.

—Lo siento —dijo, con voz tensa—. Te lo he dicho más de una vez. No puedo darte lo que quieres.

—Supongo que no —dijo Gina, mientras el teléfono seguía sonando.

—Sé que tienes que ocuparte del trabajo —dijo ella, rígida.

—Puede esperar —replicó Max.

—Lo que sea —dijo ella, y salió de la habitación.

Jules estaba ahí, con la guitarra.

—¿Quieres que...?

—Déjalo —dijo ella, y se alejó.

Jules entró en la habitación cuando su jefe atendía la llamada.

—Bhagat —dijo éste—. Sí. —Cerró los ojos—. Sí.

Tenía que saber que Gina no volvería.

¿No le importaba que ni siquiera se hubiera molestado en despedirse?

Jules sentía la tensión de los dos en el fondo del estómago. Dejó la guitarra en un rincón. Qué desperdicio.

Max abrió los ojos, vio que Jules seguía ahí y lo despachó con un gesto, farfullando un «Vete» entre dientes.

—Siento mucho tu pérdida, jefe —dijo Jules, pero no estaba seguro de que Max lo hubiera oído.

HOTEL ELBE HOF, HAMBURGO ALEMANIA
21 DE JUNIO DE 2005
EN LA ACTUALIDAD

No cabía duda de que el binomio agente del FBI bueno/agente del FBI loco no funcionaba demasiado bien si no había un agente del FBI bueno presente.

Por no decir que la locura era, en teoría, parte de un acto.

Cuando Grady Morant quedó inerte, la realidad golpeó a Max en toda la cara con dos hechos rotundos: primero, el hijo de puta no había intentado clavarle el boli y, dos, si estaba muerto, no podía ayudarlo a encontrar a Gina.

Con mucha cautela, por si se tratara de un desmayo fingido, Max soltó al cabrón y...

Lo bueno fue que Max no tuvo que defenderse de que Morant intentara clavarle el bolígrafo en el ojo.

Lo malo era que Max no tenía ni idea de cuánto tiempo llevaba apretando a Morant en ese abrazo mortal, o cuánto tiempo había pasado desde que el oxígeno dejara de irrigar su cerebro.

Max lo tendió de espaldas, levantó la barbilla, miró posibles obstrucciones en las vías respiratorias... bueno, eso no era necesario. La causa de las obstrucciones respiratorias del cabrón había sido él mismo.

Le aplicó la respiración boca a boca... venga, venga..., echó a un lado el bolígrafo, buscando cualquier otra arma en la que no hubiera reparado durante la pelea, buscándole el pulso en la muñeca teñida con tinta azul. ¿Qué...? En lugar de clavarle el boli, Morant había empezado a escribir una novela. En su maldito brazo.

Destacaban las palabras *Gina* y *viva*. ¡Dios mío! Pero Morant no tenía pulso. Le palpó el pulso en el cuello mientras le aplicaba la respiración. Si había pulso, era demasiado débil, maldita sea, y quizá lo que sentía era sólo lo que deseaba.

Mierda, mierda, mierda.

Max se apoyó en el pecho de Morant, soltando y presionando, respirando, presionando, cogiendo el ritmo.

Venga, venga, por favor, Dios mío, venga...

Estaba a punto de meterle los dedos hasta la garganta para ver si lo había herido en el curso de la pelea. Quizá tenía la garganta hinchada, quizá no pasaba el aire...

Y, de pronto, sintió el pulso, sí, y Morant le escupió una mezcla de flema y sangre y quién sabe qué más en toda la cara.

Al menos no era vómito.

Con manos temblorosas (que habían estado demasiado cerca de

lo irremediable), Max se limpió la cara y apoyó la cabeza de Morant en el suelo, dejándolo que respirara a duras penas, con un silbido, y tosiera el resto de humo y cenizas, el hedor venenoso del infierno que se le había metido en los pulmones durante esos breves momentos en que había estado muerto.

Max se apoyó contra la pared, intentando acompasar su propia respiración. Le sangraba la nariz. No demasiado, pero suficiente para que le molestara.

—¿Necesitas que te lleve a un hospital? —preguntó, finalmente. A veces el tejido de la garganta quedaba tan dañado que era necesaria atención médica. A veces no bastaba con dejar de estrangular a alguien y devolverlo a la vida.

Ahora que tenía la costumbre de estrangular a la gente. Sin embargo, había estudiado anatomía. Estaba familiarizado con los diversos puntos donde se podía asestar un golpe mortal, y el cuello era especialmente vulnerable.

Pero Morant negó con la cabeza.

—No. —Fue apenas más que un susurro, pero no dejaba lugar a dudas. Max observó que se tendía de espaldas y, con los ojos cerrados, se limitaba a respirar.

No tenía la ropa tan desgarrada como él.

Una de las mangas de su chaqueta estaba enrollada a la altura del puño y tenía rasgada la parte de atrás. Ahora sentía el aire frío contra el sudor que le empapaba la camisa.

En cambio, Morant tenía bastante buen aspecto para un tipo que acababa de volver del país de los muertos, o para un hombre que supuestamente llevaba muerto varios meses, un hombre buscado por demasiados gobiernos, acusado de tantos delitos que no se podían contar.

Vestía una ropa nada cara. Más bien, típica ropa de cooperante voluntario y, quizá por eso, más difícil de estropear en una pelea. Pantalones bastos, botas, camisa y chaqueta tejana.

Su aspecto daba a entender que África le sentaba bien. Saludable. Delgado.

Max empujó la mano de Morant con el pie para ver qué había escrito en el brazo.

Parecía una dirección de correo electrónico: *RoyallyEffed@freemail.com*. Y luego las letras P y W, y luego algo así como ... *¿silla?*

Gina + Molly vivas, y luego *SALVARLAS*, subrayado tres veces, seguido de algo que parecía decir *encerrar... por... mil...*, garabatos imposibles de leer.

El resto también era ilegible, pero no hizo falta que Max viera más para darse cuenta de que había estado a punto de matar a un hombre inocente.

Un hombre que había empleado los últimos momentos de su vida en un intento de dar a Max la información necesaria para salvar a Gina y Molly.

Era humillante.

—Lo siento, de verdad —dijo Max. Era como decir algo completamente fuera de lugar. *Lo siento, he intentado matarte.* Ni siquiera era sincero. No sólo lo había intentado. Lo había conseguido.

Morant se giró para mirar a Max.

—Huele a ella aquí dentro —murmuró—. Huele a mi mujer.

¿Su qué...? Max respiró hondo. Era bueno acordarse de respirar.

—Supongo que nunca pensaste que usaría esas dos palabras en ese orden, ¿eh? —siguió Morant. Y volvió a toser. Intentó aclararse la garganta—. Yo tampoco me lo habría imaginado.

—¿Molly? —preguntó Max.

—Sí, Molly —dijo Morant, mirándolo con incredulidad. Tenía la voz ronca, y la seguiría teniendo así un tiempo—. ¿Creías que me refería a Gina?

Max se secó la sangre de la nariz en la manga rota de la chaqueta.

—Ha sido un día particularmente duro. —Que al final Gina hubiera encontrado la felicidad junto a un criminal peligroso y perseguido por la justicia habría encajado bien en el esquema general. Aunque la palabra *día* no fuera la más adecuada. Sería más justo decir *año*.

—Ella siempre habla de lo brillante que eres —dijo Morant—.

Un capullo total, pero brillante. No la desmientas.

¿»Capullo» era una palabra de ella o de Morant? Como si aquella pregunta tuviera alguna importancia en ese momento.

—¿Dónde están? —preguntó Max—. ¿Quién las tiene? ¿Leslie Pollard? ¿Has exigido que te den una prueba de que están vivas?

—En Indonesia —dijo Morant—. Lo único que sé del hombre que se las llevó es una inicial, E, y una descripción. No te excites. La información no tiene gran valor. Estatura media, constitución media, color de tez medio, pelo oscuro, bigote, habla el inglés de Su Majestad con acento, posiblemente francés. A menos que sea amigo tuyo...

Max negó con la cabeza. Aunque con esa descripción, podría haber sido cualquiera. Podría haber sido Max, con bigotes falsos, haciendo su numerito del inspector Clouseau.

—Me lo imaginaba —siguió Morant—. Lo que sí sé es que no es Leslie Pollard porque yo lo enterré, lo que quedaba de él, en Tailandia. Gracias a la fauna local, casi no quedaban restos de él cuando lo encontré. —Sonrió con gesto sombrío—. Supuse que ya no necesitaría su nombre. Por desgracia, tenía el pasaporte mordisqueado y hecho pedazos.

De modo que Grady Morant, alias Dave Jones, era también Leslie Pollard, casado con Molly Anderson. O, al menos, eso decía él.

Los trozos del rompecabezas que faltaban tenían que ver con Gina. Su carta a Jules... *¡He conocido al hombre más fascinante!*

—¿Sabías que Gina está embarazada? —le preguntó a Morant.

La respuesta de éste fue una mirada de absoluta sorpresa. Sorpresa y algo más. Max no sabía con certeza qué era, pero la sorpresa era real. Nadie era tan buen actor.

—¿Gina?

—¿Entonces el bebé no es tuyo? —dijo Max.

—Joder, no —dijo Morant, y soltó una risa, pero enseguida paró—. Madre mía, ¿por eso has intentado matarme?

—¿Se veía con alguien? ¿Con este E, quizá?

—No. —Morant estaba seguro—. Apareció un día en el campamento, y supongo que es el mismo hombre que me escribió un correo electrónico. Pero no llegó a Kenia hasta después de que

Molly y Gina se hubieran marchado a Alemania. Llegó en un helicóptero de alquiler, habló con la hermana Helen, que me dijo que nunca lo había visto antes. Fue ella la que me dio la descripción, yo sólo lo vi de lejos. Por cierto, camina un poco raro.

Estupendo.

—¿Gina abandonaba el campamento? —preguntó Max—. ¿Los fines de semana o… no sé, en sus días libres? ¿Es posible que haya conocido a ese tipo, E, en Nairobi?

—Qué va —dijo Morant—. Quiero decir, ella y Molly fueron a Nairobi sólo una vez en todo el tiempo que yo estuve en el campamento. En cuanto a lo de los días libres… Nunca paraba de trabajar. Tampoco hablaba de otra persona, un amigo o un amante o… Aunque yo sólo estuve en el campamento cuatro meses, así que…

De modo que era posible que la relación ya hubiera acabado.

¿Alguna vez hablaba de él? Aparte, claro está, de llamarlo un capullo brillante.

La pregunta no era relevante para la investigación. Pero seguro que hablaba. ¿Cómo, si no, habría sabido Morant que él estaba en Hamburgo, buscándola?

—Y ¿qué hay de Molly? —preguntó Max—. ¿Alguna vez salía del campamento sin ti? ¿Es posible que se haya enrollado con…?

—No —dijo Morant, seco—, y que te jodan por sugerirlo.

En los casos de secuestro era habitual hacer preguntas para saber si el secuestrado conocía al secuestrador. Era más fácil, para la buena marcha del secuestro, hacerse amigo de la víctima y conseguir que subiera voluntariamente al coche. Si aquel tipo había estado merodeando, no por el campamento, porque era evidente que allí era un desconocido, pero sí por Nairobi…

Si Max quería encontrar a Gina, tendría que agotar todas las pistas posibles. Llamaría a Peggy y le pediría que averiguara algo sobre el alquiler de helicópteros en Kenia.

—Sólo porque no quieras creer que Gina no es un angelito perfecto —dijo Morant—, y verla como es de verdad, una mujer de carne y hueso que… —se interrumpió—. Sabes, quizá me equivoco al decir que no tenía amigos. Había un keniano… Paul Jimmo. Lo mataron poco después de que yo llegué. En el campamento, todos estaban muy afectados, sobre todo Gina.

Paul Jimmo.

Odiar intensamente a un hombre muerto llamado Paul Jimmo no le ayudaría a encontrar a Gina. Aún así, no podía escuchar esa palabra sin dejar de preguntar.

—¿Lo mataron?

—Fue en una disputa por los derechos del agua —dijo Morant—. No creo que estuviera implicado. Creo que estaba en el lugar equivocado en el momento equivocado, un espectador inocente, o algo así.

Y eso daba que pensar, vaya. Pero Max no quería pensar que si era verdad que Gina estaba liada con este Jimmo, era una suerte que no estuviera con él en ese momento.

Sin embargo, ahora tenía que concentrarse en su búsqueda.

—¿Fuiste tú el que dejaste ese mensaje en el teléfono? —preguntó Max—. ¿Diciéndoles a Gina y a Molly que fueran a la embajada?

—Sí, fui yo.

—No lo recibieron —dijo él—. Estaba en el contestador cuando yo llegué.

—Me lo imaginaba. Porque no fueron a la embajada. E. ha mandado, efectivamente, una prueba de que están vivas, una foto en formato jpg, por correo electrónico. Es una foto de las dos; están sentadas junto a un televisor donde pasaban el partido de fútbol del domingo. Sí, podrían haberla manipulado digitalmente, pero lo dudo. Se diría que están en una especie de almacén. El televisor es uno de esos pequeños y baratos.

Gina estaba viva. O al menos estaba viva el domingo por la noche. Ahora a Max le temblaban de verdad las manos.

—¿Estás bien? —Morant quiso incorporarse para sentarse y se cogió la cabeza—. ¡Ay, madre mía!

Además de la ronquera, el dolor de cabeza y el mareo durarían un buen rato.

No era el único. Max, de hecho, veía estrellas.

—Quiero ver la foto —dijo.

—Están bien —dijo Morant, que volvió a tenderse—. Tienen

buen aspecto, no demasiado felices, pero no les han hecho daño. Quien quiera que las tenga conoce el negocio de los secuestros. Están cuidando de ellas.

—Quiero ver la foto —repitió Max—. Y luego tenemos que llamar a ese hijo de puta y decirle que no pasará nada... nada... hasta que hable con Gina por teléfono.

Y ¿decirle qué? ¿*Lo siento mucho?*

—Lo que tenemos que hacer es salir de aquí —dijo Morant, volviendo a sentarse, esta vez más lenta y cuidadosamente—. Ya llevo demasiado rato aquí —dijo, inclinando la cabeza a lado y lado y sobándose el cuello por detrás.

Quien quiera que las tenga conoce el negocio de los secuestros. Pensando en las amistades de Morant en Indonesia, se podría decir que *él* sí conocía el negocio de los secuestros. Y en esa parte del mundo, era, efectivamente, un negocio.

—Si ahora nos damos un momento para conectarnos —dijo Morant.

Max lo interrumpió.

—¿Tenías acceso a Internet en el campamento en Kenia? —Sabía que no podía ser. Sin embargo, ése tal E. le había escrito un correo electrónico.

—No —dijo Morant—. En el campamento estábamos de suerte si teníamos agua caliente para ducharnos.

—Pero tú tienes una dirección de correo...

Morant ya tenía una explicación muy ingeniosa a mano.

—Cuando trabajé para Chai...

—¿Hablas del conocido barón de la droga y asesino Nang-Klao Chai? —aclaró Max.

Morant guardó silencio, y sólo miró a Max.

—Vale —dijo, por fin—. Sí, hablo del mismo Chai. Y ya he entendido. Tienes varios motivos para no confiar en mí. ¿Me vas a escuchar o quieres volver a darme una paliza? Estoy preparado, de cualquiera de las maneras.

—Te escucho —dijo Max.

—Lo que no estoy dispuesto a hacer es quedarme aquí sentado hasta que lleguen suficientes refuerzos y puedas acabar con mi culo entre rejas —dijo Morant—. Si eso es lo que estás pensando...

—Cuando trabajaste para Chai... —le recordó Max.

Morant volvió a empezar. Sabía perfectamente que no tenía alternativa.

—Cuando trabajaba para Chai, a veces usábamos una página para comunicarnos. Cuando llegué a Hamburgo, claro está, había un mensaje esperándome. El mismo código que solíamos usar, para dirigirme a una cuenta de correo ya abierta. Quien quiera que sean los secuestradores, son buenos.

—¿Cuánto dinero quieren? —preguntó Max, cuando Morant empezó a incorporarse. Max desenfundó su pistola y apuntó a Morant—. No he dicho que te puedas levantar.

Morant lo miró a él, luego miró la pistola. No parecía impresionado.

—Si no salimos de aquí, en un futuro muy inmediato, casi ahora mismo, tus amigos de la oficina de Hamburgo entrarán aquí, me verán y harán lo que haga falta para mandarme de vuelta a Estados Unidos. Y en ese momento habremos pringado todos. Tú, yo, Molly y Gina.

Desde luego, quizá Morant no se sentía demasiado amenazado por una pistola sostenida por un hombre que ya lo había matado una vez ese día. Lo había matado, y luego le había devuelto la vida.

—Te dispararé —avisó Max—. Sé que crees que no lo haré.

—En realidad, lo sé —dijo Morant—. De hecho, estoy contando con ello, ya que estamos. Pero te advierto una cosa. Si me matas aquí, el traslado de mi cadáver hasta Indonesia se convertirá en una tarea que acabará por volverte loco.

De pronto, todo encajaba. Las palabras casi ilegibles en el brazo de Morant no eran *encerrar por mil* sino *entregar por mí*.

No querían dinero. Los que se llevaron a Molly y Gina querían a Grady Morant.

Y si no las podían sacar de ahí de ninguna otra manera, Morant estaba dispuesto a entregarse.

—No sé con seguridad quiénes son los que me buscan —dijo Morant, en voz baja, pero están relacionados con Chai. Y eso significa que no respetarán las reglas del juego. Su objetivo es hacerme todo el daño que puedan. Si me tienen a mí vivo no soltarán a Molly ni a Gina. Al contrario, me obligarán a verlas morir.

Dios mío.

—No dejaré que eso suceda —afirmó Morant—, pero necesitaré tu ayuda. —Sonrió con gesto sombrío—. La tuya y la de esa gente de las Fuerzas Especiales SEAL que trabajaba contigo la última vez que nos vimos. Te diré lo que haremos y, te lo advierto, esta parte no es negociable. Tú utilizas tus recursos para ayudarme a encontrar a Molly y Gina. Tú y tus superhombres me ayudáis a sacarlas de ahí con vida. Si todo va bien y yo sigo vivo cuando haya acabado, soy todo tuyo. Tú mismo puedes redactar la declaración, y firmaré lo que quieras. Pero ni tú ni tu jodido gobierno me tocarán mientras Molly no esté sana y salva. Y con garantías de que seguirá así.

Max se lo quedó mirando. Según el procedimiento correcto, él debería inhibirse en un caso como ése. Estaba implicado, y no le podían pedir que tomara las decisiones correctas si la vida de Gina estaba en juego. Por otro lado, ¿estaba realmente dispuesto a dejar la vida de Gina en manos de otros?

¿En quién podía confiar para una tarea como ésa?

Morant tenía razón. Lo primero que tenían que hacer era salir de ahí. Una vez que apareciera el equipo de Frisk, ya no tendrían alternativas.

Max volvió a poner el seguro de su pistola y la enfundó. Se quitó lo que quedaba de su chaqueta.

—Coge tu arma —le ordenó a Morant—. Nos vamos.

Y, desde luego, como ese año había sido así, loco, desafortunado y jodido, ya era demasiado tarde.

Alguien llamó a la puerta de la habitación.

Capítulo 11

EN ALGUNA PARTE DE EUROPA DEL ESTE
FECHA EXACTA: DESCONOCIDA
EN LA ACTUALIDAD

Estaban vivas.

Al menos, por ahora, estaban vivas.

Gina siempre había escuchado que la tasa de supervivencia de los secuestrados disminuía de forma significativa desde el momento en que subían a un coche con su secuestrador.

Ahora se preguntaba cuáles serían las probabilidades de las personas secuestradas que eran embarcadas en un contenedor.

Aún así, era la primera vez en muchos días que no estaban sometidas a la vigilancia, a punta de pistola, de una mujer con pinta de luchadora profesional que sólo sabía el suficiente inglés para ordenarles que no hablaran.

—¿Te encuentras bien? —preguntó Molly, en medio de la oscuridad.

Gina tenía una astilla clavada en el trasero debido a un desafortunado encuentro con un trozo de la paleta de madera. Y había estado segura, no sólo una vez sino muchas a lo largo de la nebulosa de esos días, de que su vida estaba a punto de acabar violentamente. Además, ahora estaba encerrada en una caja sin la más mínima fuente de luz.

No era como para decir «Estoy bien».

En cualquier caso, aquélla era una caja más o menos grande. No era lo bastante grande para ponerse de pie, pero las dos podían estar cómodamente sentadas o, incluso, tenderse.

—Sí, estoy bien. ¿Y tú? —preguntó Gina, porque una astilla en el trasero seguramente era poco comparado con lo que sufría Molly. Esto no era lo que el médico tenía en mente cuando le aconsejó que se lo tomara con calma durante unos días.

—Estoy un poco molida —reconoció Molly—. Y tengo náuseas. ¿Qué hay de nuevo bajo el sol? Gina, no sabes cómo lo siento…

—Yo también —dijo Gina.

Sintió la oscuridad que la envolvía y acercó la cara al trozo de manguera que les proporcionaba aire desde el exterior. Ahí donde estuvieran olía a gasóleo. Un aire rancio y contaminado.

Y todo estaba muy, muy oscuro.

Dios, cómo añoraba a Max. Quería que viniera a rescatarla. Quería oír su voz, que le dijera que se calmara, que ya estaba en camino.

Que lamentaba ser tan gilipollas, y que la amaba y quería pasar el resto de su vida como su esclavo personal para intentar compensarle.

Y bien, ya que se había puesto a fantasear, bien podría soñar a lo grande.

—No puedo creer que no hayas escapado cuando tuviste la oportunidad —dijo Gina, con voz temblorosa—. Me estaba apuntando a mí.

—Y ¿dejarte sola? —preguntó Molly. Gina oyó que se movía—. Nunca. Además, es a mí a quien quieren. Hay algo aquí dentro con nosotras. Son botellas. De plástico.

—El nombre que ese italiano no paraba de decir —dijo Gina, mientras también palpaba cautelosamente en la oscuridad para ver qué tocaba—. ¿Grady Morant?

—Es el nombre verdadero de Jones.

Era lo que sospechaba Gina. Molly le había dicho que Dave Jones era otro alias, como Leslie Pollard, aunque no le había revelado el verdadero nombre de su marido.

¿Grady, eh? No tenía cara de Grady.

—Y ¿esa gente armada en el estudio de Gretta? —preguntó Gina, al echar mano de una manta. No una, sino dos—. ¿También buscan a Grady Morant?

Esa gente armada y desquiciada que había comenzado a disparar en el estudio de la falsificadora… Era un milagro que no hubieran matado a ninguna de las dos.

Pero la otra mujer, Gretta, la que acababa de hacerle a Morant un pasaporte nuevo y muy caro, había muerto. Le habían disparado y la sangre había brotado y, por unos instantes horribles, Gina se encontró reviviendo el episodio del avión secuestrado, cuando los terroristas mataron al piloto y el hombre cayó al suelo a sus pies, con medio cráneo destrozado, cuando Alojzije Nabulsi la había golpeado y violado, metiéndose con fuerza en ella en aquel acto de violencia y odio que, en realidad, no era en absoluto culpa suya.

Oh, Dios, oh, Dios, oh, Dios, se estaba poniendo enferma.

—No sé quiénes eran —dijo Molly, cuando Gina inclinó la cabeza, rogando que se le pasara el mareo—. El italiano nos salvó la vida, ¿sabes?

Les salvó la vida. ¿Estaba loca?

¿Les salvó la vida llevándoselas, a punta de pistola, a un almacén asqueroso y húmedo, y obligándolas a sentarse sobre unas paletas de madera en silencio, durante horas y horas, mientras él se ocupaba de comprobar los arreglos para sus dependencias de lujo aquí en el contenedor metálico…?

La pregunta, desde luego, era: salvado ¿para qué?

—Era como si pidiera disculpas —dijo Molly—. Cuando nos encerró aquí dentro. Dijo que no quiere hacernos daño.

—Miente —dijo Gina, y su voz sonó cavernosa, como salida de la nina de *El exorcista*, un graznido ronco, aunque Molly no la oyó.

Molly estaba contando en voz alta.

—Diecinueve, veinte… veintiuna —anunció Molly—. Tengo veintiuna botellas de agua y un paquete de pañales para adultos. Gracias a Dios por los pequeños favores.

¿Gracias a Dios? ¿Gracias a Dios porque su secuestrador italiano, un hombre armado y peligroso había tirado un paquete de jodidos pañales en aquel contenedor, de modo que mientras las enviaba a Dios sabía donde, ellas podrían hacer pis sin tener que mojarse los pantalones?

A Molly le había tocado vivir desastre tras desastre en las últimas semanas y, aún así, su actitud siempre optimista hacía que Gina se avergonzara de sí misma. A pesar de que Gina no se quedaba atrás a la hora de ver la vida con optimismo.

—El agua es buena —siguió Molly—. El agua implica que quiere que lleguemos vivas.

Sí, pero ¿qué pasaría con ellas cuando llegaran a su destino, donde quiera que eso fuera, y las sacaran de ahí?

Era un hecho que ellas eran el cebo. Y el cebo sólo se tenía que mantener fresco hasta cierto punto.

Gina estaba segura de que el pistolero italiano iba a matarlas después de sacar esa foto de ellas junto al televisor, cuando acababan de llegar al almacén. Se llamaba prueba de vida. Solía hacerse con los secuestrados junto a un periódico del día. Al parecer, la transmisión de un partido de fútbol en la televisión por cable también funcionaba.

A veces, no era prueba de vida sino prueba de posesión. Y, cuando eso quedaba establecido, a veces los secuestrados se convertían en seres dispensables.

Escucharon un ruido fuerte, como de un motor que se encendía. Y luego un tirón, y empezaron a moverse.

Hacia quién sabe dónde.

Lanzadas hacia su destino.

Gina no pudo evitarlo, y empezó a llorar.

Molly se arrastró hasta ella en la oscuridad, la encontró y la abrazó para consolarla.

—Dios, Gina, yo tengo un susto de muerte, y me imagino lo que será para ti.

—Es como si me hubieran encerrado en una caja sellada —dijo Gina, limpiándose la cara con las manos sucias, sin duda dejando un rastro de barro. Como si ya estuviera muerta, pero aún no lo supiera—. Añoro mucho a Max —dijo, con voz temblorosa.

—Ya lo sé, cariño —dijo Molly, y volvió a abrazarla—. Incluso yo añoro a Max, aunque le guarde rencor por haberte hecho daño.

Gina rió. Era una risa débil, pero era una risa.

—Tú nunca le has guardado rencor a nadie. —Además de ser una optimista, Molly perdonaba con facilidad. Jones, es decir, Grady en una ocasión se había reído de ella diciendo que le daría una segunda oportunidad incluso a Aníbal Lecter. Lo cual llevó a Gina a un tema mucho menos divertido.

—No dejes que el pistolero, el italiano, te engañe —le dijo a su amiga—. Él no nos ve como personas. Somos gusanos prendidos de su anzuelo. Si le conviene que estemos vivas, nos mantendrá vivas. Si no... ya sabes lo que dicen: «Cuando esperas lo mejor de las personas, te darán lo mejor...» Ésta no es una de esas veces.

Molly guardó silencio. No solía guardar silencio cuando no estaba de acuerdo, pero esta vez se resistió. Gina sabía que si hubieran tenido luz ahí dentro, la expresión de Molly la habría delatado. Su argumento habría sido algo así como: «Pero...» *Pero si parece tan tranquilo al hablar. Pero parece todo un caballero. Pero...*

—Lo digo en serio, Mol —dijo Gina—. No te hagas amiga de ese tío.

Porque cuando las golpeara y las violara antes de matarlas, sería aún peor.

—Esta vez no estás sola, Gina —dijo Molly—. Vamos a salir de ésta. Juntas. Jones vendrá y...

—Conseguirá que lo maten —concluyó Gina.

—No si yo puedo impedirlo. —Molly hablaba con absoluta convicción—. Y tú también.

HOTEL ELBE HOF, HAMBURGO, ALEMANIA
21 DE JUNIO DE 2005
EN LA ACTUALIDAD

Jules se situó a un lado mientras el agente Jim Ulster volvía a llamar a la puerta de la habitación.

—¿Estás seguro de que es la habitación correcta? —preguntó Ulster a su compañera, una mujer fornida y de cara amigable que él llamaba Goldie.

—Es ésta —les aseguró Jules—. La ocho diecisiete.

Goldie (su nombre verdadero era Vera Goldstein) volvió a mirar su libreta.

—Sí —comprobó—. Es la habitación. Puede que el señor Bhagat haya salido.

—Es poco probable —dijo Jules.

—Es la hora de cenar —contestó ella—. Las leyendas también tienen que comer.

—Creedme —dijo él—. Max no se para a comer ni siquiera cuando el caso en que trabaja no es personal. Está ahí dentro. Pero quizá no quiera que lo molesten.

—He oído decir que es un poco raro en ese sentido —dijo Goldie—. Que se necesita una invitación con letras en relieve para entrar en su despacho.

De baja estatura, delgado y lleno de impaciencia, Ulster era el Ren junto a la Stimpy amable que era Goldie. El tipo no tenía ganas de estar ahí sin hacer nada. Volvió a llamar a la puerta. Esta vez, más fuerte.

—No —dijo Jules—, eso no es verdad. Quiero decir, sí, cuando hablas con él tienes que saber exactamente lo que vas a decir. Si le haces perder el tiempo, te lo dirá, pero...

—Creo que en realidad no está —dijo Ulster, que con un solo y rápido movimiento consiguió consultar su reloj y su celular y, subrepticiamente, ajustarse los huevos.

Y la puerta se abrió.

—Siento haberos hecho esperar —dijo Max—. He tenido un pequeño accidente y estaba limpiando.

Aquella mentira olía raro.

Goldie y Ulster habían sido definitivamente engañados, cegados como estaban ante la presencia de la gloria destellante de Max Bhagat. Aunque llamarle *destellante* en su condición actual era bastante exagerado.

A Jules le pareció muy evidente que alguien —muy recientemente— le había dado a su legendario jefe una buena paliza.

Tan recientemente que la nariz todavía le sangraba. Max se había cambiado de camisa, claro, pero su chaqueta y corbata estaban elocuentemente ausentes. Sostenía un pañuelo contra la nariz mien-

tras los dos agentes se presentaban como un par de colegialas aton-
tadas. Incluso Ulster ahora tartamudeaba.

—Me he cogido el pie en el cable de la lámpara —dijo, un Max
Bhagat encantador y charlatán, mentiroso consumado—. Se ha roto,
maldita sea. La lámpara, no mi nariz. Gracias a Dios, al menos por
eso.

Era decididamente raro. Con ese aspecto que Max tenía, tendría
que haber un cuerpo, o al menos un perdedor muy a mal traer y
adolorido, esposado a la tubería de la pila en el baño. Y, como se es-
tilaba en el negocio de los guardianes de la ley, cuando se celebraba
una reunión y el resultado era una acumulación de cuerpos y con
tendencia al sangrado de nariz, Max debería haber señalado al dicho
perdedor y ordenado: «A ése que lo fichen».

O, en este caso, «Que lo fichen, Goldie». Y nada de bla, bla,
lámpara, bla, bla, nariz.

Mientras Jules esperaba ahí fuera en el pasillo, tuvo una visión
repentina de Max, como el personaje desquiciado pero absolutamente encantador de Edgard Norton en *Fight Club*, dándose a sí
mismo un repaso en toda regla en una seguidilla de alborotos pen-
dencieros de la más baja estofa, sucios, sin reglas y descaradamente
violentos.

Decir que era raro sería una ligereza.

Y, luego... todo se volvió aún más raro.

—¿Conocéis a Bill Jones, de la oficina de D.C.? —le preguntó
Max a Ulster y Golstein dando un paso atrás para dejarlos entrar en
la habitación.

¿Quién, de dónde?

Había, efectivamente, un hombre en la habitación, sentado a la
mesa, hablando por el teléfono del hotel, como en medio de una
Llamada Muy Importante y, de ahí, la imposibilidad de responder a
la puerta.

Claro.

La mayoría de las personas no sirven para fingir una llamada
por teléfono, y Bill Jones no era ninguna excepción.

Era un tipo alto, moreno, un guapo de rasgos duros, y Jules lo
había visto sólo en una ocasión antes, aunque distaba mucho de ser

en la oficina de Washington D.C. Y el nombre que llevaba en esa ocasión no era Bill. Y una mierda que lo era.

Colgó el teléfono, pero cuando Max lo presentó a los agentes de Frisk, no se levantó.

Probablemente porque Max le había roto las dos piernas.

¿Qué estaba pasando aquí?

—Tú ya has trabajado con Bill, ¿no, Cassidy? —Max lo había fraseado como una pregunta cuando, en realidad, era una orden.

De modo que Jules respondió de la misma manera que respondía a todas las órdenes de su jefe.

—Sí, señor —dijo, y le tendió la mano a Jones—. Bill, ¿cómo estás, tío? Me alegro de volver a verte.

Y, con eso, Max ya no era el único mentiroso en la habitación.

Vaya, Bill tenía los nudillos pelados. Y en la mandíbula del tío comenzaba a asomar un hematoma. Y ¿qué era lo que tenía en la mano izquierda, oculto ahí en el bolsillo de su chaqueta?

No era demasiado probable que se tratara de su muñeca Beany.

Y, vaya, desechado en aquella papelera. Aquel trozo de tela debía ser lo que quedaba de la chaqueta de Max.

Rasgada y ensangrentada. Claro, habría sido al tropezar con el cable de la lámpara.

Era un alivio ver que todo se aclaraba.

—Me temo que habéis hecho el viaje en balde —dijo Max, el amable, carismático y amigable Max, mientras sonreía maliciosamente a Ulster y Goldstein.

Era como haber penetrado en un universo alternativo. Un universo donde el doctor Spock tenía barba y Max era un tipo alegre.

—He conseguido descargar las fotos de la cámara —dijo el alegre Max—. Ya les he enviado un archivo jpg a mi equipo en Estados Unidos. Es una cosa menos de la que tiene que ocuparse vuestro equipo. Ya sé que Frisk os está pidiendo mucho… y que el personal está cansado.

Jules se dirigió a la ventana, como si quisiera echar una mirada a las primeras luces parpadeantes de la ciudad. Pasó por encima de la lámpara rota y se inclinó por la ventana para ver la calle abajo llena de gente.

A su buen amigo Billy Jones no le gustaba nada la idea de que estuviera ahí. Lo obligaba a vigilar a Jules y, a la vez, a mantener un ojo fijo en Max, que seguía al otro lado de la habitación. Significaba que si pensaba descargar su muñeca Beanie, tendría que elegir a quién disparar primero.

El tío eligió y vigiló a Jules.

Posiblemente porque ya había desarmado a Max. Pero, un momento, ¿acaso no era la funda del arma de Max la que estaba sobre la cama? ¿Cómo si la hubiera dejado ahí mientras se cambiaba la camisa ensangrentada?

Todo era cada vez más curioso.

Max daba muestras de un gran interés conversando con Ulster y Goldie, hablando de la información de que dispondrían después de que los analistas descargaran las miles de imágenes por satélite.

Habían seguido la pista del vehículo que explotó junto al café hacia atrás en el tiempo, el día de la explosión, hasta llegar al piso semiabandonado donde se había ocultado esa célula terrorista. También señalaron que se habían detenido brevemente en el camino al aeropuerto esa misma mañana.

—Se detuvieron en la casa y taller de... —Goldie consultó su libreta pero, al parecer, fue incapaz de entender su propia letra. Frunció el ceño y miró a Ulstie—. ¿Es Gretl o Gretta?

Dios la librara de cometer un error mientras hablaba con Max Bhagat.

Jules sabía algo de eso.

Él tampoco tenía ganas de cometer un error delante de Max. Como permitir que un criminal peligroso que quizá sabía del paradero de Gina estuviera ahí con un arma oculta en la mano izquierda.

—Gretta Kraus —dijo Ulster, con una seguridad que enseguida flaqueó—. Creo.

Sentado junto a la mesa, Bill Jones finalmente le facilitó un espacio a Jules al girarse hacia Max.

—¿Gretta Kraus? ¿La maestra de la falsificación?

Jules aprovechó el momento y se situó rápidamente detrás de Jones. Se inclinó, como si fuera a recoger algo del suelo y sacó la pistola de la funda del hombro. La mantuvo oculta y se enderezó. Y por detrás del respaldo acolchado de la silla, donde Ulster y Goldie no podían verlo, apuntó su arma a la columna del hombre.

Colocó la otra mano en el hombro musculoso y ancho de Jones y habló en voz baja en su oreja, sonriendo, como si estuvieran compartiendo un secreto de amigos o una queja sobre las condiciones de trabajo. *¿Te puedes creer que este jefe gilipollas ni siquiera nos deja diez minutos para comer un trozo de pizza?*

—La mano izquierda sobre la mesa, amigo —dijo.

—Gretta Kraus, la falsificadora. —Goldie le decía a Max—. Tenía un lucrativo negocio falsificando pasaportes, carnés de conducir, certificados de nacimiento, lo que le pidieran, ella lo hacía. Y sí, seguro que en ciertos círculos se hablaba de ella como si fuera una artista.

—Quita de ahí —le murmuró Jones a Jules. Luego alzó la voz—. ¿Se hablaba?

Y conservó la mano en el bolsillo.

Eso cabreó a Jules. Se inclinó una vez más para susurrarle a Jones que hasta que no pusiera su mano sobre la mesa, no se atreviera a hacer ni el más mínimo movimiento porque acabaría sumamente muerto. Pero aquel tío simplemente lo hizo callar.

Y Max, como de costumbre, consciente de todo lo que pasaba a su alrededor, cruzó una mirada con Jules y sacudió la cabeza. Fue un movimiento casi imperceptible, mientras sonreía... sí, chicos y chicas, sonreía muy pacientemente a Vera Goldstein.

Aquel movimiento de cabeza era una advertencia evidente, un eco silencioso de las palabras de Jones, *Quita de ahí*. Pero ahora Jules se preguntaba si Max, que probablemente actuaba bajo coerción, estaba en condiciones de tomar las decisiones correctas.

Así que se quedó exactamente donde estaba.

—Fuimos a hacer unas cuantas preguntas —informaba Goldie—, y todos habían muerto. Gretta, su marido, sus hijos y su ayudante.

—Mierda —masculló Jones.

—Los forenses calculan que murió justo el mismo día del atentado —siguió Goldie, y empezó a buscar algo en su bolso—. Lo que pasa es que vivían en una parte de la ciudad donde no se suelen denunciar los tiroteos, así que...

Max asentía para demostrar que escuchaba, mientras iba hasta la cama, recogía la funda de la pistola y se la ponía. ¿Era un mensaje para Jules?

Claro que sí. Pero era muy posible que Jones le hubiera quitado las balas de la pistola que ahora Max cogió, enfundó y ajustó con una tira de velcro.

Goldie seguía hablando mientras buscaba algo en el enorme maletín que le colgaba del hombro.

—Todas las cámaras de seguridad del taller de Gretta fueron destruidas, así que barajamos la teoría de que los terroristas entraron, los mataron y luego se llevaron lo que quisieron: pasaportes, visados y carnés de identidad falsos. Pero hicimos un barrido electrónico... —dijo y, con gesto triunfal, sacó un DVD en una caja de plástico—. Y encontramos las grabaciones de seguridad de una cámara diminuta oculta. No tiene sonido, pero la imagen es muy clara. Le hemos hecho una copia de la grabación digital, señor, para que no tenga que ir hasta el despacho a mirarla —dijo, y le entregó la caja a Max con gesto solemne.

—Gracias —dijo Max, y le estrechó la mano, mientras se dirigía hacia la puerta. Se le daba muy bien eso de señalar cuándo una conversación llegaba a su fin, aunque su estilo habitual era decir *Cierre la puerta al salir*—. Lo miraré más tarde...

Pero Ulster no se movió.

—No, señor, lo siento... es que parece que no lo hemos dejado claro. —Arruinó el efecto de generoso de la palabra «hemos» lanzándole una mirada a su compañera que decía *eres una imbécil* muy elocuentemente—. No estamos seguros, pero creemos que su amiga, Gina, y su compañera de viaje tenían una... eh...

—Una relación algo dudosa con Gretta Kraus. —Goldie acabó la frase por él—. Seguro que es lo último que quiere oír, señor, pero según esta grabación —dijo, dando unos golpecitos en la funda del DVD—, ellas estaban ahí, en el taller, cuando llegaron los terroristas. Es difícil que hayan salido vivas.

—Mierda. —Jones repitió el mismo estribillo.

El alegre Max había desaparecido. El nuevo Max llevó el DVD hasta la mesa y Jules sacó al portátil de su hibernación.

—¿Por qué diablos irían al taller de Gretta Kraus? —fue la pregunta retórica de Max.

Jones no dijo palabra, aunque a Jules le pareció evidente que sabía la respuesta.

—Esperábamos que usted pudiera decirnos algo —le dijo Ulster a Max.

Comenzó la reproducción del DVD y Max y Jones se inclinaron para mirar. Jules lo veía todo por encima del ancho hombro de Jones.

Max, el Max real que podía convertir el carbón en diamante con sólo apretar ciertos músculos, aprovechó la oportunidad para hablarle a Jones, en voz baja y con los dientes apretados:

—Te voy a matar. Esta vez será más lento y doloroso...

Pero entonces se acercó Goldie y la amenaza de Max quedó suspendida. *¿Esta vez?* Jules no atinaba a entender el significado de esa frase.

La agente utilizó su boli para apuntar a la pantalla, donde un plano fijo mostraba lo que podría haber sido el estudio de un arquitecto. Mesas inclinadas, taburetes, líneas bien definidas, colores vivos, flores secas en jarrones de cerámica... parecía una página de la sección más exquisita de un catálogo de Ikea. Goldstein señaló a una mujer.

—Ésa es Gretta.

Gretta no era ni la típica falsificadora pazguata de los *thrillers* de Hollywood, con protector de bolsillos, gruesas gafas y manchas de tinta en la cara y las manos. Tampoco era del estilo James Bond, una belleza del mal enfundada en un traje de gata. Al contrario, Gretta era cien por cien ama de casa alemana. Unos cincuenta años y aspecto anodino. Qué bien para ella, por no satisfacer las expectativas.

Pero, un momento. No tan bien para ella, teniendo en cuenta que estaban asistiendo a los últimos minutos de su vida. Gretta Kraus estaba a punto de convertirse en la nueva chica de aquella publicidad que decía: «El crimen no paga».

—El marido y los hijos de Gretta. —Goldie volvió a apuntar con su bolígrafo a tres hombres inclinados sobre una pantalla de ordenador, muy similar al trío de Max, Jones y Jules en ese momento. Salvo que Max, Jones y Jules tenían todos sus dientes. Mientras miraban, el mayor de los tres se quitó la dentadura y la dejó en una bandeja junto a algo que parecía un donut.

Aaag.

Una mujer más joven entró en escena.

—La ayudante de Gretta —dijo Goldie—. Y mirad al señor Kraus cuando ella entra con las mujeres. Él llama por teléfono.

En la pantalla, la ayudante era seguida por... Sí, era sin duda Gina, pero con un corte de pelo adorable, y otra mujer. Y, efectivamente, el señor Kraus, junto al ordenador, las miraba, volvía a ponerse la placa dental y llamaba por teléfono.

Mientras Jules miraba, Max y Jones se pusieron tensos, y John decía su estribillo de «oh, mierda».

—Ésa es ella —le dijo Max a Goldie y Ulster, intentando recuperar al Max alegre, pero no del todo convincente, teniendo en cuenta las circunstancias—. Gina y su amiga Molly Anderson —dijo, y miró a Jules—. También conocida como señora Leslie Pollard. Se casó hace poco. ¿Cuándo fue? ¿Recuerdas lo que nos dijo el padre Soldano, Bill?

—Hace unos cuatro meses —dijo Jones, con voz tensa, mientras miraba la pantalla.

Y Jules finalmente se retiró, porque ahora entendía. Al parecer, Jones tenía tanto interés como Max en encontrar a Gina y Molly. Y, por diversas razones, de las cuales la más evidente era que a aquel hombre lo obligarían a tenderse en el suelo, lo esposarían y sería extraditado de inmediato a Estados Unidos, Max no estaba dispuesto a desvelar la verdadera identidad de Jones a Ulster ni Goldstein.

Sin embargo, a Jules sí le confiaba la verdad. Fue entonces que éste enfundó su arma, fingiendo que algo le picaba debajo del brazo.

En la pantalla, Molly parecía cabreada. Era una pelirroja escultural cuya actitud y manera de vestir le daba un aire de Mamá UNI-

CEF, al estilo de las mujeres liberales de los años sesenta. Hablaba y hablaba, pero Gretta no paraba de sacudir la cabeza. Como si dijera «Lo siento». Y no. «*Nein*».

Gina estaba junto a ella, abrazada a su mochila ergonómica, como si prefiriera estar en cualquier otro lugar del mundo.

Jules ansiaba saber qué hacían ahí. Pero sospechaba que si preguntaba «¿Quién es el que necesita un pasaporte y carné de identidad falsos?», sólo uno levantaría su maltrecha mano de nudillos pelados.

¿Quién era el basura que mandaba a dos mujeres literalmente a la cueva de unos ladrones?

Jules pensó que después de que Max despachara a Ulster y Goldie, ahí había dos personajes que volverían a tropezar con el cable de la lámpara.

En la pantalla, Molly no se daba por vencida. No paraba de hablar. Jules hubiera querido escuchar el sonido, y se imaginaba lo frustrado que debía sentirse Max.

Ahora era Gretta la que parecía cabreada. Sacó una carpeta de un cajón, la tiró sobre la mesa y le hizo un gesto a Molly.

Quizá no era más que la viva imaginación de Jules, pero Gretta debía decir, *auf Deutsch*, desde luego: «¿Y quién va a pagar esto, eh?»

Esto debía ser la obra maestra de falsificación que seguramente estaba dentro de esa carpeta. La cámara no alcanzaba a captarlo. Jules suponía que era un pasaporte. Y se habría jugado mucho dinero a que la foto del documento oficial tendría una semejanza asombrosa con el hombre que estaba sentado justo delante de él.

Desde luego, el nombre en el pasaporte podría haber sido cualquiera. Cualquiera excepto Grady Morant, David Jones o Leslie Pollard.

«Bill» ya había usado esos nombres. Seguramente habría escogido algo nuevo y original. Un nombre que no figurara, por así decir, en ninguna lista de «Hombres más buscados».

En la pantalla, Gina ahora buscaba en su bolso. Abría su cartera. Ella y Molly se ponían a discutir, hasta que Gina le entregaba a Gretta una… ¿una tarjeta de crédito?

Todavía más absurdo era que Gretta la aceptara. Salía del marco de la pantalla y Gina y Molly se acercaban una a la otra para seguir su discusión.

—NTS International —murmuró Max.

Por supuesto. El misterioso cobro de veinte mil dólares a la cuenta de la tarjeta de crédito de Gina. NTS International era una tapadera provisional para el lucrativo negocio ilegal de Gretta Kraus. No era de extrañar que tuvieran problemas para seguirle la pista.

—Vale, ahora es cuando el marido contesta al teléfono, seguramente del despacho principal —dijo Goldie, señalando la pantalla. Y, sí, en el fondo de la tienda, el señor Kraus volvía a coger el teléfono. ¿Qué probabilidades había de que el nombre del viejo fuera Klaus?—. Y ahora sale, y...

El señor Kraus volvía a entrar en el taller con otro hombre.

Jules nunca lo había visto, pero Gina y Molly sin duda lo reconocieron porque, al verlo, retrocedieron. Como si le tuvieran miedo.

—Hijodeputa —masculló Jones, que al parecer había agotado su reserva de «oh, mierda»—. Ése es nuestro hombre, sin duda, y esos gilipollas acaban de dejarlo entrar.

—¿Lo conoces? —le preguntó Max a Jones, que muy probablemente seguía con vida sólo gracias a la presencia de Goldie y Ulster.

—No. Y ¿tú?

—No.

Mientras todos los personajes que captaba la cámara seguían discutiendo, el hombre, pelo oscuro, estatura media, bigote, unos cincuenta y cinco años, sacó tranquilamente una pistola. Su actitud no era amenazante, pero el arma cambió el estado de ánimo de los presentes de temerosos a muertos de miedo.

Y entonces Greta Kraus intervino en la discusión, y Gina se situó ligeramente delante de Molly.

Ahora le tocaba a Max lanzar una imprecación. Le lanzó una mirada dura a Goldie.

—¿Lo hemos identificado a ése?

—Todavía, no, señor —dijo ella—. Tenía prioridad menor, ya que no parece estar relacionado con los terroristas y... Mire, aquí es cuando Gina mantiene su pasaporte detrás. Lo tiene en la cartera. ¿Lo ve? Se ha apoyado en la mesa de Greta y...

Mientras miraban, cortesía de la cámara situada detrás de la mesa, Gina deslizó la cartera —grande, de cuero marrón— debajo de algunos papeles esparcidos por la superficie.

Quizás intentaba ocultar su identidad. O quizá pensaba que sin su pasaporte, no podría salir del país.

—El pasaporte de Molly también estaba ahí dentro —dijo Jones. Miró a Goldie y añadió—: Es lo más probable. Quiero decir, Molly no lleva ni bolso ni nada, es una suposición...

—Y ahora comienza el tiroteo —avisó Ulster, tomando el relevo de la narración.

En la pantalla, todos dieron un salto, como si se hubiera producido una repentina explosión en la habitación contigua.

Gretta, que había estado junto a Gina, cayó, seca, y se vio un chorro de sangre.

—Dios mío. —Max tragó saliva, sin duda fijándose en la mirada aterrorizada de Gina. No sabía qué había pasado, y se quedó donde estaba, paralizada.

La habitación a su alrededor explotó y comenzaron a llover balas. Se incrustaban en las paredes de yeso, en las lámparas y en los jarrones con las flores secas. Y el hombre del bigote, que ya se había lanzado contra Molly, arrastró a Gina al suelo al caer.

En el otro lado de la habitación, los dos jóvenes Kraus cogieron las armas, unas ametralladoras de tipo militar, cosa seria, dispuestos a defenderse. Pero el pistolero no identificado no tardó ni un segundo en responder al fuego. Le gritó algo a Gina, a la que tenía cogida por la muñeca, y ésta cogió a Molly. Y él las hizo salir a ambas del encuadre de la cámara.

—La puerta de atrás está detrás de la cámara, a la izquierda en la pantalla —dijo Ulster, mientras miraban cómo los dos últimos Kraus caían acribillados.

—Quien quiera que haya sido —dijo Goldie—, les salvó la vida a Gina y a su amiga.

Quizá. Pero a Jules le pareció evidente que Max no pensaba precisamente en darle una medalla al señor Bigote.

Goldie apretó «pausa».

—El resto de la grabación son los terroristas destrozando el lugar mientras buscan pasaportes. Encuentran la cartera de Gina en la mesa de Gretta, y está claro que es así como se lo apropiaron. También explica por qué, el mismo día, el billete de solo ida que había comprado fue pagado con su tarjeta de crédito. Ya no se la considera sospechosa de relaciones con la célula.

¿De verdad habían pensado que Gina...? Jules emitió un gruñido de indignación, aunque sabía que debían pensar en todas las posibilidades.

—Quiero que identifiquen al hombre de la pistola —ordenó Max—. Que le den máxima prioridad. —En ese momento, sonó su móvil—. Perdón —dijo.

Se giró para contestar, y el teléfono de Jules también sonó.

Cuando éste fue a contestar, sonaron también los de Goldie y Ulster.

Eso no era buena señal. Cuatro agentes, y ¿todos reciben una llamada al mismo tiempo?

Algo importante había ocurrido. Un atentado contra el presidente, un accidente en una central nuclear, o...

—¡Maldita sea! —El Max real había vuelto a cobrar vida, esta vez con toda su fuerza. Le dio a la tecla de «mudo» en su teléfono.

—¡No contestes, Cassidy!

O un ataque terrorista.

Jules tenía el teléfono en la mano. Reconoció el número del que llamaba.

—Es Yashi. —Del cuartel general en Washington D.C.

Max ya había vuelto a ocuparse de su llamada.

—Por favor, repita... Tengo problemas con la señal.

—Dios mío. —Era Goldie la que hablaba—. En seguida. Sí, señora. Sí, señora.

—¿Qué han hecho *qué*? —Ulster estaba igual de consternado, y se tapaba la otra oreja—. Oh, mierda. Vale, sí, vale. Ahora llegamos.

Madre mía, aquello no prometía nada bueno.

—¿Qué está pasando? —le preguntó Jones a Ulster, cuando éste colgó.

—Tenemos que irnos —dijo Ulster—. Hay al menos tres vuelos comerciales en el aire que han mandado SOS. Los guardias han evitado el secuestro, pero creen que llevan bombas que explotarán si los aviones intentan aterrizar.

—También se ha descubierto un plan para hacer estallar una serie de bombas sucias en ciudades de Estados Unidos y Europa.— Goldie recogió su bolso y se dirigió a la puerta—. Hemos localizado tres bombas, pero quedan al menos dos más.

—La conexión es mala —dijo Max en su teléfono—. No puedo oírle. Vuelva a llamarme. —Colgó cuando Ulster y Goldstein se detuvieron en la puerta, esperando que él los despachara.

—Iros —dijo Max, y ellos se fueron—. Jules.

—Sí, señor.

—¿Te has enterado de lo que está pasando?

—Sí, señor. —Al parecer, estaban a punto de sufrir un ataque terrorista a nivel global. El que siempre habían pronosticado, y esta vez estaban listos. Por lo visto, ya habían evitado que pasara en gran parte, y ahora iban a evitar el resto.

—Esa llamada que no respondiste —dijo Max, con semblante serio—, es de alguien que te dirá que muevas el culo y vuelvas a Washington. Cuando les devuelvas la llamada, te dirán que tienes que volar en un transporte militar porque todos los aeropuertos comerciales de Estados Unidos han sido cerrados.

¿*Todos*?

Vaya pastel.

—Sí. Yo no vuelvo —dijo Max—. Por razones obvias. Pero Peggy Ryan tomará el mando. Tiene toda mi confianza. Todo el equipo la tiene, y tú también, Jules. Pero sé que tú y Peggy no tenéis buenas relaciones, así que... Sólo dime dónde quieres ser asignado, y ahí te mandaremos. Como jefe de grupo. Con el tiempo, Peggy se acostumbrará a ti.

—¿Qué? Perdón, jefe, estás hablando como si no fueras a volver.

Max asintió.

—Así es.

Mierda.

Y más mierda.

Jules no esperaba que Max le pidiera que se quedara y le ayudara a encontrar a Gina y Molly. Al menos, no de esa manera. Pero tampoco se esperaba esa mierda de *dime dónde quieres ser asignado*, que te vaya bien.

Lo cual no significaba que Jules no pudiera ofrecerse voluntario para quedarse. Sobre todo si pensaba en la importancia del número de hombres en una operación de rescate. Si Max pensaba que podría contar con algún tipo de grupo de operaciones especiales, como el Equipo Dieciséis de las Fuerzas Especiales SEAL, para que le ayudaran a rescatar a Molly y Gina... cariño, tendría que volver a pensárselo.

Eso tíos iban a estar muy ocupados en los próximos días salvando al mundo y quién sabe qué más.

Lo cual significaba... ¿qué? Max y su amigo Jones iban a echar abajo a patadas la puerta del secuestrador, ¿los dos solos?

—Dios, ya sabes, no soporto a Peggy Ryan —dijo Jules—. Es como un dolor en el culo. Si a ti te es igual, jefe, seguiré donde estoy, ayudándote con el caso. Sólo porque el resto del mundo se está incendiando no significa que dos mujeres raptadas no importen. Hay que salvarlas, así que vamos.

Max sacudía la cabeza.

—Dependiendo de lo que pase en los próximos días, algunos harán carrera —señaló.

Jules lo miró unos segundos largos.

—Puede que eso sea lo más ofensivo que me hayas dicho nunca.

Max ni siquiera parecía avergonzado. Sin embargo, su nariz estaba un poco hinchada.

—Lo que no quita que sea verdad.

Jones, alias Grady Morant, los observaba desde la mesa. Ahora que la pareja de cómicos de Ulster y Goldstein se habían ido, Jules observó que Jones ya no tenía la mano en el bolsillo.

—¿Por qué será —le preguntó Jules a Jones—, que Max es incapaz sencillamente de mirarme a los ojos y decirme que quiere que me quede, que necesita mi ayuda?

Jones sacudió la cabeza y se encogió de hombros.

—Yo no soy… —dijo—, ya sabes, gay.

Jules rió, sorprendido.

—¿Qué tiene que ver eso con…? —Acaso Jones pensaba que… De acuerdo. Por lo visto, ahí no encontraría ayuda.

Jones se incorporó.

—¿Podemos irnos de aquí, ya? Tenemos que pensar en cómo diablos llegaremos a Yakarta. Si anulan los vuelos comerciales…

El teléfono de Jules volvió a sonar. Éste se volvió hacia Max.

—Tú me dijiste que te dijera donde quería que me asignaran, y te lo he dicho. ¿Qué otra cosa tengo que decirte?

Max reflexionó.

—Contesta —le ordenó—. Y dile a Yashi que te he nombrado jefe de equipo, que estás a cargo de la investigación de este secuestro, y que necesitas tres plazas en el próximo vuelo a Indonesia, civil o militar, da igual, siempre y cuando puedas subir al avión con dos pasajeros sin ser molestados.

—¿Yo estoy a cargo? ¿Cómo, qué? ¿Tú eres mi ayudante? —rió Jules. Pero Max no lo imitó—. Madre mía. Espera, jefe. Yo…

—Dile que —Max lo interrumpió—, como jefe de grupo, te he presentado mi dimisión, y que tú has aceptado.

¿Qué?

El timbre del teléfono lo estaba volviendo loco. Al final, contestó.

—Sí. Te llamaré enseguida —dijo, y colgó—. Perdón, jefe, pero ¿qué coño?

—No puedo encargarme de este caso —dijo Max—. No puedo participar en mi condición de agente. Gina es mi… chica.

Era muy posible que aquella fuera la primera vez que se refería a ella de esa manera. Casi se había atragantado al pronunciar la palabra.

Pero antes de que Jules se mofara de él, qué infantil, y mira la palabra que se le había atragantado, porque, joder, Gina no era una chica y, además, hola, Max ni siquiera la había visto en el último año y medio…

Max volvió a hablar.

—Ella lo es todo para mí —murmuró—. Es mi vida. Sin ella…
—dijo, y sacudió la cabeza.

Y Jules vio, con indescriptible sorpresa, que Max tenía lágrimas en los ojos. Una cosa era verle llorar al descubrir que Gina no había muerto, pero esto…

—Sacrificaría lo que fuera por ella —reconoció Max—. Incluyendo tu carrera. Así que, sí, lo diré. Quiero que te quedes y me ayudes a encontrarla.

Jules no vaciló.

—Acepto el cargo —dijo, mirando a su amigo—. Y acepto tu… ya sabes.

Dimisión. La aceptaba pero no conseguía decir la palabra.

Max asintió.

—Llama a Yashi —ordenó—. Guardaré el portátil para comunicarnos con el secuestrador. Se hace llamar E. Tenemos que escribirle un correo. Él ya se ha puesto en contacto con Morant, aquí, a través de una cuenta especial. Voy a pedirle que nos dé una prueba de que están vivas. Nos mandó una foto, pero yo quiero hablar por teléfono. Ah, y deberías saber, antes de que dimita, que he hecho un trato con el señor Morant. No lo tocaremos hasta que Gina y Molly estén a salvo bajo nuestra custodia. Después, será nuestro —dijo, y se corrigió—: Tuyo.

—Sólo en mis sueños —dijo Jules, mientras marcaba el número en su móvil—. Porque, como habrás oído, el tío dice que no es gay.

Jones lo ignoró.

—Ya sé que quizás es descabellado, pero deberíamos conseguir toda la información posible sobre las cuentas de correo, la suya y la que creó para mí. Puede que encontremos dónde está situado.

—Entendido —dijo Jules. También averiguaría si la oficina de Washington podía prestarles personal, aunque era poco probable. Peggy Ryan no lo echaría en falta, de eso no tenía dudas. También sabía que no asignaría a ningún otro miembro de su equipo a otra tarea durante una emergencia que involucraba una posible bomba sucia en la capital del país.

Aunque quizás hubiera algún otro miembro del equipo que a ojos de Ryan fuera gay.

Mientras comunicaba con el buzón de voz de Yashi, el teléfono lanzó un aviso de llamada entrante... de Peggy Ryan. Genial. Tendría que hablar directamente con la Malvada Bruja del Oeste.

Se imaginó el texto entre líneas de su mensaje: «Bien. Tú vete a Indonesia y pórtate como el gay que eres, a miles de kilómetros de mí y de las importantes conferencias de prensa que estaré celebrando».

Incluso imaginaba su condescendencia apenas disimulada con el hecho de que finalmente fuera jefe de grupo... sin un verdadero grupo.

—Hola, Peg —dijo Jules, al contestar. Vio a Jones que enrollaba el cable del portátil y se lo entregaba a Max, que estaba guardando el ordenador en su maletín.

¿Quién dijo que no tenía un verdadero equipo? Y éste no era un equipo cualquiera. Era un *dream team*.

Salvo que... Aquél era el ordenador del hotel. Max se dio cuenta al mismo tiempo que Jules. Sólo Jones parecía dispuesto a llevárselo, como seguridad.

Y, de pronto, ay, mientras Jules miraba, Max cogió a Jones por la camisa y lo empujó contra la pared.

—Un momento, por favor —dijo Jules, interrumpiendo la larga lista de órdenes de Peggy. Dejó el teléfono sin ruido—. Apártate —le dijo a Max.

Max no se movió.

—Este hijo de puta mandó a su mujer y a Gina a buscar un pasaporte nuevo de...

—No es verdad —dijo Jones, enfurecido—. Ella no tenía por qué ir a ese sitio.

—Ah, ¿así que ella y Gina vinieron a Hamburgo a qué? ¿De compras? —preguntó Max.

El equipo de Jules estaba a punto de volver a tropezar con el famoso cable de la lámpara.

—Atrás —ordenó, apretando los dientes—. Fuera, dejadme hablar con Peggy, y luego arreglaremos esto. —Max no se movió—. No es un favor lo que te pido, Max.

Por curioso que parezca, le obedeció. Soltó a Jones, no sin antes propinarle unos cuantos empujones de macho alfa.

Los dos se quedaron frente a frente, mirándose con expresión de absoluta repugnancia.

Jules volvió a comunicarse.

—Lo siento, Peggy, continúa.

Era posible que llamarlo *dream team* fuera un poco exagerado.

Capítulo *12*

PULAU MEDA, INDONESIA
FECHA EXACTA: DESCONOCIDA.
EN LA ACTUALIDAD

De repente penetró una luz brillante y Molly parpadeó. El contenedor en que ella y Gina llevaban viajando quince horas por fin fue abierto.

El aire fresco era un regalo de Dios, y las dos mujeres lo tragaron a grandes bocanadas.

Su captor las miró con expresión de disculpa mientras se tapaba la nariz con un pañuelo.

—Los pañales no han servido como yo esperaba.

—No —dijo Gina—, no han servido. —Sobre todo cuando se había mareado en el último tramo del viaje.

—Bueno, merecía la pena intentarlo.

Delgado, elegante, de sienes entrecanas, el italiano que las había obligado a punta de pistola a entrar en el contenedor hablaba perfectamente inglés, con apenas un leve acento. Seguía siendo igual de amable y seguía pidiendo disculpas, como lo había hecho en Hamburgo.

—Mi amiga también está enferma —dijo Gina—. Necesita una ginger ale o una cola, algo para estabilizarle el vientre.

Molly estaba más que mareada y tenía tanta hambre que no coordinaba bien. No era una buena combinación. Era un milagro que no hubiera vomitado también.

Desde luego, era posible que todavía le vinieran ganas.

—Por supuesto —dijo el hombre—. Llamaremos al servicio de habitaciones.

Molly estaba tan confundida que no sabía si el hombre se mofaba de Gina o si lo decía en serio. Desde luego, era difícil confiar en un tipo que había metido a dos mujeres en un contenedor y las había mandado a…

Molly no sabía a dónde las habían mandado, pero aquí hacía mucho más calor que en Alemania. Y también había más sol, aunque la luz que la había hecho pestañear provenía de una bombilla en el techo.

Cuando se acercó a mirarlas un segundo hombre, más joven, más moreno y más bajo, aunque más fornido, todavía sosteniendo la barra que había usado para abrir el contenedor, Molly ayudó a Gina a levantarse. O quizá fue Gina la que ayudó a Molly. Costaba saber cuál de las dos se tenía mejor de pie.

El hombre mayor habló al más joven en una lengua que parecía italiano, en tono seco, sin duda para avisarle que tuviera cuidado con el coche aparcado junto a ellas. Era un Impala color azul marino, que databa de los tiempos en que lo más grande era lo mejor. Estaba en muy buen estado para sus años. Algo similar ocurría con su dueño.

—Tendremos que ducharnos y cambiarnos de ropa —dijo Molly, con toda la dignidad de la que pudo hacer acopio, teniendo en cuenta las circunstancias.

Estaban en el interior de un garaje con los vidrios de las ventanas rotos y el suelo de cemento. Cemento mezclado con trozos de concha, parecido a la costumbre que tenían en la isla de Parwati.

—¿Te encuentras bien? —le preguntó Gina a Molly con un hilo de voz.

—Viviré. —Además de los retortijones en el estómago, Molly tenía los talones heridos debido a su intento de pedir ayuda dando patadas contra las paredes metálicas de su encierro. También estaba ronca de tanto gritar pidiendo auxilio.

Nadie las había oído. Al menos nadie a quien le importara.

El hombre mayor las llevó al interior de la vivienda, por un pasillo, hasta un salón bien amueblado. Una cama extra grande. Un sofá con patas y armazón de bambú. Había incluso un televisor, aunque era probable que no funcionara.

Por una puerta entreabierta se veía un baño anexo, moderno, con baldosas blancas impecables y accesorios cromados.

Tenía aire acondicionado y estaba fresco, gracias. Jo, era mejor que muchos de los hoteles donde ella había estado, salvo que no tenía vistas.

Porque tampoco tenía ventanas.

—Si dejáis vuestra ropa al otro lado de la puerta, mi nuera lo lavará todo.

Con una elegante reverencia, salió y cerró la puerta.

¿La habría dejado sin pestillo?

Gina estaba pensando lo mismo. Fue hasta la puerta y la abrió.

El hombre joven que habían visto en el garaje hacía guardia en el pasillo. Todavía tenía la barra de hierro en la mano.

Gina cerró la puerta enseguida.

—Vale —dijo—. Vale. —Se alejó de la puerta y bajó la voz. Era evidente que se sentía mejor.

Molly habría querido decir lo mismo.

—Son tres —dijo Gina—. Sólo hemos visto a dos, pero él mencionó una tercera persona, su nuera. Hasta ahora, sólo he visto un arma y no la he visto últimamente. Tenemos que estar preparadas para cuando vuelvan a entrar aquí. Quizá podamos pedirle ayuda al señor Barra de Hierro, por ejemplo, decirle que la taza del retrete no funciona, y cuando entre, le damos en la cabeza. —Cruzó hacia la cama y retiró el edredón para echar una mirada al marco metálico—. Tenemos que intentarlo ahora, antes de que lleguen refuerzos.

La voz de Gina se iba haciendo cada vez más débil, como si estuviera hablando desde una gran distancia, en lugar de sólo unos metros. No auguraba nada bueno.

—Ayúdame con esto —dijo Gina, intentando mover el colchón.

Molly intentó ir hacia ella, y acabó sentada en la cama. Las piernas no le respondían.

—¿A eso le llamas ayudar? —La voz de Gina sonaba seca, hasta que levantó la vista—. Molly, ¿estás bien?

Molly tenía la mejilla apoyada en la frescura de la sábana. ¿Cómo había llegado allí?

—Sólo... tengo... que cerrar los ojos —dijo—. Sólo un segundo... ¿Podemos... intentarlo... más tarde?

BASE AÉREA DE RAMSTEIN, ALEMANIA
22 DE JUNIO DE 2005
EN LA ACTUALIDAD

Jules Cassidy había pedido tiempo muerto mientras se dirigían a la base aérea de Ramstein.

Se parecía bastante a los tiempos muertos que pedía el padre de Max durante los largos viajes de la familia en coche.

Max se sentaba en el asiento trasero, entre su hermana y su hermano, no sólo porque era el menor sino porque solía entenderse bien con los dos.

Así, cuando comenzaban a pelear, tenían que hacerlo por encima de él.

Sin embargo, había otras ocasiones más amargas, porque los dos mayores se confabulaban y lo maltrataban a él.

Era el momento en que su padre exigía silencio total.

Igual que Jules, cuando habían salido del hotel.

Sólo se habían detenido dos veces en el camino al aeropuerto: para alquilar un coche y, después, en un centro comercial.

Como buen jefe, Jules se aseguró de que sus compañeros estuvieran adecuadamente vestidos. Cogió unos pantalones vaqueros de la estantería sin ni siquiera preguntar por la talla de Max. Por lo visto, ya estaba informado no sólo de la talla sino del estilo y las marcas.

Un par de zapatillas deportivas, que también supo dónde buscar, y una chaqueta ligera, y ya habían vuelto al coche.

Sólo después de medianoche, una vez llegados a la base, Jules dejó que Max y Morant se hablaran, y entraran en materia.

Pero antes comprobó que todavía les faltaba una hora para abordar el avión de transporte que iba a Indonesia. Se los llevó a un rincón donde nadie pudiera escucharlos.

—¿Quién va primero? —preguntó Jules, balanceándose sobre la punta de los pies, como un árbitro de boxeo.

Grady Morant, alias Leslie Pollard, alias Dave Jones, levantó la mano, pero no habló en seguida. Miró a su alrededor, asimilando la actividad en el hangar. Lo hizo automáticamente, cuestión de hábitos.

Lo mismo hizo Max. Sabía que si entraban en la terminal, los dos se irían directos al mismo asiento. Contra la pared; así es más facil ver a cualquiera que va o viene.

Max y Morant se parecían bastante.

Salvo que Max no se había dedicado a lucrarse con actividades criminales.

Morant finalmente se aclaró la garganta, y empezó la fiesta con una declaración inesperada de culpa.

—Escuchad, ya sé que la culpa de que hayan cogido a Gina y Molly es sólo mía. —Respiró hondo—. Pero…

Vale, aquí venía. La parte en que, en realidad, no era su culpa.

—Lo juro —siguió Morant—. Yo no las mandé al taller de Kraus. Ni siquiera le dije a Molly dónde estaba. No tengo ni idea de cómo encontró el local, y… En cuanto a por qué fueron, lo único que puedo imaginar es que Molly sabía que la estaban siguiendo. Quizá quiso advertirme —dijo, y sacudió la cabeza con expresión de agobio—. Maldita sea, debería haber sabido que no podía confiar en Kraus.

Era bastante evidente que así lo había encontrado el secuestrador, y a Molly y a Gina también. Lo habían visto en el DVD. Molly y Gina entraban, el señor Kraus hacía esa llamada y, cinco minutos después, aparecía el hombre identificado como E.

¿Una coincidencia? No era probable.

Morant no había acabado.

—Tenía… tenía que correr el riesgo. Había motivos para la prisa.

Motivos. Para. La prisa. Max resistió el impulso de rasgarle el cuello al muy cabrón. ¿Motivos como la oportunidad de ganar un millón de dólares en algún negocio que era casi legal, claro, excepto lo que tenía de ilegal? ¿O quizá Morant intentaría tocarles una fibra del corazón con motivos sentimentales? Por ejemplo, su querida madre estaba enferma. O su primo necesitaba un trasplante de riñón.

Max ansiaba oír la explicación.

Sin embargo, Jules intervino y llevó la discusión por otros derroteros.

—Si no tenías la intención de mandar a Molly al taller de Kraus, ¿cómo pensabas conseguir el pasaporte?

—El plan era reunirse en un bar —explicó Morant—. En Hamburgo. Yo debía ir —añadió—. Tenía que reunirme con uno de los hijos de Kraus. Y pagar en efectivo. Creedme, no tenía ninguna intención de que Molly se metiera en todo esto.

—Con Gina era otro cuento, ¿eh? —preguntó Max, y en los bordes de su visión periférica se adivinaban los destellos de su rabia—. A ti ella te importaba una mierda, de modo que usar su tarjeta de crédito para pagar la entrada no te habrá costado nada.

Era lo que seguramente explicaba el adelanto de diez mil dólares en efectivo llevado a cabo en Nairobi.

—O quizá le robaste la tarjeta —añadió Max—. Sin que siquiera lo supiera.

Daba la impresión de que Morant estaba a punto de lanzarse sobre Max.

—Que te jodan.

—Que te jodan a ti. —Max daría cualquier cosa por que lo intentara.

Intervino Jules.

—Esto no nos lleva a ninguna parte.

—Yo no robé la tarjeta de Gina —dijo Morant, acalorado—. Ella sabía lo que yo hacía, e *insistió*. Y no usamos su tarjeta. Ella consiguió el dinero en un banco, yo lo llevé a otro y se lo envié a Kraus.

—¿Los dos bancos estaban en Nairobi?

—No —dijo Morant—, volamos a París. ¡Claro que estaban los dos en Nairobi! Escucha, ya sé que estás enfadado...

Max estaba más que enfadado. Cualquiera con unos cuantos conocimientos de informática habría podido seguir ese dinero hasta la tarjeta de crédito de Gina. Era una de las muchas maneras que tenía el secuestrador E para localizar a Morant siguiendo la transferencia hecha a Kraus.

—¿Cuántos bancos hay en Nairobi, Morant?

—Mierda, ¿yo qué sé? —dijo Morant—. Vale, confié en Kraus y... es evidente que fue un error. Me la jugué, ¿vale? No sabía qué otra cosa hacer. Tenía que llevar a Molly a Iowa, y ¡ella no quería irse sin mí!

—Tomaste la foto para tu pasaporte nuevo con la cámara de Gina, ¿no? —preguntó Max—. Le mandaste un archivo electrónico a Kraus. Todavía había una copia, guardada en un archivo.

—Si sabes eso —la actitud desafiante de Morant tenía un dejo de desesperación—, ¿por qué preguntas? Sí, quiero decir, ¿qué? ¿Esperas que mienta...?

—Mi equipo habría tardado unos diez minutos en identificarte como Grady Morant en esa foto. —Max alzó la voz y habló por encima de él—. La misma foto que le mandaste a Gretta Kraus. Ella tardó un poco más, quizás una hora, para entender con quién estaba haciendo negocios —dijo, ahora gritando a todo pulmón—, y enterarse de que su nuevo cliente todavía tenía un precio puesto a su cabezota. Toda una lección de honor entre ladrones, ¿eh, *Grady*?

—Ya dije que era culpa mía —gritó Morant—. ¡Es mi culpa! ¡Es mi culpa! ¿Qué más quieres que diga? Te diré una cosa, Gina quería ayudar. Nos preguntó si podía ayudar...

—Y tú no cuidaste de ella —gruñó Max—. ¿En qué coño estabas pensando?

—Estaba pensando, joder —rugió Morant—, ¡que si no hacía algo, mi mujer iba a morir de un puto cáncer!

En ese momento, temblando de rabia, Grady Morant casi empezó a llorar.

—Eres un cabrón egoísta y estúpido —murmuró, con los dientes apretados—, ¡puede que tú hayas estado dispuesto a dejar a Gina, pero yo no tengo intención de perder a Molly sin pelear!

—Quieren que vaya a Hamburgo a hacerme una biopsia —dijo Molly, cuando salió a la sala de espera de la consulta. Estaba pálida.

—¿Qué? —Jones se incorporó.

—Quieren que vaya a Hamburgo —repitió ella—. En Alemania.

—Ya sé dónde está Hamburgo —dijo él. Joder, aquello no podía estar pasando.

Se suponía que aquello iba a ser un breve descanso. Molly volvía a leer acerca de otro de sus Jones preferidos. Se suponía que tenían que ir hasta Nairobi, a visitar a un médico que poseía un título de verdad, averiguar si el bulto que Molly había descubierto era normal o imaginario, cenar, pasar el resto de la noche revolcándose entre gritos de lujuria y luego volver al campamento por la mañana.

Él «quieren que vaya a Hamburgo» no estaba para nada entre sus planes.

Sí, Molly tenía casi la misma edad que su madre cuando a ésta le diagnosticaron un cáncer de mama. Sí, el bulto que había descubierto era como el de su madre en tamaño y consistencia. Incluso estaba en el mismo pecho.

—¿Qué creen que es? —preguntó él, aunque lo sabía. Una biopsia. No se hacían biopsias para tratar los ganglios hinchados o para los virus.

Molly le puso el brazo alrededor de la cintura y lo apretó con fuerza.

—Es probable que no sea nada.

—Mol, no es probable que no sea nada, si quieren que vayas a Alemania, joder.

Ella pestañeó y él se giró hacia las personas, la mayoría mujeres, que ocupaban los asientos en la sala de espera.

—Perdón, este médico cree que mi mujer, a quien quiero más que a mi propia vida, tiene cáncer de mama, así que me oiréis todavía decir joder unas diez veces más. ¿Os parece bien a todas?

Ella lo cogió de la mano y tiró de él hacia la puerta.

—Vamos a caminar.

—No creo que debas ir a Hamburgo —dijo Jones, mientras ella lo llevaba por la escalera y hasta la calle—. Creo que deberías ir a casa. A Iowa. Creo que deberías ver al oncólogo de tu madre. Porque tu madre está bien, ¿no? Han pasado unos veinte años y está bien.

El vestíbulo estaba casi desierto y mucho más fresco que la calle bañada por el sol. Había un banco, a un lado, debajo de un mural de vivos colores.

—Sentémonos —dijo Molly.

Intentó tirar de él para que se sentara, pero él se resistió.

Si antes tenía miedo, ahora estaba paralizado.

—Caminemos —dijo—. Sentémonos, Molly, sea lo que sea que tengas que decirme, dímelo.

—Es que no sé muy bien cómo hacerlo —dijo ella, con lágrimas en los ojos.

Así que Jones se sentó a su lado. Entrelazó los dedos de las manos con los de ella.

—Sabes que te amo, ¿no?

Ella asintió con la cabeza.

—Pues, no te amo por tus pechos —dijo él—. Si es necesario extirpar uno de los dos, pues, que se extirpe. No va a cambiar los sentimientos que tengo por ti. No cambiará nada.

Molly empezó a llorar.

—Oye —dijo él—, se suponía que eso tenía que, no sé si alegrarte, pero al menos...

Ella lo besó. *Más feliz.*

Molly se apartó para mirarlo.

—Yo también te amo —dijo y, de alguna manera, su confesión motivó otro río de lágrimas.

—Molly, me estás asustando. ¿El médico te ha dado una sentencia de muerte o algo así?

—Es sólo que... —Molly sacudió la cabeza y miró las manos entrelazadas. Suspiró antes de hablar—. ¿Recuerdas la noche en que entraste en la tienda del comedor y yo me di cuenta de que eras tú y dejé caer la bandeja?

Ahora fue Jones el que asintió. No tenía ni idea de adónde quería llegar Molly.

—¿Y luego, más tarde, cuando yo fui a tu tienda y echamos ese polvo a medias?

Él volvió a asentir. Ese polvo a medias... La miró, y todo empezó a encajar. ¿Acaso estaba diciendo que...? Habían echado un polvo a medias sin condón.

—Pero yo no me corrí. Quiero decir, de esa parte me acuerdo muy bien.

—Al parecer —dijo ella—, no tenías por qué correrte.

Jones se quedó sentado en silencio un largo rato antes de tragar el aire para preguntar.

—¿Hablas en serio? ¿Estás...?

—Embarazada —dijo ella—. No llego a los cuatro meses.

Lo cual significaba que en cinco meses... Oh, mierda.

—Yo creía que tenías eso, ya sabes, como-se-llame —dijo—. Perimenopausia.

—Sí —dijo ella—. Así es. Pero, al parecer, los últimos meses no he tenido el periodo debido a... esto. —Lo miró, intrigada—. ¿Estás totalmente aterrorizado o qué?

—Joder, sí —dijo él—, pero no por el motivo que tú piensas. ¿Te pueden tratar de cáncer si estás embarazada?

Y ya estaba. Molly desvió la mirada.

—No se trata de si puedo sino de si *quiero*. El médico dijo que después del primer trimestre, ciertos fármacos de la quimioterapia no plantean ningún peligro para el bebé.

Pero. Jones conocía demasiado bien esa expresión que Molly ahora tenía pintada en la cara. Él lo dijo en su lugar.

—¿Pero...?

—No han hecho suficientes pruebas a largo plazo. No voy a envenenar a esta criatura.

Y, claro, el médico no le había dado a Molly una sentencia de muerte. Pero ahora ella misma se estaba potencialmente dando esa sentencia.

—Deberían ser buenas noticias —dijo—. Que esté embarazada. No debería tomarse como una parte de «El médico quiere que vaya a Hamburgo a hacer una biopsia».

Jones sacudió la cabeza.

—Desde luego, no puede ser bueno para el bebé que…

Ella sabía a donde iba.

—El hecho de que tenga cáncer de mama no dañará al bebé.

—¿Estás segura? —preguntó él, tajante—. ¿Han hecho suficientes jodidas pruebas a largo plazo sobre eso?

—Shh —dijo ella, mirando al guardia de seguridad junto a la puerta de entrada—. Ven…

—No —dijo Jones, y se incorporó—. No, Molly. No es posible que me estés diciendo sinceramente que quieres tener un bebé al que no verás crecer.

—Eso no lo sabemos. Si la biopsia da positivo y sólo es la primera o segunda etapa, entonces esperar un poco…

—Cinco meses —dijo él—. Mientras el cáncer crece a un ritmo sostenido, alimentándose de todo el estrógeno y las hormonas de crecimiento que fabrica tu organismo. Es una locura…

—Ya no tenemos alternativa —dijo ella, que también se había incorporado.

—¡Sí que la tenemos!

Ahora ella también se había enfadado.

—Vale —dijo—. Sí, tenemos una alternativa. Es mi alternativa. Y yo decido investigar, hablar con más médicos y viajar a Hamburgo para hacer una biopsia. ¿Te parece bien?

¿Qué coño estaba haciendo? Discutiendo con una mujer —su mujer— a la que le acababan de decir que podía tener cáncer. Eso no podía ser de gran ayuda. Sí, él estaba asustado, pero ella también tenía que estarlo.

Jones se le acercó. La estrechó en sus brazos.

—Sí —dijo—. Está bien. Molly, Dios, lo siento tanto.

—Yo también —dijo ella, apretándose contra él.

No iba a dejar que muriera. No la perdería.

Pero mientras la estrechaba, Jones sabía que había muy poca cosa que él pudiera hacer.

En realidad, ya había hecho mucho más de la cuenta.

Molly llevaba unas cuantas horas durmiendo cuando Gina oyó que llamaban suavemente a la puerta.

Ella también se estaba adormeciendo, pero ahora se incorporó, con el corazón latiéndole con fuerza.

Al principio, estaba demasiado ocupada para tener miedo. Ayudó a Molly a quitarse la ropa sucia y le lavó la cara. Abrió un lado del vendaje que le cubría los puntos de sutura de la biopsia y se aseguró de que éstos sanaban bien y no estaban infectados. Después la metió bajo las frescas sábanas de algodón en un lado de la enorme cama.

Gina había dormido tanto tiempo en un camastro de campamento que una cama de ese tamaño le parecía ridículamente grande. ¿Alguien realmente necesitaba una cama así de grande?

Se duchó y luego lavó la ropa de las dos. No pensaba dejar la ropa al otro lado de la puerta para que la lavara la nuera invisible. Si hacía eso, era probable que no volvieran a recuperarla, lo cual dificultaría mucho más la fuga.

Aún así, en su estado actual, Molly no podía correr. Si sólo hubiera una manera de sacarla de ahí...

Si Gina hubiera estado sola, ya lo habría intentado. Era más alta que el señor Barra de Hierro.

En ese momento la puerta se abrió. Al principio, sólo un poco, y luego más. Gina se ajustó la bata que llevaba puesta.

Era una bata muy bonita, como las que hay en los hoteles caros. Pero su blancura prácticamente brillaba en la oscuridad. Intentar escapar vestida así sería como llevar un sombrero de neón que dijera «Aquí estoy».

Gina no había querido ponérsela; aquello no era un hotel sino una prisión, pero habían puesto el aire acondicionado a una temperatura demasiado fría. Se anudó el cinturón al incorporarse.

El pasillo estaba a oscuras y Gina no sabía quién estaba ahí fuera hasta que habló.

—Anton dijo que no han querido la bandeja con comida que les trajo. —Era el señor Pistola. El Anton al que se refería debía de ser el pequeño Barra de Hierro.

Sólo había dos hombres para custodiarlas, y un arma. El señor Pistola había hablado de una tercera persona, una nuera, pero Gina no había oído ni el más mínimo susurro femenino. Era posible que lo hubiera dicho para que se relajaran. Como si ellas fueran a pensar que todo iría mejor porque uno de sus guardianes era mujer.

Como si eso importara.

Por enésima vez, Gina deseó que Molly estuviera despierta y alerta, y preparada para correr a todo gas.

—No tenemos hambre —dijo, cuando el señor Pistola dio unos pasos hacia el interior. En realidad, se moría de hambre. Pero si ella hubiera tenido a dos prisioneros con una sola persona ayudándole y una sola arma, les pondría calmantes en la comida.

—Ah —dijo él—. Pero para cuando tengáis hambre.— Llevaba una bolsa, tensada por el peso del contenido. Empezó a sacarlo todo y a ponerlo sobre la cómoda. Era comida, una docena de latas de diferentes tamaños. Él las apiló discretamente y dejó un pequeño abrelatas de mano encima—. Si quisierais calentar algo de esto, nosotros, desde luego, estamos dispuestos...

—No —dijo Gina. Se incorporó y se desplazó, de manera que le bloqueaba al hombre la vista que tenía de Molly. Parecía demasiado vulnerable tendida ahí, dormida, con uno de sus suaves hombros desnudo.

—Como quiera.

—Queremos —dijo Gina, con voz cortante—, volver a nuestro hotel en Hamburgo.

—Me temo que eso no es posible. —El tipo parecía lamentarlo de verdad, pero Gina sospechó que era fingido.

Las piernas le temblaban, pero tensó las rodillas y alzó el mentón.

—¿Para quién trabaja? —preguntó—. Le pagaremos más de lo que le pagan ellos.

Él suspiró ruidosamente.

—Me temo que no es tan sencillo.

—Puede serlo —dijo ella, aunque en el fondo intuía que ese hombre no las retenía por el dinero. Aquella habitación era demasiado agradable, y su ropa, todo su aspecto, hablaba de un hombre adinerado.

—Piense que estará aquí durante un tiempo —dijo él—. Por favor, si necesitan algo, háganmelo saber. —Se dirigió hacia la puerta.

Lo que Gina necesitaba era a Max.

Sólo Dios sabía dónde estaba, qué estaba haciendo, o si sabía que ella estaba en peligro.

¿Por qué habría de saberlo? El único que sabía que ella y Molly estaban desaparecidas era Leslie Pollard, alias David Jones, alias Grady Morant.

Pensándolo bien, era poco probable que Leslie-David-Grady acudiera al FBI en busca de ayuda.

Él vendría a buscarlas. A Molly. Eso, al menos, Gina lo tenía por cierto. Pero no le sería fácil llegar, donde quiera que estuviera.

Podía tardar semanas en encontrarlas.

Meses.

Al menos por ahora, Gina estaba sola.

El señor Pistola iba a salir, pero Gina lo detuvo.

—¿Cómo se llama?

—Emilio —dijo él.

—Yo soy Molly —mintió ella—. Mire, mi amiga está muy enferma. Como muestra de buena fe…

—Me temo que eso es imposible —la interrumpió él, sabiendo que le pediría que dejara ir a Molly.

—¿Por qué? —insistió Gina. No tenía nada que ver con ser generosa y valiente aunque, si Max estuviera escuchando, sabía que pensaría de otra manera. Se equivocaría. Toda la cuestión estaba en lo rápido que pudiera correr Molly en su actual estado. Lo cual no era nada rápido. Las probabilidades que Gina tenía de escapar eran casi nulas si tenía que cargar con ella.

—Ella también dice que es Molly. ¿A cuál de las dos tengo que creer?

—A mí —dijo Gina—. Es una mentirosa. Quiero decir, mírela. Es tan vieja que casi podría ser mi madre. ¿Cree de verdad que ella y Jones…, y Grady? —se corrigió.

Él volvió a interrumpirla.

—Creo que es una bella mujer, y que el amor verdadero se ríe de las convenciones —dijo—. También creo que ella encaja mucho más con la descripción de la mujer de Grady Morant que usted. Por lo tanto, creo que usted es la que miente.

Quién iba a decir que su guardián sería una mezcla de Sherlock Holmes y Yoda.

—¿Por qué hace esto? —preguntó Gina—. Parece un hombre decente.

—Tienen a mi mujer —dijo él y, después de asentir con la cabeza, salió y cerró suavemente la puerta a sus espaldas.

Capítulo 13

C-130 TRANSPORTE DE TROPAS
A 8.500 METROS DE ALTITUD, ESPACIO AÉREO DE POLONIA
22 DE JUNIO DE 2005
EN LA ACTUALIDAD

Habían pasado años desde la última vez que Jones volara en un avión de transporte militar de Estados Unidos.

Jamás pensó que volvería a abordar uno, al menos no sin estar esposado y con los pies encadenados.

Y nunca, ni en sus sueños más fantásticos, había imaginado que, una vez alcanzada la altitud de crucero, un agente del FBI, gay, para más señas (¿dónde íbamos a parar?) le preguntaría si tomaría el café con azúcar o crema.

—Un café solo me está bien.

Mientras Jules Cassidy iba hacia la cocina, Jones miró a Max, que hablaba por teléfono móvil en el otro extremo de la cabina. Una de las llamadas que hizo tenía como destinatario a una empresa de seguridad civil llamada Troubleshooters Inc. Max tenía la intención de contratar ayuda profesional.

Por la expresión en su rostro, las noticias que recibía no eran buenas.

—¿Estás bien? —le preguntó el agente gay bajito cuando volvió con el café en un vaso de plástico. Su inquietud era genuina.

—Sí —dijo Jones—. Gracias. —Si estar angustiado por la suerte de Molly se puede definir así.

Jules se sentó en el asiento contiguo. Tenían todo el espacio para ellos solos, puesto que aquel día no había gran movimiento de tropas. Al menos no a Indonesia. El hecho de que estuvieran en el aire se debía a la influencia de Max. Incluso era posible que una de las llamadas que el ex mandamás había hecho, mientras esperaban en el hangar, después de que Jones hubiera pronunciado su confesión, fuera al vicepresidente de Estados Unidos.

—La encontraremos —dijo Jules. Para alguien que tenía un acusado problema de crecimiento, aún siendo más guapo que las dos terceras partes de las mujeres del planeta, Jules Cassidy transmitía una gran confianza—. Esté donde esté, la rescataremos. Sana y salva. A Gina también.

—¿Sólo nosotros tres? —Jones no estaba convencido. Si bien tenía que reconocer que ningún día era un buen día para un atentado terrorista, la programación de este último se producía realmente en el peor momento. La demanda de Jules pidiendo apoyo del Grupo Dieciséis de las Fuerzas Especiales SEAL le había sido denegada.

—Sí así tiene que ser —dijo Jules, y no estaba hablando por hablar. Realmente se lo creía.

Al otro lado de la cabina, Max seguía al teléfono. En el rostro se le marcaban las arrugas del cansancio.

—No sé muy bien cómo llamarte —dijo Jules, volviendo a captar la atención de Jones—. Quiero decir, qué nombre usar. Tienes tantos.

—Me puedes llamar como quieras, joder —dijo Jones, y quitó la tapa del vaso.

—Parecías… incómodo antes, cuando Max te llamó Morant.

Jones tomó un trago de café. Sintió que el calor lo recorría hasta el vientre.

—Y ¿mi nivel de incomodidad te preocupa por algo?

—Ha pasado mucho tiempo desde que no trabajas en equipo, ¿eh, Grady? —dijo Jules, sonriendo.

—¿Sabes? —dijo Jones—, preferiría que me llamaras Jones.

—Ya no te sientes como Grady, ¿es eso? Debe de ser muy raro. —Jules le lanzó una mirada de simpatía por encima de su vaso de café al tomar un trago—. Además, Dave Jones era el nombre que usabas cuando conociste a Molly. Entiendo que por eso le tengas cariño al nombre. ¿Cómo te llama ella?

—Nada que a ti te importe, joder.

—Ya sé que estás preocupado —dijo Jules, con un suspiro.

—No tienes ni idea —dijo Jones.

—Tienes razón —convino Jules, con voz queda—. No tengo ni idea. Salvo que hay alguien a quien quiero y que me preocupa a mí también, así que puedo imaginar lo duro que es para ti. Si te sirve de ayuda, mi tía Sue sobrevivió al cáncer de mama. Y otra media docena de mujeres en su grupo de la Asociación de Padres, Familias y Amigos de Lesbianas y Gays. La gente sobrevive a esto.

Jones conocía bien ciertas técnicas de liderazgo, desde el método del miedo al dolor usado por miserables como Chai, hasta el método de superioridad moral de Max, un método del que tanto había hablado Gina. Al parecer, trabajar para Max Bhagat era un destino codiciado en el FBI, pero los agentes se lo tenían que ganar, aún cuando ya formaran parte de su grupo. *Veamos si eres lo bastante bueno para estar a la altura y, si lo eres, puede que te deje besar mi anillo.*

Y luego estaban las técnicas de liderazgo basadas en compartir lo íntimo, que era la técnica de Jules. Como paramédico en el ejército, Jones había jugado muchas veces la carta de «somos todos amigos». *¿Cómo te va soldado? Te pondrás bien. ¿De dónde eres? Parece que te irás a casa una temporada si resistes un poco más...*

—Oye, no me des la bulla —dijo Jones—. Deja de manipularme.— Se dio cuenta de lo que había dicho—. Quiero decir, figurativamente —añadió—. No te estoy acusando de...

Jules se quedó ahí sentado, sonrió y dejó que Jones se quedara titubeando.

—Si quieres, podemos repasar una lista de cosas que *no* hay que decir —sugirió, cuando Jones dejó de farfullar—. Por ejemplo, *No tienes ni puta idea.* Si de repente tienes el impulso de decir eso, sustitúyelo por *mierda.* Con *mierda* bastará.

Jones rió a pesar de sí mismo.

La sonrisa de Jules era relajada. Tranquila. Estaba muy cómodo consigo mismo. Era difícil que no cayera bien, o al menos que a uno no lo impresionara.

—Sólo… para de intentar meterte en mi cabeza, ¿me entiendes? —dijo Jones.

—Para que lo sepas, estamos en el mismo bando —dijo Jules. Lanzó una mirada a Max, que seguía hablando por teléfono. ¿Era Max el «poli malo», en contraste con el «poli bueno» que era él?

Jones dijo en voz alta lo que los dos estaban pensando.

—A diferencia de Max, que me quiere hacer mucho daño. Gracias por, ya sabes, mantenerlo a raya.

Jules volvió a reír. Pero su sonrisa se desvaneció al ver los moretones de Jones.

—Os habéis trenzado de verdad allá en el hotel, ¿no? —En realidad, no era una pregunta, y no esperaba que Jones la contestara—. No te hizo daño de verdad, supongo.

Jones sacudió la cabeza. De hecho era vergonzoso, teniendo en cuenta que era mucho más grande que Max. Más alto, más pesado.

—Estoy bien —dijo.

—Casi me lo puedo imaginar, estrangulándote hasta el punto de… —Jules le miró más detenidamente las heridas en el cuello—. ¿De verdad que…?

—Estoy bien.

Sin embargo, Jules parecía algo inquieto cuando volvió a mirar a Max.

Siguieron sentados en silencio varios minutos, hasta que Jules carraspeó.

—Hace unos años —dijo—, Max me pidió que le redactara un informe confidencial sobre ti.

—Ya sé lo que me preguntarás ahora —dijo Jones—, y la respuesta es sí, trabajé para Chai.

—Oh, no —dijo Jules—. Sobre eso no tenemos dudas. Tenemos montones de pruebas que te relacionan con actividades ilegales, no sólo a través de Chai sino con un atado de barones de la droga en Indonesia, traficantes de armas y ladrones de toda la vida.

—Genial —dijo Jones—. Me parece… genial. —A sus diez a veinte años de prisión acababa de sumarse una década. O quizá tres.

—¿Alguna idea de quién puede ser el autor del secuestro? —inquirió Jules, después de acabar su café—. ¿Alguna antigua desavenencia, ajuste de cuentas o simplemente viejos rencores…?

—Saldría más rápido hacer una lista de los que no me guardan rencor.

—El vuelo será largo. Adelante. —El agente del FBI sacó una libreta de su bolsillo y se la pasó a Jones. En algún momento del viaje, Jules se había cambiado y puesto unos vaqueros y una camiseta, además de una chaqueta ligera para disimular el arma que llevaba debajo del brazo. Ahora buscó un boli—. Quiero hacer un cruce de nombres, ver si alguien de tu lista aparece en conexión con mi secuestrador. A quien, por cierto, hemos identificado como Emilio Testa. ¿Te dice algo?

—Nada. —Jones todavía tenía el boli de Molly. Lo encontró antes que Jules el suyo.

—Creo que Max me ha robado el mío —dijo Jules. Cabrón. En fin. Testa, Emilio Giuseppe. Nacido en el norte de Italia, se instaló en Sri Lanka cuando tenía casi treinta años. Esto ocurría durante la era de Acuario… Ahora tiene sesenta y dos. Yo le había calculado cincuenta, así que debe alimentarse bien. La CIA en Yakarta tenía un expediente muy grueso sobre él. Mucha cosa de poca monta, venta de objetos robados, timos a turistas, mercado negro. También ha entregado alguna información. Él les pasaba a nuestros siniestros primos alguna información decisiva, y ellos de vez en cuando le proporcionaban medios para sacar a su gente de la cárcel. Y aquí hay algo que te gustará. Hace unos doce años, las autoridades sospechaban que Testa estaba implicado en un circuito de secuestros, pero no quisieron tocarlo, porque las víctimas siempre eran devueltas. Son buenas noticias, ¿no? Aunque, quizá no, teniendo en cuenta que lo que quiere a cambio de las mujeres es a ti. Y nosotros no queremos pagar con esa moneda.

Sí, porque lo que ellos querían era asegurarse de que pasara los próximos cincuenta años entre rejas. Estupendo.

—Testa, al parecer, se ha mantenido, supuestamente, apartado del juego —siguió Jules—, y no se ha vuelto a meter en asuntos, según mi contacto, desde hace unos diez años. Quizá por eso nunca lo conociste. Los rumores dicen que se casó, sentó cabeza, tuvo hijos. Se jubiló de su vida de pequeños delitos.

—Ya no —dijo Jones, y añadió a la lista que escribía el nombre del que se había nombrado a sí mismo «General» Badaruddin, junto al antiguo carcelero de Chai, Ram Subandrio. Lo último que sabía era que los dos seguían muy vivos. Aunque en esa parte del mundo las cosas cambiaban rápidamente.

—Es verdad —convino Jules—. Y ¿cuáles son los tres grandes motivos por los que una persona abandonaría su retiro? —No esperó a que respondiera Jones—. El temor, el placer y/o la avaricia.

Al otro lado de la cabina, Max puso fin a su llamada telefónica. Se acercó a ellos con semblante sombrío.

—Es imposible. Todos están al límite de sus capacidades. Hasta la recepcionista de Apagafuegos se preparaba para salir a ayudar en un operativo.

Jules asintió con la cabeza cuando Max se sentó en la hilera de enfrente.

—La oficina de Yakarta también está desbordada. Así que, vale. Estamos solos. Pero podría ser peor. Tenemos varias cosas a nuestro favor. Empezando por el hecho de que Gina es lista. No creo que le haya dicho al secuestrador que es íntima amiga de un agente del FBI. Eso vendrá más tarde y será la sorpresa. Lo localizaremos, montaremos una vigilancia.

¿Hablaba en serio? Jones lo interrumpió.

—¿Has estado en Indonesia? Es enorme, son cientos de islas. Necesitaremos un bote para ir de una a otra, y... —Jones rió, exasperado—. Si este tío, Testa, no quiere que lo encuentren, nosotros no lo vamos a localizar así, sin más.

Jules lo miró con cara de sorpresa.

—¿No te lo había dicho? Lo siento. Por lo visto, este tipo, Testa, quiere que lo encuentren. Mi contacto dice que vive en Pulau Meda. Es una isla pequeña cerca de Pulau Romang, al norte de Timor Oriental. Al parecer, salió de viaje hace una semana, pero ahora ha vuelto. Lo han visto en el mercado local esta mañana.

Madre mía. Jones se alegraba de estar sentado.

—Necesitaremos un helicóptero o un hidroavión para ir de Yakarta a Meda —siguió Jules—, pero no creo que eso vaya a ser un problema en ese país.

—Testa no se imaginará que llegaréis de Hamburgo a Yakarta tan rápido —le dijo Max a Jones—. Sobre todo ahora, que para los civiles es difícil viajar. Tenemos el elemento sorpresa a nuestro favor.

Sonó el teléfono de Jules, que se incorporó de su asiento.

—Disculpa un momento.

¿Acaso podía ser así de sencillo?

Aterrizar en Yakarta, conseguir un helicóptero hasta Pulau Meda, asegurarse de que Testa no tiene un ejército custodiando a Molly y Gina, dar una patada a la puerta…

Y escoltarlas sanas y salvas de vuelta a casa.

Dios, ¿cómo era posible que fuera tan fácil?

Probablemente porque no podía ser, y no lo sería. La proximidad de Timor Oriental, donde se libraba una cruenta guerra civil desde hacía décadas, no era un dato que jugara especialmente a su favor.

Jones miró a Max, pero éste tenía los ojos cerrados. Quizá no era el momento más apropiado para ponerlo al tanto de la actual situación política en Timor Oriental e Indonesia.

Él también cerró los ojos, recordando su ingenuidad aquella noche de la boda, cuando había creído que el resto de su vida sería maravillosamente fácil.

Antes de aquella visita al médico en Nairobi. Antes de que la noticia del cáncer cayera como una bomba.

Lo novedoso era que él estuviera del todo preparado para que fuera difícil. Volver a estar con Molly, aunque sin poder *estar* con ella.

Tampoco le importaba. Se habría arrastrado, con el torso desnudo sobre las brasas, sólo para estar con ella. La otra manera de estar con ella. La modalidad para todos los públicos.

Y, sin embargo, ahí estaban, de pronto. Casados. Por un cura católico, ni más ni menos. Su madre habría llorado de alegría.

Señor Pollard, puede usted besar a la novia.

Molly se había vestido para la ocasión con un vestido de llamativos dibujos. La hermana Maria-Margarit no ocultó su desaprobación, a pesar de las mangas largas, porque le acentuaba las curvas y destacaba el vivo tono de su pelo.

A él le había fascinado. Le había fascinado ella.

Sin embargo, la había besado como Leslie Pollard. Sólo un roce ligero y dulce de sus labios con los de ella, en una tienda llena de monjas enfermas de la gripe.

Tuvieron que esperar a la noche, después de conducir hasta la granja de Jimmo con Lucy, para que él realmente besara a la novia como habría querido besarla en la ceremonia.

A Paul Jimmo lo habían ingresado en el hospital de Nairobi. Ellos ignoraban que Jimmo moriría al amanecer del día siguiente a causa de las heridas, pero su madre y sus hermanas los acogieron en su casa.

Era tarde, y a Lucy le asignaron una cama con la más joven de las chicas y les ordenaron dormirse. A él y a Molly les dejaron lo que a todas luces era el dormitorio principal.

Molly, desde luego, quiso disfrutar de su inesperada privacidad para hablar. En cuanto él cerró la puerta, ella comenzó.

—Quiero que me jures —dijo—, sobre la Biblia, que casándote conmigo de esta manera no te pones en peligro.

Él rió.

—Sabes, mi juramento sobre la Biblia es muy diferente del tuyo. Para mí, no significa lo mismo, Mol.

—Entonces jura por lo que sea que signifique algo para ti —sugirió ella.

—Por quien sea —la corrigió él, con voz queda—. Y ya lo he hecho... ¿todas esas promesas que te he hecho esta noche? Las decía en serio. Nunca haría algo que te pusiera en peligro.

Y entonces la besó.

Tenían una noche entera para estar juntos y una cama de verdad donde pasarla. Jones no debería haberse dado tanta prisa, pero Molly era como el fuego en sus brazos.

Buscó la cremallera en la espalda de su vestido. Tardó demasiado en encontrar de dónde tirar, tuvo que parar de besarla y la hizo girarse.

Pero ella se apartó de él. Molly nunca había sido tímida antes, pero se acercó a la lámpara, con la clara intención de apagarla.

Él le cogió la mano.

—Espero que estés bromeando.

—He aumentado de peso.

—No me había dado cuenta. Y aunque así fuera... ¿qué pasa? Me encanta. Puedes aumentar un poco más.

Ella rió, como él había esperado.

—Estás loco.

—No —dijo él, y volvió a besarla—. Molly, eres incluso más guapa de lo que recordaba. Y, créeme, he pasado mucho tiempo estos últimos años a solas con mis recuerdos. Fantaseando con... esto. Con hacerte el amor. Así. Con la luz encendida.

Ella lo miró, con lágrimas en los ojos. Pero luego le preguntó, con tono provocador:

—¿Has tenido que practicar eso de *hacer el amor...* en lugar de...?

—¡No! —dijo él, como si de verdad estuviera indignado, pero ella lo conocía demasiado bien. Ahora había un brillo malicioso en su mirada.

—Sí..., quizás, un poco —reconoció él. Le apartó un mechón de pelo de la cara, rizando un rizo largo con el dedo—. He... no lo sé. He practicado muchas frases. *He venido a encontrarme contigo en cuanto pude. Y no ha pasado ni un día sin que pensara en ti y te añorara.*

Las lágrimas volvieron a brotar.

—Ésa ha sido muy bonita —dijo.

—Me imaginaba que tendría que arrastrarme de rodillas para que hablaras conmigo, para no hablar de...

—¿Dejar que me folles viva? —dijo ella, utilizando la frase que él había pronunciado en una ocasión para describir ese acto en concreto.

Jones rió. Siempre se partía de la risa al oír esa expresión en boca de ella.

—Ahora soy tu marido. Creo que ya no me está permitido hacer eso.

Ahora ella también rió.

—¿Quieres jugarte algo?

Esta vez, ella lo besó, tirando de él hasta que los dos cayeron enredados en la cama.

Pero, una vez más, cuando él quiso quitarle el vestido, ella se lo impidió.

—Tengo que confesar algo —dijo. El pelo se le derramaba sobre la tela blanca de la almohada y tenía el vestido subido, dejando al descubierto sus piernas largas, muy largas—. He mentido. En realidad no he aumentado de peso.

Distraído, él besó la suave palidez del interior del muslo, subiendo por el interior del vestido. Maldita sea, qué bien olía. Llevaba unas bragas de encaje blanco… muy monas. Muy frágiles y dignas de una novia. Pero tenían que desaparecer. Las rasgó de un manotazo.

—¡Hey! —rió Molly—. ¿Me escuchas? Estoy en medio de una confesión.

—No —dijo él, y la besó.

Quizá le estaba hablando, pero era probable que no.

Y aunque hablara, él no le oía. Salvo cuando ella empezó a buscarlo, tirando de él hasta que quedara sobre ella, rogándole.

—Por favor…

Molly tenía un condón preparado, pero él de pronto pensó que no tenían por qué usarlo. Estaban casados… y ¿qué? ¿Estaba loco? No tendrían hijos, eso bajo ningún concepto. ¿Acaso había perdido por completo la razón?

Ella lo ayudó a ponérselo y luego lo cogió para guiarlo hasta dentro de ella, con aquel maldito vestido y la camisa de él de por medio y con los pantalones caídos hasta los tobillos. Aunque eso no importaba, porque ella se aferraba a él y él había llegado a casa, a casa, a casa…

No fue hasta mucho, mucho más tarde, cuando él seguía a medias tumbado sobre ella, mientras ella le acariciaba el pelo y la espalda, que él entendió que había acertado al dejarse la camisa puesta.

Si se la hubiera quitado, ella habría descubierto la irregular cicatriz en el omóplato derecho.

Jones tenía un buen muestrario de cicatrices en la espalda, recuerdos de sus años en una cárcel donde se practicaban diversas modalidades y formas de tortura. Pero ésta era nueva. A ella no le agradaría nada verla y...

Se incorporó y la miró, ahí tendida, porque de pronto comprendió de dónde le venía a Molly la timidez.

A ella le habían disparado. Por culpa de él. En Indonesia.

Habían encontrado una maleta llena de dinero. Y todos la codiciaban. Hasta el último chorizo, y cualquier aprendiz de terrorista. Él y Molly juntos habían hecho lo correcto y la habían devuelto a su escondite.

Sólo que Jones se había asustado. Se dijo a sí mismo que era la avaricia. Todo ese dinero... ¿acaso iba a dejarlo ahí tirado? Así que lo cogió y escapó. Pero no escapaba de los maleantes que querían el dinero. Escapaba de Molly. De lo bien que se sentía estando con ella. De su certeza de que no podría protegerla, ni mantenerla a salvo... Al menos no mientras Chai siguiera vivo.

Como era de esperar, los malos fueron a por el dinero. Y, cuando no lo encontraron, le dispararon a ella.

—Déjame verlo —le pidió él. La dejó libre y la ayudó a incorporarse en la cama.

Molly sabía exactamente de qué hablaba.

—No es tan feo.

—Entonces, ¿por qué no te quitas el vestido?

Ella contestó honestamente.

—Es mi noche de bodas, tontón. Se supone que debo guardar todo tipo de buenos recuerdos de nuestros primeros momentos juntos como marido y mujer. Me perdonarás por mi superficialidad, pero no tendría nada de maravilloso recordar que conseguí que el viril esplendor de mi novio se encogiera hasta el tamaño de un cacahuete al quitarme yo el vestido de novia.

Molly deslizó los brazos por las mangas y...

Ay, Dios.

Molly intentó distraerlo quitándose también el sujetador. A él le fascinaban sus pechos, tan suaves y llenos, y ella lo sabía, pero...

Jooder.

En cierto sentido, Molly tenía razón. No era tan grave. Parecía lo que era, una herida de bala ya sanada en la parte más adiposa del brazo. Pequeñas cicatrices de entrada y salida, ligeramente arrugadas.

Pero debido a que parecía lo que era, es decir, cicatrices de heridas de bala, era posible que él fuera a marearse.

—Lo siento mucho —murmuró.

—Yo también —dijo ella—. Pero podría haber sido mucho peor.

Desde luego. La bala que le había desgarrado la carne del brazo podría haberle dado en el pecho. O en la garganta. O en la cabeza.

Si eso hubiera pasado, llevaría tres años muerta. Y él también estaría muerto. Quizá no físicamente, pero sí emocionalmente.

De pronto, Jones sintió un arrebato de pánico. Y ¿si se equivocaba al pensar que aquello iba a ser fácil?

Le había dicho a Molly que creía que estaban seguros, y seguía creyéndolo. La historia de Molly Anderson, que se había casado con un cretino de AAI para salvarle la vida a una chica keniana, llegaría a círculos internacionales. En cualquier caso, le favorecería la confirmación de la temprana muerte de Grady Morant, alias David Jones.

Siempre que no llamaran la atención, estarían bien. Era verdad que él tendría que ser Leslie Pollard para el resto de sus días pero, desde luego, había cosas peores.

Lo que ahora lo enloquecía de rabia era saber que había gente dispuesta a dispararle a Molly por razones que no tenían nada que ver con él.

Aunque, si permanecía junto a ella en todo momento, y si nunca la perdía de vista…

Ella lo besó.

—¿Te encuentras bien?

Él se apartó para mirarla a los ojos.

—Ésta es la última vez que hacemos algo así —dijo—. Llevaremos a Lucy a Marsabit, volveremos al campamento y, a partir de ahí, dedicaremos todos los ratos libres a idear maneras de gozar del sexo en silencio.

Las paredes de lona eran demasiado delgadas.

—Creo que necesitaré mucha práctica —dijo ella, y volvió a besarlo.

—Supongo que la alternativa es que yo aprenda a decir Y *¿quién es tu papá?* Con el acento de Leslie. —Y lo intentó—. ¿Quién es tu papá?

Molly rió. A él le fascinaba oírla reír. Pero esta vez paró de reír demasiado pronto.

—No puedo prometerte nada —dijo—. A propósito de... ya sabes. Si viene otra chica al campamento pidiendo ayuda...

—Sí. —Jones se lo temía—. ¿Qué te parece lo siguiente? No sales del campamento sin mí. Nunca. Sin excepciones. Y si de verdad te expones al peligro, que sepas que si alguien intenta dispararte, Mol, haré todo lo posible por ser yo quien reciba esa bala.

Era evidente que aquella revelación la había sacudido. Bien. Quizá se lo pensaría dos veces antes de exponerse al peligro.

Pero Molly quería que ese momento fuera menos trascendental.

—¿Y tú? ¿Serás uno de esos maridos muy mandones y exigentes?

—¿El tipo de marido que se enfada cuando le disparan a su mujer? —preguntó él a su vez—. Sí. —Le besó la cicatriz en el brazo, le besó el hombro, el cuello y los pechos, mientras ella le tiraba de la camisa, intentando que se la quitara. Él la ayudó, dejando que ella lo empujara contra la cama y se montara encima—. El tipo de marido egoísta que no dejará que vuelva a vivir en Estados Unidos... ¿Has pensado en eso? —preguntó—. Tu familia vive allí.

En Iowa, de todos los lugares. ¿Qué hacía ella en Kenia?

—Ahora tengo familia aquí —dijo ella.

Volvió a besarlo, como si supiera lo que esas palabras significaban para él, como si supiera que había conseguido que la emoción acabara de embargarlo.

A ese tipo grande, duro y peligroso que era Jones se le habían humedecido los ojos, y pensaría: «Joder, son las palabras más bonitas que he escuchado en toda mi vida». Tampoco se suponía que debería emocionarse tanto cuando mirara a aquella mujer y pensara: «Hey, ahora es mi mujer».

Jones siempre había dado a entender que su frase predilecta en boca de ella era «Fóllame más fuerte», no «Te quiero».

Desde luego, Molly era Molly, y esa noche le susurró las dos al oído.

Y Jones sabía que el único motivo por el que Molly no lo gritaba a todo pulmón era que ya empezaba a practicar la fornicación en silencio.

Los dos iban a necesitar mucha práctica para llegar a eso.

Por lo visto, no todo podía ser tan fácil.

PULAU MEDA, INDONESIA
24 DE JUNIO DE 2005
EN LA ACTUALIDAD

Gina comió estofado de mono con las manos, sirviéndose directamente de la lata, mientras miraba la CNN en el televisor que Emilio tenía para sus secuestrados.

Bueno, vale, era probable que no fuera carne de mono, pero la etiqueta no estaba en inglés, y ella no podía ni imaginar lo que decía. Había una pequeña ilustración en la lata, de una cabeza de mono con una gorra roja. El mono guiñaba un ojo. Era probable que fuera el logo de la empresa, y no una ilustración del contenido de la lata.

Como esa sirena en las latas de atún.

De pequeña, Gina se negaba a comer ensalada de atún, temiendo que quizás acabaría masticando una de las hermanas menos populares de Ariel.

Los tres hermanos mayores se habían reído de ella sin misericordia. Seguía siendo una broma en casa de los Vitagliano.

Y ahora, al otro lado del mundo, en las antípodas de East Meadow, Long Island, Gina habría dado prácticamente cualquier cosa para que sus hermanos volvieran a reírse de ella.

Se preguntó qué estarían pensando, qué estarían haciendo. Quizá se habrían quedado en casa sin ir al trabajo debido a la amenaza terrorista.

Cuando intentó encender el televisor, no se imaginaba que funcionaría. Al parecer, Emilio tenía una antena parabólica, porque se recibía la señal de HBO y Showtime, además de diversos canales de noticias por cable.

Hacía más de un año que Gina no había visto *Sexo en Nueva York*, y una cadena pasaba una maratón de capítulos. Pero ella seguía pegada a las noticias, con el volumen muy bajo para no molestar a Molly, que seguía profundamente dormida.

Iba y venía de un canal a otro, mirando cómo todos los periodistas que transmitían la información intentaban sacar el máximo provecho para sus cadenas del intento de atentado terrorista. El código de colores había subido a un naranja de emergencia, mientras se desvelaban los planes de Al Qaeda para detonar bombas sucias en las principales ciudades de todo el mundo.

Todavía quedaba una bomba perdida, y se creía que estaba en alguna parte en la zona de San Francisco. O quizás era en Washington D.C.

A continuación: Cómo sobrevivir a un ataque con bombas sucias. Siga con nosotros para más detalles...

Diablos.

Si el objetivo de los terroristas era aterrorizar, gracias a algunas de cadenas lo habían conseguido sin siquiera detonar una bomba.

En otros titulares, se habían producido tres intentos frustrados de secuestro de vuelos comerciales. Todos esos vuelos habían aterrizado a salvo en Nueva Escocia después de rescates en el aire, prolongados y bastante osados, incluyendo la desactivación de bombas que los controles de seguridad habían dejado pasar.

Gina se imaginaba muy bien cómo sería ir a bordo de uno de esos aviones. Lo imaginaba demasiado bien.

Toda la serie de acontecimientos había comenzado con la explosión de una bomba en un suburbio de Hamburgo, el mismo día en que las habían secuestrado a ella y a Molly para luego introducirlas en aquel contenedor.

De modo que se había equivocado con ese contenedor de metal. Había peores lugares en donde encontrarse en este mundo.

Como la zona cero de esa explosión.

O en el asiento veinticuatro B, por ejemplo, de cualquiera de esos aviones secuestrados.

Y gracias a Dios no se había tomado el tiempo para llamar a sus padres, decirles que iba a hacer ese viaje a Alemania. Si los hubiera llamado, ahora estarían locos de preocupación.

La tele mostraba escenas del centro de Washington D.C. Hombres y mujeres con chaquetas con las letras blancas del FBI estampadas en la espalda formaban un perímetro de guardias alrededor de la Casa Blanca.

Gina se acercó más a la pantalla, buscando a Jules. No esperaba ver a Max, que estaría en la sala de operaciones, con el presidente. O quizás estaría en el Pentágono. A salvo en un refugio acorazado contra la contaminación radioactiva.

Lo cual significaba que no tenía intención de ir a buscarla.

Al menos no en un futuro inmediato.

Sí, ella se lo había dicho desde el comienzo, pero la desilusión que la había invadido después de mirar la televisión demostraba que, en realidad, no se había creído su propia actitud pesimista.

Ahora sí se la creía.

Estaba innegablemente abandonada a sí misma.

Apagó la tele, y llevó la lata de estofado de mono al lavabo para lavarla antes de tirarla.

Su camisa, que colgaba de la barra de la ducha, estaba casi seca, pero sus pantalones seguían húmedos.

Qué no daría por hablar con Max. Escuchar su voz.

Decirle: *Oye, en caso de que muera, sólo quiero asegurarme de que sepas que nunca dejé de amarte. Hasta el final.*

Él no la dejaría pasar de la parte que dice *en caso de que* muera.

Deja de pensar negativamente. No vas a morir.

Pero tú no estás para salvarme.

Tampoco te salvé la vez pasada. No le costaba demasiado imaginarse cómo se le ponía de tensa la voz siempre que hablaban del secuestro que ella había vivido hacía tantos años. *No llegué al lugar hasta que los terroristas estaban muertos. Cuando ya era demasiado tarde.*

Estuviste conmigo. Todo el tiempo. La verdad es que Gina no se había sentido sola en el avión. Sentía la presencia de Max, desde el primer momento, desde que tomó contacto a través de la radio de la cabina.

Sí, te servía tanto como un amigo imaginario.

Gina sonrió, recordando cuánto le enfadaba que él dijera ese tipo de cosas.

De acuerdo, amigo imaginario. ¿Qué hago ahora? Ya había inspeccionado toda la habitación, asegurándose de que no había puertas ocultas detrás de los muebles o debajo de la alfombra que iba de pared a pared. Los conductos del aire acondicionado eran demasiado pequeños para escapar. Las paredes eran sólidas, de hormigón, y estaban pintadas.

El techo parecía de yeso. Intentó hacer un agujero con la lata, pero sólo consiguió llenarse el pelo de polvo de yeso. Necesitaría una sierra para cortarlo e incluso así, tardaría un buen rato. Emilio o el señor Barra de Hierro se fijarían en el agujero y eso las obligaría a retroceder a primera base.

O, peor aún, acabarían maniatadas.

No quería pasar lo que le quedaba de vida maniatada.

Se sentó en el borde de la bañera, cerró los ojos e intentó conjurar a Max. ¿Qué le diría, si lo tuviera al teléfono o, incluso mejor, en la habitación con ella?

Averigua qué quieren. La clave para cualquier negociación es saber no lo que los contrarios dicen que quieren, sino lo que realmente quieren. Si él estuviera ahí, estaría apoyado contra el mostrador, la viva encarnación de la calma.

Qué broma. De todas las personas que conocía en el mundo, Max era el más cerrado. También era el más privado, y sostenía sus cartas muy cerca del pecho.

A veces, le había dicho él en una ocasión en que hablaban, aunque no de las cosas que realmente tenían importancia, como hacia dónde iban en su relación, o cómo se sentían, en el fondo de sus corazones, *el desafío es mayor, porque algunas personas no saben de verdad lo que quieren.*

Le contó que había negociado en situaciones de secuestro donde el secuestrador entregaba una larga lista de demandas. Dinero, un escape en helicóptero, publicación en un periódico de una carta donde exponía sus demandas, un perdón del gobernador, etc., etc. En realidad, sólo quería que alguien lo escuchara, y lo hiciera de verdad.

Max también había negociado situaciones en que el secuestrador se empeñaba en que lo mataran provocando el asalto de un equipo de las fuerzas especiales. Era algo que los muy imbéciles nunca reconocerían.

Sin embargo, lo que Emilio quería parecía bastante claro.

Tienen a mi mujer.

Gina tenía que descubrir quiénes eran. ¿Quién tenía a su mujer y por qué querían a Leslie/David/Grady a cambio?

Quizá debería sentarse con Emilio y contarle lo de Max. Explicarle que en ese momento estaba un poco atareado, pero que en una semana o dos vendría con su equipo del FBI y que encontrarían y rescatarían a la mujer de Emilio y...

Y todos vivirían felices y comerían perdices. Dame una clave parecía decir su reflejo en el espejo, riéndose de ella. Gina se miró y tuvo una clara imagen de su rostro, hinchado y lleno de moretones.

Era el aspecto que había tenido durante semanas después de que la hubieran violado y maltratado. Había intentado hablar con sus secuestradores mientras la tenían cautiva en aquel avión. Pensaba que había establecido relaciones con al menos uno de ellos. Madre mía, cuánto se había equivocado.

No había entendido lo que de verdad querían, que la muerte era su premio. Que la muerte de ella la daban por sentado, incluso mientras hablaban y bromeaban y reían con ella. A sus ojos, ella ya estaba muerta.

Era un milagro que hubiera salido viva de allí. Un milagro orquestado por Max y su comando. Un milagro que él veía como un fracaso. Su fracaso.

Tienen a mi mujer. La frase de Emilio resonaba como un eco.

No le creas, le decía, burlona, su imagen hinchada y maltratada. *¿Acaso no has aprendido nada?*

Y ¿qué pasaba si Emilio decía la verdad?

Abre los ojos. Mira a tu alrededor. Una habitación sin ventanas. Candados en la parte exterior de las puertas. Esto no es algo que

Emilio haya montado para esta ocasión en particular. ¿Qué es lo que quiere de verdad?

¿Qué es lo que quiere de verdad?, repitió Max, como un eco. *A veces ni siquiera él mismo lo sabe.*

Sólo había un arma. Dos hombres, un arma. Si se trataba de encontrar una ocasión para luchar por salir, era ésta y ahora.

No te olvides de la barra de hierro, le recordó su imagen maltrecha. *En una ocasión te dieron con la culata de un rifle. ¿Te imaginas que te den con una barra de hierro? Además, ellos te han tratado decentemente hasta ahora. Si los atacas, abres las puertas a la violencia. Dios sabe lo que son capaces de hacerte. Aunque el señor Barra de Hierro, al parecer, ya tenía algunas ideas.*

No, no las tenía. Era su miedo lo que la hacía imaginarse esas cosas escabrosas que ahora recordaba. La cara del señor Barra de Hierro era inexpresiva.

Sí, no dejas de decirte eso, se burló su propia cara, con su ojo hinchado casi hasta la oclusión. *Y ¿qué harás? ¿Darle a Emilio con la tapa del váter, romperle la cabeza? Coger su arma y dispararle a Barra de Hierro... Tú ya has visto muertos, uno de ellos muy recientemente, de hecho. ¿Estás preparada para matar? Mírate. Las manos te tiemblan con sólo pensarlo. O quizá no conseguirás el arma. Quizá no le darás en la cabeza y él se apoderará del arma, y entonces él te matará a ti de un disparo. Quizás eso es lo que quieres de verdad, porque entonces ya habrá acabado. Quizá lo que quieres es suicidarte por la vía de provocar a Emilio...*

—No. —Gina se incorporó, abrió el grifo y se lavó con agua fría.

Ella era una superviviente, no una víctima y, desde luego, no se daba por vencida. También sobreviviría a esto. Sólo tenía que ingeniárselas para saber cómo.

¿Qué quiere de verdad Emilio? Volvía a oír la voz de Max. *A veces ni siquiera él lo sabe. A veces, no puede reconocerlo, no ante sí mismo...*

Gina echó mano de una toalla y se secó la cara. *¿Qué quieres de verdad?*, le habría preguntado a él, si estuviera ahí frente a ella. *Quiero decir, de mí.*

¿Qué querías tú de mí? Era una reacción típica de Max, darle la vuelta a las preguntas que ella hacía.

Honestidad, diría ella.

De verdad.

¿Qué se supone que significa eso? Sí, de verdad. Quería que hablaras conmigo. Hablar, de verdad. Sabes, Max, todos los años que nos conocemos, y puedo contar con los dedos de una mano las veces en que me has hablado de ti mismo… de tu infancia, por ejemplo. E incluso entonces, te lo he tenido que sacar a la fuerza.

Su Max imaginario le sonrió, como a veces le sonreía. Como si supiera las palabras finales de un chiste cósmico, y sólo estuviera esperando que ella lo entendiera. *Soy quien soy pero, al parecer, no soy el que tú quisieras que sea, ¿no?*

—Ah, me culpas a mí —dijo Gina, ahora enfadada—. Todo es culpa mía, ¿no es así?

¿No lo es? —Él la miró con esa falta de expresión tan serena. Asombroso. Incluso cuando era imaginario, podía enfurecerla. Pero entonces él dejó caer la bomba—. *Fuiste tú la que me dejaste.*

—¿Qué? —dijo Gina—. Vale, perfecto. Vete. Claro que dirás eso, porque en realidad no eres tú, eres yo. —No hacía más que imaginárselo, así que era comprensible que aflorara su sentimiento de culpa.

Sí, ella lo había dejado. Porque él la marginaba de su vida. Lo había dejado porque una persona razonable no podía pasarse la vida dándose de cabezazos contra un muro. Lo había dejado porque había querido más.

Salvo que ahora lo único en que atinaba a pensar era en las conversaciones que habían tenido cuando ella le preguntaba por su familia. Su hermana, aplastada por la depresión, había intentado suicidarse en tantas ocasiones que la imagen de una ambulancia frente a su casa se convirtió en algo común. Dios, cómo tiene que haber sido de horroroso vivir con eso. Sus padres, siempre irritados, siempre asustados, siempre riñéndose. Su brillante abuelo, un mentor y un buen amigo, incapacitado para comunicarse debido a un infarto devastador. El hermano de su mejor amigo muerto en Vietnam. Su propio hermano, el único aliado que le quedaba, el más cercano en edad, pero nunca un buen alumno, se fugó al ejército en cuanto cumplió dieciocho años, y lo dejó en un hogar sumido en una negra desesperanza.

¿Y Max? ¿Cómo había lidiado con aquello? Desde luego, no habría sido sólo mirando películas de Elvis.

Sacaba excelente en todas las asignaturas.

Ella siempre había pensado que aquello era un truco. Él hacía ese comentario para no tener que hablar de sus verdaderos sentimientos. Y, sin embargo…

—Sacabas excelentes porque tus notas eran una de las pocas cosas que podías controlar, ¿verdad? —le dijo ella ahora.

El Max imaginario la miró, impasible.

Si eso es lo que quieres pensar…

—Intentabas ser perfecto —lo acusó ella—. Pero nadie es perfecto—. Y, aunque seas perfecto, siempre hay cosas que no puedes controlar. De modo que fracasas, y cuando eso sucede, te vuelves loco, y debes flagelarte y culparte… aunque no sea culpa tuya.

Ella era su fracaso más grande. Eran sus palabras. Él había ayudado a salvar a todos los pasajeros de un avión, pero había sido incapaz de librarla de aquella horrible agresión. No podía perdonarse por eso.

No importaba que hubiera fallado debido a factores que no estaban bajo su control. No importaba que, según la definición de muchas personas, *no* había fallado. Gina estaba viva. ¿Cómo podía considerarse un fracaso?

No tenía sentido.

Pero no tenía que tener sentido. Porque su reacción no era lógica.

No era más que pura y cruda emoción.

Ella pensaba que él le ocultaba sus verdaderos sentimientos, pero todo ese tiempo Max los había estado agitando delante de su nariz.

Y no era de extrañar que durante todos esos años Max se hubiera resistido a la atracción que ella despertaba en él.

Que Max tuviera razón o no importaba poco. Sólo importaba lo que él pensaba, lo que sentía. Y, según él, cada vez que estaba en la misma habitación con Gina, tenía que enfrentarse al dolor emocional de ese fracaso que lo abrumaba. Tenía que enfrentarse a la terrible culpa que cargaba.

«No puedo darte lo que quieres». ¿Cuántas veces le había dicho esa frase?

Y ¿si Max tenía razón?

Quizás él no podía darle lo que quería porque ella no había podido darle lo que *él* quería, la posibilidad de dejar que el dolor de lo que veía como fracaso se desvaneciera en el pasado.

Tú me dejaste a mí, volvió a decir ahora, su amigo imaginario Max, siempre igual de acusador.

—Sí, pero tú no me viniste a buscar —dijo ella. Se lo dijo a sí misma. Intentando no llorar.

No había venido entonces, y no vendría ahora.

Un suave golpe la despertó de su ensueño.

—¿Estás bien, ahí dentro? —Era Molly, que finalmente había despertado.

Gina se secó los ojos y luego pasó justo por donde el imaginario Max había estado inclinado y abrió la puerta del cuarto de baño.

Molly todavía estaba pálida, pero tenía mucho mejor aspecto. Al menos se sostenía en pie.

—¿Te encuentras bien? —preguntó Gina.

—Todavía estoy un poco tembleque —admitió Molly—. ¿Te importa si me doy una ducha?

Fue demasiado discreta como para preguntar con quién hablaba Gina. Una sola mirada por el cuarto de baño bastaba para ver que ahí no había nadie.

—Claro que no. —Gina sacó la ropa casi seca de la barra de la cortina—. Emilio, el señor Pistola, ha traído comida enlatada. Después de ducharte, tienes que comer algo, y luego tenemos que hablar de cómo salir de aquí.

Capítulo *14*

PULAU MEDA
24 DE JUNIO DE 2005
EN LA ACTUALIDAD

Jules ya se había percatado de que la espera estaba volviendo loco a Max.

Es decir, más loco de lo que solía estar.

La verdad era que su ex jefe estaba verdaderamente mal. Jules ya llevaba suficientes años en la casa como para reconocer a un hombre cuando se quemaba. Aunque, desde luego, fiel a las formas, Max Bhagat no se quemaba en silencio.

No. Max Bhagat caía acompañado de todo un esplendor de fuegos artificiales.

El hecho de que ya se hubiera trenzado en una docena de *rounds* con Grady Morant era uno de esos banderines rojos que daban la alerta desde lejos.

Incluso el propio Max había reparado en ello. *He estado a punto de perder los estribos*, había reconocido ante Jules.

Tío. ¿Eso crees?

Y aquello *estuvo a punto de* convertirse en una seria disputa.

Eso, además de que Max se negaba a dormir y permanecía con la mirada perdida en el vacío. Era toda una metamorfosis desde el jefe de equipo del FBI perfectamente presentable hasta este tipo hediondo y con aspecto de terrorista... Es verdad que los vaqueros y las zapatillas deportivas eran una contribución de Jules. Sin embargo, la barba de pocos días y el pelo hirsuto y marcado por la gorra era cien por cien Max.

Era verdad que en los últimos días su trato con el jabón y el agua había sido nulo, mientras que la exposición a ese calor abrasador era inevitable. Daban un poco de asco.

El viaje desde Yakarta hasta la parte oriental de Indonesia había consistido en una seguidilla de trayectos infernales, volando de isla en isla. Y cada uno de esos trayectos había durado mucho más de lo que nadie esperaba. El último tramo, que habían recorrido en bote en completa oscuridad desde Kupang hasta aquella remota isla del fin del mundo, había sido especialmente azaroso.

Y luego, claro está, les había tocado escalar la montaña a través de la jungla, también en medio de la total oscuridad de la noche, hasta un puesto de vigilancia de la CIA que, por cuestiones del destino, estaba situado justo en las inmediaciones de la residencia de Emilio.

Era un apartamento modesto, con ventanas que daban a una plaza mayor abierta que, por lo visto, en tiempos más prósperos había sido un mercado.

Al parecer, allá por los años setenta, la isla de Meda había sido toda una atracción turística. Contaba con no pocos hoteles de muy buen ver y casas de vacaciones, lujosas segundas residencias de europeos adinerados que tenían muchas millas de vuelo acumuladas para viajar gratis. Sin embargo, la proximidad de Meda a Timor Oriental y su inestabilidad política, que duraba desde hacía ya décadas, daba una nueva dimensión a la oferta de la agencia de viajes de unas vacaciones únicas e inolvidables. Los ricos auténticos habían dejado de venir.

Los que se mudaron a aquellas casas elegantes que habían quedado desiertas no tenían problema alguno con que continuara la violencia en Timor Oriental, que era prácticamente su patio trasero. Era el tipo de gente cuyos negocios no siempre eran de recibo, personas que no sólo se habían aprovechado de la ausencia de justicia en aquellos territorios sino que habían llevado las actividades al margen de la ley a niveles desconocidos hasta entonces.

El piso de la CIA que ocupaban había sido montado hacía más o menos un año para vigilar a un maleante local que, se suponía, tenía vínculos con miembros de Al Qaeda.

El tipo en cuestión era uno más de los agradables y felices vecinos del barrio del señor Testa, y vivía a sólo dos casas del susodicho.

¿Una admirable coincidencia? Sólo Dios podía saberlo. Aunque si era verdad que Testa tenía vínculos con los terroristas, Jules lo tendría mucho más fácil, una vez capturado, para decirle que sí a Max cuando éste le preguntara si podía estrangularlo.

De todos modos, por ahora todo estrangulamiento estaba fuera de lugar. Puede que Max hirviera de impaciencia, pero Jules se alegraba de este breve compás de espera. Y agradecía que tuvieran una base y contaran con un techo.

—¿Por qué no te das un respiro también? —le preguntó Jules a Max, y se sentó junto a él, frente a la ventana. Habían confirmado que la casa de Testa, donde retenían a Gina y Molly, no tenía puerta trasera, y ni siquiera tenía ventanas posteriores ni laterales. Encastrada en aquel lado del monte al otro extremo de la plaza abierta, sólo había una manera de entrar o salir, y era por el frente.

Siempre que fuera ése el lugar que buscaban; que el contacto de la CIA de Jules, un hombre al que sólo conocían como Benny, hubiera obtenido la información correcta sobre Emilio Testa.

Benny no había llegado a su encuentro en Yakarta, lo cual para Jules era un serio contratiempo, puesto que el agente iba supuestamente a proporcionarles una batería de tecnojuguetes, entre ellos, aparatos de escucha, visión infrarroja, una variedad de micrófonos y minicams.

Y Benny no había contestado a su móvil, de modo que habían subido al hidroavión sin esos equipos.

Aquello había desatado otra discusión entre los miembros de su ilustre *dream team* no oficial, compuesto en un cincuenta por ciento de criminales y otro cincuenta por ciento de psicóticos.

Max volvió la mirada hacia el sombrío piso de la CIA, donde Jones yacía tirado en el sofá.

El Señor Más Buscado había dedicado varias horas a deambular por los alrededores, reconociendo el terreno.

—No creo que pueda dormir —le dijo Max a Jules—. Ya dormí durante el vuelo a Kupang...

—Unos cuarenta minutos —señaló Jules—. Y, para tu información, eso fue hace horas.

Max se limitó a sacudir la cabeza.

—No puedo...

Miró por la ventana hacia los muros de aquel edificio al otro lado de la polvorienta plaza con su mercado abierto, y Jules supo que Max le vendería su alma al diablo por poseer una visión de rayos X, o por tener tan sólo una imagen de Gina, sana y salva.

Todas las ventanas eran reflectantes. De otra manera, Max se habría acercado y habría trepado por las paredes como Spiderman, intentando mirar dentro.

Por favor, Dios, haz que Gina y Molly sigan vivas.

—Quizá debieras simplemente tenderte y al menos intentar... —Iba a decir «descansar» nuevamente, pero Max lo detuvo.

—No.

En lugar de conseguir que se relajara, Jules había estimulado ese movimiento reflejo de la mandíbula. Maldita sea.

—Cariño, me estás matando.

No sabía cómo ayudar. Si Max fuera cualquier otra persona, Jules se sentaría con él un momento, miraría la noche y al cabo de un rato empezaría a hablar. Al principio, nada demasiado denso. Calentando poco a poco hasta llegar a lo más difícil.

Aunque si intentaba eso ahora, Max empezaría a hablar... (ja, ja, ja, risa irreprimible. Como si eso fuera a ocurrir algún día...) o se levantaría y se situaría lejos del alcance de su voz, lo cual lo apartaría de la ventana y ya no tendría nada que mirar, y entonces quizá cerraría los ojos un rato.

Desde luego, merecía la pena intentarlo.

Había otras posibilidades. Max podía estrangular a Jules hasta que se desmayara. Así que, vale, tenía que empezar a hablar. Aunque, ¿de qué servía tomarse la molestia de hablar para que Max se relajara? ¿No eran ésas las dos palabras —Max y relajar— que nunca figuraban juntas en una frase?

Tampoco iba a ocurrir ahora, así que era preferible hablar sin previo aviso.

Sin embargo, ¿cuál es la mejor manera de decirle a un amigo que las decisiones que ha tomado son las más estúpidas de todos los tiempos y que, en el fondo, está actuando como un jodido capullo?

Max no era ajeno a lo que rumiaba Jules.

—Si tienes que decir algo, por amor de Dios, dilo. No te quedes ahí sentado haciendo esos ruidos raros.

—¿Qué? ¿Qué ruidos? No estoy haciendo ruidos raros.

—Sí —dijo Max—. Sí que los haces.

—¿Como qué…? —dijo Jules, extendiendo la mano, como invitando a Max a demostrarlo.

—Como… —Max suspiró ruidosamente—. Como… —dijo, y emitió una especie de chasquido con la lengua.

Jules rió.

—Eso no es un ruido *raro*. Los ruidos raros son, por ejemplo, *guup, guup, guup* —dijo, imitando un ruido de una película de Los tres chiflados—, o, *vrrr…*

—A veces me cuesta recordar que eres uno de los mejores agentes del FBI —dijo Max—. Si tienes algo que decir, Cassidy, dilo, o cállate tu jodida boca.

—De acuerdo —dijo Jules—. Eso haré.— Respiró hondo. Exhaló—. De acuerdo, Yo, pues, te quiero. Te quiero mucho, mucho, y… —¿Por dónde seguir?

Salvo que con sus palabras se había ganado no sólo una mirada de Max sino su total y absoluta atención. Aquello tenía algo de alarmante.

Sin embargo, lo que de verdad pilló a Jules con la guardia baja fue la genuina inquietud en la mirada de Max.

¿Max realmente pensaba que…? Jules se echó a reír, sorprendido.

—Oh, no, no de esa manera. Lo he dicho de una manera totalmente platónica, no gay.

Jules vio el alivio y la comprensión en la cara de Max. Debía estar cansado de verdad si dejaba que aparecieran aquellas emociones tan básicas…

—Lo siento. —Max incluso sonrió—. Es que… —dijo, y soltó

una bocanada de aire—. Quiero decir, hablando de hacer que las cosas sean más complicadas...

Era asombroso. Max no había retrocedido espantado ante la idea. Hasta se había preocupado por Jules, de no herir sus tiernos sentimientos. Y ahora tampoco intentaba convertirlo todo en un chiste de mal gusto.

Y luego iba y decía que no eran amigos.

Jules sintió un nudo en la garganta.

—No te imaginas —dijo a su amigo con voz queda—, cuánto aprecio tu aceptación y respeto.

—Mi padre nació en India —dijo Max—. En mil novecientos treinta. Su madre era blanca, de Estados Unidos. Su padre no sólo era indio sino que, además, pertenecía a una casta baja. La intolerancia que vivió en India y, más tarde, en Estados Unidos, lo convirtieron en un hombre muy... amargado, muy duro, en un hombre muy infeliz. —Volvió a mirar a Jules—. Ya sé que la personalidad tiene algo que ver, y quizá tú eres más fuerte que él, pero... a veces a las personas se les golpea hasta que caen. Se pueden quedar ahí, revolcarse en ello, o... hacer lo que has hecho tú, lo que haces tú. Así que, sí. Te respeto más de lo que te imaginas.

Jooder.

Sollozar era probablemente una muy mala idea, así que Jules optó por la alternativa. Hizo una broma.

—Nunca había pensado que siquiera tuvieras un padre. Quiero decir, los rumores en la oficina dicen que llegaste al mundo en un platillo volante...

—Preferiría no escuchar esta cháchara sin sentido toda la noche —lo interrumpió Max—. Así que, ahora que ya has dicho lo que tenías que decir...

Ay.

—Vale —dijo Jules—. En eso seguro que no me revolcaré. Porque sí, tengo algo que decir. Verás, he dicho lo que he dicho porque decidí adoptar contigo el enfoque que utilizaría con un chico de ocho años. Ya sabes, decirte cuánto te quiero y lo bueno que eres en la primera parte del discurso...

—Del discurso —dijo Max, como un eco.

—Porque la segunda parte está decididamente cargada con el silencioso pero implícito «Eres un imbécil consumado».

—Ay, Dios —murmuró Max.

—Así que te quiero —volvió a decir Jules—, de una manera totalmente cinematográfica, al estilo de dos viejos amigos, y también quiero decir que me encanta trabajar para ti, y que espero que te reintegres algún día para que pueda volver a trabajar para ti. Verás, me gusta esto de que seas mi jefe, no porque te haya nombrado un pez gordo, sino porque te has ganado hasta el último centímetro cuadrado de ese espléndido rincón de la oficina. Te quiero no sólo porque eres inteligente, porque tienes una mente abierta y estás dispuesto a hablar con gente que tiene perspectivas diferentes y, cuando hablan, tú estás dispuesto a escuchar. Como ahora, por ejemplo, ¿estás escuchando, no?

—No.

—Mentiroso. —Jules siguió—. Sabes, el hecho de que mucha gente esté dispuesta a vender hasta a su abuela para formar parte de tu grupo no es un accidente. Jefe, eres algo más que especial, y el pequeño discurso que me has dado hace un momento lo dice todo. Nos das un susto de muerte porque tememos no ser capaces de vivir a la altura de tus exigencias. Pero tienes una espalda tan fuerte que siempre logras llevarnos contigo, incluso cuando fallamos.

»Algunas personas no ven eso. No te entienden de verdad. Lo único que saben es que marcharían al infierno sin vacilar si dieras la orden de partir. Pero, verás, lo que *yo* sé es que tú estarías ahí, por delante, y ellos tendrían que correr para seguirte el paso. Nunca cejas. Nunca vacilas. Nunca descansas.

La mirada impasible de Max seguía fija en aquella casa.

—¿Qué crees que pasará? —preguntó Jules, con voz queda—, si te dejas quitar esa gran «Ese» que tienes en la camisa y duermes un rato? Si dedicas una hora, una noche, joder, todo un fin de semana, a no hacer nada, excepto respirar y gozar de la vida en ese momento. ¿Qué pasará, Max, si, cuando todo esto haya acabado, te das permiso para disfrutar de verdad de la compañía de Gina? Estar sentado con ella abrazada a ti mientras te permites ser feliz. No tienes que ser feliz todo el tiempo, sólo por ese breve rato.

Max no dijo palabra. Así que Jules siguió.

—Y luego, quizá podrías permitirte ser feliz el fin de semana siguiente. No demasiado feliz —añadió, rápido—. No querríamos eso. Pero feliz en un sentido pequeño, porque esa mujer impresionante es parte de tu vida, porque te hace sonreír y probablemente folla como un sueño y sí... ¿lo ves? Estás escuchando. No vayas a matarme, sólo estaba comprobando que no te habías ido.

Max lo estaba mirando de esa manera.

—¿Ya has acabado?

—Ay, cariño, no tenemos dónde ir y faltan muchas horas para que amanezca. Justo estoy empezando.

Mierda, dijo Max con su lenguaje corporal. Pero no se incorporó para irse. Se quedó sentado.

Al otro lado de la calle no se movía nada. Y, al cabo de un rato, seguía sin moverse nada. Sin embargo, una vez más, Max volvió a mirar hacia donde nada se movía.

Jules guardó silencio durante un largo minuto y medio.

—En caso de que no me haya expresado con claridad —dijo—, creo con todo mi corazón que mereces, absolutamente, toda la felicidad de la que puedas echar mano. No sé que daño te hizo tu padre, pero...

—No sé si puedo hacer eso —lo interrumpió Max—. Ya sabes, eso que has dicho, de volver a casa del trabajo y...

Jooder. Max estaba hablando. Acerca de eso. O al menos había hablado. Jules esperaba más, pero Max negó con la cabeza.

—¿Sabes lo que pasa cuando trabajas hasta romperte el culo? —preguntó finalmente Jules, y él mismo respondió—. Ya no queda culo para la próxima vez. Así que tienes que consumirte alguna otra parte vital del cuerpo. Tienes que darte a ti mismo tiempo para volver a crecer, para recargarte. ¿Cuándo fue la última vez que te tomaste unas vacaciones? ¿Fue en mil novecientos noventa y uno o en el noventa y dos?

—Sabes perfectamente bien que tomé unas vacaciones largas justo...

—No, señor, no las tomaste. La hospitalización y la recuperación de una herida de bala casi mortal no son vacaciones —lo interrumpió Jules—. ¿No dedicaste ni un minuto de tu tiempo en la unidad de cuidados intensivos a pensar por qué cometiste ese estúpido error que se saldó con una bala en el pecho? ¿Podría haber sido una severa fatiga causada por falta de culo, por haber gastado dicho culo demasiados días a la semana sin parar?

Max suspiró. Y luego asintió.

—Sé que metí la pata. De eso no hay duda. —Guardó silencio un momento—. Lo he estado haciendo con asiduidad últimamente. —Lanzó una mirada hacia donde se suponía que Jones dormía, con el brazo levantado tapándose los ojos—. También he estado jugando demasiado a ser Dios. No lo sé. Quizás es que comienzo a creer en mi propia confusión, y ahora mi confusión se ha vuelto para morderme.

—No en el culo —dijo Jules.

Max sonrió, pero la sonrisa no duró.

—Sí, creo más bien que me tiene por la garganta. —Se frotó la frente mientras Jules seguía sentado, mirándolo.

—Lo tengo siempre presente en la cabeza —siguió Max, en voz baja, casi demasiado para que Jules pudiera oírlo—. Todas las cosas que tengo que hacer. Todo lo que no estoy haciendo. No puedo dejarlo tirado, como si fueran archivos encima de mi mesa y luego irme a casa sin ellos. —Le lanzó una mirada a Jules y había auténtico dolor en sus ojos—. ¿Cómo podría esperar que alguien como Gina me aguante algo así?

Madre mía.

Vale. Ahora sólo estaban hablando. Estaban *hablando*.

—Y ¿cómo esperabas que Alyssa lo aguantara? A ella le pediste que se casara contigo.

Silencio. Un silencio que se alargaba, y Jules ya se recriminaba haber traído a colación a Alyssa Locke, su amiga y antigua compañera en el FBI, además de un probable punto doloroso. Y Max habló.

—Ella solía trabajar más horas extra que yo —dijo—. Había días en que me hacía sentirme como un holgazán.

Jules entendía. Cada vez que llegaba al despacho, por temprano que fuera, Alyssa ya estaba ahí.

—Durante un tiempo pensé que se ahorraba el alquiler viviendo en su despacho —rió—. Y, hablando en serio, sabes que utilizaba el trabajo como distracción, ¿no? Quiero decir, ahora que trabaja en el sector privado, algo que le encanta, dicho sea de paso, se toma vacaciones. Fines de semana. Ella y Sam acaban de comprarse una casa, está convertida en una experta en bricolaje. Creo que la restaurarán ellos dos solos.

—Eso es... —dijo Max, y rió—, ¿cómo diría Sam? ¿Puñeteramente increíble?

—Está muy contenta. De verdad —dijo Jules.

Max asintió.

—Me alegro. Tomó la decisión correcta al no casarse conmigo.

—¿Porque... no la querías de verdad?

—Joder, no lo sé —dijo Max—. ¿El amor te hace sentirte como si necesitaras urgentemente un medicamento? ¿Como si fueras a explotar porque quieres a esta chica y, a la vez, quieres protegerla, y tiene que ser o lo uno o lo otro, y uno no consigue que sea lo uno ni lo otro, y se le hace un nudo en las entrañas y reacciona como un loco y entonces todos salen perdiendo? *Mierda*.

Jules fingió que reflexionaba sobre aquello, con el dedo apoyado en la mejilla.

—Max, supongo que me tomaré eso como un no —concluyó—. Que no amabas, en realidad, a Alyssa, porque cuando dices *chica* sueles hablar de Gina y, cariño, hola, para que lo sepas, la Gina que yo conozco es cien por cien mujer. Tienes que empezar tu metamorfosis hacia un verdadero niño humano volviéndote un poco menos loco, ¿vale? Por favor, deja de llamarla algo que no es.

Max le lanzó una mirada gélida.

—Así que lo único que tengo que hacer es dejar de llamar a Gina chica, y todo irá bien. Así, sin más, viviremos para siempre felices.

—No vivirás feliz hasta que tú no te des permiso para ser feliz —dijo Jules—, hasta que reconozcas que no puedes salvar las vidas de todos en todo el mundo. La gente muere, Max. Todos los días. No puedes salvarlos a todos, pero puedes salvar a algunos. A menos que te mates trabajando demasiado. Entonces acabas salvando... veamos, hagamos los deberes de mates, te llevas uno... a mí me da cero.

—Y ¿qué pasa si una de las personas que quiero salvar es Gina? ¿Qué pasa si quiero algo... no lo sé, algo mejor para ella?... Maldita sea, no es la palabra correcta.

Pero Jules ya reaccionaba a su respuesta.

—¿Mejor que qué? —preguntó, y emitió un ruido como de disgusto—. ¿Mejor que compartir su vida con un hombre que, en sus propias palabras, está «descaradamente loco» por ella? ¿Un hombre que se ha ganado el respeto y la admiración de todas y cada una de las personas que han trabajado con él, entre ellos tres presidentes de Estados Unidos? ¿Un hombre que consigue ser sexy incluso cuando huele mal? Venga, Max, ¿cuánto mejor tienes que ser? En mi opinión, necesitas una terapia seria, y digo *muy seria*.

—No —dijo Max—. No... quise decir *diferente*. Menos... no lo sé, duro. Menos... —Cerró los ojos y exhaló un suspiro—. Me imagino el futuro y me veo a mí mismo haciéndole daño. Y... Dios, la veo a ella haciéndome daño a mí. Es inevitable. Pero no puedo seguir así, separado de ella. Voy a entrar... —dijo, señalando hacia la casa, todavía silenciosa al otro lado de la plaza—, la sacaré de ahí, y la llevaré a casa y nunca más la dejaré ir. Hasta que tenga que dejarla. Hasta el momento inevitable del sufrimiento.

Jules se quedó sentado en silencio un largo rato.

—Y bien —dijo al final—. Vaya proeza, señor Romántico. Y vivieron patética y desapaciblemente, no digamos para siempre.

El músculo en la mandíbula de Max volvía a temblar.

—¿Qué te parece si dejamos de hablar de esto, vale? No ayuda para nada.

Esta vez, Jules dejó que el silencio de la noche los envolviera durante tres largos minutos.

—Sabes, yo pasé varios años —dijo, finalmente rompiendo el silencio porque, joder, pensó, quizá serviría que Max lo escuchara— en una relación muy venenosa con un tipo que se llamaba Adam que... no paraba de arrancarme el corazón y... No. Más bien, yo lo dejaba arrancarme el corazón. Siempre dejaba que volviera.

»Y ocurrió que llegué a un punto donde sabía que volvería a hacerme daño. Quiero decir, sencillamente no *aprendía*. Y cometía el mismo error, una y otra vez, porque había una parte en mí que no desalentaba, una voz en mi cabeza que sencillamente no aceptaba la realidad. Como «Esta vez será diferente. Esta vez verdaderamente me amará como yo quiero que me ame».

»Con el tiempo, llegó un momento en que me vi cada vez más obligado a silenciar esa parte eternamente optimista de un niño de seis años que dice: «¡Ahí está Papá Noel!». Tenía que encerrarlo. Y eso hice. Y una vez que lo hice, pude separarme de Adam. Joder, me di cuenta de que podía separarme de... cualquiera, si era necesario. Lo cual no significaba que no me doliera la pérdida de la relación, porque, joder, era terrible, y me dolía.

Jules guardó silencio un momento, pensando en esos carteles de los cines, en las fotos en los autobuses, donde fuera. Pero entonces, dijo:

—Salvo que un día me desperté y me di cuenta de que estaba sufriendo más por la pérdida de mi niño interior. No me gustaba la persona en que me estaba transformando sin esa vocecita entrañable... demasiado triste, ¿sabes? —Demasiado como Max. No lo dijo, pero sabía que Max había entendido el mensaje.

—Así que dediqué un buen tiempo a reflexionar acerca de lo que mi niño de seis años quería de verdad —siguió Jules, con voz queda—. Y descubrí que no era concretamente Adam. Tampoco era Robin... otro de... Da igual. No es... —Sacudió la cabeza—. Lo que quiero decir es que me di cuenta de que no quería a Adam... quería a mi *ideal* de Adam. Lo que quería era alguien *como* el Adam que había imaginado. Quería a alguien a quien amar que me amara a mí, según mi definición de amor y respeto.

Max suspiró.

—¿Alguna vez te estás quieto? ¿Callado? ¿Sin hablar?

—¿Quieres que me calle antes de que llegue al punto más importante de la historia? —preguntó Jules.

—Ah, ¿hay un punto? En ese caso...

—Que te jodan, jefe.

—Sigue...

—Lo que pasó —dijo Jules—, es que fui capaz de acoger ese clamor, realizar ciertos ajustes y dejar libre nuevamente a mi niño de seis años.

Era evidente que Max no lo entendía.

—En lugar de convertirme en una persona oscura, triste e infeliz —explicó Jules—, sin esperanza alguna, digamos, como tu padre, cambié el mensaje. Sigue siendo un grito de guerra de buena fe en un niño de seis años. Algún día vendrá mi príncipe. Lo cual tiene ciertas dificultades, ya lo sé. Quiero decir, hola. ¿Buscas mucho la perfección?

»En cualquier caso, soy una obra en transformación. Pero esto te lo cuento porque sé que en alguna parte en ti, en algún rincón de telarañas olvidado hace tiempo, vive tu niño interior esperanzado. Tienes que encontrarlo, cariño. Y tienes que dejarlo que vuelva a salir a jugar. Si no lo deseas, no tienes que dedicar demasiado tiempo a psicoanalizar qué o quién fue —¿tu padre?— lo que te obligó a encerrar esa parte de ti que creía en Papá Noel. Aunque no te haría daño. Yo soy un gran partidario de la autorreflexión y del autoconocimiento. Pero aunque tú no lo seas, todavía puedes transmitir a esa parte de ti un nuevo mensaje: «Me permito ser feliz. Me permito dejar que Gina me ame». Y, quizá después de que entremos por esa puerta mañana, la puedas llevar a casa sin toda esa mierda del final inevitable.

Max asintió.

—Sí —dijo—. Salvo que… creo que Gina está embarazada.

¿Qué?

—No, no puede estar embarazada —dijo Jules—. No se estaba viendo con nadie. Quiero decir, aparte del enamoramiento que tuvo con Leslie… Jones… cuando lo conoció, y de eso ya veo que no quieres hablar… En serio, recibí una carta de ella hace justo un mes. Me lo habría contado. Y tú sabes que yo te lo habría contado a ti.

—Sí, al parecer, lo estaba —dijo Max—. Un keniano. Paul Jimmo. Lo mataron hace unos meses, en una riña por los derechos sobre unas aguas.

—No —dijo Jules, aliviado—. Te equivocas. Lo mencionó en una de sus cartas. Tenía una granja a unos ciento cincuenta kilómetros al norte del campamento. Donde vivía con su mujer y sus hijos. Cariño, Jimmo estaba casado.

Max se lo quedó mirando.

—Al parecer, le pidió a Gina que fuera su segunda mujer —dijo Jules—. Durante un tiempo, era una broma entre ellos porque, bueno, ya me dirás, Gina no es precisamente del estilo concubina. Y aunque a ella le gustara... lo cual sucedió al principio, él empezó a ponerse demasiado insistente, y eso a ella le dio mala espina... Pero incluso aunque lo amara, que no era el caso, no se habría metido con un hombre casado. Gina, no. Eso lo sabes tú tan bien como yo.

La mirada de Max, mientras oía esas noticias, era terrible.

Y Jules sabía lo que estaba pensando. Si Gina no se veía con nadie...

—¿Cómo sabes que está embarazada?. —preguntó Jules.

Max sacó un trozo de papel de su bolsillo, lo desplegó y se lo pasó.

En realidad, eran dos hojas. Una especie de carta y lo que parecía una factura. Jules leyó las dos rápidamente.

—¿Has llamado a...?

—Sí —dijo Max—. No querían hablar conmigo. No tuve tiempo para usar los canales adecuados. Ni siquiera conozco la legislación sobre la privacidad de los datos personales en Alemania, si es que hay canales por dónde ir.

—Esto no es más que una carta tipo —dijo Jules—. Y en cuanto a las pruebas, quizá sólo quería hacerse una revisión. Se supone que las mujeres deben hacer eso una vez al año, ¿no? Ella había estado en Kenia y de pronto ahí estaba, acompañando a Molly a una clínica, así que se habrá dicho, qué más da. Quizás esta clínica hace pruebas de embarazo como parte de sus revisiones anuales.

—Sí —dijo Max—. Quizá.

No parecía demasiado convencido.

—Vale. Imaginemos el peor escenario posible. Está embarazada. Yo sé que Gina no es de las que tienen aventuras de una noche, pero... —dijo Jules, y calló. Se suponía que lo que decía tenía que ayudar a Max, pero *Hey, buenas noticias, la mujer que amas quizá se quedó embarazada después de pasar una noche de sexo ligero con un desconocido,* no era una frase que fuera a procurarle un gran alivio.

No importaba que esa idea fuera mucho menos terrible que la alternativa, a saber, que Paul Jimmo hubiera seguido presionando a Gina. Y que no se hubiera conformado con un no.

Lo cual era a todas luces lo que pensaba Max, que ahora se empeñaba en triturar lo que le quedaba de los dientes posteriores.

—Y bien —dijo Jules—, por lo visto nuestra pequeña conversación no ha conseguido precisamente que te sientas mejor.

Cuando Max no respondió, era claro que se estaba concentrando en no saltar por la ventana y salir volando (utilizando la rabia como forma de propulsión) hasta el otro lado de la plaza y dejar dibujada en el muro de ese edificio donde retenían a Gina y Molly la silueta de un cuerpo humano. Por favor, Dios, ojalá que sigan ahí.

Y Jules sabía que si se averiguaba que Paul Jimmo había siquiera tocado a Gina sin su consentimiento, Max encontraría su tumba, excavaría el cuerpo, lo traería de vuelta a la vida y volvería a matar a ese hijo de puta.

Cuando Molly salió del cuarto de baño, Gina estaba desmontando el marco metálico de la cama, aflojando los pernos y tuercas con las manos.

—Sólo tendremos una oportunidad —dijo, pasándole a Molly un trozo de metal correspondiente a una pata, con ruedecilla incluida. Tenía forma de ele, diseñada para sostener el muelle de la cama, por lo cual era difícil manejarla con soltura—. Tenemos que estar preparadas. Deberías vestirte. La ropa todavía está húmeda, pero tenemos que estar preparadas para escapar.

—Esta gente tiene armas —señaló Molly. Intentó coger la pata metálica como si fuera un bate de béisbol, por encima del hombro. Era pesada, pero ¿era realmente lo bastante pesada como para darle a un hombre y dejarlo inconsciente?

—Un arma, en singular —precisó Gina.

—Eso no lo sabemos. —El colchón estaba apoyado sobre la pared, así que Molly sacó una de las sillas junto a una mesa en un rincón de la habitación.

—La última vez que entró Emilio, no se veía el arma por ninguna parte. Sabes, puede que ni siquiera tenga balas —dijo Gina, que nunca había sufrido la experiencia nada agradable de ser blanco de un disparo—. No la ha usado, ni siquiera cuando nos estaban disparando.

—O también puede que tenga cajas y cajas de munición —dijo Molly, y se dejó caer sobre la silla. Las piernas todavía le flaqueaban. En realidad, con dos balas, Testa podía acabar con la vida de tres seres.

—Pero quizá no. —Gina estaba decidida—. Si no las tiene, sólo nuestro miedo nos mantiene aquí.

—Eso y el pequeñajo enfadado que está en el pasillo con la barra de hierro —le recordó Molly.

—¿Crees que está enfadado?

—O eso o es un caso grave de estreñimiento.

Mientras Molly se duchaba, cuidadosamente y por partes, debido a la herida de la biopsia, Gina la puso al día de los acontecimientos mundiales, además de informarle sobre cuestiones más locales, por ejemplo, que los que querían a Grady Morant habían secuestrado a la mujer de Emilio, lo cual creaba toda una cadena de sufrimientos.

—Vístete —volvió a ordenarle Gina, que sólo pensaba en una cosa—. Hablo en serio, Mol, y también deberías ponerte las bambas. En cuanto estés lista, abriré esa puerta. Por lo que sabemos, puede que el señor Barra de Hierro ya ni siquiera esté ahí fuera. Y si está… —dijo, blandiendo su propia pata metálica con ruedecilla incluida.

—No estoy segura de que pueda ayudar —dijo Molly, mientras se ponía los pantalones húmedos—. Todavía me siento muy mareada. Y débil. Y en este momento darle a alguien en la cabeza no es lo mío.

—Tendrías que comer algo —le advirtió Gina, y fue a buscar las latas.

—En realidad, no debería —dijo Molly, con unas náuseas incipientes.

—Nos las llevaremos —decidió Gina. Cogió una funda de almohada y metió las latas dentro—. Sé que no te agrada la idea de herir a alguien, pero las alternativas…

—Sé cuáles son las alternativas —le dijo Molly a su amiga, mientras se abrochaba las bambas. Jones muerto. O peor. Los dos, incluyendo al bebé, muertos. O peor aún—. Y le daré a quien sea. Será mejor que te hagas la idea. Lo que quiero decir es que no creo que lo haga demasiado bien —dijo, y volvió a sentarse—. Sin embargo, todavía no me has convencido de que tengamos alguna oportunidad frente a un arma.

—Shh —dijo Gina, alzando una mano.

Voces en el pasillo. Dios mío.

—Deberíamos correr hacia el garaje, que queda al fondo del pasillo a la izquierda —dijo Gina, y se acercó a la puerta con la pata de la cama en alto, preparada para asestar su golpe.

—Cariño, ¿podemos intentar otra cosa, antes? —dijo Molly, rápida, situándose para apoyarla, aunque sin saber bien cómo colocarse. La idea era darle a la persona que entrara por esa puerta, no a Gina. Y, al revés, ella no debía ponerse al alcance del golpe de Gina—. ¿Como, por ejemplo, fingir que estamos muy enfermas? ¿Para que nos tengan que llevar al hospital? Quizás Emilio...

—No nos dejará ir —dijo Gina—. Estás loca si crees que...

—Al menos deberíamos hablar con él —dijo Molly.

—Shh —volvió a avisar Gina.

—¿Qué era ese ruido en el pasillo? Sonaba como una especie de animal, o...

¿Un niño muy pequeño?

La puerta se abrió y un niño pequeño, de no más de dos años, apareció en el umbral.

—¡No! —gritó Molly a Gina.

Pero Gina no iba a darle a un bebé. De hecho, se interpuso entre él y Molly con la intención de bloquear su golpe.

Y entonces apareció Emilio. Les lanzó una sola mirada (Molly todavía sostenía el trozo de metal por encima de su cabeza) y cogió al niño en brazos.

Aunque no se sabía si su objetivo era proteger al niño o escudarse tras él.

—Veo que han estado ocupadas —dijo, con su acento encantador—. Les presento a mi nieto, Danjuma. Les agradezco humildemente a las dos por no haberle hecho daño.

Capítulo 15

Con el amanecer, comenzó el movimiento en la calle.

Max se sentó junto a la ventana y observó al gentío que pasaba deprisa hacia el trabajo o el mercado. Los niños salían a jugar a la plaza polvorienta.

Cuando sonó el teléfono móvil de Jules, Grady Morant, que prefería que lo llamaran Jones, se incorporó.

Como la mayoría de los comandos que Max había conocido a lo largo de los años, Jones podía pasar del estado de sueño a la alerta total en cuestión de segundos.

Max, desde luego, jamás tenía que preocuparse de ese detalle. Su solución consistía sencillamente en no dormir.

Al menos no había dormido desde que Gina se había ido.

—Tenemos otro correo electrónico —anunció Jules, con el teléfono al oído—. Es Yashi —le dijo a Max—. Joe Hirabayashi —especificó para Jones—. Un compañero en D.C. —Y luego se giró hacia Max—. Le he pedido que vigile esa cuenta de correo, que averigüe de dónde... Sí, Yash, adelante. Espera, espera, te pierdo... —Se giró y se acercó a la ventana—. Ahora está mejor, dime.

Max y Jones se quedaron donde estaban, sin moverse y mirándose el uno al otro.

—Deberías descansar un poco —dijo Jones—. Anoche oí que salías. Después de que yo volví. ¿Has dormido algo?

Max se lo quedó mirando un rato.

—Será mejor que los próximos días te limites a decir *sí, señor* y *no, señor*.

—Que te jodan. —La risa de Jones era más una manera de enseñar los dientes que una diversión genuina—. ¿Tú crees que me conoces, gilipollas? —Dio un paso adelante y bajó la voz, consciente de que Jules no paraba de vigilarlos—. ¿Crees que tienes alguna idea de quién soy yo y de qué soy capaz?

Max no se movió.

—Eres capaz de poner a dos mujeres inocentes en peligro sólo por relacionarte con ellas. ¿Cuál será tu próximo y descabellado truco?

—Estoy listo —dijo Jones—. Ahora mismo. Estoy descansado. Estoy listo para entrar ahí y sacarlas. Vine a buscarte a ti para que me ayudaras, pero ya que es evidente que no puedes cumplir, voy a ...

—Es un plan brillante —dijo Max, bloqueándole el paso—, cruzar la calle, dar una patada en la puerta y... ¿Qué? ¿Cómo saldrás de esta isla?

—Hay una pista de aterrizaje, a unos cinco kilómetros siguiendo el camino —dijo Jones—. Supongo que tú no has llegado tan lejos. Hay mucho dinero en esta isla, en caso de que tampoco te hayas dado cuenta.

—Así que piensas robar un avión y partir... ¿Hacia donde?

—Y ¿eso importa?

—Si tienes en cuenta que tu mujer necesita tratamiento contra el cáncer... quizá debieras pensar en ese detalle más detenidamente.

—¿Crees que he olvidado eso por un segundo? —Jones estaba ardiendo de rabia.

—Creo que has olvidado —dijo Max—, que el hombre que te busca tiene suficiente dinero para transportar hasta aquí a Gina y a Molly, sin sus pasaportes, desde Alemania. ¿De verdad crees que no va a invertir, y mucho, para seguirte los pasos? Deja de soñar.

—Habrá alguna manera de mantenerla a salvo —dijo Jones—. Siempre hay una manera.

—¿Como qué? ¿Como llevarla a la Embajada de Estados Unidos? Hay una embajada en Dili —dijo Max—. Ahí estará a salvo, pero tú no. Así que, ¿qué harás? ¿La pasarás a dejar? Genial. Estará a salvo mientras permanezca entre sus cuatro muros. Pero en cuanto salga de ese edificio, por ejemplo, para subir a un coche que la lleve al aeropuerto, volverá a convertirse en un blanco. ¿Cómo piensas mantenerla a salvo entonces? ¿Confiarás la vida de Molly a unos guardias de seguridad de la embajada? ¿Quizás a unos cuantos marines jovencitos?

—No la llevaré a la embajada —dijo Jones.

—Prefieres que corra el riesgo de…

—Tú sabes puñeteramente bien que yo no quería que ocurriera nada de esto, y que no quiero exponerla a ningún riesgo. Pero ¿sabes qué pasa? Ahora mismo corre un riesgo. Lo habría corrido estando en Iowa con su madre. Lo he hecho todo como tenía que ser —dijo Jones—. Me aseguré de que estuviera a salvo antes de ir a Kenia. Esperé años para que estuviera segura. Pero, joder, fue un error mío, no pensar en la posibilidad de que enfermara. Y luego no quería ir a Iowa sin mí. Se negó a irse, y créeme, lo intenté todo. Le dije que me largaría, y así ella sería libre y podría irse, pero ella dijo que me esperaría ahí, en el campamento. Que si yo quería estar seguro de que *no* tuviera una atención con la última tecnología médica, así había que hacerlo, y…

La rabia de Jones se había desvanecido, y la emoción en sus ojos lo hacía parecer desesperado y vulnerable.

—Yo la amo —le dijo a Max, con voz queda—. Me arriesgué y confié en Kraus. Si pudiera, iría y lo haría todo de otra manera, diferente. Es la historia de mi vida, ¿sabes?

Max sabía.

Años antes, cuando Jones era Grady Morant, su unidad había sufrido una emboscada en una silenciosa guerra que Estados Unidos libraba contra un poderoso barón de la droga en el sudeste asiático.

Toda la unidad había sido exterminada. Al menos era lo que decían los informes oficiales que Max había visto.

Al parecer, habían encontrado el cuerpo de Morant. O, mejor dicho, se habían recuperado algunos restos del cuerpo junto a su placa de identificación. Pero los restos eran insuficientes para comprobar su identidad, ni mediante huellas dactilares ni registros dentales.

Comenzaron los rumores, como solía suceder cuando no aparecía el cuerpo de un soldado que figuraba como muerto en combate, pero todos fueron descartados por carecer de fundamentos.

Cuando los rumores persistieron, rumores sobre un ciudadano de Estados Unidos que era trasladado de prisión en prisión, se llevó a cabo una investigación, aunque no con demasiada convicción. Sin embargo, acabó costando demasiado tiempo y dinero y, a la larga, se dejó correr. Los resultados no fueron concluyentes.

No fue hasta muy recientemente, cuando se introdujo la prueba del ADN, que salieron a la luz las pruebas de que el cuerpo enterrado en la tumba de Grady Morant no era, en realidad, Grady Morant.

Más o menos en ese mismo periodo empezaron a circular historias sobre el nuevo lugarteniente de Chai, supuestamente un ex soldado de las Fuerzas Especiales SEAL de Estados Unidos.

Grady Morant no murió en aquella emboscada. Pasó varios años en un infierno de prisión en el sudeste asiático, sometido a horribles torturas por sus carceleros. Implorando que alguien lo encontrara, esperando que alguien viniera a buscarlo y lo llevara de vuelta a casa.

Años atrás, Max había sentido lástima por Morant. Al conocerlo, constató que esos años en prisión habían sido muy reales. No había traicionado a su unidad, como todos pensaron al saber que trabajaba para Chai. No era un desertor. Al contrario, su país lo había abandonado a él.

La vida era una mierda.

Sin embargo, a ojos de Max, toda la mierda del mundo no justificaba lo que hizo Morant cuando el narcotraficante contra el que había luchado fue a rescatarlo y lo liberó.

Max habría preferido morir. Habría preferido pudrirse en la cárcel que pasarse al bando enemigo.

Y ahora, este perdedor de mierda, mentiroso, contrabandista y ladrón, había descubierto la felicidad y encontrado el amor. Molly Anderson había acabado casándose con ese hijo de puta.

Vale, sí, claro, la vida les había lanzado más mierda. Sin embargo, Max tenía toda la certeza de que una vez que hubieran devuelto a Molly y Gina sanas y salvas a casa, Molly ganaría la batalla contra el cáncer y viviría una vida larga y feliz.

Como la señora Perdedor Morant, o Pollard, o Jones o Smith, o el que fuera el alias escogido.

Joder, con la suerte que tenía, Jones probablemente podría ir a juicio por sus crímenes y salir libre gracias a algún subterfugio técnico.

Mientras, él seguiría sintiéndose un miserable.

Mientras, en alguna parte, a cientos de kilómetros de ese infierno que él vivía, Gina criaría al hijo de un hombre muerto.

—La vida no regala esa posibilidad de rehacer las cosas —le dijo Max a Jones.

—No —convino el otro—. Sólo da segundas oportunidades.

—Vale —dijo Jules, que volvía a estar con ellos después de apagar el móvil—. Esto es lo que está pasando. Nuestro hombre ha enviado otro correo electrónico. Quiere un número de teléfono para ponerse en contacto con nosotros y darnos más instrucciones. Yashi está configurando un número con el que no podrá saber dónde estamos. La llamada será transmitida a mi móvil —dijo, y miró a Max—. Sé que tienes ganas de hablar con Gina, pero eso es imposible. Queremos que el secuestrador crea que Jones está solo. Y no queremos plantear demasiadas demandas, no en este momento. Después de que contactemos con Testa por teléfono…

—Ya lo sé —dijo Max.

—Pero le he pedido a Yashi que se asegurara de que los cuatro últimos dígitos del número ficticio fueran los mismos de tu móvil. Quiero que Gina sepa, si consigue verlo aunque sea por azar, que estamos aquí. Puede que sea un tiro al aire, pero… —dijo Jules, encogiéndose de hombros.

—Gracias —contestó Max.

—Yashi también se pondrá en contacto con la oficina de Yakarta —informó Jules—. A ver si podemos contactar con ese tal Benny. En cualquier caso, intentaré conseguir los equipos de vigilancia.

—Y ¿qué hay de algún apoyo militar? —inquirió Jones.

Jules sacudió la cabeza.

—Todas las unidades de la región están en alerta. El nivel de amenaza terrorista todavía es alto, y el caso nuestro sigue teniendo una prioridad más que baja. Ya sé que os estáis volviendo locos, cariño, pero tenemos que sentarnos y esperar.

Molly fingió que se desmayaba.

Gina estaba a punto de romper a aplaudir. Lo consiguió en un tiempo récord, pero Emilio no se dio ninguna prisa en ayudarla. Al contrario, con su nieto retorciéndose en sus brazos, se apartó para quedar fuera del alcance de un golpe y gritó una orden en una lengua que parecía italiano.

El pequeño Barra de Hierro entró en la habitación. Se detuvo al ver a Molly en su imitación del final del Lago de los Cisnes. Pero enseguida se apresuró a devolver el colchón al suelo. Sin embargo, se mostró muy vigilante con aquella arma improvisada de Gina, que ésta había dejado apoyada en la pared.

Mientras Gina volvía a arreglar las sábanas y mantas, el hombre bajito mostró de qué estaba hecho cuando levantó sin esfuerzo a Molly y la llevó a la cama.

Molly consolidó su opción al Óscar a la mejor actriz dejándose llevar sin rechistar, sin ni siquiera abrir los ojos.

En realidad, no fue hasta quedar tendida en la cama, con Gina inclinándose sobre ella, que sus párpados empezaron a temblar.

¡Bravo!

Emilio se alejó dando gritos por el pasillo. Apareció una mujer de pelo oscuro, con la cabeza gacha, tímida, y le pasó varias botellas de agua antes de volver a desaparecer.

—Tenemos que llevarla al hospital —le dijo Gina a Emilio. Podían intentar el truco de Molly ahora que salir de ahí a porrazos ya no era una opción viable.

Emilio le dio las botellas de agua a Barra de Hierro, que se las entregó a Gina con mal gesto. Ella las cogió, sobre todo para que el tipo no acabara lanzándoselas por la cabeza.

Madre mía, qué miedo le daba.

—Como puede ver —le explicó Emilio—, las botellas, como la comida, están selladas.

Gina abrió una, ayudó a Molly a sentarse y le dio a beber un trago.

—Está ardiendo de fiebre —le dijo a Emilio. Era una mentira, aunque la verdad era que Molly estaba caliente. De hecho, comenzaba a mostrar síntomas de deshidratación—. ¿Te encuentras bien? —le preguntó a Molly, cayendo de pronto en la cuenta de que toda su perfecta actuación a lo Meryl Streep, en realidad no había sido para nada una actuación.

Molly rechazó el agua con una mueca y le apartó la mano a Gina.

—Lavabo —dijo, y Gina la ayudó a levantarse y la acompañó hasta el diminuto lavabo de suelo de baldosas lo más rápidamente posible.

Cerró la puerta y dejó a Molly en íntimo diálogo con la taza. La auténtica preocupación que sentía por su amiga se le notaba en la voz.

—Lleva horas haciendo lo mismo. —Otra mentira, pero ¿qué importaba?—. Está gravemente deshidratada y tiene mucha fiebre. La última vez que se mareó empezó a tener convulsiones.

Emilio pareció afectado por esa noticia, aunque era probable que su desazón también fuera fingida.

—Tenemos que llevarla al hospital —insistió Gina.

Emilio sacudió la cabeza.

—Eso es imposible.

—¿De verdad está dispuesto a que muera?

Del lavabo se oyó el ruido del agua que fluía. Gina apenas abrió y miró. Molly estaba frente a la pila, echándose agua en la cara. Ojalá no fuera a salir y decir lo que solía decir después de sus raras náuseas por la mañana: «Vaya, ahora me siento mucho mejor».

Gina se llevó la botella de agua abierta al entrar en el lavabo. No tenía sentido dejarla ahí fuera para que ellos hicieran lo que quisieran.

—Te voy a ayudar a volver a la cama —le susurró a Molly—. Les he dicho que necesitamos llevarte a un hospital, así que tienes que fingir, ¿vale?

Molly se secó la cara con una toalla.

—No quiero que sepan que estoy embarazada —le susurró a su vez.

—Lo sé —dijo Gina—. Le he dicho que tienes mucha fiebre. Haz que se note. —Abrió la puerta y Molly se apoyó en ella.

Emilio seguía ahí, mientras el niño jugaba con las latas de comida que sobraban. El hombre se movió como para situarse entre ellas y el niño cuando Gina ayudó a Molly a tenderse en la cama.

¿Qué se imaginaba? ¿Que Gina iba a coger al crío y amenazar con romperle el cuello?

Dios mío, qué idea más horrenda. ¿Sería capaz de hacerlo, si con eso consiguiera su libertad? Qué giro, una secuestrada convertida en secuestradora. Le diría a Emilio que entregue el arma. Y una vez que tuvieran el arma...

Pero ¿qué pasaría si él no se tragaba su farol? A ella le sería del todo imposible hacerle daño a un niño indefenso, y seguro que Emilio lo sabría con sólo mirarla a los ojos.

Las personas que se hacen con rehenes, le había dicho Max en una ocasión, tienen que estar preparadas para matarlos. Tenían que estar dispuestas a acabar con al menos una vida humana. Si no, los negociadores lo percibirían, y entonces enviarían a los equipos de asalto. Una patada en la puerta bastaría para poner fin al episodio sin que se derramara sangre.

Al menos sangre inocente.

—Su nieto es muy guapo —le dijo Molly a Emilio cuando Gina le pasó la botella de agua y abrió otra—. ¿Se llama... Danjuma?

El niño alzó la vista al oír su nombre y luego rió cuando una de las latas rodó lejos de su alcance. Salió gateando a buscarla.

—La resistencia de los niños me asombra —murmuró Emilio, que también miraba al pequeño—. El mes pasado, su padre, mi hijo, fue ejecutado ante sus ojos.

Dios mío.

—Lo siento mucho —dijo Molly.

—Su madre —siguió Emilio—, mi nuera, la habéis visto hace un momento, estaba segura de que también lo matarían a él. A veces hacen eso. Matan a los niños, especialmente a los varones, para que no crezcan y se conviertan en combatientes de la guerrilla. A él no lo mataron, pero lo encerraron en una celda. A los tres los encerraron, mi mujer estaba con ellos. Y vio morir a su único hijo.

Molly se tragó su historia sin dudarlo un instante. Tenía los ojos húmedos. Gina no sabía por qué les estaba contando aquello. ¿Quería ganarse su simpatía? ¿Para que entendieran por qué estaban ahí en calidad de rehenes?

—¿Quiénes son? —preguntó.

—Son hombres malos —contestó él—. Hombres codiciosos que tienen mucho que perder el día que vuelvan la ley y el orden a Timor Oriental.

—¿Tienen nombres? —insistió ella.

—Sus nombres no le dirían nada —dijo—. A mí y a mis vecinos, nos hacen temblar de miedo. —Se giró hacia Molly, porque la había identificado como más entregada a su dramático relato—. En la prisión, separaron a mi nieto de su madre durante varios días. Imelda, la madre de Danjuma, estaba desesperada. Cuando finalmente le devolvieron al niño, estaba dispuesta a hacer lo que quisieran. —El hombre miró hacia la puerta, se acercó y bajó la voz para que su nuera no lo oyera.

Suponiendo que entendiera el inglés.

Molly le tenía la mano cogida a Gina y era evidente que creía hasta la última palabra de lo que le contaban.

Gina sólo atinaba a pensar dónde estaría el arma de Emilio en ese momento, y cómo podría apoderarse de ella.

¿Era verdad su historia? Quizá lo fuera.

Si algo había aprendido Gina en la vida, era que las personas podían infligir un daño horrible y atroz a sus semejantes.

Pensó en Narari, allá en Kenia, muerta a los trece años. Y en Lucy, que ella había ayudado a salvar, y cuya hermana todavía seguía ahí, acercándose la fecha de su parto. Y sabía que cuando naciera su hijo, volverían a cortarla.

Pensaba en aquel terrorista que ella había bautizado como Bob, que le había contado su historia mientras la mantenía secuestrada en ese avión. Gina le había cobrado simpatía, porque la vida había sido para Bob una lucha tras otra. Ella lo veía como una persona, en lugar de verlo como un secuestrador armado.

Él la veía a ella sólo como el medio para un sangriento fin.

—Ignoro todo lo que le han hecho a Imelda. —Emilio siguió, la voz más calmada, pero a la vez más dura—. Me dijo que, antes de que la soltaran, con Danjuma en los brazos, la obligaron a darles las gracias por haber matado a su marido. A mi hijo —balbuceó, y se le quebró la voz—. Perdónenme.

—¿Por habernos secuestrado? —preguntó Gina—. Ningún problema. Lo perdonaremos, pero deje que nos vayamos.

Pero Molly murmuraba.

—Es horrible.

—Le dijeron —siguió Emilio, con los ojos llenos de lágrimas—, que me encontrara y me dijera que tenían a Sumaiya, mi mujer. Si quería volver a verla, tenía que… —dijo, y gesticuló mostrando la habitación—. No he usado esta habitación en diez años, en fin, no para lo que fue construida. Sí, en otra época gané toda una fortuna traficando con… el dolor de los otros, es verdad. Pero eso fue hace años. He… perdido mis habilidades. Sabía que sería más fácil atraer a Grady Morant hasta aquí, que él viniera a mí.

Molly lo interrumpió.

—Tiene que haber otra manera de sacar a su mujer de esa cárcel. —Se giró hacia Gina—. Podrías llamar a…

Gina apretó los dedos con fuerza y le advirtió a Molly con una mirada que no dijera el nombre de Max, ni mencionara su filiación con el FBI. Y por si Molly no la hubiera entendido, habló por encima de ella.

—¿Mi hermano? Es agente de policía en New Jersey —le mintió a Emilio—. Quizá conoce a alguien en… no sé, el FBI o la CIA, o algo. Alguien que pueda ayudar.

Molly lo había captado.

Emilio, entre tanto, sacudía la cabeza con gesto triste.

—Es demasiado tarde.

Gina sabía que ésa era la frase que su mejor amiga más detestaba. Molly volvió a incorporarse.

—Nunca es demasiado tarde.

—Sumaiya ha muerto —dijo Emilio—. Me han dado la noticia esta mañana, a través de un contacto en la prisión. La enterraron en una fosa común la semana pasada. Yo ya lo sospechaba. Y las demandas que he hecho pidiendo una prueba de vida, como la que hicimos con ustedes junto a la televisión en el garaje, las han ignorado.

Se volvió hacia Gina, que intentaba dar un sentido a ese último giro del relato.

—Veo que no está impresionada. ¿Por qué habrían de creer lo que les cuento? Mi fortuna proviene del dinero pagado por rescates. Las he amenazado a punta de pistola y las he traído en un contenedor hasta el fin del mundo contra su voluntad. Les puedo asegurar hasta la saciedad que no quería hacerles daño, que mi único objetivo era salvar a la mujer que amo.

Si hubiera empezado a llorar, Gina habría seguido mirándolo con escepticismo, pero no lloró. Al contrario, su voz se endureció, su mirada se volvió amarga. Furiosa.

—Desde que murió, mi objetivo ha cambiado. Lo último que quiero hacer es darles lo que quieren. No sé muy bien como protegerlas, ya que mi enemigo está aquí, en todas partes en esta isla, y en las islas vecinas también. Las podría llevar al hospital en Dili, pero temo que allí estarán menos seguras. Pero tengo un amigo que es médico. Mi nuevo plan, si es que están de acuerdo, consiste en llevarlas a una casa donde recibirán el cuidado que necesitan. Ahí estarán a salvo.

—¿Por qué no llevarnos a la embajada de Estados Unidos? —Gina se había incorporado. ¿Era verdad lo que estaba ocurriendo? ¿Las dejaría ir, sin más?

—No hay embajada en esta pequeña isla. Y aunque hubiera una... —sonrió—. Al ayudarles a ustedes, no quiero perjudicarme a mí mismo. Imelda, Danjuma y yo tendremos que dejar nuestra casa para siempre, pero no encontraremos refugio en Estados Unidos, eso se lo puedo asegurar. —Testa sacudió la cabeza—. Después de que las deje con mi amigo el médico, puede que lo convenzan para que las traslade hasta la embajada más cercana. Tiene un avión, aunque a su piloto lo pueden comprar fácilmente. Verán, mis enemigos no tardarán en darse cuenta de que me he ido. En ese momento se desatará una búsqueda por todas partes para encontrarlas a ustedes.

Hurgó en el bolsillo en busca de algo. ¿Su pistola? Gina dio un paso atrás cuando el hombre sacó un... ¿un móvil?

—Aquí tiene —dijo, y se lo entregó.

Ella lo abrió, casi incapaz de creer... Pero los iconos señalaban que tenía batería y buena cobertura.

Emilio sacó otra cosa de su bolsillo. Un trozo de papel.

—Mis contactos en Yakarta han visto a Morant. Está aquí, en Indonesia. Llámenlo —dijo, y también le entregó el papel.

Era un... correo electrónico. Con un número de teléfono. *Espero su llamada. G.M.*

Pero ¡un momento!

Era un número de teléfono que Gina conocía, al menos en parte, de memoria.

Los últimos cuatro números eran los mismos que los del teléfono de Max. Gina tuvo que sentarse.

Joder, Max también había venido.

El resto del mundo se estaba viniendo abajo y Max estaba allí, intentando encontrarla.

—Llámelo —insistió Emilio—. Dígale que las llevaré a la casa del doctor Olhan Katip, en el lado norte de esta isla, Pulau Meda. Estamos cerca de Pulau Wetar. Katip tiene una propiedad vallada...

Quizá seguía hablando.

Pero Gina había dejado de escuchar. Se levantó y se apartó cuando Molly quiso arrebatarle el móvil y el trozo de papel.

Con el corazón acelerado, marcó el número, esperando que la vida no fuera tan cruel como para que aquello resultara una mera coincidencia.

Hacia las diez de la mañana el teléfono móvil de Jules volvió a sonar.

Jones estaba en la cocina buscando algo de comer en la despensa bien pertrechada.

Se contentó con una de las tres latas de macarrones con carne de las filas de delante y el centro de la estantería.

Era todo un lujo no tener que sacar una lata de la parte de atrás del mueble para que los dueños del piso no supieran que tenían huéspedes no autorizados.

Jules les había contado que aquel lugar era utilizado por la CIA en una investigación sobre actividades terroristas.

El terrorista en cuestión vivía dos casas más abajo que su sospechoso de secuestro.

Que afortunada coincidencia. Lo sería si Jones creyera en la suerte o en las coincidencias.

Sabía cómo funcionaban las cosas en aquellas remotas islas. Si un sospechoso de terrorismo se había mudado prácticamente al lado de Emilio Testa, es que había buenos motivos para ello.

Cualquiera que fuera la conexión, aquel lugar era un regalo de Dios. Los había mantenido a los tres al abrigo de las lluvias que se descargaban antes del amanecer. Sin ese piso, habrían tenido que pasar la noche fuera, en el tejado.

Desde luego, aquello seguía siendo una alternativa para esa noche, si es que tenían que seguir esperando antes de dar una patada a la puerta de Emilio Testa.

Porque al despuntar el día habían recibido una noticia de Yakarta alertándolos de que Benny, el contacto de la CIA de Jules, había sido encontrado irremediablemente muerto.

Jules y Max estaban en medio de una discusión acerca de si deberían quedarse o irse. Sobre si la muerte de Benny tenía algo que ver con ellos. Y sobre si Jules debía volver a Yakarta para recoger esos equipos de vigilancia que querían.

Y Jules miró su móvil que sonaba.

—Vale —dijo, lo bastante fuerte para incluir a Jones en la conversación—. No es Yashi. Es un número que no reconozco. Podría ser nuestro hombre.

Jones salió de la cocina.

—Entonces debería contestarlo.

—Lo voy a poner en altavoz —avisó Jules—. Recuerda, puede que él también tenga el suyo en altavoz.

Jones sintió la súbita inyección de adrenalina, y se obligó a confiar en lo que Jules le había asegurado, a saber, que Testa no podría localizarlos via satélite, gracias a Yashi, en D.C. Hizo un esfuerzo para concentrarse. Era fácil dejar de escuchar cuando se escuchaba el altavoz. Era fácil oír sólo lo que uno quería oír, o entender mal hasta la más sencilla de las comunicaciones.

Pero Jones no estaba preparado para lo que oyó después de que Jules contestó la llamada, cuando él mismo contestó con un gruñido que sonó como:

—Morant. —No recordaba la última vez que se había presentado de esa manera.

—Hola, soy yo. —Joder. Era Gina.

Al otro lado de la habitación, Max seguía con la vista fija en la casa de Testa, donde nadie había entrado ni salido desde que la vigilancia había comenzado. Pero ahora se giró para decirle con señales a Jules que apagara el altavoz, de modo que ni Gina ni nadie más que escuchara pudiera oírlo.

Al oír la voz de Gina y saber que seguía viva, al menos por ahora, Max tuvo que haber sentido un alivio descomunal. Pero cuando Jules apagó el altavoz, Jones entendió que Max también quería saber si Molly estaba viva, sin poner en peligro la seguridad de las mujeres.

—No ha dicho «soy Gina» —señaló Max, rápido—. Ha dicho «soy yo». No la llames por su nombre, tampoco menciones a Molly por su nombre. Puede que Testa no sepa quién es quién, y queremos que siga así. Pregúntale si está bien, si están *las dos* bien.

Cuando Max le hizo un gesto, Jules conectó nuevamente el sonido y Jones repitió las palabras de Jules.

—Sí —dijo Gina, y Jones volvió a respirar. *Gracias, Dios.*

El alivio era tan intenso que tuvo ganas de sentarse. ¿Cómo conseguía Max mantenerse en pie?

—Estamos las dos bien —continuó ella—. Excepto Molly, que está un poco deshidratada.

Hasta ahí llegaba la teoría de Max sobre la revelación de los nombres.

—Las dos lo estamos —siguió Gina—. Y nunca es agradable ser rehén, aunque sea sólo un hombre que anda por ahí con una pequeña pistola.

Jules apagó el sonido y sacudió la cabeza con gesto de admiración.

—Nos acaba de decir...

—Sí —lo interrumpió Max, porque Gina seguía hablando.

—Quiero decir, Imelda es muy tímida y su hijo, Danjuma, sólo tiene dos años, aunque... el señor Barra de Hierro da mucho miedo. Desde luego, podría haber más gente en la casa, que no hemos visto...

Jones se incorporó, entendiendo por qué Jules sonreía. Gina acababa de decirles que sus captores eran cuatro personas y que, entre todos, quizá tenían una pequeña pistola.

—Vamos y reventamos esa puerta —dijo.

Pero Gina volvió a hablar. Se produjo una pausa, luego el sonido distante de una voz y luego Gina.

—Emilio dice que estoy perdiendo el tiempo. Lo siento, pero... ¿está Max contigo? Porque —dijo, y rió como si no se lo creyera—, Emilio nos va a soltar.

—¿Qué?

—Tenían a su mujer —dijo—, pero ahora ha descubierto que ha muerto, que los que se la llevaron la mataron, así que no quiere... Escucha, es complicado, pero pensé que sería más fácil hacer esto si Max estuviera contigo. ¿Está ahí? ¿Puedo...? Por, favor, tengo que hablar con él.

Max le cogió el teléfono a Jules. Apagó el altavoz.

—Gina —dijo—. Estoy aquí.

—Oh, Max —dijo Gina, con voz ahogada por la emoción—. Gracias a Dios... —Y luego calló.

La reemplazó una voz de hombre, que debía de ser Emilio.

—Esta reunión es muy conmovedora, pero no tenemos tiempo. Voy a llevar a las mujeres a casa de un amigo en el lado norte de Pulau Meda, una isla al norte de Timor Oriental. Estarán a salvo hasta que vosotros lleguéis.

Pocos minutos después de que Emilio le quitó el teléfono a Gina, el asunto cobró un giro muy alarmante.

En un momento, Emilio hablaba calmadamente con Max por teléfono, dándole instrucciones para llegar a la casa del médico. Y luego dejó de hablar, como si escuchara algo que Max le decía. Y, al instante siguiente, se puso a gritar.

El escaso italiano que Molly conocía se limitaba normalmente a las cosas que podía escoger de un carrito de postres, pero conocía la palabra que significaba *prisa*.

Ahora la oyó, repetidas veces, en boca de Emilio.

Imelda entró, cogió a su hijo y salió corriendo.

Apareció el señor Barra de Hierro, dijo una sarta de cosas en italiano, cogió lo que parecía un llavero de Emilio y salió.

Y la pequeña pistola que no habían vuelto a ver desde que se vieran obligadas a entrar en el contenedor, apareció en la mano muy serena de Emilio.

Apuntó directamente a Gina, que todavía estaba bajo el impacto de saber que Max había venido en su busca, después de haber hablado con él.

Gina recibió torpemente el teléfono móvil que Emilio le lanzó, y consiguió cogerlo.

—Y ¿ahora qué está pasando? —preguntó Molly.

—Dígale a su amigo —ordenó Emilio a Gina—, que si alguien se atreve a poner un pie en esta casa, usted será la primera en morir.

Capítulo 16

El error de Max había sido dejarle saber al secuestrador que estaban en Pulau Meda.

Era evidente que Emilio no se había imaginado que llegarían a Indonesia tan pronto.

Y también era bastante evidente que Emilio esperaba que Jones estuviera solo, y que la presencia de Max lo había puesto nervioso.

Max se había enzarzado en una discusión sobre los planes de Emilio para llevar a Gina y Molly a la propiedad de un médico. Donde había —vaya, qué conveniencia— un avión con el que Jones podría sacarlos a todos de ahí.

Fue en ese momento que Max cometió el error de sugerir que Emilio dejara libres a sus rehenes ahí mismo, en su casa. Max las ayudaría a salir a salvo de la isla. Si bien no le dijo a Emilio que estaba al otro lado de la calle, le dio a entender al secuestrador que se encontraban cerca.

Todo el mundo comenzó a gritar al unísono, hasta que Emilio se aprovechó de la tecla de su móvil para silenciarlo.

Max debería haber dicho que sí a todo y luego debería haberlos interceptado en el camino. Desde luego, tendría que tener en cuenta el peligro que implicaba sorprender a un hombre que estaba en posesión de al menos un arma mortífera. Las armas y las sorpresas eran una mala combinación.

—Maldita sea —dijo ahora.

—Sí —convino Jules, mirando la calle—. Yo también estoy recibiendo una señal muy confusa. Parece una trampa. Pero si de verdad quiere soltarlas...

—Me importa una mierda lo que quiera o no quiera. —Jones estaba dispuesto a cargar—. Voy a entrar, antes de que se las lleve y escape.

—Atención —dijo Jules—, tengo una puerta de garaje que se está abriendo.

Sin pensárselo dos veces, Jones dio una patada a la rejilla y salió por la ventana.

Maldita sea. Tendría que haber sido el último en salir, no el primero. Él era el jodido blanco, por el amor de Dios.

Pero entonces Max oyó la voz de Gina en el teléfono.

—Max, Emilio tiene una pistola, dice que no quiere que... entréis... ¿Dónde estás? Oh, ¿de verdad estás tan cerca? Sí, sí... lo sé. —Sonaba como irritada, y hablaba con Emilio—. Max, dice que te diga que si entras aquí, me matará. —Y, de vuelta a Emilio—. Ya se lo he dicho, ¿vale?

—Furgoneta blanca, saliendo del garaje —anunció Jules, por encima del ruido de las ruedas que chirriaban.

Maldita sea.

—¿Tú y Molly todavía estáis dentro de la casa? —le preguntó Max a Gina mientras seguía a Jones. Era una caída de unos tres metros hasta el callejón junto al edificio, pero cayó de pie. Jules lo seguía de cerca.

—Sí —dijo Gina.

—¿No vais en un vehículo en movimiento? —Tenía que asegurarse.

En la calle había un Ford Escort destartalado. Jones ya había abierto la puerta oxidada y empezó a hacer un puente.

—No. —Era una respuesta definitiva.

—Y ¿Molly está contigo? —preguntó Max.

—Esta aquí, conmigo. Max, ¿qué está pasando?

Jules ya estaba en el interior del garaje y había desenfundado el arma. Quien quiera que hubiera salido en esa furgoneta tenía tanta prisa que había dejado la puerta del garaje totalmente abierta, pero también la puerta de la casa había quedado entreabierta.

Y qué puerta. Como algo que uno encontraría en un búnker, construido para aguantar un asalto de gran envergadura.

Max llamó a Jules por lo bajo.

—Detente.

Jules metió algo entre la hoja de la puerta y el marco, asegurándose de que no se cerrara de golpe. Asintió con un gesto de la cabeza para señalar que había oído, que no avanzaría hacia el interior.

—Jones —llamó, con un silbido de voz, para llamar la atención de su compañero cuando volvió hacia la puerta abierta. En silencio, le hizo señas para que abandonara la calle. También señaló hacia el garaje y con un gesto imitó un volante de coche. El significado era claro. Había un coche ahí dentro.

Jones asintió. Cerró la puerta del Escort y trotó hasta donde estaban ellos.

Max estaba concentrado en Gina, al otro extremo de la línea.

—Dile a Emilio que estoy afuera, que quiero entrar sólo para hablar. Nada de armas, estoy totalmente desarmado, con las manos en alto y abiertas. Dile que si quiere me quedaré en cueros. No sería la primera vez.

Gina rió de verdad.

—¿En serio?

—Sí, díselo.

Gina sonaba… exactamente como siempre había sonado. Max no sabía qué encontraría, quizás a una Gina sometida, asustada y derrotada, abrumada por el terror de saber que había grandes probabilidades de que saliera malherida de aquella situación.

—Oh, Max —dijo—, no sabes lo contenta que me he puesto de escuchar tu voz.

—Tú, díselo Gina —dijo él, pero no pudo evitar añadir—: Y lo mismo te digo.— Apagó el sonido del teléfono cuando ella transmitió el mensaje, porque vio que Jules tenía algo que decir.

Pero Jones habló antes.

—No nos queda mucho tiempo antes de que lleguen refuerzos.

—¿Estamos seguros de que dice la verdad? —preguntó Jules—.

Si yo secuestrara a alguien y decidiera dejarla ir, salvo que de repente apareciera en mi puerta su marido muy enfadado, cambiaría de actitud y me sentiría atrapado. Si la mujer de Emilio ha muerto...

—Si es que tiene una mujer —señaló Jones.

—Haz funcionar tu magia con este coche —le ordenó Jules a Jones—. Puede que Testa no esté dispuesto a entregar las llaves. Preparémonos para movernos. Llamaré a la embajada en Dili, les informaré acerca de la situación. Se giró hacia Max.— Necesito tu teléfono. Tú tienes el mío.

Max buscó en su bolsillo y le entregó su móvil.

—¿Max? —Era Gina que volvía a hablar por el teléfono de Jules.

—Estoy aquí —dijo él.

—Puedes entrar. Pero te quiere con una camiseta, sin chaqueta, sin nada en la cabeza, las manos en alto y abiertas, como has dicho. Dice que mientras estés aquí, si escucha ruidos en el pasillo, me disparará.

—Entendido. —Max ya había comenzado a quitarse la ropa, la chaqueta, la funda, las pistolas, todo hecho un montón en el suelo de cemento—. Voy a entrar —le dijo a Jules.

Jones bajó del coche.

—No dejes que les haga daño.

—No lo dejaré —prometió Max.

No debe haber sido fácil verse obligado a quedarse afuera mientras Molly estaba ahí dentro. Pero Jones asintió con un gesto de la cabeza.

—No puedo comunicarme con la embajada —informó Jules.

—Sigue intentándolo. Gina —dijo Max—, dile a Emilio que voy a abrir la puerta del garaje que da a la casa. Mantén la línea del teléfono abierta, si puedes, ¿vale? Le pasaré el móvil a Jules. Quiero que oiga lo que está ocurriendo. —Le entregó el teléfono con el sonido apagado y bajó la voz cuando miró de Jules a Jones—. Si digo *fuego*, entráis a toda pastilla y a matar. ¿Entendido?

Jones asintió.

—Max. —Jules lo detuvo poniéndole una mano en el brazo—. No hagas nada demasiado estúpido.

—Podrías haberme dicho lo mismo hace un año y medio —dijo Max, entrando en la casa—. Me estoy acercando por el pasillo —avisó en voz alta, con las manos abiertas y por encima de la cabeza.

¿Jules Cassidy también había venido?

Gina no tenía tiempo para preguntarse a cuántos miembros más de su equipo había traído Max, o cómo Jones había conseguido establecer contacto con ellos, porque Emilio desplazó la pistola desde su espalda hasta justo por debajo de la mandíbula.

El cañón era frío y pesado. Y una sola bala podía arrancarle la cabeza de los hombros, si Testa apretaba el gatillo.

Se quedó muy quieta, con el teléfono todavía abierto en sus manos.

Y entonces Max apareció en la entrada de la habitación.

Echó una rápida mirada alrededor para tener una idea de la situación (Molly todavía sentada en la cama, la pistola en manos de Emilio) y luego encontró la mirada de ella.

—Hola —dijo, como si se hubieran encontrado en el pasillo de los cereales en el supermercado.

Pero ¿cuál era el saludo correcto en este tipo de situaciones? Además de la confusión de las buenas maneras, Gina se distrajo pensando en lo cambiado que parecía Max.

Se dio cuenta de que pensaba en las cosas más absurdas, entre ellas, que su clavícula rota debía de estar completamente sanada para que pudiera sostener las manos en el aire de esa manera.

Y quizás era su camiseta negra ajustada al torso y en los hombros, o su manera de sostener los brazos en el aire lo que hacía que los músculos estiraran la tela de las mangas, pero daba la impresión de que había recuperado por completo la forma durante los meses de su ausencia.

Había recuperado la forma y algo más.

Sin embargo, no era sólo su extrema calma lo que le daba un aspecto de desconocido. Era evidente que no se había afeitado en varios días, y una barba incipiente le cubría el mentón. Tenía el pelo largo y aplastado, como si hubiera llevado una gorra durante días.

Llevaba pantalones vaqueros y zapatillas deportivas en lugar de un traje de sastre, aunque en el centro de rehabilitación ella se había acostumbrado a verlo vestido informalmente.

No, eran sus ojos los que más le daban ese aspecto de desconocido y, a la vez, lo hacían familiar.

A Gina siempre le habían fascinado los ojos de Max. Eran unos ojos sin fondo y tan exóticamente marrones que casi eran negros.

Ahora la miraba a ella como Gina siempre había deseado que la mirara. Sin ocultar nada. Con todo lo que en ese momento sentía para que ella lo viera.

Temor. Rabia. Vulnerabilidad. Frustración. Todo era muy visible, además de un gran alivio.

Y toneladas de esperanza.

—Hola, Max —respondió ella, con voz queda.

Pero él ya tenía toda su atención concentrada en Emilio. Y en esa pistola.

—Apártese de ella, señor Testa. No hay necesidad de esto. Déjela ir, retroceda un par de pasos y apúnteme con eso a mí.

—¿Cuántos lo acompañan? —preguntó Emilio. Respiraba con dificultad y estaba todo tenso. Gina sentía que el corazón le latía con fuerza contra su espalda. O quizás era su propio corazón.

—Apártate de la chica. La mujer. —Max se corrigió sacudiendo la cabeza y le lanzó a Gina una sonrisa de disculpa—. Y luego hablaremos.

—Las reglas las pongo yo —dijo Emilio con voz tensa—. Yo tengo la pistola.

—Sé que no le quieres hacer daño. —El tono de Max era calmado y sereno—, así que apúntame a mí y...

—¿Grady Morant también esta aquí? —preguntó Emilio—. Está afuera en el garaje, ¿no? No quiero que entre.

—No entrará. Y si tú te apartas de Gina —repitió Max—, encontraremos la mejor manera de que todos acabemos sanos y salvos.

Gina se dio cuenta de que rezaba para que Emilio no apretara ese gatillo, que no le disparara, ni intencionada ni accidentalmente. No era sólo porque no quería sus sesos desparramados por la pared. Sabía que si Emilio la mataba ahí, Max nunca se recuperaría.

Y ya había traído demasiado dolor a su vida.

—Ahora mismo —dijo, mirando a Max—, esa historia de la facultad de derecho en la Universidad de Nueva York parece una oportunidad mal aprovechada.

Él sonrió, torciendo ligera y maliciosamente la boca.

—Sí —dijo, pero ni siquiera la miró, ocupado como estaba vigilando a Emilio.

Que finalmente la soltó.

Gina trastabilló cuando, de pronto, tuvo que sostenerse sola. Cayó apoyándose en las rodillas y las manos, y soltó el teléfono mientras se apartaba para poner cierta distancia entre su cabeza y la pistola.

Salvo que ahora Emilio apuntaba con esa maldita cosa a Max.

—Bien —dijo Max, sin duda para tranquilizar a Jules—. Mantenla ahí, apuntándome a mí.

—Por favor, no le dispare —imploró Gina—. Preferiría que me matara a mí a tener que...

—Gina, eso no sirve de nada —le avisó Max.

—... volver a vivir aquello —acabó ella—. ¿No puede apuntar al suelo? ¿Por favor?

—Max tendrá las manos en alto —intervino Molly—. Todos queremos lo mismo, salir vivos de aquí. Así que calmémonos un poco.

Emilio bajó la pistola.

Gina sintió que el alivio le hacía flaquear las rodillas y se sentó en el borde de la cama.

—Gracias.

Molly se le acercó y la abrazó.

Y Max empezó a negociar.

—Hagamos lo siguiente. Deja que lleve a Gina y a Molly al puerto. Alquilaremos un hidroavión que nos lleve a la embajada de Estados Unidos en Dili. Saldremos de aquí. Dejamos la casa. Podemos salir todos al mismo tiempo, vosotros tomáis una dirección y nosotros la otra. No tenemos intención de joderos, Testa. Sólo queremos a Gina y a Molly a salvo. Veo que las has cuidado bien. Te estamos todos muy agradecidos...

—¿Cómo me habéis encontrado tan rápido? —preguntó Emilio.

—Eso ahora no importa —dijo Max—. Tenemos que concentrarnos en...

—Sí que importa —dijo Emilio—, porque he tenido tiempo para pensar. No quiero que los cabrones que mataron a mi mujer no sean castigados. Si vosotros tenéis... conexiones. Con vuestro gobierno. Con la CIA, sé que han estado aquí, en Pulau Meda... Si es así como me habéis encontrado, y si me podéis garantizar una... ¿cómo se dice? ¿Una amnistía? Y ¿quizá un incentivo financiero que me permita volver a instalarme...? Tengo información que podría compartir.

Era evidente que Emilio Testa había pensado que si estaban dispuestos a llegar a un acuerdo con Grady Morant, estarían dispuestos a hacer lo mismo con casi cualquiera.

Jones no confiaba en aquel cabrón, pero eran Max y Jules los que hablaban con él. Jules lo hacía mediante un teléfono móvil y, con el otro, seguía intentando comunicarse con la embajada, como si fueran sus amigos inseparables. Por otro lado, resultaba difícil saber si alguno de los dos confiaba en Emilio, o si sólo intentaban hacerle creer que confiaban.

En cualquier caso, era radicalmente diferente de la técnica de negociación que Max había utilizado al abrir la puerta de la habitación de ese hotel y encontrarse a Jones en el pasillo.

Aún así, hicieran lo que hicieran, lo estaban llevando bien.

—Jones —llamó Jules, y alzó la mirada mientras intentaba abrir el maletero del Impala.

Molly estaba junto a la puerta que daba a la casa.

Parecía cansada y estaba pálida, y tenía el pelo recogido en un moño. Estaba vestida como para un día de verano en el norte de Alemania, con pantalones largos. Se había remangado las piernas para compensar el calor reinante y atado las mangas de su sudadera alrededor de la cintura, que comenzaba a expanderse.

—Señora, ¿necesita usted atención médica? —le preguntó Jules.

Pero ella había visto a Jones.

Y corrió hacia él.

Y él la abrazó.

—Por favor, dime…

—¿Estás…? —Ella se apartó para mirarlo de arriba abajo, como él la miraba a ella.

—Estoy bien. —Los dos lo dijeron al unísono, seguidos de:

—¿Estás seguro?

Jones no sabía si reír o llorar. Molly reía y lloraba mientras lo besaba. Pero de pronto hizo una mueca de dolor y él la soltó enseguida.

—Estás herida. Lo mataré…

—No, no, es la biopsia.

Joder. Jones se había olvidado. Se echó hacia atrás y la miró.

—¿Es…? —No podía decirlo.

—No lo sé —dijo Molly, sacudiendo la cabeza—. Tardan días en tener los resultados. —Se secó las lágrimas de la cara e intentó sonreírle—. Sentí que el bebé se movía. Gina y yo estábamos cenando, en Hamburgo, y lo sentí.

El bebé. Jones sabía que tenía que decir algo, pero no podía mentir.

—Fue muy emocionante —siguió ella—. El camarero nos dio el postre gratis, para celebrarlo.

Y sólo Dios sabía que Jones no podía decirle la verdad. La estrechó suavemente, para que ella no le viera la cara, no supiera lo que pensaba.

Al contrario, susurró:

—Lo siento mucho. Por todo lo que ha pasado.

—Yo también. —Cuando ella se apartó, su expresión era la de una maestra de escuela—. No deberías estar aquí —lo riñó.

—Ya, vale, pero tú tampoco.

—En mi caso, ni siquiera sé qué es *aquí* —reconoció Molly.

—En el este de Indonesia —dijo él—. Estamos muy cerca de Timor Oriental.

—Claro —dijo ella—. De todas las islas sin ley que hay en el mundo, estamos cerca de la más sin ley de todas.

Al otro lado del garaje, Jules seguía manipulando los dos teléfonos, el suyo y el de Max y, al mismo tiempo, vigilaba la calle. ¿Qué estaba pasando dentro de la casa?

Molly contestó a su pregunta.

—Ahora vendrán. Sólo tienen que decidir una manera de hacerlo para que Emilio no se sienta amenazado. Creo que te tiene miedo.

—Se ve que es un tipo listo.

—Se supone que debo recordarte que tú eres el objetivo y decirte que mantengas la cabeza a salvo. Y también tengo que sentarme contigo en el asiento trasero del coche —dijo ella—, y, no sé, distraerte con mis habilidades de esposa. Para que no le dispares a Emilio. O algo así.

La expresión de Molly era la «Cara Pero», esa expresión que se le ponía cuando estaba a punto de disentir.

Gina también tenía una «Cara Pero» bastante impresionante, pero Molly era, incuestionablemente, la reina. Cejas apenas arqueadas, los ojos muy abiertos, retención de la respiración, todo para mejor pronunciar aquel sonido percusivo de la imprecación que seguía. Los labios se le torcían apenas en las comisuras, como si ya se imaginara la discusión que seguiría (para ella, discutir era toda una diversión) o como muestra de exasperación.

Ahora mismo era todo exasperación.

Él la volvió a estrechar en sus brazos y le besó el *pero* hasta hacerlo desaparecer.

—Te quiero —dijo—. Subamos al coche y démonos prisa, quiero salir de aquí.

Ella bajó la voz, miró hacia el garaje, donde estaba Jules.

—Tú eres el que deberías salir de aquí. Ahora mismo.

—No me pienso ir sin ti, muñeca —dijo él, sacudiendo la cabeza.

—Tienes que hacerlo. —Molly hablaba con absoluta seriedad—. De aquí nos vamos a la embajada en Dili. Si tú vienes con nosotros...

—Sí, lo siento, yo no me iré hasta que tú estés a salvo. Es un largo camino a Dili desde aquí —dijo, y la hizo subir al coche con él.

—Pero ellos te encerrarán si... —avisó ella.

—Es probable —convino Jones—. Pero sólo cuando hayamos emprendido el viaje de vuelta a Estados Unidos —dijo él, y volvió a besarla—. Me la he jugado, Mol, y he perdido.

—¿Te la has jugado? —Molly no entendía.

—Intentando conseguir un pasaporte que me permitiera volver a casa. Fue Kraus. Todavía no sé quién está detrás de todo esto, ni qué quieren, pero sí sé que Gretta Kraus me vendió.

—Emilio nos encontró ahí, en su taller —dijo Molly, asintiendo con la cabeza.

—Ya lo sé —dijo él, con gesto sombrío—. Vi la grabación de una cámara de seguridad. Fueron los de una célula terrorista que entraron a balazo limpio y casi os matan. Maldita sea.

—Dios mío —dijo ella—. Fue increíble. Al principio, yo no sabía qué pasaba...

—Increíble —la corrigió Jones—, es cuando alguien abre fuego en una iglesia o en un centro comercial. Cuando sucede en el taller de un falsificador profesional, donde los criminales van a inventarse una vida nueva, es un poco menos increíble. No tendrías por qué haber estado ahí.

Pero era tal como sospechaba. Molly se había inquietado por él.

—Quería prevenirte —dijo Molly—. Sabía que nos seguían. Vimos a Emilio en el pasillo de nuestro hotel cuando volvimos de la iglesia. Yo temía que...

—Yo habría sabido cuidarme solo —dijo Jones. Tenía ganas de sacudirla—. Deberías haber ido directamente a la embajada.

—Pero ése era el único lugar donde sabía que no estarías —se quejó ella.

—Y ¿cómo disteis con el estudio? —Él se había abstenido a propósito de darle la dirección de Kraus.

—Fuimos a un... establecimiento algo menos sofisticado, una especie de tienda de empeño con burdel, creo. Sólo fingimos ser dos mujeres que necesitaban pasaportes para viajar a Nueva York.

Jooder. Jones sólo podía imaginarse el tipo de antro donde habían estado. Con sólo pensar en ello, le entraban ganas de... ¿Cómo era eso que Gina decía siempre? Cagar monos. Aún así, si Jones hubiera intentado ponerse en contacto con Gretta Kraus, habría tardado diez días, y mucho más que una visita a una mierda de casa de putas.

—Entramos hablando con acento falso —dijo Molly—. *Perdona por favor para ayuda*... grandes ojos de mujeres ingenuas —dijo, y le mostró la mirada —, además de una tos imparable para asegurarse de que nadie se acercara demasiado. Ni siquiera tuve que mostrar el escote.

Jooder. Él también tenía una expresión que a veces se le colaba en la cara. Se llamaba «Cara de qué coño».

Pero la historia no acababa ahí.

—Gina se metió la chaqueta debajo de la camisa —dijo Molly—, y fingió que también estaba embarazada. Era parte de nuestros personajes, nuestra motivación para ir a Estados Unidos. Queríamos que nuestros hijos nacieran allí, ¿me entiendes?

Molly estaba sumamente contenta consigo misma por tener la motivación para entrar en un burdel donde sin duda abundaban los peores ejemplos de detritus que la humanidad podía ofrecer. Ladrones, chulos y negreros, drogadictos y traficantes, asesinos, violadores...

—Ella sólo decía *No hablar inglés* y *Sprech kein Deutsch*, y fingía que se ponía a llorar cuando alguien miraba en su dirección —dijo Molly, poniendo fin a su relato—. Estuvo brillante. —Ahora le tocaba a ella besarlo a él—. Por favor, vete —dijo—. Nos encontraremos cita en algún lugar cuando todo esto haya terminado. Después de que vuelva a casa y pase por esto del hospital.

Por esto del hospital. Como si liberar a su organismo del cáncer fuera a ser un paseo por el parque. Y como si tuviera un final feliz garantizado.

Sin embargo, Molly estaba decidida.

—En algún lugar como Perth, o Taiwán, o quizá Kuala Lumpur... Podríamos ayudar como voluntarios en la catástrofe del tsunami.

—Yo no puedo —dijo Jones.

—Claro que puedes —insistió ella.

—No —dijo él—. Aunque pudieras convencerme de que estarás a salvo a partir de ahora, no me iría. Le he vendido mi alma al diablo para encontrarte, Mol.

Ella no entendía.

—He hecho un trato con Max —explicó él—. Yo a cambio de ti y Gina. A diferencia de otra gente, él al menos no quiere verme muerto.

Era un chiste muy malo y, desde luego, ella no rió.

Pero dejó de pedirle que escaparan, como si de verdad pensara que Jones era un hombre de honor, un hombre que honraba su palabra.

Al otro lado del garaje, Jules discutía con Max por el teléfono.

—No —decía—. Yo lo haré. —Pausa—. No, yo me encargo. Alguien tiene que quedarse con Gina y Molly y...

Estaban en medio de una discusión con mucha testosterona de por medio. Al parecer, había un asunto muy peligroso del que debía encargarse un héroe.

Como hombre de honor que era, Jones se quedó donde estaba, abrazando a su mujer.

Jules emitió un gruñido de exasperación.

—No, yo mando, así que calla de una vez para que te pueda decir qué vamos a hacer.

El gay ése tenía un par de huevos.

—Conseguiremos un abogado —dijo Molly, y Jones volvió al agujero negro de la incertidumbre que se perfilaba como su futuro.

—Sí —dijo, obligándose a sonreír mientras la miraba a los ojos, esperando que ella no viera en ellos el terror que lo embargaba cada vez que pensaba en la posibilidad de perderla.

Pero aunque en ese momento salieran y cruzaran un portal que diera directamente a la casa de su madre en Iowa, todavía existía una posibilidad de que tuviera que enterrar a Molly en los años que siguieran.

Jones llamó a Jules, y tuvo que alzar la voz.

—Tenemos que irnos. ¿Por qué tardamos tanto?

Jules seguía teniendo problemas con la comunicación y, finalmente, decidió renunciar a la embajada y se guardó el móvil en el bolsillo.

Tenían que salir de ahí.

Comprobó su cargador, deseando por enésima vez haber traído más municiones.

Su premio de consuelo era un sombrero. Un fedora raído que parecía haber volado de la cabeza de Bogart durante el rodaje de *Cayo Largo*. Una ráfaga lo había lanzado a los vientos durante el huracán de la película, y había acabado ahí, al otro lado del mundo, sesenta años más tarde.

En su cabeza.

Aunque había permanecido en un armario dentro de la casa, olía como si hubiera pasado los últimos treinta años en el fondo de una jaula de pájaros.

Sí, señor. Ponerse el fedora era casi tan divertido como ponerse la cazadora de aviador de cuero marrón.

Lo cual, en realidad, no era justo con la cazadora de aviador, una pieza antigua muy bien cuidada que no olía mal. Y decididamente iba con él, coincidía con sus fantasías de aviador. Sin embargo, el día se había vuelto muy caluroso y faltaba poco para que el termómetro llegara al millón de grados a la sombra.

Necesitaba guantes, o quizás una bufanda de lana que sirviera de complemento para su inminente insolación.

—Hoy, interpretando el papel de Indiana Jones, alias Grady Morant, se encuentra Jules Cassidy —dijo, poniéndose la chaqueta.

¿Alguien se dejaría engañar por eso? Jones era mucho más alto que él.

En realidad, la pregunta del millón era si había alguien allá afuera observando, de manera que pudieran engañarlos.

Emilio Testa estaba convencido de que sí.

Creía que si lo veían saliendo de su casa en coche, amenazando a un hombre con una pistola, supondrían que tenía a Grady Morant en su poder.

La teoría número dos (la primera era que los observaban) era que los vigilantes no tardarían en subir a sus propios coches y seguirían a Emilio. Y ¿si los interceptaban? Error, no había ningún Grady Morant en ese coche, sólo Jules.

Entretanto, Jones y los otros podrían salir en el Impala, sin que nadie los viera.

La teoría número tres era que un coche del tamaño de un crucero podía pasar desapercibido, pero, bueno.

El plan que habían acordado implicaba usar los dos coches, con el mismo destino final, el muelle en el puerto.

Jules y Emilio, que saldrían primero, se reunirían con el hidroavión que no tardaría en llegar, propiedad de un hombre que, según Emilio, era digno de toda confianza. Él los llevaría hasta la Embajada de Estados Unidos en Dili, Timor Oriental.

El plan obligaba a los demás a esperar a que Jules llamara para decir que el terreno estaba despejado.

Siempre y cuando, desde luego, estuviera despejado.

Todavía reinaba una desconfianza palpable entre ambos bandos. Por ejemplo, a pesar de la insistencia de Emilio de que ahora estaban todos en el mismo bando, se negaba a entregar su arma.

Y a Jules no le agradaba ser un aguafiestas, pero había ciertos aspectos un poco oscuros e inexplicados del drama de secuestros y asesinatos que había relatado Emilio.

Por ejemplo, ¿qué había del hecho de que Jules, Max y Morant hubieran entrado en la casa por la puerta del garaje abierta hacía ya quince minutos? ¿Después de que la furgoneta blanca hubiera desaparecido con un chirrido de neumáticos por la calle llena de baches?

La respuesta de Emilio fue servirse de ese detalle para afirmar que debían largarse lo antes posible.

Vale. Pero ¿qué pasaba con la furgoneta blanca? ¿Quiénes eran los que iban dentro y por qué tanta prisa?

Emilio les dijo que su ayudante, Antón, llevaba a su nuera y a su nieto a un lugar seguro.

Vale. Salvo que los informes de la CIA decían que Emilio se había casado hacía sólo diez años. Era un hijo muy precoz el suyo... ¿casado y con un hijo a los nueve años?

Señalar los vacíos en la historia de Emilio no iba a agilizar las cosas, de modo que Jules se guardó sus observaciones.

La negociación con un hombre armado versaba más sobre el fin que sobre los medios, y su máxima prioridad era separar a Molly y Gina de Emilio y su arma.

A Jules no le quedaba muy claro todavía quiénes eran «ellos», tanto «ellos» los vigilantes como «ellos» que recibían la información de los primeros, pero en ese momento no importaba.

Emilio había hablado de un contacto hecho con un hombre llamado Ram, pero no se sabía con certeza si este Ram había tomado el relevo de Chai, el barón de la droga recientemente muerto que había puesto un precio a la cabeza de Grady Morant, o si era un hombre que trabajaba para el gobierno de Indonesia.

Desde luego, tratándose de esa isla, era posible que fuera los dos a la vez.

Sin duda todo se aclararía siempre y cuando llegaran a su refugio en la embajada de Estados Unidos.

Sin embargo, para darle más emoción a las cosas, Jules todavía no lograba ponerse en contacto con la embajada en Dili. Había llamado al personal diplomático de Yakarta y a la CIA pero las líneas seguían ocupadas. Por otro lado, Yashi se sumaba al clima internacional de confusión no contestando desde su despacho en Washington D.C.

Finalmente, Gina salió de la casa. Emilio la tenía cogida con fuerza por el brazo y le apoyaba el cañón del arma en la espalda. Max los seguía a unos pasos, y parecía a punto de parir una mata de espinos.

El señor E se parecía bastante al que habían visto en los vídeos. Elegante. Bien vestido. Incluso de cerca no parecía tener más de cincuenta y cinco años. Bueno, quizás el cuello parecía de sesenta años. Usaba una colonia agradable, pero se le había ido un poco la mano.

El hombre sabía sin duda ser persuasivo. Para ello, mantenía la menor distancia posible entre el cañón de su arma y su rehén, que en este caso era Gina.

Si apretaba el gatillo, no había ninguna posibilidad de que fuera a errar.

—Gracias por todo —le dijo Gina a Jules.

Claro, a Jules jamás se le pasaría por la cabeza la idea de enviar a Max con Emilio.

Y no era sólo porque Emilio estuviera armado y fuera peligroso, ni porque Max ya no fuera agente del gobierno de Estados Unidos.

Jules había escuchado casi toda la conversación entre los dos mientras habían permanecido dentro, y era más que evidente que Max todavía tenía que estrechar a Gina en sus brazos y escenificar el gran beso de Han Solo con la princesa Leia en *El imperio contraataca.*

Quizá cuando Jules y el señor E salieran del garaje y subieran al destartalado Escort (que pertenecía a la flota de Testa), Max aprovecharía la oportunidad para plantar un beso húmedo y apasionado en boca de aquella mujer que, a todas luces, todavía amaba.

O quizá no.

—Cariño, me encanta el corte de pelo —le dijo Jules a Gina mientras le devolvía a Max su teléfono móvil—. Tienes un aspecto estupendo para una mujer que lleva cinco días muerta.

—¿Qué? —preguntó ella. Pero había que partir.

—Max te lo contará —dijo él. Iba a ser imposible que Max le contara a Gina lo de aquel informe que la daba por muerta sin que se le humedecieran un poco los ojos. En ese instante, Gina le lanzaría los brazos al cuello. Si Max no podía apañárselas para convertir eso en un ósculo que revelara toda la verdad, no se merecía a esa mujer—. Ay —añadió, cuando Emilio le hincó el cañón del arma en el riñón.

—Lo siento. —Emilio consiguió que en su frase hubiera suficiente arrepentimiento, pero estaba tan estresado que no la acompañó con la expresión adecuada. Era bastante raro. Sobre todo cuando volvió a empujar a Jules—. Vamos.

Guau. Se lo iban a pasar en grande.

Entretanto, Max se había situado protectoramente delante de Gina. Cruzó una mirada con Jules.

—Esperaremos tu llamada. —En silencio, transmitió un mensaje del todo diferente. Si Emilio le daba a Jules algún problema, debía matarlo.

No importaba que fuera Emilio el que tuviera el arma. No importaba que Jules tuviera las manos vacías y a la vista, y que, de atreverse a llevárselas al bolsillo Emilio le dispararía a bocajarro.

A pesar de la aparente desventaja, Max tenía una fe inquebrantable en la capacidad de Jules para vencer las dificultades.

Era, posiblemente, el momento más glorioso de toda la carrera de Jules, ahí, en ese garaje vetusto y húmedo con un capullo que le apuntaba a la espalda con una pistola.

—Nos vemos pronto —le prometió Jules a Max.

Se caló el sombrero sobre el rostro y sostuvo las manos ligeramente al frente.

Y partieron.

Capítulo 17

Max observó mientras el Escort de Testa se ponía en marcha a duras penas con toses y estertores y finalmente se alejaba calle abajo con Jules al volante.

Cuando se giró, Gina estaba ahí, abrazándose a sí misma, mirándolo como si acabara de matar a su perrito.

—Estará bien —dijo.

—¿Qué quiso decir Jules allá adentro cuando dijo que ya no eras su jefe? —preguntó.

—Quiso decir que ya no soy su jefe —dijo Max—. Mira, tenemos que movernos rápido, así que…

—Perdona. Tienes razón. Sólo que… también me alegro de verte a ti. Ha pasado un buen tiempo. —Era evidente que estaba enfadada con él. Genial.

Cuando se giró hacia el coche, vio que Jones ayudaba a Molly a bajar del asiento trasero.

—Nos vamos a pie —explicó Max antes de que Gina preguntara—. Y me alegro de verte. —Más de lo que ella podría imaginar.

—¿A pie? Pero…

Él sabía que Gina lo había oído decirle a Emilio que irían en el Impala.

—No vamos a coger el coche —aclaró Max—, porque él quería que nos lo lleváramos. No confiamos en él. —Se volvió hacia Jones—. ¿Nos puedes llevar a esa pista de aterrizaje que viste anoche?

—Eso está hecho.

Sin embargo, Gina no estaba contenta.

—Dejaste que Jules se fuera con él.

—Yo no *dejé* que Jules hiciera nada. Además, Jules sabe cuidar de sí mismo. ¿Tenemos algo que Molly y Gina puedan ponerse en la cabeza —le preguntó a Jones?

—Como ¿qué? ¿Bolsas de papel? —bromeó Molly—. Ya sé que tenemos un aspecto horrible, pero…

—Pañuelos —dijo Max—. Para cubriros el pelo.

¿Cómo era posible que se tomara el tiempo de hacer bromas? Sin embargo, las dos mujeres llamarían la atención de todas maneras con su ropa occidental, aunque llevaran el pelo cubierto. Quizá no importaba. Salvo que el pelo rojo de Molly era muy llamativo.

—Quizás haya algo aquí dentro. —Jones había encontrado una barra de hierro, y ahora intentó abrir el maletero del Impala.

—Podríamos mirar dentro de la casa —sugirió Gina.

—No —decidió Max—. No tenemos tiempo. Vamos…

—Guau. —Jones había abierto el maletero.

Molly se acercó a mirar.

—Dios mío.

Gina fue un poco más irreverente.

—Jooder.

Max se quedó mudo mirando la colección de armas que llenaban el maletero del coche. Había abundancia de todo, desde pistolas hasta un muestrario de rifles de asalto y submetralletas M3 y HK-MP5, rifles de precisión Remington, con sus miras telescópicas, y unas escopetas de aspecto letal.

Había suficiente para armar un pequeño ejército.

O una docena de células terroristas.

Su instinto le había dicho que no confiara en Emilio Testa. Pero no había sabido hasta qué punto no confiar en él.

—Así que imagino que la historia de «Pobre de mí, han secuestrado y matado a mi mujer» no era más que eso, un cuento —dijo Jones.

Una historia bien montada. Emilio tenía todo un arsenal donde escoger un arma, pero les había hecho creer que él, y quien fuera que había salido de ahí a toda carrera en la furgoneta blanca, tenían una pequeña pistola para los dos. Max casi admiraba a aquel hombre. Casi.

—Jules está con ese tipo —dijo Gina, como si él lo hubiera olvidado.

—Sí. —Max sacó su móvil para llamar a Jules mientras, al igual que Jones, estiraba la mano y se hacía con una de las HK y una generosa cantidad de municiones.

Pero, joder, aquél no era su teléfono sino el de Jules. De alguna manera, se habían confundido. Lo cual significaba que Max tenía que llamar a su propio número, algo que no hacía nunca… Se encontró en la lista de contactos de Jules, en la letra B. Marcó.

—Movámonos. —Con el teléfono pegado a la oreja, Max empezó a correr calle abajo.

Emilio encendió su teléfono móvil mientras Jules iniciaba el descenso de la montaña y se dirigía al puerto.

El señor E había bajado el arma después de dejar la plaza. Se habían internado por un camino estrecho y serpenteante que abría una brecha en la selva.

Jules empezó a pensar que quizás Emilio decía la verdad. De pronto se vislumbraba la posibilidad de que en los próximos minutos ocurriera exactamente lo que habían planeado, y que el trayecto hasta el puerto transcurriera relativamente sin incidentes.

—Perdón —dijo Jules—. Preferiría que no hiciera ninguna llamada hasta que lleguemos…

—Sí —Emilio dijo al teléfono. No sólo ignoró abiertamente a Jules sino que volvió a levantar la pistola.

Qué maravilla.

Emilio hablaba como en rápidas ráfagas en una lengua que Jules no entendía. Sin embargo, no necesitaba un diploma en estudios de portunesio, o como se llamara aquella extraña mezcla de portugués e indonesio, para imaginar lo que Emilio decía. *Cambio de planes. Morant está en mi casa, esperando una llamada para salir, y luego saldrá hacia el puerto en mi Chevy Impala color azul. Cogedlo, ahora.*

Pero luego cambió al inglés, como si ahora hablara con otra persona.

—No —dijo, irritado—. No, eso no es así. Lo traje a la isla, que era lo único que había prometido. Ahora es cosa vuestra...

En el bolsillo de su cazadora de aviador, el teléfono de Jules empezó a vibrar. Era curioso. Había puesto el móvil de Max en modo vibrador, pero no el suyo... *Mierda*. Le había entregado a Max el teléfono equivocado.

Hurgó en su bolsillo pero Emilio le ladró.

—¡Las manos en el volante donde pueda verlas!

Por lo visto, había pensado que Jules intentaba sacar un arma. Lo cual, pensándolo bien, era una muy buena idea.

Emilio no podía dispararle a Jules porque éste conducía. El camino era irregular y estrecho, con curvas muy cerradas y barreras de protección que a trozos estaban totalmente oxidadas. No sería una maniobra demasiado difícil salirse del camino y rodar montaña abajo.

No, Emilio no podía dispararle, pero él sí podía disparar a Emilio.

—Para aquí —ordenó Emilio, después de acabar su conversación y apagar su móvil.

—Creo que no —dijo Jules, y aceleró a fondo.

—¡Maldita sea! —exclamó Max.

Aquello no estaba en la lista de expresiones que Molly esperaba oír en boca de Max en ese momento. Más bien un «¡Hurra!», por ejemplo. Seguido de: «¡Estamos a salvo, podemos dejar de correr!» Y luego: «Podemos hacer una barbacoa para comer, y rematarla con una tarta de chocolate».

Para Molly había acabado el momento del día en que sólo sentía náuseas y empezado el momento en que se desataba en ella un hambre voraz.

Pero lo que Max dijo fue:

—Acabo de perder la señal de mi móvil.

—Quizás estamos demasiado cerca de una torre —dijo Gina,

sin aliento. Correr cerro arriba tampoco era parte de su lista de diversiones.

Llevaban mucho tiempo corriendo desde que a Molly le habían cerrado la incisión de la biopsia con unos cuantos puntos de sutura.

—¿Qué diablos es eso? —preguntó Jones.

¿Qué era qué? Se detuvieron en seco en el camino polvoriento. Molly se inclinó hacia delante, intentando recuperar el aliento…

Era el ruido inconfundible de un camión. Que se acercaba. Todavía no aparecía en el camino por delante, pero era evidente que no era un remolque de dieciocho ruedas con un cargamento de platos y servilletas de papel para una fiesta en el Wal-Mart local.

—Mierda —dijo Jones.

Desde su anterior estancia en esa parte del mundo, Molly sabía que el ruido de un camión, con el embrague estropeado y el motor asmático, sólo significaba una cosa.

Fue Max el que le avisó a Gina.

—Es probable que se trate de un transporte de tropas.

Que se dirigía hacia ellos.

La pregunta del millón era qué tropas eran las que transportaba.

El hecho de que se hubiera establecido una embajada de Estados Unidos en las inmediaciones de Timor Oriental implicaba que también habrían venido los Marines necesarios para protegerla. Por lo tanto, no era del todo imposible que el camión transportara a un contingente de aliados.

Sin embargo, el intercambio de miradas entre Jones y Max le dijo a Molly que ellos no creían en esa posibilidad.

—¿Podemos escondernos y esperar a que pase? —preguntó Gina.

—Parece que hay más de un camión —dijo Jones—. Y nos estarán buscando. Puede que no se limiten a pasar de largo.

Por otro lado, las casas a lo largo del camino estaban construidas unas junto a otras, adheridas a la pendiente del monte. Al otro lado del camino había un precipicio. La vista era impresionanate, pero no había donde esconderse.

—Por aquí —dijo Max— y volvieron por donde habían venido.

Porque las alternativas no abundaban.

Acababan de pasar lo que parecía un sendero que se internaba monte arriba desde el camino.

—Es un camino sin salida —gritó Jones, cuando vio que Molly se dirigía hacia él.

—¿Cómo lo sabes? —preguntó ella.

—Estuve por aquí anoche. —No tenía aspecto de estar cansado. Claro, él no estaba embarazado ni tenía esos puntos de sutura en el pecho—. Hay otro camino que podemos seguir hasta la pista —le dijo a Max—. No es igual de directo. Tendremos que bajar la montaña y luego volver a subir por el otro lado.

Bajar era una buena propuesta.

Sobre todo porque, a medida que volvían sobre sus pasos, el precipicio de la izquierda se iba convirtiendo en una jungla espesa y empinada. Max fue el primero en pasar por encima de la barrera y luego ayudó a Molly y Gina.

—Con cuidado —avisó, pero Gina resbaló—. ¡Jones!

Éste iba justo detrás de Molly. La sujetó con fuerza mientras Max cogía a Gina por la camisa.

—¡Dios mío! —Gina agitó los brazos y cayó sobre el trasero, haciendo caer a Max también. Pero éste no la soltó. La mantuvo agarrada mientras caían y resbalaban monte abajo hasta que Max consiguió cogerse de la rama de un árbol más robusto.

A esas alturas Gina colgaba de una de sus piernas.

—¿Te encuentras bien? —preguntó Max.

—Oh, Dios mío —repitió ella.

Jones cogió a Molly por la muñeca y le mostró cómo cogerlo a él de la misma manera, para asegurar el asidero. Comenzaron a bajar, esta vez mucho más lentamente.

—Como quisiera tener una cuerda —dijo Jones.

—Si se me concediera un deseo —dijo Molly—, no me lo gastaría en una cuerda.

—Es verdad —dijo él, mientras seguían deslizándose cerro abajo—. Desearía vivir cincuenta años más para envejecer contigo en una casita en un pueblo con un solo cruce en, no sé, quizás en el norte de California.

Ella rió, sorprendida.

—¿En serio? —preguntó—. Pensé que odiabas Estados Unidos.

Jones se encogió de hombros.

—Es verdad. —Era posible que se avergonzara de reconocerlo—. Eso no significa que no quiera volver a casa.

Molly pensó que su insistencia en volver a Estados Unidos era una muestra de sacrificio desinteresado. Lo prefería así, pero no había tiempo para decírselo porque habían llegado hasta donde Max y Gina.

Max le enseñaba a Gina cómo cogerse de la vegetación de la selva si volvía a resbalar.

El muy torpe la tenía cogida por la cintura, firmemente agarrada, y ella se sujetaba con un brazo alrededor de su cuello. Estaban prácticamente cara a cara, pero él no aprovechó la oportunidad para besarla.

Al contrario, Max la soltó y se volvió hacia Jones.

—¿Por dónde?

—No lo sé —reconoció éste—. Anoche no exploré esta parte de la montaña.

—Yo tampoco. —Max no estaba contento.

—Estoy bastante seguro de que estamos al norte de la casa de Emilio —dijo Jones—. Si vamos hacia el sur, llegaremos a ese barranco que da al techo de su casa. Nuestra mejor apuesta es ir hacia el este. Lejos del camino.

Y hacia el este se dirigieron.

Max iba delante, sujetando a Gina de la misma manera que Jones sujetaba a Molly.

—¿Crees que puedes ir más rápido? —le preguntó Jones.

¿Más rápido? Vaya…

—Puedo intentarlo —dijo Molly.

Pero resbalar y deslizarse montaña abajo era incluso más difícil que subir, y al poco de andar le faltaba el aliento. Jones tuvo que bajar el ritmo.

—¿Por qué no vas a buscar ayuda? —preguntó Molly, casi sin aliento suficiente para hablar. El corazón le latía con fuerza.

—Ni te lo pienses. —Jones le pasó el brazo por la cintura y caminaron más despacio aún.

—Grady, por favor…

—No pienso dejarte.

—Pero…

—Pero nada —dijo él—. No malgastes tu aliento.

Jules se vio obligado a conservar ambas manos al volante cuando cogió la primera curva cerrada sobre dos ruedas. El lado del coche raspó la barrera de protección metálica con un chirrido como para reventar los oídos.

Emilio se agarró a la manilla por encima de la puerta.

Con la mano en que sostenía la pistola.

Era ahora o nunca, y Jules bendijo a Hank el Gruñón, el ex Ranger encargado del campo de tiro donde se entrenaba regularmente el grupo de Max, porque había obligado a Jules a disparar con la mano izquierda, una y otra vez, hasta dejarlo bizco.

Buscó su arma, intentando controlar el coche con su mano derecha, mientras seguían deslizándose sobre el costado a lo largo del camino.

Costaba más hacerlo que pensarlo, y tuvo que volver a poner las dos manos al volante para impedir que dieran una vuelta de campana.

—¡Hijo de puta! —gritó Emilio, o fue algo equivalente en italiano.

Su arma se disparó y la bala hizo trizas la ventanilla del pasajero detrás de Jules.

¡Joder! Había errado por sólo unos milímetros. Dio un brusco giro hacia la izquierda, directamente contra la barrera y frenó bruscamente, porque cuando se detuvieran de golpe (inesperada y sorpresivamente para Emilio), él podría echar mano de su pistola y…

Pero no era parte de su plan reventar la barrera y…

El coche dio vueltas al caer por la montaña, y Jules se aferró como pudo para salvar la vida.

Y Emilio consiguió volver a dispararle.

El cielo.

Había demasiado cielo azul por delante, y Max sujetó con fuerza a Gina cuando disminuyeron la velocidad.

Durante una fracción de segundo, se atrevió a albergar la esperanza de que habían llegado al camino que bajaba por esa parte de la montaña. Pero había demasiado cielo para tratarse sólo de un camino.

—Para ahí —le dijo a Jones, que los seguía junto a Molly muy por detrás.

En lugar de encontrar un camino, habían llegado al fin del mundo.

No era realmente el fin del mundo, pero lo parecía.

La selva acababa en un rotundo precipicio.

—Agárrate aquí. —Ancló a Gina a un árbol grande, asegurándose de entrelazar las dos manos. Se acercó cuatelosamente al borde.

—Ten cuidado —pidió ella, con la voz cargada de ansiedad.

Max, que no quería asustarla, se movió aún más lentamente. Gina ya estaba lo bastante asustada por los dos, desde que había resbalado por encima de la barrera.

Era una pura cuestión de suerte que él la hubiera agarrado por un extremo de la camisa y logrado sujetarla.

Aunque, si no la hubiera agarrado, se habría lanzado de cabeza detrás de ella.

Había tardado demasiado en agarrarse a una planta cuyas raíces no cedieran. De pronto, había visto que los dos caían por el borde del precipicio, y él sin poder hacer ni una maldita cosa para salvarlos.

Era asombroso ver cómo el miedo podía anular el dolor.

Al rebotar, una rama le había dado a Max en todos los testículos, pero no sintió nada mientras cogía a Gina y la estrechaba en sus brazos, mientras quedaba tendido con ella, abrazándola en el suelo de la jungla.

Y temblando de terror.

Nunca había sido tan difícil ver la diferencia entre estar muerto o vivo. Era la más delgada de las líneas, y se podía cruzar en cualquier momento.

Ahora, al acercarse al borde, Max palpaba el terreno con pies y manos.

—Max —volvió a llamar Gina.

—Estoy bien —dijo él. Tenía que asegurarse de que el precipicio no pareciera tan empinado sólo por una cuestión de perspectiva y...

No. No había ningún sendero. Ninguna ruta marcada ni visible.

El panorama era sobrecogedor. El verde de la selva suavizaba los montes y los valles hasta hacerlos apetecibles, como si pudieran saltar y aterrizar botando sobre su suavidad. La ciudad y el puerto eran una mancha de color en la distancia, y el océano que se extendía a partir de ahí era una masa de azul reluciente.

El precipicio terminaba en una curva hacia el sur. No se veía manera alguna de salvarlo.

Max subió por la empinada pendiente hasta Gina. En realidad, era más fácil subir que bajar, porque podía agarrarse a las raíces y lianas, que probaba antes de tirar con todo su peso.

—Por aquí —dijo, señalando un sendero que corría paralelo al precipicio.

Ella le ofreció la mano y tiró de él.

Y reanudaron la marcha.

Jules rompió a patadas la ventanilla trizada del lado del conductor para salir de entre los destrozos.

El motor humeaba y emitía ese ruido que emiten los motores cuando se enfrían después de un gran recalentón.

Emilio había desaparecido. No llevaba el cinturón puesto, y había salido expulsado del coche, o involuntariamente o por voluntad propia. Posiblemente había ocurrido mientras caían por la ladera y Jules conseguía desenfundar su pistola para disparar.

Su puntería había sido dudosa, pero le había dado a ese hijo de puta, eso al menos lo sabía. Había un reguero de sangre en la ventanilla del pasajero.

Y en cuanto a la salida del escenario de Emilio, ya fuera deliberada o no, Jules esperaba que se hubiera producido a una velocidad suficiente para romperle los huesos.

No por nada habían pensado en él como posible jefe de grupo del FBI. Ahora sostenía el arma en la mano mientras salía por la ventanilla, que era más estrecha de lo habitual, debido al hundimiento del techo.

Joder, era una suerte que fuera tan pequeñito.

La pierna derecha no le respondía bien y, en lugar de quedar de pie una vez que estuvo fuera del coche, cayó al suelo. Aquel cuerpo suyo no se sostenía, no quería ni moverse. Como si llevara enganchada la pierna de otro.

Se arrastró con los codos para alejarse del coche. Ay, ay, ay.

Y su cabeza, madre mía. A pesar del *airbag*, se había dado un golpe terrible. Tenía el cerebro como sacudido, veía doble y todo era borroso.

Pero estaba vivo.

Sabía que estaba vivo porque le dolía hasta la última fibra de su cuerpo. Le dolían las axilas. Le dolían los dedos de los pies.

Sin embargo, lo primero era lo primero. Tenía que prevenir a Max.

Tuvo que quedar tendido de espaldas, lo cual lo hacía sentirse expuesto, como una tortuga o una cucaracha. Pero era la única manera de tener acceso a su móvil.

Lo encontró, lleno de sangre.

Hijo de puta, era su sangre. Aquel cabrón de Testa le había disparado.

Jules dejó el arma sobre su vientre, a su alcance, mientras comprobaba los daños.

La bala (de pequeño calibre, o de otra manera estaría todavía en el coche, totalmente muerto) lo había cogido en la parte carnosa del costado, de delante hacia la espalda. Había una herida de salida, lo cual era relativamente positivo.

Parar la hemorragia sería todavía más positivo.

Aplicó presión con su mano izquierda mientras limpiaba la sangre del teléfono contra la pernera de su pantalón. Maldita sea, no era de extrañar que sentarse le costara tanto como caminar. Y no era de extrañar que le doliera tanto.

Habría deseado tener la cabeza despejada. Joder, lo veía todo borroso. Pero, vale. Vale. Lo primero era lo primero, eso siempre. Aquel no era su teléfono sino el de Max, lo cual significaba que tenía que llamarse a sí mismo. Se concentró intentando enfocar la mirada…

—Han eliminado las torres de repetición. No conseguirás comunicarte.

¡Vaya mierda!

—Supongo que era esperar demasiado que te hubieras roto el cuello. —Jules giró la cabeza y lo primero que vio… (Sí, también habría sido esperar demasiado que hubiera perdido la maldita arma en la confusión)… fue el cañón del arma con que ahora le apuntaba.

Gina reconoció ese ruido. Era el ruido de sus pesadillas.

Max la seguía unos pasos detrás y empezó a gritar:

—¡Al suelo, al suelo, al suelo!

Les estaban disparando.

Max se lanzó encima de ella, cubriéndola y empujándola hacia adelante.

—¡Venga, venga!

Con Max justo detrás de ella, Gina echó a correr.

Sólo unos momentos antes, se había sentido tan aliviada. Habían finalmente terminado de bajar el monte y llegado a un camino que los conducía de vuelta a un grupo de casas.

Sin embargo, aquel camino giraba a la derecha y…

Max y Jones empezaron a lanzar una sarta de imprecaciones.

Porque habían vuelto al punto de partida. A la casa de Emilio.

Y no había dónde ir sino hacia delante. El camino desembocaba en aquella plaza del pueblo, un mercado vacío y polvoriento rodeado por una muralla de menos de un metro y flanqueado por más casas.

No había nadie en los alrededores, al menos nadie por las calles. Al dejar la casa de Emilio habían visto a unos niños jugando pero, al volver, tanto la plaza como las calles parecían un decorado de pueblo fantasma.

Hasta que comenzaron los disparos.

Al otro lado de la plaza había un camión, no, dos. Uno era más pequeño, un jeep, con una especie de ametralladora montada encima. Se acercó a ellos dando botes y con ese ruido horrible y desgarrador.

—¡Llévalas adentro! —gritó Jones.

Max cogió a Molly (ya tenía a Gina) y tiró de ambas hacia la sombra del garaje de Emilio.

El ruido desgarrador se hizo más rotundo, cuando Jones disparó a los camiones mientras retrocedía hasta el garaje y Max bajaba la puerta.

Alguien chillaba, y no fue hasta que Max se puso por delante y gritó: «¡Gina! ¿Te han dado?», que Gina se dio cuenta de que era ella quien hacía todo ese escándalo. Y entonces paró. Porque, joder, no servía de nada gritar así.

—¿Estás herida? —volvió a preguntar él, tocándola, palpándola, haciéndola girar.

—Me parece que no —dijo ella—. Y ¿tú?

Jones salió de la casa, lo cual era curioso. Gina no lo había visto entrar.

—Está despejada —le dijo a Max.

—Bien. —Max empujó a Gina suavemente hacia Molly—. Entrad en la casa.

—Estamos jodidos —Jones le confesó a Max—. ¿Recuerdas que no hay puerta trasera? Nos tienen atrapados.

—Este lugar está construido como una fortaleza —dijo Max—. Hay peores lugares donde quedar atrapado. Entremos todo lo que podamos de esto —dijo, y empezó a coger las armas del maletero del coche azul de Emilio, dejándolas en los brazos que Jones le tendía.

—Yo puedo ayudar —dijo Gina.

Max sacó una mochila del maletero.

—Toma. —Era tan pesada que Gina trastabilló con el peso.

—Son municiones —dijo él—. Llévalas adentro. ¡Venga!

Gina se la pasó a Molly con la advertencia.

—Es muy pesado —dijo y Max le pasó otra. Esta vez, Gina estaba preparada.

Al cruzar la puerta de la casa vio que se parecía a la caja de seguridad de un banco.

O a un búnker.

O a la casa de un contrabandista de armas y secuestrador, un maleante de mucho cuidado, superparanoico, que desea aguantar un asedio contra todo un ejército.

—Gina, ¿estás...? —Molly tenía sangre en la mano. Volvió a tocar la mochila y ahora había más. Era roja y brillante.

Gina también se miró las manos y luego la mochila que llevaba.

También había sangre en la de ella.

—No soy yo —le dijo a Molly.

Con el corazón en la boca, Gina volvió al garaje, donde encontró a Max. Que seguía sangrando.

Capítulo *18*

—Estás sangrando —volvió a decir Gina.

—Ya lo sé —volvió también a decir Max, mientras comprobaba las armas y municiones sacadas del maletero del coche—. Pero me encuentro bien.

Había llevado a las dos mujeres de vuelta a lo que suponía era la habitación de los rehenes. Jones, que no tenía una bala en el culo, estaba mucho más en forma mientras inspeccionaba el resto de la casa más detenidamente.

Por el rápido vistazo que Max echó de la planta baja, que comprendía la cocina y dos habitáculos, uno con ventanas y el otro sin, constató que la descripción de Jules era exacta. Aquella casa estaba jodidamente fortificada.

Emilio había instalado algo más que un puñado de puertas reforzadas en su estrecha casita de dos pisos. Las pocas ventanas, que daban todas a la parte frontal del edificio, estaban protegidas por barras metálicas.

A primera vista, no era muy diferente del resto de las casas en esa parte más o menos elegante de esa pobre isla. Pero, a diferencia de las otras casas, estas barras no sólo pretendían desalentar a los ladrones ocasionales sino que estaban hechas para resistir a los intrusos más tenaces.

Las paredes también eran gruesas, en algunos lugares hasta casi un metro, incluso los muros interiores. Era algo poco habitual, por decir lo menos.

Unas cámaras de seguridad minúsculas situadas fuera de la casa añadían un toque de alta tecnología a la fortaleza.

Gina se había plantado por delante de Max.

—Uno suele decir que está bien si no está sangrando —dijo. Estaba indignada.

Y tenía un miedo horrible, como Max pudo constatar. Miedo por él.

Así que Max le prestó toda su atención.

—Sobre todo estoy magullado —dijo. Toda aquella historia debía ser una pesadilla para Gina. Él mismo había experimentado un viaje hacia aquel infierno del pasado cuando ella comenzó a gritar al estallar el tiroteo. Sintió enseguida un sudor frío. Lo último que Gina necesitaba ahora era pensar que en cualquier momento él caería muerto—. La bala que me dio ya casi no tenía fuerza de impacto —añadió.

Pero ella seguía preocupada.

—No sé qué significa eso. ¿Fuerza de impacto?

—Piensa en la física de lo que es disparar un arma —dijo él, mientras volvía a separar las municiones. Nueve milímetros y calibre cuarenta y cuatro. Elegir la munición equivocada podía tener consecuencias nefastas. Una ametralladora MP5 HK de nueve milímetros era un arma formidable. Sin embargo, la misma con un cargador del calibre cuarenta y cuatro era tan formidable como un caniche.

—Una bala no sigue su trayectoria hasta dar con algo, ¿entiendes? —siguió Max—. Porque, ¿qué pasa cuando no hay nada a que darle? No puedes disparar con un fusil de asalto en las costas de Jersey y pensar que le dará a alguien en España, sólo porque entre los dos no hay nada más que océano.

—Sí, claro —dijo Gina—. Evidente.

—Una bala se mueve hasta que se le acaba la energía —dijo Max. Aquello estaba bien. Estaban hablando y Gina no parecía tan asustada. Además, el tema no amenazaba con sumarse al caos que reinaba en la cabeza de Max. Ahora hablaba con un tono tranquilo—. Pero cuando choca con algo, no va y detiene su trayectoria, como en una peli de Bugs Bunny. Sigue avanzando, pero es cada vez menos eficaz. Pierde su fuerza de impacto.

—Entonces, si la bala que te dio había perdido su fuerza de impacto, ¿por qué estás sangrando? —preguntó ella, cruzándose de brazos.

—Casi había perdido su fuerza —corrigió él.

—Déjame ver —dijo Gina, y se plantó delante de él.

—Después —mintió Max.

Ella sabía intuitivamente. Siempre había tenido una gran facilidad para saber cuándo le mentían.

—Quiero verlo ahora.

—¿Quieres que me baje los pantalones? —preguntó Max—. ¿Aquí?

Ella no dijo palabra. No tenía por qué. Se lo quedó mirando.

Y ese mismo calorcillo que se encendía cada vez que Max miraba demasiado tiempo a los ojos de Gina, se encendió ahora. Un derretimiento instantáneo, como entrar en una sauna.

No era el hecho de que él quisiera follar ahí con ella, salvo que sí lo era.

Excepto que no lo era.

Lo era y no lo era porque, en realidad, cuando le comunicaron que Gina había muerto, lo que más quiso Max en ese momento, más que su propia vida, fue que ella estuviera.

Simplemente que estuviera.

Simplemente Gina. Viva.

Salvo que ahora estar viva ahí frente a él se mezclaba con el sexo y el placer y la culpa y el recuerdo de cómo ella sonreía y el brillo en sus ojos que se había convertido en satisfacción cuando él había... cuando los dos habían...

Ahora, Gina miró bruscamente hacia otro lado y puso fin al contacto visual. Max, que nunca dejaba de contribuir a que su caos mental llegara al punto de ebullición, se encontró cavilando si Gina había experimentado esa misma atracción animal con el padre de la criatura que llevaba en su vientre.

Con toda la calma de la que pudo hacer acopio, dejó dos Berettas de nueve milímetros junto a la munición. No era el momento más indicado para esa conversación.

Ella suspiró y Max tuvo la certeza de que daría un paso atrás; quizás iría a ver a Molly. Pero Gina se volvió hacia él.

—Oye, lo siento, sólo quiero asegurarme de que estás bien.

—Gina, no tendrá buen aspecto, y te asustarás. Me temo que tendrás que confiar en mí. No estoy sangrando como si me fuera a morir. No me voy a morir. —No pensaba dejarla, de ninguna manera, de ninguna forma, en ningún aspecto—. Al menos no me moriré si me dejas un segundo para pensar en lo que haremos ahora.

Aquello era un recurso sucio, pero funcionó. Gina se echó hacia atrás.

—¿Qué puedo hacer para ayudar? —preguntó.

—Ve y asegúrate de que Molly está bien.

Al entrar, Molly se había ido directamente al lavabo y cerrado la puerta.

—Molly está bien —dijo Gina ahora—. Quiere darnos un momento de intimidad. Ya sabes, en caso de que quisiéramos decirnos algo muy sentido. Como, gracias por dejar tu trabajo y venir a rescatarme.

Gina era una mujer inteligente. A Max no le sorprendía que hubiera adivinado lo que ocurría.

—En caso de que no te hayas dado cuenta —dijo—. Todavía no he conseguido rescatarte del todo.

—O algo como: siento que todavía te irrite —dijo ella.

Él respondió con un suspiro de exasperación.

—Tú no me irritas…

—O incluso algo como: En realidad, ni siquiera esperaba que vinieras —dijo Gina, con voz queda.

Maldita sea, ¿qué podía responder él?

—¿Pensabas que haría qué? —preguntó él, tenso—. ¿Qué me olvidaría? ¿Porque ya no eres responsabilidad mía?

—Genial —dijo ella—. La palabra R. Me preguntaba cuánto tardarías en decirla. *Nunca* he sido… nunca he *querido* ser responsabilidad tuya. ¿Es por eso que has venido hasta aquí? ¿Porque aunque ya no sea responsabilidad tuya, todavía te sientes… ¡qué te parece!… responsable de mí?

—Por el amor de Dios… ¿qué te parece si discutimos una vez que te hayamos puesto a salvo?

—¿Cómo has sobrevivido, Max? —Gina estaba muy enfadada—. ¿Todos esos meses que yo pasé en Kenia? ¿No enloquecías pensando que quizá me comería un animal salvaje, o… o que me matarían en una disputa tribal?

Como le había sucedido a su amigo Paul Jimmo.

Max perdió los estribos. Fue simplemente como si algo se tensara hasta romperse.

—Sí, ¡claro que enloquecía! —le gritó de pronto, y se volvió hacia ella con el horror pintado en la mirada—. ¡Claro que me volvía loco!

—Pues, ¡no debería haber sido así! —respondió ella, indignada—. Tú querías que me fuera. No puedes tener las dos cosas, Max. O me tienes en tu vida o no me tienes. Y cuando eliges *no*, ¡renuncias al derecho a volverte loco! Renunciaste al derecho de…

—¿Yo renuncié? —inquirió él, con la incredulidad patente en cada palabra—. *Tú* me dejaste *a mí*.

—No —le dijo Gina a la cara—. Tú me dejaste a *mí*. ¿Tienes alguna idea de cómo era…?

—¿Tener que vivir conmigo? —acabó él, con voz estridente—. Sí, lo sé, Gina, porque tengo que vivir conmigo mismo veinticuatro horas al día, siete días a la semana. Y siento haberte obligado a vivir aquello, maldita sea, ¡lo siento por todo! Y ¿quieres escuchar algo realmente jodido? ¡Lo que más siento de todo es no haber ido a Kenia y haberte arrastrado de vuelta a casa hace un año y medio!

Sí, en efecto, eso era algo que no debería haberle dicho.

En el silencio que siguió, ella lo miró con la misma cara de sorpresa absoluta que habría puesto si los terriers de su padre de pronto hubieran empezado a cantar ópera. A coro.

Pero entonces Jones bajó a zancadas las escaleras, ahorrándoles el consiguiente malestar de intentar hablar civilizadamente después del desastre de aquella conversación.

Lo más absurdo de todo era que Max llevaba mucho tiempo queriendo disculparse con Gina. Le debía decididamente una explicación, pero, joder, aquello le había salido muy mal.

Lo que Max realmente quería era decirle que lamentaba verdadera, sincera y francamente todo lo que había sucedido entre ellos en los últimos años.

Bueno, casi todo.

Las noches en que él había dormido de verdad porque ella estaba en sus brazos, su manera de hacerle reír, su insistencia en leerle en voz alta mientras estaba en el hospital, esas miradas que ella le lanzaba con los párpados semicerrados, esa sonrisa justo antes de que cerrara la puerta y...

Sí, también lamentaba decididamente todo eso, pero era un lamentar más grande y complicado.

—En la planta de arriba hay cinco pequeñas habitaciones —informó Jones, y Max se obligó a prestar atención.

Incluso Molly salió del lavabo para escuchar, lo cual significaba que se habían acabado los recesos privados. Gracias a Dios.

—Hay dos en la parte del frente —siguió Jones, pero sólo una tiene ventana. Hay otras tres en la parte trasera, sin ventanas, y en una de esas habitaciones hay pantallas de seguridad, como en la cocina. Son tres pantallas con tomas de las cámaras en el interior y el exterior. Todas las habitaciones son más pequeñas de lo que debieran ser, pero he visto que las paredes también son muy gruesas, incluso allá arriba. Lo único que se me ocurre es que Emilio era anfitrión para más de un huésped a la vez, y no le gustaba que se comunicaran entre ellos.

Gina seguía mirando a Max, con los ojos llenos de lágrimas.

Genial. Estupendo trabajo, Bhagat. Hacer que la chica... *la Mujer. Mierda.* Hacer que la mujer se ponga a llorar.

—¿Qué tipo de criminal será ése que se contruye una casa como una fortaleza? —dijo Max, haciéndose eco de una de las preguntas importantes que debían responder—, pero que no tiene puerta trasera ni túnel. ¿Has mirado cómo está montado el sistema de cámaras? —preguntó a Jones.

Éste asintió, y se rascó la incipiente barba con el dorso de la mano.

—Sí, iba a mencionarlo. Esa séptima cámara en el exterior, ¿no? Crees que...

—Ya lo creo que sí —dijo Max.

Emilio había instalado siete cámaras de seguridad en el exterior de la casa. Una en el techo, dos que cubrían ángulos diferentes de la calle frente a la casa, una en el garaje, otras dos en los lados de la casa. No había necesidad de una en la parte de atrás, ya que la casa estaba construida en la pendiente del cerro.

Sin embargo, quedaba una última cámara misteriosa. Enseñaba el espeso matorral de la selva en quién sabe dónde.

Aquella cámara tenía que estar instalada al final del túnel de Emilio. Tenía que estarlo.

—¿De qué habláis? —preguntó Molly, que intentaba seguirlos.

—Creemos que Emilio tiene un túnel para salir de aquí —dijo Jones—. Pero todavía no lo hemos encontrado, maldita sea. —Se giró hacia Max—. Quizá deberías mirar en la cocina y el salón… ver si puedes encontrarlo porque yo no he podido.

¡Buum!

—¿Qué ha sido eso? —preguntó Gina.

—Una granada —dijo Jones, dirigiéndose a la cocina. Molly lo siguió—. Tendrán que usar algo más contundente. Este lugar es muy sólido.

Max seguía, más lento, intentando literalmente no mostrar el dolor en el culo. Gina le iba justo detrás, observando cada uno de sus movimientos.

—Y ¿qué? ¿Me habrías arrastrado a casa por el pelo? —le preguntó, en voz baja.

¿Qué? Ah, estupendo. Resulta que Gina tenía algo que decir a propósito de su comentario de «haberla arrastrado a casa».

—Porque, ya te puedes dar por enterado, yo no habría vuelto —siguió Gina—, a menos que me hubieras arrastrado por los pelos.

¿Cómo podía bromear ahora con eso?

—Unos golpes en el pecho también habrían sido un detalle conmovedor —dijo—. No hay nada como un macho alfa dándose unos buenos golpes en el pecho para que me ponga totalmente cachonda.

—De acuerdo. —Iba a decir «Ya puedes parar», pero tuvo un recuerdo repentino. No era de Gina riendo montada sobre él sino de aquella mujer cubierta por un velo en la morgue del aeropuerto.

Era lo único que podía hacer para no caer de rodillas y dar gracias a Dios de que la había encontrado viva.

—¿Ya te estás cabreando conmigo? —preguntó ella—. Oh, espera, ¿cómo va eso? No, eres *tú* la que hace que yo me cabree.

Cuando él se aferró al mostrador de la cocina, ella interpretó su pérdida de equilibrio como una muestra de dolor.

—Dios, Max —dijo, con una voz de la que había desaparecido todo sarcasmo—, ¿te encuentras bien?

Él asintió, queriendo darle seguridad, pero temiendo los ruidos infrahumanos que podrían escapar de su boca si intentaba hablar.

—Lo siento mucho —dijo Gina, rodeándolo con los brazos y, oh Dios, casi había acabado con él.

—Yo también lo siento. —Max tuvo que separarse de ella, muy cabreado consigo mismo por haber conseguido que Gina volviera a tener esa expresión de miedo.

Pero tenía que concentrarse en el problema más acuciante. Miró por la habitación, buscando esa ruta de escape.

Si él fuera Emilio, ¿dónde la habría construido?

Aquel tipo no había reparado en gastos en la construcción de la casa. Todos los equipos de la cocina eran de la mejor calidad.

Max tardó unos segundos más en disminuir el ritmo de su respiración, para volver plenamente a la conciencia del mundo, del mundo real, un mundo donde Gina no yacía muerta sobre una mesa de hospital.

Se obligó a mirar los monitores encastrados en la pared, una tecnología de comienzos de los años noventa, cuando lo digital era sumamente caro. Todas las cámaras de seguridad funcionaban, y los tres monitores iban de una a otra. Todas mostraban que las tropas que los tenían sitiados seguían manteniéndose a cierta distancia. No había señales de daños a causa de la granada.

Era una buena noticia.

Él o Jones tendrían que subir a la primera planta al cabo de un rato y disparar unas cuantas ráfagas hacia la calle polvorienta. Era necesario obligar al contingente a mantenerse a distancia.

Lo último que querían era algún héroe loco que se encaramara a volar esas barras.

Tampoco sería fácil conseguirlo.

Max nunca se había encontrado en el bando opuesto en una operación de sitio militar, aunque estos militares no fueran tan poderosos ni estuvieran tan bien equipados como los que normalmente trabajaban con él. De todas maneras, todos esos soldados y camiones eran impresionantes. Y seguirían llegando más a medida que pasaran las horas.

Y cuando el oficial al mando hubiera organizado a sus hombres, una de las primeras cosas que haría sería volar las cámaras de seguridad. Siempre y cuando supiera que había cámaras de seguridad que volar.

Max tenía que suponer que alguien sabía... que Emilio todavía estaba vivo. Era bastante probable que el mismo hombre que había construido esa casa estuviera ahora dispuesto a señalar sus puntos débiles, y que incluso ansiara hacerlo.

Eso significaba que también revelaría cuál era la ruta de escape que, de no haber subestimado a Emilio, ya habrían pensado en buscar media hora antes.

Gina habló, esta vez lo bastante fuerte para que todos la escucharan.

—¿Por qué no nos quedamos esperando hasta que Jules vuelva con ayuda?

Jones miró a Max como preguntando. *¿Quieres contestar tú o me encargo yo?*

Contestó Max. Carraspeó unas cuantas veces mientras pensaba en cómo suavizar su respuesta.

—Puede que Jules... no pueda conseguir ayuda —dijo—. Eh... es probable que tenga más problemas de los que pensamos para llegar a la embajada. Esos soldados allá afuera, Gina, nos han disparado. Eso no es un procedimiento de operaciones estándar. ¿Disparar a civiles sin dar ningún tipo de aviso? No, hay alguien muy en lo alto de la cadena de mando que está metido en esto, en los secuestros, en todo. Sea quien sea, también ha tenido la precaución de eliminar las torres de repetición de las señales de móvil en la isla. Es gente poderosa. —Sacudió la cabeza, sabiendo que por muy suave que se lo pusiera, ella vería la implacable verdad en su cara.

Gina no se anduvo con rodeos.

—¿Crees que Jules ha muerto?

¿Si lo creía?

—Espero que no —dijo Max—. Creo que es probable que tenga problemas. —Volvió a carraspear, observando a Jones que movía la nevera con ayuda de Molly, buscando un pasaje secreto. Era ridículo. La entrada tenía que ser fácilmente accesible. Aún así, había que mirar en todas partes—. Pero espero que no.

Gina le cogió la mano y se la apretó.

—Es bueno, ¿sabes? La gente subestima a Jules porque siempre anda contando chistes. Y porque es tan guapo. Es adorable, y parece tan joven, así que piensan... Pero estará bien.

—Sí —dijo Max—. A Gina volvieron a llenársele los ojos de lágrimas, pero intentó sonreír, tener una actitud positiva. Pero, por mucho que lo intentara, Max no podía sonreír.

La nevera no ocultaba nada. La cocina tampoco.

Jones se arrodilló y miró en el armario debajo del fregadero.

—Si yo tuviera fondos ilimitados —le decía a Molly—, y construyera una ruta de escape, la pondría en el lugar menos pensado. Que mis enemigos se entretuvieran adivinando.

¡Buum!

En el lado de los monitores, unas volutas de humo aparecieron en las pantallas.

—Ésa ha sonado más fuerte —dijo Molly.

Max fue a la otra habitación y echó un vistazo a los muebles que Jones ya había desplazado de las paredes. Era evidente que se había gastado mucho dinero en ese lugar.

—No lo es —le aseguró Jones a Molly. Desde la cocina llegó su voz—. No dejes que te inquiete.

—Esto no es culpa tuya. —Gina había seguido a Max, y le tocó el brazo para llamar su atención—. Ya sé que dije que no deberías haber dejado a Jules ir con Emilio, pero tenías razón. No es que lo dejaras ir. No habrías sido capaz de impedirlo.

—Es verdad —dijo Max, asintiendo con la cabeza—. Tengo ese problema con todos mis amigos y amigas, ¿no es así?

—Odio esa palabra —dijo ella, con los dientes apretados—. Lo siento, Max, pero, venga. ¿Acaso no me tenías, digamos, en un nivel de afecto algo más alto que el de Jules?

—Sí —dijo él, que no reparó en el uso del tiempo pasado. Así que él también lo usó, en un arrebato de genio—. Tú eras la mejor amiga que jamás he tenido. Y, en cuanto a dejarte ir, cariño, aplaudí cuando te vi salir por esa puerta. Estaba... —dijo y calló. Se giró y volvió a la cocina, porque así, sin más, en medio de la tormenta de su rabia y frustración, lo supo.

La claridad.

—El lugar menos probable es el segundo piso —dijo Max a Jones—. Mira, si alguien te persigue y tú subes a la primera planta, ellos se tomarán su tiempo porque pensarán que te tienen acorralado. Está arriba. Tiene que estarlo.

Jones se sacudió el polvo de las manos al incorporarse. Miró a Gina y luego a Max. Era evidente que se sentía incómodo por haberlos interrumpido.

—Has dicho que las paredes interiores son gruesas —insistió Max—. Es probable que tenga una escalera que cruza la casa y luego se interna en la montaña... —dijo, señalando aquella séptima cámara con la vista de la selva— ...y llega hasta aquí.

Miró a Gina, que a su vez lo miraba con una expresión que no supo interpretar. Ay, Dios mío, por favor haz que no sea lástima.

—Es una idea lo bastante loca —dijo Jones—. Jodidamente cara, pero quizá también es lo que debiéramos preguntarnos. ¿Cuál sería el lugar más caro donde ocultar la entrada de una salida de escape? —dijo, y rió con gesto de frustración—. Ya quisiera tener dinero para gastar a manos llenas.

—¿Estás bien? —Max oyó que Gina preguntaba a Molly, mientras seguía lentamente a Jones por las escaleras.

—En realidad —oyó que decía Gina—. Sí. Estoy... Sí.

—¡Aquí está! —llamó Jones desde la primera planta—. Con su jodida estantería y todo.

Quizá su suerte estaba a punto de cambiar. Sólo quizá.

Emilio se encontraba al otro lado de los restos de la colisión, ligeramente cerro arriba, lo bastante cerca del coche como para usarlo de parapeto.

—Las manos donde pueda verlas —ordenó.

Por desgracia, Jules se había apartado del coche pensando en la posibilidad de que estallara. Estaba en un claro, si se permite la expresión, teniendo en cuenta que el techo de hojas y ramas por encima bloqueaba toda luz solar. Él siempre había pensado que la selva era densa, tapizada por una maleza que había que cortar con un machete. Pero allí la luz del sol no llegaba al suelo, y poca cosa podía crecer. Sólo unos cuantos helechos escuálidos y otras plantas que, con la suerte que él tenía, probablemente eran venenosas.

No tenía nada tras lo cual parapetarse, y cualquier otra cosa que no fuera arrastrarse estaba descartada. Y en lo que tardara en rodar hasta el montón de troncos y raíces más próximo, Emilio lo llenaría de plomo.

Jules dejó caer su teléfono móvil, extendió su mano derecha y la mantuvo abierta. *Piensa, piensa.* Joder, su visión comenzaba a volverse borrosa por los bordes, lo cual no era buena señal.

Sin embargo, todavía no estaba muerto. Tenía el arma que le pesaba en el pecho, oculta a ojos de Emilio por la voluminosa manga de la cazadora de cuero. Lo único que tenía que hacer era cogerla y…

Pero ¿cómo iba a salir de ahí si apenas podía ver? Y, aunque olvidara sus problemas de visión, ¿cómo iba a caminar con una pierna que estaba inutilizada y le pesaba? Rota en quien sabe cuántas partes. Bueno, un momento, no había que precipitarse…

—¡Las manos! —repitió Emilio—. ¡Las dos, donde las pueda ver, ahora mismo!

—Tengo el brazo izquierdo roto —le dijo a Emilio, en un arranque de genialidad. Una parte de él era consciente de que era un milagro que el tipo aún no le hubiera disparado. Pero quizás el señor E también se había dado en la cabeza, de modo que la tardanza de Jules le parecía normal—. No puedo moverlo. Para nada. A menos que quieras que lo mueva, con mi mano derecha…

Momento en que él podría empuñar su arma y…

—No te muevas —ordenó Emilio.

Y Jules se dio cuenta de que debía tener peor aspecto de lo que pensaba. Miró y vio la sangre que le manchaba la camisa y los pantalones y que incluso se formaba un pequeño charco y... mierda, la verdad era que estaba mal.

En cuanto a Emilio... A medida que el hombre se acercó, Jules vio que tenía sangre en la cara y en el cuello. Se habría roto la nariz, porque tenía toda la camisa manchada. Tenía el brazo derecho envuelto alrededor del torso, como si se estuviera sujetando para no desplomarse. Era probable que tuviera alguna herida en el hombro o en la clavícula. O que se hubiera roto las costillas.

En cualquier caso se movía como si estuviera muy herido.

Bien.

Porque a menos que un comando de las Fuerzas Especiales SEAL cayera del cielo para salvarle el culo, todo daba a entender que Jules moriría a manos de Emilio.

De acuerdo, Dios. Envía ese helicóptero cuando te parezca. Ahora mismo, cualquier momento me vendrá bien...

Pero el único ruido que escuchaba era el de disparos en la distancia.

No era un sonido feliz. Significaba que Max tampoco vendría a rescatarlo en un futuro inmediato.

Lo cual dejaba la cuestión de su vida o muerte dependiendo de una pura cuestión de suerte. No le quedaba otra cosa que intentar usar su arma, lo cual obligaría a Emilio a dispararle en la cabeza sin vacilar.

Muy posiblemente antes de que Jules pudiera sacar su arma y apuntar.

Las probabilidades que tenía de ganar en esa especie de duelo no corrían a su favor.

Tampoco le favorecía que su visión se estuviera volviendo borrosa y que tuviera tanto frío. Empezaba a sufrir un *shock* por pérdida de sangre.

Intentar hablar con él para que se rindiera era decididamente una posibilidad perdida, pero no podía quedarse ahí tendido esperando morir.

—No hagas esto —quiso decir, procurando que la lengua no lo traicionara. Era difícil. Los dientes le castañeteaban—. Sea lo que sea en lo que te hayas metido, yo te puedo ayudar a salir.

—¿Tú me puedes ayudar a mí? —rió Emilio, mientras se acercaba lentamente, a pesar del dolor.

Había algo raro en aquella imagen.

Emilio tenía el labio superior perlado de gotas de sudor, y la mano izquierda le temblaba, aunque muy ligeramente, mientras seguía avanzando.

—Dudo que puedas ayudarme —siguió Emilio—. Pero yo te voy a ayudar a ti. Me temo que tus compañeros no han tenido demasiada suerte. Una vez que caigan en manos del coronel Subandrio, implorarán para que les den el tiro de gracia.

¿El coronel quién?

Y, vale. Ahora Jules no podía morir. Se negaba en redondo. Todo era demasiado melodramático, como si aquel tipo hubiera estudiado para interpretar al Jefe Supremo del Mal sentado a los pies de los malos famosos de las películas de James Bond. Sería demasiado patético si la última cosa que Jules hacía en este mundo era seguir conversando con ese imbécil.

Dios no podía ser tan injusto.

Pero entonces pensó en su ex compañero Adam, que se había enrollado con Robin, la primera persona en años que había despertado algún serio interés en Jules.

Sí, en realidad, Dios podía ser así de injusto.

Así que… vale. Si Jules iba a caer, tendría que caer luchando.

Aún así, tenía que esperar a que el señor E saliera de detrás del coche antes de intentar sacar su arma. No serviría de nada desperdiciar su única oportunidad si el tipo se refugiaba detrás del guardabarros.

—No conoces demasiado bien a mis compañeros —dijo Jules, intentando que Emilio siguiera hablando, mientras procuraba mantenerse despierto. Joder, estaba muy frío—. No creo que Max haya implorado nada en toda su vida.

—Y ése Max, ¿quién es? —preguntó Emilio, arrastrándose más cerca—. No creo que sea sólo un diplomático, aunque eso fue lo que me dijo.

Claro, como si Jules le fuera a hablar a ese cabrón de su conexión con el FBI.

También era evidente que a Emilio le daba un cuesco quién o qué era Max. Sólo estaba metiendo ruido, matando el tiempo. Lo cual a Jules le iba bien. A cada paso que Emilio daba, aumentaban las probabilidades a favor de él. Las hacía variar infinitesimalmente, seguro. Pero aprovecharía lo que pudiera.

—De hecho, Max ahora mismo no tiene empleo —dijo Jules, para seguir la conversación—. Aunque también tiene todo un historial de casos en que su jefe no le ha aceptado sus cartas de dimisión. Pero creo que después de matarte a ti y al coronel Como-se-llame y a toda esa gente con que trabajas… se tomará unas vacaciones. Pasará un mes con Gina en alguna playa.

—Ah —dijo Emilio—. La encantadora Gina. Puede que el coronel utilice a Gina para enseñar a Max a implorar.

Que te jodan. Jules apretó los dientes.

—¿No te sientes mal —dijo, reprimiéndose—, cuando tienes que matar a alguien? Quiero decir, ¿acabar así, sin más, con una vida?

—Ése es el problema que tienen ustedes los yankis —dijo Emilio. Bla, bla, bla. Jules había dejado de escuchar.

Porque desde hacía un rato Emilio estaba lo bastante cerca para que Jules le metiera una bala en la cabeza. Estaba muy cerca, pero todavía podía escudarse detrás del coche.

A menos que…

Era muy posible que, a diferencia de Jules, Emilio no se hubiera entrenado para disparar con su mano izquierda.

Fue como si sonara una campana anunciando el triunfo de Jules.

Había algo raro en aquella imagen.

A pesar del horrible golpe que había sufrido en la cabeza, Jules lo entendió. Emilio, que había hecho todo con la mano derecha hasta ese momento, como hablar por teléfono o apuntar con la pistola, ahora sostenía el arma en su mano izquierda.

Además, parecía que al tío no le quedaban demasiadas balas. Así que tenía que acercarse mucho si quería asegurarse de no fallar al usar la mano izquierda para descerrajarle a Jules el tiro llamado de gracia.

Una cabeza que ya estaba harta de esperar cuando, sin parar de hablar, Emilio salió por delante del coche para acabar con él.

Pero Jules estaba preparado. Rodó mientras echaba mano de su arma, apuntó hacia arriba al tiempo que apretaba el gatillo una, dos veces.

Y Emilio cayó como una piedra, con dos pequeños agujeros redondos en el centro de la frente, muerto.

Jules lo remató, por si seguía viendo doble.

A veces, cuando disparaba a alguien y lo mataba, Jules se sentía mal, como ahora. Salvo que esta vez se sentía mal porque alguien no hubiera librado antes al mundo de aquella basura.

Vale. Ahora tenía que respirar. El oxígeno le haría bien.

No tendría tiempo para celebrar su victoria si ahora perdía la conciencia. Venga, Cassidy, no flaquees.

Primer paso. No desangrarse. Consiguió quitarse la chaqueta. Le costó aún más arrancarse la camiseta, pero lo consiguió. La rasgó en trozos para hacer un vendaje.

Cuando acabó, tenía la chaqueta puesta nuevamente y la cremallera subida, pero estaba agotado. La cabeza le daba más vueltas que nunca y un velo negruzco comenzaba a teñirle la mirada.

Aún así, sabía qué debía hacer. Apropiarse del arma de Emilio. Guardar la suya, junto con su móvil, que tuvo que buscar palpando en el mullido suelo de la selva, porque con cada segundo que pasaba la visión se le volvía más borrosa. Tenía que encontrarlo. Porque quizás alguien había reparado esas torres de repetición y ahora funcionaban…

Sus dedos tocaron el móvil y lo cogió, todavía pegajoso con su propia sangre.

Temblando en medio de una temperatura de casi treinta grados, Jules comenzó a arrastrarse cerro abajo, centímetro tras doloroso centímetro, buscando el camino.

Capítulo 19

Hasta ahí llegaba la posibilidad de una huída fácil.

Mientras Jones seguía a Molly por la escalera húmeda y llena de telarañas, podía imaginar la conversación entre los muy celosos soldados y su oficial superior.

—¿Cuál es la parte de la emboscada que vosotros imbéciles no entendéis?

—¡Señor, la puerta se abrió, señor! ¡Así que disparamos nuestras armas como se nos había ordenado!

—Y en ese momento la puerta se cerró rápidamente. Y le echaron la llave. No hay heridos, ni muertos ni prisioneros.

—¡Señor, sí, señor! ¡De nuestro lado tampoco hay bajas, señor! Quizá los uniformes flamantes y los diez minutos de entrenamiento no sean suficientes para hacer de nosotros soldados, ¡señor!

Jones sentía que el corazón se le aceleraba. Aquello podría haber sido muy feo. Los soldados tenían que haberse apostado mientras ellos estaban en el túnel, lo cual demostraba un defecto grave en el sistema de seguridad ideado por Emilio.

Desde luego, en un mundo perfecto, rodeado de secuaces, una cámara en la puerta del túnel de escape probablemente no fuera necesaria. Porque en un mundo perfecto los teléfonos móviles seguirían funcionando. Una rápida llamada a Igor en la cocina bastaría para saber si el camino estaba despejado.

Sin móviles y sin Igor, Jones había abierto la puerta con gran cautela…

Max se había anticipado a los problemas. Llevaba con él una fregona que había encontrado en la cocina.

Mientras avanzaban por el túnel, Jones pensó que Max la había traído para apoyarse en ella y que, por lo tanto, estaba herido más gravemente de lo que daba a entender. Pero luego vio que la utilizaba para limpiar las telarañas que encontraban en el túnel, así que Jones pensó que era posible que el brillante y poderoso Max Bhagat tuviera miedo de los bichos, como los críos.

Y luego, al abrir la puerta (en realidad, una escotilla), Jones había descubierto el verdadero motivo por el que Max traía la fregona.

La había asomado lentamente por la abertura, como una cabeza que mirara por encima de la escotilla.

Y un disparo se la había hecho volar de las manos.

Volvieron a cerrar la escotilla.

Estaban a salvo.

O atrapados.

Dependiendo de cómo se mirara.

Desde luego, otra situación de nadie gana y sin salida no parecía un asunto demasiado grave. Él ya se encontraba en medio de un callejón sin salida con la historia del cáncer y el embarazo.

No había sabido qué decir cuando Molly le avisó que sentía moverse al bebé. Ella siempre le decía que fuera sincero, pero él sabía con demasiada certeza que Molly no querría oír lo que estaba pensando.

Algo así como «Dios, yo esperaba que todos estos traumas provocarían un aborto espontáneo».

Pero, bueno, Molly siempre intentaba transmitir su optimismo y, ya que en ese momento Jones no podía andarse con sinceridades, procuraba compensarlo mostrándose positivo. Era verdad que ya estaban pensando en el plan C, pero en su versión del alfabeto, esa C correspondía a la A de Asedio. A menos que el enemigo lanzara un ataque directo con piezas de artillería pesada, la fortaleza era a prueba de asaltos.

Por lo demás, su anfitrión ausente ya había hecho la mayor parte del trabajo.

Aquello significaba que, después de comprobar que todas las puertas y ventanas estuvieran cerradas, después de apagar el aire acondicionado y sellar los conductos de ventilación (había que pensar en los gases tóxicos), después de llenar de agua las bañeras, los fregaderos y cualquier otro cacharro que encontraron, y siempre y cuando vigilaran las pantallas de seguridad para asegurarse de que el ataque no había comenzado...

Disponían de más tiempo a su favor.

Y después de haberse duchado los dos hombres, Max finalmente estaba dispuesto a que Jones le echara una mirada a su supuesto «rasguño».

Mientras Jones se fregaba en la cocina (¿cuánto tiempo había pasado desde la última vez?), Molly y Gina lavaron la enorme mesa tamaño banquete. Pusieron agua a hervir y esterilizaron la colección de cuchillos que Jones tendría que usar para extraerle la bala a Max.

Al final, al generador, cuya instalación habían encontrado en el túnel, se le acabaría el combustible. Hasta que eso sucediera, ahorrarían.

Encontraron un botiquín de primeros auxilios, pero no tenía ni el tamaño de una fiambrera, y casi todos los productos habían sido usados. Quedaban varios vendajes, que podían utilizar en lugar de tener que suturar. Era una buena solución porque en lugar de seda quirúrgica, habían encontrado uno de esos pequeños kits de costura que regalan en los hoteles elegantes.

La falta de hilo quirúrgico le preocupaba a Jones menos que la falta de antibióticos. En ese clima, y con una bala en el culo que había atravesado sus pantalones mugrientos, Max corría un serio peligro de contraer una infección.

Emilio se había gastado un millón de dólares en cámaras de seguridad, pero era evidente que no se le había ocurrido poner unos cuantos pavos más para contar con un surtido básico de medicinas.

Gracias a una maquinilla de afeitar encontrada en el cuarto de baño, Max se parecía ahora más al Max de siempre. Vestido con un albornoz blanco que ya había manchado de sangre, empezó a buscar en el armario de los licores de Emilio.

—Si no encuentras nada —dijo Jones—, el azúcar es un buen sustituto. Supongo que tus intenciones son más antibióticas que anestésicas.

Max no se molestó en contestar. Era una pregunta estúpida.

—Después de que acabemos esto —dijo, sin inmutarse—, deberíamos buscar en todos los armarios y cajones y ver si encontramos una radio.

—Es una buena idea —dijo Molly.

—Me cuesta creer que durante todo el tiempo que estuviste en Kenia, nunca hayas ayudado en el hospital del campamento. —Las palabras de Gina eran tan fuera de contexto que Jones tardó un momento en entender que le hablaba a él. No sólo que le hablaba a él sino que lo reñía.

Tuvo que cerrar la boca para que no se le escapara un «Y ¿tú qué coño de problema tienes?»

Porque él sabía cuál era su problema. Estaba muerta de miedo de que Max estuviera más herido de lo que dejaba ver. Además ella y Max habían tenido un breve intercambio verbal, según la eufemística expresión de Molly, hacía sólo un rato.

Jones no se tomó personalmente la salida de tono de Gina. Sabía que también temía por la suerte de Jules Cassidy, que, según Max, habría tenido «problemas».

Pero ya bastaba de eufemismos. A Max le habían disparado, él y Gina habían tenido una violenta discusión y Jules probablemente había muerto.

Los «problemas» de Jules habían acabado. Puede que hubiera alguna ayuda que venía en camino, pero seguro que no sería gracias a él.

Si querían ser rescatados, tendrían que esperar lo que fuera necesario para que en la oficina de la CIA en Yakarta alguien cayera en la cuenta de que Jules y Max habían desaparecido de la faz de la tierra.

Era probable que pasara un tiempo antes de que eso ocurriera. Esa semana el gobierno de Estados Unidos tenía otros problemas de que ocuparse.

Y también era del todo posible que nadie viniera jamás.

Sólo se podía pensar en resistir si contaban con comida y agua en cantidades ilimitadas. A la larga, sus provisiones se agotarían.

Y cuando eso sucediera, se verían obligados de pasar al plan D, de Deceso.

Ahora intentaba verlo con sinceridad, pero el panorama se mostraba bastante sombrío. Jones sentía que le era imposible hacer compatible su talante sincero con su optimismo.

—No podía de ninguna manera trabajar en la clínica de nuestro campamento —dijo Molly, defendiendo a Jones—. No quería que nadie se enterara de sus conocimientos médicos, porque no se podía arriesgar a que alguien estableciera algún nexo entre Leslie Pollard y Dave Jones o Grady Morant.

Gina se giró hacia él.

—Entonce, ¿eres médico de verdad, o…? —Su expresión era en parte indiferencia y en parte una especie de indignada curiosidad, una reacción muy neoyorquina. Muerta de miedo pero disimulándolo a través del enfado. A los habitantes de Nueva York se les enseña desde pequeños a no mostrar que tienen miedo.

—Fui paramédico en el ejército. —Entre otras cosas—. Me especialicé en tratar a heridos que venían del campo de batalla… Las heridas de bala son mi especialidad.

—¿Yo creía que los paramédicos sólo se ocupan de mantener a un paciente vivo antes de que lo trasladen a un hospital? —Gina no disimulaba su inquietud.

—Pasó dos años a cargo de un hospital para Chai —dijo Molly, abrazando a Gina por el hombro—. Que era el equivalente de gestionar las urgencias en una ciudad como Nueva York o Chicago. Salvó muchas vidas. —Se aseguró de que Max también la escuchaba—. Y antes de que digas «Sí, pero eran las vidas de traficantes de droga, asesinos y ladrones», deberías saber que sus pacientes eran personas normales que trabajaban para Chai porque era el único en toda la región que les ofrecía un empleo estable. O porque sabían que acabarían en una fosa común si rechazaban su oferta de empleo. Antes de que llegara Grady, a los que quedaban heridos después de un enfrentamiento entre bandas rivales, se les daba por muertos.

Jones miró y vio que Max lo observaba mientras esterilizaba un cuchillo particularmente afilado.

—Jesús y yo. Nos parecemos tanto —dijo—, que la gente a menudo se confunde.

—Ríete todo lo que quieras. Yo sólo lo cuento. —Molly tenía cara de Sentimientos Heridos. Puede que hubiera engañado a Max, pero Jones sabía que sólo era parte de su Cruzada Implacable. Molly quería que Max fuera indulgente con Jones si salían de ahí con vida. Y no había acabado—. Sí, Grady Morant trabajó para Chai un par de años, después de que los suyos lo abandonaron en una sala de torturas. Es un hombre perverso, pero... ¿qué hizo durante esos dos años? *Oh*, se dedicó a salvar vidas...

—Practicaba la medicina sin tener un título —señaló Jones—. Acabas de darle a Max una acusación más cuando me lleve de vuelta a casa.

Había dicho *cuando*, no *si*. Aunque no estuviera convencido de que no estaban en el territorio del *si*, había utilizado la expresión a propósito. La mirada que le devolvió Molly estaba llena de gratitud.

Jones se volvió hacia ella con el brillo ardiente de su mejor mirada de «Vale, nena, ya me lo podrás agradecer más tarde en privado» y, como esperaba, ella rió.

Entretanto, Max había destapado una botella de ron. Un ciento cincuenta y uno proof. ¡Hurra!

—Vamos allá —dijo, y miró a Gina.

—Yo no pienso salir —dijo ella, justo antes de que él le pidiera que hiciera precisamente eso—. En caso de que quisieras *seguir alegrándome la vida*.

Era evidente que Gina se refería a la discusión de hacía un rato y, como era de esperar, Max cerró los ojos con un suspiro.

—Siento haber perdido los estribos hace un rato.

—Yo no —dijo ella—. Yo siento haberte dejado. Pensaba que... —dijo, y rió a pesar de su indignación, sacudiendo la cabeza—. Me equivoqué. Debería haberme quedado. No debería haber dejado que me espantaras sólo porque tenías miedo.

—Salve, Gina —dijo Jones—. La reina de lo oportuno.

—¿Qué? —dijo ella—. ¿Acaso tenía que esperar para decírselo?

¿Hasta cuándo? ¿Hasta que tengamos un poco de intimidad...? Oh, claro, pero allá afuera están los soldados, y algunos tienen aparatos de escucha de alta tecnología.

—Puede que no —dijo Jones—. En esta parte del mundo, no existe esa alta tecnología que...

A Gina no le interesaba discutir.

—Eso fue lo que hiciste, ¿no? —le preguntó a Max—. ¿Ahuyentarme?

—¿Puedes dejar al menos que mi paciente se tienda sobre la mesa? —preguntó Jones—, antes de que acabes fulminándolo.

—Disculpa —dijo Gina, apartándose con un gesto exagerado—. No era mi intención entorpecer la operación.

Max lo intentó por última vez.

—Preferiría que no estuvieras...

—No.

Max miró a Molly.

—La cogeré si se marea —prometió ésta.

Él sacudió la cabeza, sin duda reconociendo que si alguna vez había llegado el momento de rendirse, era éste.

Al menos aquí, en medio de la improvisada sala de operaciones. Enfrentarse al ejército que se estaba reuniendo allá afuera era otra cosa.

Max se encaramó sobre la mesa, se tendió boca abajo y dejó descansar la cabeza entre los brazos cruzados.

Jones levantó el borde del albornoz y...

—Oh, Dios mío —dijo Gina.

Aquello no era un mero rasguño. Esa bala le causaría un gran dolor antes de que Jones se la sacara. Y después tendría que limpiar la herida.

—«Oh, Dios mío» es la expresión correcta —dijo Molly, con la admiración latente en su voz—. Bonito culo, Bhagat.

—Hey —dijo Jones, sobre todo porque sabía que ella lo esperaba. Como de costumbre, la mujer que probablemente tenía cáncer era la que animaba el ambiente.

Como era de esperar, ella lo miró con su cara de «¿Qué?», la imagen misma de una inocencia de escuela dominical, mientras le decía a Gina:

—En realidad, la herida es muy superficial. Quiero decir, sí, tendrá una bonita cicatriz... —Se giró hacia Jones—. Tú también tienes un bonito culo, cariño.

—Dios mío —volvió a decir Gina, más discretamente y Jones le lanzó una rápida mirada. Su conducta coincidía con la fama que tenía en Kenia. *Traed una cama más para Vitagliano,* farfullaba la hermana Maria-Margarit cuando Gina entraba en la tienda del hospital para ayudar. Ahora mismo estaba verde.

—Mol... —advirtió él.

—Sí, ya la tengo.

—Gina, ven aquí y cógeme la mano —dijo Max, apretando los dientes. Molly la condujo hacia una silla y le puso la cabeza entre las piernas—. Jones, ¿le puedes decir, maldita sea, que me pondré bien?

—Gina, se pondrá bien —repitió Jones, omitiendo la primera parte de la frase. *Siempre y cuando a ese ejército de allá afuera no se le ocurra traer a unos expertos en explosivos que encuentren una manera de hacer un agujero en la fortaleza de Emilio.*

Jules oyó voces.

Era posible que fueran voces buenas, voces verdaderas, no las que estaban en su cabeza y le decían que cerrara los ojos sólo un momento, que se rindiera, por un breve lapso, a la oscuridad.

Había descubierto que daba buenos resultados conversar con las voces en su cabeza. «Sabemos que si cierro los ojos, todo se acabará.»

¿No sería agradable que todo acabara? Por algo le llaman paz eterna.

«*Cállate,* cállate. *Cállate,* cállate.» Lo usaba como un mantra. O quizás era más como un ritmo para avanzar. Codo derecho en el primer *Cállate,* entrando, apoyándose en él en el siguiente. De pronto lo mezclaba con la versión más larga: «Cállate, *joder.* Cállate, *joder...*»

Pero ahora las voces que oía provenían de una fuente exterior. A menos que, desde luego, las voces interiores estuviesen creciendo, sumándose a la visión doble y al dolor insoportable. A menos que ahora le estuvieran provocando alucinaciones.

En ese caso, estaba jodido.

Vale, ése no era Jules.

Era una de las voces que pretendía ser él. Él *no* estaba jodido. Se negaba a estar jodido. Seguiría ignorándolas.

Porque la paz eterna le parecía demasiado aburrida. Él no quería descansar en la paz eterna. Él quería estar eternamente de vacaciones en Provincetown con el hombre de sus sueños. Quería ser amado eternamente, incluso casarse... tener dos hijos y un perro.

Ese tipo de amor no era más que un mito. Lo que de verdad quería era que se lo follaran eternamente.

—Cállate —dijo Jules, mientras seguía arrastrándose, sintiendo el sol con fuerza en la nuca—. No es un mito. Y ser eternamente amado viene con la bonificación de ser eternamente follado.

Sí, claro. Él no creía eso, ¿no?

—Stephen lo encontró. Mierda, le iba a contar a Gina lo de Stephen, de cuando fue a su casa...

Después de volver a casa de un viaje a Los Ángeles, Jules hizo acopio de valor para ir hasta el piso de Stephen, el vecino fabuloso que había dejado de ser nuevo, y tocó el timbre.

—Iba a preguntarle si quería salir a cenar —dijo Jules—. Sabes, como una cita. Como llegar y decir «Hola, ¿qué tal? Hace tiempo que no te he visto. Me preguntaba si tenías esta noche libre...»

Salvo que no fue Stephen el que contestó al timbre, sino Brian. Brian, el poli, que parecía una curiosa copia de Jules, pero lleno de músculos. Compacto, cara bonita, pelo oscuro, ojos marrones. Divertido y amistoso. Y a todas luces locamente enamorado de Stephen, que también estaba radiante.

—Así que me quedé y cené con los dos —le dijo Jules a Gina. Pero, un momento, ella no estaba allí con él.

Aún así, había tenido razón en cuanto a Stephen. Era perfecto.

Podría haber sido Jules en lugar de Brian, haciendo las maletas para mudarse a Massachussets y casarse.

—Quiero decir, es perfecto para Brian —le dijo Jules a las voces. Joder, qué calor hacía. ¿Por qué de repente tenía tanto calor?

Y esas voces, ¿por qué se habían puesto a gritarle en una lengua que él no entendía?

Eran muchos, y todos hablaban a la vez y todos hablaban con todos, lo cual era un truco bastante ingenioso, ya que las voces eran parte de él. Eran su lado oscuro, era verdad, pero ¿desde cuándo que su lado oscuro se había apuntado a clases en el Berlitz sin que su lado claro lo supiera?

—Hey —dijo Jules—, si no habláis en inglés os ignoraré.

Pero ¡vaya! Sus voces de pronto tenían pies. Muchos pies. Sin calzar y calzados, con botas y sandalias.

Pies y piernas y... Jules intentó mirar hacia arriba pero el sol lo cegó.

Una de las voces se inclinó, y su forma borrosa se convirtió en una cara borrosa y doble. Asiática... pelo oscuro, ojos negros, pómulos de matador, bigote de Fu-Manchú en torno a una boca que habló.

—*Lo siento por lo de su camisa.* —Pero, como en una película mal doblada, sus labios siguieron moviéndose.

—Vale —dijo Jules—, tú decididamente no eres real.

Apareció otra cara... y luego más caras.

Ni se te ocurra acercarte a esa perversa de Peggy Ryan.

—No tiene gracia —dijo Jules. Aquello no tenía ninguna, ninguna gracia. Era lo que le había dicho Robin, a quien él había querido mucho, la última vez que estuvieron juntos... en lugar de adiós—. ¡Vete!

La cara había vuelto. *Espero que algún día podamos volver a ser amigos.*

Ya estaba harto.

—¡Dejadme en paz de una puta vez! —gritó Jules, y todos retrocedieron. Buscó su pistola, hurgando para sacarla de aquella cazadora de cuero, que era un horno.

Y unos pies se le acercaron, como si su cabeza fuera una pelota de fútbol. No se podía mover, pero qué importaba. Una alucinación no podía dolerle.

364

Crac.

Jules oyó y sintió el contacto, se sintió impulsado hacia atrás, el cuerpo que seguía a la cabeza. Lo cual probablemente era una buena cosa.

Un nuevo dolor se fundió con el viejo. Unas estrellas lanzaron destellos y se apagaron. Pero antes de que el gris se volviera negro, Fu-Manchú volvió a aparecer y se inclinó muy cerca de él.

—¡*Gol*! —gritó, como el locutor de un partido internacional.

Jules quería hablar.

—Estados Unidos —logró decir. También intentó decir *Embajada. En Dili.* Pero el mundo se oscureció.

—Puede que esto te duela —anunció Jones.

¿Podría doler? ¿Podría?

Como si diera a entender que todo lo que había precedido a aquello no había dolido.

Max tenía los ojos cerrados y las mandíbulas apretadas. Estaba bañado en sudor.

Jooder.

—A las tres —dijo Jones—. ¿Preparado? Uno, dos…

—Aguanta. —Era Gina. Ahora más suave, pero cerca de su oreja—. Max, de verdad no pasa nada si gritas.

—No, no está bien —dijo él, con un gruñido.

—Sí que está bien. Y abre los ojos. En alguna parte leí que duele menos si mantienes los ojos abiertos. Con los ojos cerrados, te concentras en el dolor y…

Max abrió los ojos. Ahí estaba Gina, sus ojos, su rostro. Parecía un poco pálida, sentada en la silla que había acercado Molly, sosteniéndole las dos manos.

—No necesito gritar —dijo él.

—Hice una apuesta conmigo misma, de que no gritarías. No me dejes perder.

¿Qué?

Max intentó aflojar un poco las manos. La estaba apretando con demasiada fuerza, pero ella no quería soltarlo.

Max había sobrevivido en varias ocasiones al peligro, y los últimos cinco minutos habían sido especialmente infernales. Aún así, no se parecía en nada... *nada*... al dolor de los últimos días.

—Tres —le dijo a Jones—. ¡Venga!

Madre de Dios. Max cerró los ojos... No podía evitarlo.

—Abre los ojos —insistió Gina—. Venga, Max, *grita*.

—Venga, Max. —Era Molly que intervenía desde algún lugar cercano a la fuente del dolor—. Todos gritaremos contigo.

—No quiero... asustarte. Ah, Dios, Gina...

—No. —La voz de Gina tembló—. No te quieres asustar a ti mismo. A mí no me asustas. ¿Todavía no te has enterado? No me asustas para nada.

—Casi hemos terminado —anunció Jones, y el dolor remitió en parte.

Desde luego, después volvió, y fue más intenso que nunca.

—Dios —volvió a mascullar Max.

—Sabes, tú también eras el mejor amigo que jamás he tenido —le dijo Gina.

Seguía hablando en tiempo pasado. Él abrió los ojos y ahí estaba Gina. Tenía un rasguño en la mejilla que estropeaba la suave perfección de su tez, probablemente debido a una rama en aquella estúpida huída por la selva. Era apenas un rasguño, ligeramente rosado e inflamado aunque, mirado tan de cerca, vio diminutas gotas de sangre donde la rama le había dado de lleno.

Y aunque Gina intentara reprimirlas, las lágrimas fluyeron y le humedecieron los ojos. Una de ellas rebasó y le corrió mejilla abajo.

La vida, la vida maravillosa y abundante. Ella estaba tan llena de vida, tan bellamente viva que destilaba vida por todos los poros.

También se le colaba por los labios.

—Aunque, probablemente, yo lo habría expresado con otras palabras —dijo ella—. Algo así como *el amor de mi vida*.

Quizás aquella confusión tenía algo que ver con el fuego que sentía en el culo, pero tuvo que preguntar, porque el tiempo verbal no quedaba claro.

—¿Era? —gruñó—. ¿O soy?

Gina le sostuvo la mirada con la misma determinación que tanto le había asombrado la primera vez que habló con ella por la radio de un avión secuestrado.

—¿A ti qué te importa? —preguntó—. ¿Acaso no me ocultaste a propósito la noticia de la muerte de Ajay para que yo te dejara?

—Ya casi está —volvió a decir Jones.

—¡No digas eso cuando sabes que no es verdad! —Era casi más un aullido desesperado que un grito y Gina tenía razón. Aquello lo asustaba mucho.

—Hice justo lo que tú querías —dijo Gina—. ¿No es verdad?

—Sí —dijo Max, apretando los dientes—. Sí, ¿vale? Soy un estúpido egoísta. ¡Te lo dije desde el comienzo!

—¿Es eso lo que te dices a ti mismo? —Gina estaba cabreada—. ¿Que eres un egoísta? ¿Eso es más fácil de asumir que la verdad... que estás asustado?

—¡Maldita sea!

—¿Qué habría pasado, Max, si me hubieras dejado entrar? ¿Qué habría pasado si te hubieras dado permiso no sólo para llorar la muerte de Ajay sino para compartir lo que sentías conmigo?

—No lo sé, no lo sé —dijo él—. Diablos, Gina. Jones, ¿qué coño...?

—Casi he acabado.

—Dios. —Ahora quería aullar, pero reprimió el impulso, y las palabras salieron, apenas un borbotón—. Maldita sea...

—¿Por qué tienes tanto miedo de dejarte ser humano? —preguntó Gina—. Por eso te amo, ¿sabes?

Tiempo presente. ¡Dios, tiempo presente!

Gina apenas tuvo tiempo de tragar aire y siguió:

—Porque aunque intentes ocultarlo, yo te puedo ver. No eres perfecto... nadie es perfecto. ¿Qué no te das cuenta, Max? Yo no quiero lo perfecto. Te quiero a ti. Quiero a aquel chico que miraba pelis de Elvis con su abuelo. Quiero al hombre que atravesó la pared de un puñetazo porque no podía impedir que unos hombres malos me hicieran daño. Pero ¿sabes una cosa? Incluso quiero al hombre que se hace a sí mismo tan... frío y, y... distante, el hombre que se culpa por todos sus llamados fracasos. Quisiera que entiendas que el ser humano aprende a partir de los fracasos. Aprendemos y crecemos y nos olvidamos de nuestros errores porque sabemos que la próxima vez lo haremos de otra manera. Si tenemos la suerte de que haya una próxima vez.

Sin soltarle las manos, Gina se secó las mejillas en la manga de su camiseta.

—Eres. Si quieres que conteste directamente a tu pregunta. Tú *eres* el amor de mi vida. Y ¿sabes otra cosa? He aprendido. Si tú me puedes perdonar por haberte dejado, si tú nos das una segunda oportunidad, no dejaré que me entre el miedo y no acabaré huyendo.

Jooder.

—La tengo —dijo Jones, con expresión de triunfo—. Lo siento, había un trozo de mierda, o de tela o algo, pero finalmente lo he quitado. ¿Preparado para un poco de acción antiséptica del ciento cincuenta y uno?

—Sí —dijo Max, con un gruñido de voz. Eres. Tiempo presente. ¿Si *él* podía olvidarla a *ella*? Sin embargo, Gina hablaba en serio.

Y, sí, ahora ya estaba preparado para lo que viniera.

Cuando Jones virtió el ron de alto octanaje en su herida de bala, Max abrió la boca y rugió:

—Joo–der. ¡Jooo-der!

Tal como habían prometido, Gina y Molly gritaron y chillaron con él, aunque en el caso de Gina quizá fuera risa. Era difícil saberlo, sobre todo cuando se echó a llorar.

Había tanto ruido, con el propio Jones aullando, que al principio casi no la escucharon.

Una voz. En el megáfono.

—Grady Morant.

Molly fue la última en oírlo, y Gina y Jones la hicieron callar.

—Grady Morant —repitió la voz.

—Oh, Dios —murmuró Gina, cuando Max por fin le soltó las manos.

Jones vendó rápidamente la herida de Max y se fue al fregadero a lavarse las manos. Max se incorporó hasta quedar a cuatro patas.

—¿Alguien ha visto mis pantalones?

—Están empapados —le informó Molly—. Intenté quitarle las manchas de sangre, pero…

—Yo te conseguiré algo —dijo Gina, y salió corriendo.

—Grady Morant, está totalmente rodeado —siguió la voz del megáfono—. Por el bien de sus compañeros, ríndase pacíficamente, y nadie resultará herido.

Capítulo 20

Gina volvió corriendo a la cocina con un cargamento de ropa sacada de lo que debía ser el armario de Emilio, mientras el hombre del megáfono seguía exigiendo a Grady Morant que se entregara.

Molly y Jones ya habían subido a mirar por la ventana con los prismáticos de Emilio.

Max estaba frente al fregadero lavándose la cara.

—Es el momento de la verdad —dijo, cerrando el grifo.

Gina dejó la ropa sobre una silla y le pasó a Max la toalla que colgaba de la puerta de la nevera.

—Gracias —dijo éste, y se secó—. Ahora es cuando nos enteramos para quien trabajaba Emilio. Es posible que los soldados que han intentado matarnos no siguieran órdenes oficiales. Si no, quien quiera que esté al mando allá afuera quizás esté dispuesto a dejar que nos rindamos a un contingente especial de la Embajada de Estados Unidos en Dili. Si puedo conseguirlo, estaremos libres y de vuelta en casa.

Gina asintió con la cabeza. Y ¿si no podía?

—Si yo no puedo… —dijo Max, y sus miradas se cruzaron. Max sonrió con un dejo malicioso—, nadie puede. Y no es que quiera darme importancia.

—Lo sé —dijo Gina, y buscó entre las prendas de ropa—. ¿Te importaría ponerte la ropa interior de Emilio? —Gina se había girado para enseñarle dos estilos distintos que había encontrado—. Te néis más o menos la misma talla. Y están limpios. Estaban envueltos en papel, como de la lavandería.

Max le lanzó una mirada porque, además del par de calzoncillos negros de seda, muy caros, que le había sacado a Emilio, también había escogido uno de sus tangas.

—¿Qué? —preguntó Gina.

Era a todas luces un tanga de hombre. Tenía todo el espacio necesario para las partes no femeninas.

—No seas ridícula.

—No lo soy —dijo ella, intentado ponerse seria—. En primer lugar, ha pasado bastante tiempo y puede que tus gustos hayan cambiado. Y dos, puede que éstos sean más cómodos, teniendo en cuenta la parte que está vendada y…

Max le quitó los calzoncillos.

—Por lo visto, me equivocaba. —Se giró y empezó a buscar entre los pantalones y las bermudas que había traído, intentando que no se notara demasiado que lo vigilaba por el rabillo del ojo. En caso de que fuera a desmayarse.

Sí, claro.

Después de ponerse los calzoncillos, se quitó el albornoz y…

Vale, desde luego no estaba tan delgado como después de su larga estancia en el hospital. Era probable que los pantalones de Emilio no le quedaran bien. Aunque había unos que parecían agradables y cómodos… Eran unas bermudas verdes.

Max le lanzó otra de sus miradas de Tienes-que-estar-bromeando mientras dejaba el albornoz sobre el respaldo de otra silla.

—¿Realmente tengo la pinta de haberme puesto unas bermudas así alguna vez en mi vida?

—Ella intentó no sonreír.

—Francamente, pienso que no tienes demasiada alternativa —dijo ella, y se permitió mirarlo de arriba abajo—. Sabes, podrías ponerte sólo los calzoncillos. Al menos hasta que estén secos tus pantalones. ¿Sabes lo que te iría muy bien con eso? Una pajarita. —Se volvió como si fuera a regresar al armario—. Estoy segura de que Emilio tiene un esmoquin. A juzgar por el resto de su ropa, debe ser de poliéster y de color verde, aunque quizá la pajarita es…

—Gina —llamó Max antes de que ella llegara a la puerta. La hizo volver con un gesto.

Gina le tendió los calzoncillos, pero en lugar de cogerlos, él la agarró por el brazo y la atrajo hacia él.

—Yo te amo —dijo, como si estuviera despachando la más horrible de las noticias aunque, por algún motivo, le causaba cierta diversión.

Gina había estado esperando a que lo dijera, incluso rezando, pero el hecho de que hubiera conseguido sonreír, aunque no fuera más que un poco, era un milagro.

Y luego, antes de que su corazón pudiera arrancar a latir nuevamente, Max la besó.

Y, oh, también estaba más que preparada para esa maravilla en concreto, para la suave dulzura de su boca, para la solidez de sus brazos estrechándola. Tenía más con que abrazarla ahora que había recuperado su peso normal, y eso también era asombroso. Gina le acarició los suaves músculos de la espalda, los hombros, y el beso de Max pasó de tierno a apasionado.

Y, Dios, eso también era un milagro.

Salvo que ella no podía dejar de preguntarse por esas palabras, que le había arrancado, como si le costara el alma pronunciarlas en voz alta. ¿Por qué le decía eso ahora?

Sí, llevaba años esperando oírle decir que la amaba, pero...

—¿Estás...? ¿Has dicho que...? ¿Crees que nos vamos a morir? —preguntó Gina.

Max rió, sorprendido.

—No. ¿Por qué...? —dijo, y él mismo lo entendió—. No, no, Gina... es que debería haberlo dicho antes. Debería haberlo dicho hace años, pero debería haberlo dicho de verdad, ¿sabes?, en lugar de *hola*. —Volvió a reír, visiblemente enfadado consigo mismo—. Dios, soy un imbécil. Quiero decir, debería haber llegado y decir «Gina, te necesito, te amo, nunca vuelvas a dejarme».

Gina se lo quedó mirando. Era bueno que no lo hubiera dicho antes porque podría haberse desmayado.

Era evidente que quería que ella dijera algo, pero Gina se había quedado totalmente muda.

—Vale —dijo Max—. Ahora estoy aterrado de que... eh, lo he dicho demasiado tarde.

Su incertidumbre convertía su afirmación en pregunta.

—¿He llegado demasiado tarde? —volvió a preguntar, como si de verdad pensara...

Por mucho que Gina disfrutara verlo retorcerse, se obligó a recuperar el habla y a hacer funcionar sus cuerdas vocales nuevamente.

—¿Estás...? —dijo, y carraspeó, pero en realidad no importaba lo que dijera, porque las lágrimas en sus ojos seguramente le decían a él todo lo que deseaba escuchar.

Ella percibió su alivio y, sí, Max todavía estaba asustado, también eso lo vio, pero había una esperanza. Y algo que se parecía muchísimo a la felicidad.

La felicidad... en la mirada de Max.

—¿De verdad me estás pidiendo que te dé una segunda oportunidad? —consiguió decir con una exhalación.

Él volvió a besarla, como si no soportara estar tan cerca de ella sin ceder a la tentación.

—Por favor —respiró en su oído, y volvió a besarla, y a buscar su boca con la lengua y... Dios mío...

Se podría haber quedado ahí, besando a Max para siempre, pero el hombre del megáfono no se callaba.

Además, quería estar segura de que aquello era algo más que sexo.

—¿Me *quieres* en tu vida? —preguntó Gina—. Quiero decir, la necesidad es algo bonito, pero... —Implicaba una cierta falta de libre albedrío. *Querer*, al contrario...

—Quiero —dijo él—. Sí, te quiero. Mucho. En mi vida. Gina, estaba perdido sin ti —dijo, y no siguió—. Más perdido, o... —Sacudió la cabeza—. Joder, estoy hecho polvo, pero si todavía tienes algún motivo para amarme... Si hablabas en serio cuando decías eso de... —y ahí estaba otra vez, en sus ojos. La esperanza— de quererme de todas maneras.

—Yo no te quiero *de todas maneras* —dijo ella, con el corazón en la boca—. Yo te quiero *porque*. —Le tocó la cara, las mejillas suaves, recién afeitadas—. Aunque, ahora que lo dices, es verdad que estás un poco hecho polvo, y yo probablemente tenga derecho a compensaciones en ciertos aspectos. Quiero decir, en cualquier relación tienes que negociar un nivel básico de acuerdo, ¿no?

Él pensaba que Gina hablaba muy en serio.

—Pues, sí.

—Así que, digamos, si yo dijera lo increíblemente sexy que te ves con ese tanga...

Max rió, aliviado.

—Joder, pensé que hablabas en serio.

—Joder —dijo Gina, provocadora—, hablo en serio.

Él le cogió la cara con las dos manos y el calor que ella vio en sus ojos hizo que le temblaran las rodillas.

—Yo me lo pongo si tú te pones uno...

La volvió a besar, y esta vez no era nada más que sexo. Sus labios ya no eran suaves cuando buscó su boca, mientras la estrechaba con más fuerza, y más, mientras ella se aferraba a él y le hundía las manos en el pelo. Quería acariciarlo por todas partes, a ese Max increíblemente vital, con sus brazos musculosos y su espalda ancha, con esas durezas abdominales que tanto la habían sorprendido la primera vez que lo había visto desnudo. En su habitación de motel en Florida. Parecía que habían pasado siglos desde entonces.

O, si no eran siglos, era —para Max— dos heridas de bala antes. Y Gina se preguntó, mientras lo besaba, si los agentes del FBI medían el paso del tiempo contando sus cicatrices.

También se preguntó si él sabía que a ella los cuerpos a la moda tampoco le interesaban demasiado. Delgado o gordo, austero o soso, a ella le daba igual. Ella lo quería saludable y vivo y, preferiblemente, lo bastante feliz para sonreírle. Era lo único que le importaba.

Aún así, no podía dejar de tocarlo. Su espalda, sus brazos, sus hombros...

Y, ay, olía tan bien.

Gina se derretía con sus besos, desesperados, posesivos, hambrientos, besos a los que ella respondía con la misma intensidad. Se perdió en el deambular de sus manos, en la dureza de su pecho, mientras Max le apartaba las piernas, y ella sentía más dureza contra su suavidad.

Gina sintió la mesa de la cocina por detrás contra los muslos, sintió las manos de él en el botón de la cintura. Y luego ella le estaba ayudando, quitándose el pantalón para que él pudiera levantarla hasta la mesa, hasta que no quedara nada entre ellos. Lo envolvió por la cintura con las piernas y él...

Dios mío.

Cómo lo había añorado, cómo había añorado aquello. Intentó decírselo, pero él la estaba besando como si intentara tocarle el alma con la lengua.

Tal vez lo conseguiría.

Y lo único que ella atinaba a decir era: «Más...» y «Por favor...»

Max la sostenía, de manera que no se aplastaba la columna contra la dura madera de la mesa, y era tan maravilloso que la sostuviera así, tan increíblemente maravilloso, mientras él no paraba de besarla, mientras se metía en ella más profundamente, duro.

Era Max y era sexo, pero era diferente a cualquier relación sexual que hubiera tenido con él porque, en esta ocasión, Max no tenía esa delicadeza de siempre. No cuidaba tanto de su clavícula, sanada hacía tiempo. Y no cuidaba de ella como si fuera una muñeca de porcelana.

Ella no estaba encima.

Gina sabía que a Max le gustaba que se montara encima a horcajadas porque entonces era ella la que controlaba. Incluso cuando su herida había sanado lo suficiente como para permitirse otras posiciones, él siempre estaba demasiado tenso, demasiado pendiente de que ella pudiera sentirse clavada si lo hacían en cualquier otra posición.

Gina también sabía que Max procuraba que las cosas fueran más fáciles, no más difíciles pero, a menos que cerrara los ojos, a menudo acababa recordando el secuestro y la violación. Estaba presente en su cautela, en su constante velar porque ella estuviera bien, incluso en cómo intentaba disimular que pensaba en ello. Siempre estaba pensando en ello.

Siempre.

Pero ahora eso no existía entre los dos. No había nada que se interpusiera.

Sólo estaba Max. Que no la tenía clavada. Al contrario, la sostenía, protegiéndola.

—Gina —suspiró él, mientras ella se apretaba contra él, queriéndolo más cerca, más cerca.

—¿Estás...?

No preguntes si se encuentra bien. Por favor, no preguntes...

—Dios —dijo, soltando el aire, como si la palabra le hubiera sido arrancada—. Es demasiado bueno. No... puedo...

Su repentina liberación fue un potente estímulo y Gina sintió venir el orgasmo, intenso y rápido. Fue como una ola de placer que la cegó, y fue todavía más profundo por el hecho de saber que él experimentaba lo mismo.

—Te amo —dijo, casi ahogada, sobreponiéndose a su corazón galopante, mientras él seguía sosteniéndola, sin dejar de apretarla, mientras los dos luchaban por recuperar el aliento. No recordaba si ya se lo había dicho.

—¡Mierda! ¡Lo siento! —Era la voz de Jones.

¡Joder! Gina se giró hacia la entrada totalmente abierta de la cocina, que daba al pasillo y que, en realidad, no tenía siquiera una puerta que cerrar. En caso de que se quisiera un poco de intimidad.

Max dio un salto e intentó cubrir la desnudez de Gina con su albornoz, con su propio cuerpo.

Pero Jones ya no estaba ahí.

—¡No estoy mirando! —avisó, desde el pasillo—. Lo siento, sólo que... nos vendría bien un poco de ayuda allá arriba.

Entretanto, la voz seguía repitiendo una y otra vez el mismo mensaje por el megáfono. Era curioso pero, al cabo de un rato, Gina había dejado de oírla.

—Aunque, joder, Bhagat. Será mejor que use un poco de ese hilo para coserte como Dios manda si vas a... ¿Qué?

Era Molly que murmuraba algo, palabras ininteligibles, mientras sus pasos se alejaban.

Gina empezó a reír, absolutamente avergonzada.

—¡Dios mío! —dijo—. ¿De verdad lo hemos hecho así, sin más?

Y, joder, además lo habían hecho sin condón. No era nada habitual que Max hiciera algo así.

Era posible que estuviera mintiendo al decirle que no creía que iban a morir. Ahora que sólo les quedaban unos pocos días, o unas pocas horas de vida, los métodos anticonceptivos y el control de la natalidad no eran asuntos de mayor importancia.

Mientras Max se ponía aquellas horribles bermudas verdes, en su rostro se reflejaba una mezcla de culpa y de ganas de pedir perdón. Cuando abrió la boca, ella lo hizo callar.

—No te atrevas a decirme que lo sientes —dijo Gina—, porque yo no lo siento. Sí, no era el mejor momento… y quizá deberíamos haber…

—Yo también te amo —dijo él—. ¿Se puede decir así? Y sí, tienes razón. Probablemente estaba a punto de decir que lo sentía…

—No pasa nada —dijo ella—. Pero no pienso escuchar el resto. La la la…

—… que hubiera ocurrido aquí y no en otro lugar, no sé, más romántico o, al menos, privado.

—¿Estás bromeando? —dijo Gina—. Hacerlo sobre la mesa de la cocina es una de las fantasías femeninas más grandes de todos los tiempos. Dios mío —dijo, y se echó a reír.

Max también reía pero, al mirarse el vendaje, hizo una mueca.

Mierda, ella había olvidado completamente lo de su herida.

—No te he hecho daño, ¿no? —inquirió, preocupada.

—Nada de nada —dijo él, y la besó mientras cogía una camisa de Emilio del montón de ropa—. No te esperaré, ¿de acuerdo?

Ella asintió. Tenía que limpiarse. Era asombroso que Max no estuviera angustiado por no haber utilizado preservativo, y que todavía no se manifestara la reacción y el arrepentimiento pos coito.

—Me daré prisa. Sólo tengo que…

—¡Gina! —gritó alguien desde arriba. Era Molly—. Lo siento mucho, pero necesitamos a Max urgentemente aquí arriba. ¡Ahora!

Max volvió a besarla y fue hacia la puerta. Pero antes de salir de la cocina, se giró.

—Por cierto —dijo—. Hay una última cosa que quería decirte. Quiero que te cases conmigo.

Y salió.

Era increíble.

Absolutamente increíble. Molly estaba indignada.

—¿A quién se le puede ocurrir utilizar a un niño de esta manera? Deberían colgarlos.

Todos los habitantes del barrio habían sido evacuados. Muchos miraban desde detrás del contingente armado y seguían la evolución del drama.

O el estancamiento, como era el caso desde hacía horas. Pero entonces uno de los soldados que hablaba inglés echó mano de un megáfono para exigirle a Jones que se entregara.

Otro de los soldados había arrancado de brazos de su madre a uno de los niños, un bebé de unos ocho meses, y ahora lo utilizaba como escudo para atravesar la plaza, en dirección a la casa.

El bebé chillaba y buscaba a su madre, que también lloraba, sujetada por varias mujeres.

Fue casi divertido ver cómo la mayoría de los civiles se disolvían de inmediato. Habían estado ahí y ahora ya no estaban. Con la excepción de la joven madre desesperada y sus dos compañeras, todos desaparecieron entre las sombras alargadas de la tarde.

Pero no había nada ni remotamente divertido en el hecho de usar a un bebé como escudo humano.

Uno de los soldados se acercó a la madre que lloraba y levantó su arma. La mujer cayó de rodillas, aunque no del todo silenciosa; no lo suficiente.

—No disparen —dijo el hombre del megáfono, en inglés y en un dialecto que Molly apenas entendía. Era diferente de la lengua que se hablaba en la isla de Pawati, donde ella había vivido varios años. Pero era lo bastante cercana para que entendiera las similitudes.

—¿Qué está ocurriendo? —dijo Max, cuando entró en la habitación. Se abrochó la camisa y, aparte de una mirada tímida que le lanzó a Molly y el gesto de arreglarse la maraña de pelo, toda su atención estaba centrada en la nueva situación.

—Nos traen una radio —dijo Jones, pasándole los prismáticos.

La ventana estaba tintada como un espejo por fuera. Ellos podían ver el exterior, pero no al revés. Aún así, Jones le había dicho a Molly que quizás hubiese un tirador de elite al otro lado de la plaza con una mira de alta tecnología que le permitiera ver a través. Al parecer, Max pensaba lo mismo. Se mantenía alejado de la ventana mientras miraba entre las barras.

—¿Una radio? —dijo Max, incrédulo.

—Sí —dijo Jones—. No te hagas ilusiones. Creo que será un *walkie-talkie* de un solo canal. Nuestro intérprete probablemente no debe saber cómo se dice.

—Mmm —asintió Max, mientras miraba con los prismáticos a los militares apostados al otro lado de la plaza—. Creen que están más allá de nuestro alcance. Seguro que no saben que tenemos armamento bastante pesado aquí dentro. Me pregunto si…

—Quizá sepan que nunca lo utilizaremos —sugirió Molly—. Quiero decir, deben saber que no le dispararíamos al soldado por miedo a darle al bebé.

—El bebé es para nosotros —dijo Max, que seguía mirando con los prismáticos—. Se supone que creemos que no nos dispararán cuando abramos la puerta si dejan al bebé en la entrada.

El soldado con el bebé se acercaba y Molly vio que, en efecto, además del bebé llevaba algo.

—Voy a bajar —dijo Max.

—Yo también. Yo debería ser el que abra la puerta —dijo Jones.

—Y ¿si es una bomba?

Molly se giró y vio a Gina en el pasillo, con cara de ansiedad, como si acabara de bajar del Expreso del Cielo.

—Esa radio que nos quieren dar —dijo—. ¿Qué pasa si, en realidad, no es una radio?

—Por lo que puedo ver —dijo Max, sacudiendo la cabeza—, dudo que tengan la tecnología para…

—Pero ¿y si la tienen?

Él la miró y ella aguantó la respiración. Pero su respuesta no fue ni paternalista ni condescendiente, como si dijera, *Ya que todos saben que acabamos de echar un polvo, fingiré que te respeto contestándote como si tu inútil pregunta tuviera sentido.* Pero, al contrario, fue sincero.

—Sería una desgracia —dijo—. Pero tenemos que comunicarnos con ellos, Gina. No veo otra alternativa.

—Al menos asegúrate de que es de verdad una radio —dijo ella, asintiendo—, antes de que la entres.

—Eso no será tan fácil —dijo Jones.

—Claro que sí —dijo Gina, mirándolo fijo. Hizo un gesto hacia la ventana—. Le gritamos al hombre con el bebé y le decimos que envíe un mensaje a los que están al mando, con esa misma radio que trae. Decirle que les diga que repitan nuestro mensaje por megafonía. Debería ser algo poco común, algo que normalmente no sabrían, como la letra de una canción. Y entonces sabremos si de verdad es una radio —dijo, frunciendo el ceño—. A menos que lleve consigo una segunda...

Max volvió a mirar con los prismáticos.

—Yo no veo que tenga ningún cable. Y dudo que tengan auriculares miniaturizados cuando ni siquiera tienen dinero para chalecos antibalas.

—¿Qué pasará —preguntó Gina, empeñada en hacer de abogada del diablo—, si el soldado no habla inglés?

El soldado que traía la radio hablaba justo el inglés necesario.

La estrategia de Gina funcionó perfectamente. El *walkie-talkie* era una mierda de corto alcance y de un solo canal. No podían usarlo para pedir ayuda. Max lo cogió en la puerta sin que le dispararan y volvió a cerrar.

Al bebé se lo llevaron de vuelta al otro lado de la plaza y se lo devolvieron a su madre, que lloraba desconsoladamente.

Todo era maravilloso, incluida la sonrisa de Gina, porque Max había usado la letra de una canción de Elvis.

«*Like a ribbon floats, Girlie, do you see?*» La letra había sido reproducida por megafonía en un inglés forzado y con marcado acento. Como una versión del juego del teléfono en clave vida o muerte, la mayoría de las palabras no se habían entendido bien: «*Dolly, sowing, goats, some things are men do be...*»

Pero era lo bastante parecido.

Todo era maravilloso, excepto aquello que más importaba.

La negociación.

El comandante a cargo de la operación seguía órdenes estrictas, algo que Max constató al cabo de quince segundos de conversación con el intérprete. El comandante no era un negociador profesional y le comunicó a Max que no estaba autorizado para llegar a ningún tipo de acuerdo.

Por parte del militar, no sólo era falta de imaginación. Era evidente que el hombre tenía un único objetivo, a saber, salvar el propio culo. Había gente que jugaba estrictamente según las reglas porque creían en ellas. Este comandante lo hacía porque tenía miedo.

Max dedicó unos treinta minutos a explicarle, amablemente, para no atemorizarlo aún más, que era un ciudadano de Estados Unidos y que quería hablar con alguien de la embajada de Estados Unidos y que sí, que sabía que no había embajada en la isla de Meda. Max pedía hablar con alguien de la embajada en Timor Oriental, en Dili.

Pero entonces descubrieron que la embajada en Dili había cerrado. Debido a la amenaza terrorista, todo el personal había sido trasladado a un lugar tenido por seguro.

Y luego vino la peor noticia de todas.

Los superiores habían informado al comandante que Grady Morant era el cabecilla de una conocida célula terrorista, buscado por los gobiernos de Indonesia y de Estados Unidos.

Y, por cierto, el comandante también se las arregló para comunicarles que sus órdenes eran matarlos. A todos, desde el momento en que salieran por esa puerta, aunque lo hicieran con las manos en alto.

Hasta ahí llegaba el prurito de no salir heridos.

Ahora bien, quizás hubiera barreras de lenguaje, pero a Max le fue imposible convencer al comandante de que había un grave malentendido.

—Quiero hablar con Emilio Testa —dijo finalmente Max.

—¿Quién es Emilio Testa? —fue la respuesta.

Max miró a un lado y vio a Gina que lo observaba. Ella sabía por qué lo preguntaba. Si Emilio estaba vivo, era probable que Jules no lo estuviera.

—Es el hombre que vive en esta casa —dijo Max.

Siguió un silencio, y Gina habló, por lo bajo.

—Si Jules no está muerto, si piensa venir con ayuda, ya habría llegado, ¿no?

Max no podía mentirle.

—Sí.

El *walkie-talkie* chisporroteó.

—Este hombre Testa no conocemos.

—Puede que sea mentira —le dijo Max a Gina—. O quizá no. Quizá Testa se entendía con alguien más arriba en la cadena de mando.

—¿Estáis preparados para rendiros? —preguntó la voz del *walkie-talkie*. Era a todas luces una frase sacada del capítulo de negociación de su manual de traducción.

¿Acaso estaba bromeando? ¿Si rendirse significaba abrir la puerta para que les dispararan?

—Quiero hablar con un ciudadano de Estados Unidos —dijo Max—. Preferiblemente alguien de la oficina de Yakarta de la CIA o de la embajada de Estados Unidos. Sin embargo, aceptaré... hablaré con cualquier oficial de cualquier rama de las fuerzas armadas de Estados Unidos. Cualquiera. Cualquier ciudadano de Estados Unidos —repitió.

—No estáis en condiciones de hacer demandas —fue la respuesta, que también era de manual.

—Claro que lo estamos —dijo Max—. Tenemos suficiente agua y comida para meses. —No era verdad, pero si el oficial no tenía acceso a Emilio Testa, no lo sabía—. ¿Piensa estarse tanto tiempo ahí sentado esperando?

—El coronel llega mañana. Y el tanque también.

Max se incorporó. ¿Qué coño?

—¿Ha dicho *tanque*? —preguntó Gina, con ojos desorbitados.

—Por favor, repita —dijo Max.

Pero sólo se oía la estática. Quien quiera que estuviera en el otro extremo había apagado el *walkie-talkie*.

No era de extrañar que su interlocutor no fuera un negociador especialmente dotado. No tenía por qué serlo.

El coronel (¿quién sería ése?) venía en camino. Eran noticias buenas o malas. No lo sabrían hasta que llegara.

En cuanto al tanque, ninguna incógnita. No sólo eran malas noticias. Eran jodida y absolutamente malas.

Capítulo 21

—Puede que sea un farol —dijo Molly.

—Puede que no —dijo Max, y cruzó una mirada con Jones—. ¿Tienes alguna experiencia con...?

—¿Con tanques? —Jones se encogió de hombros, intentando ocultar su miedo. Había sentido cómo lo invadía en olas, cuando Max le trajo las noticias, y ahora se había asentado en lo profundo de sus entrañas—. Suficiente para saber que hay dos lugares donde nunca querría estar. Dentro de uno cuando el enemigo tiene granadas antitanque, y en el blanco hacia donde apuntan los cabrones que están adentro. Quiero decir, este lugar es sólido, pero... un tanque causará daños.

Eso era decir lo menos.

En ese momento se separaron. Molly y Jones se quedaron arriba, Max y Gina abajo. La cocina era su cuartel de operaciones, mientras se dedicaban a buscar en cada armario y cajón de la casa.

Buscaban un radiotransmisor. O cualquier otra cosa que pudiera ayudarles a salir de ahí con vida.

¿Unas zapatillas rojas? ¿Una puerta mágica a otra dimensión? ¿Un *kit* de monta tu propio helicóptero con campo magnético incluido para que no les volaran el culo al salir por la ventana de la primera planta?

Hasta el momento no habían tenido suerte.

Al contrario, sí habían encontrado una parrilla modelo George Foreman y una cafetera express. Un aparato de karaoke había creado cierta expectación porque lo confundieron con una radio. Al menos se parecía más a una radio que el aparato de George Foreman.

Encontraron una fotocopiadora y cinco cajas de papel. Una provisión de velas para todo un año. Una caja vieja donde se leía que el aparato en el interior podía fabricar los llamados «Increíbles Comestibles». Pero en la caja sólo había unos cromos de béisbol, entre los cuales un Tom Server y un Ted Williams.

Después de dejar a un lado la caja (tal vez no sería mala idea que Emilio ayudara a pagar una parte de las facturas médicas de Molly en el futuro), Jones entró en la habitación de Emilio. En uno de los armarios había un televisor de pantalla plana.

En la pantalla sólo había nieve cuando lo encendió, pero tenía un reproductor de DVD conectado y tres estanterías llenas de discos.

Por lo visto, Emilio tenía cierta debilidad por una estrella del porno llamada Ruksana, que aparecía en todas las tapas de sus DVD, vestida de alumna de escuela católica, con coletas incluidas.

Molly lo encontró mirando los títulos.

—A ver si adivino —dijo—. Los estás mirando para entender mejor quién es Emilio. Así podrás adivinar dónde podría esconder algo como una radio. Si tuviera una radio que esconder.

Jones rió.

—Exactamente. —Ni él mismo podría haber encontrado una respuesta tan buena para salir del apuro—. He descubierto que Emilio se me parece bastante. A los dos nos gustan las chicas guapas.

Molly miró la tapa del DVD que él tenía en las manos y rió. El título en inglés estaba en letras pequeñas en la parte baja de la foto: *Señorita muy traviesa en gran lío*. Al parecer, algo se había perdido en la traducción.

—Si algún día escribo mis memorias, te aseguro que utilizaré este título —dijo. Le dio la vuelta a la funda—. ¿Quién habría dicho que teníamos tanto en común con la tal Ruksana?

Jones la miró. La casa sin ventanas tenía una iluminación penumbrosa, sobre todo ahora que usaban velas para ahorrar la gasolina del generador. Sin embargo, Molly podía iluminar hasta la habitación más oscura.

Le sonrió cuando devolvió el DVD a la estantería.

—Así que, si tuvieras una radio, ¿dónde la esconderías?

—No tendría una radio —dijo él, jugando con un rizo de su pelo. Molly lo llevaba recogido debido al calor pero, como de costumbre, unos tirabuzones le caían por los lados—. No necesitas una radio cuando trabajas solo. Pero si hubiera trabajado con alguien con quien debía estar en contacto, habría guardado la radio en el coche. O en mi bote, o en mi avión.

—¿Crees que...?

—No hay nada en el Impala —dijo él—. Lo revisé. Un par de veces, antes de que empezara el tiroteo. —Cerró los ojos, intentando recordar el salpicadero del coche destartalado aparcado en la calle. El coche en que se habían marchado Emilio y Jules. Jones había empezado a hacer un puente pensando que Molly iba en la furgoneta blanca que había salido a toda prisa.

Intentó visualizar la guantera, recordar si tenía una cerradura más sólida de lo normal. Pero no servía de nada. Pero no lo consiguió.

—¿Qué? —preguntó Molly.

—Si yo fuera Emilio —dijo Jones—, guardaría la radio en el coche que suelo usar cuando, eh..., cuando no jugaba necesariamente siguiendo los dictados de la ley. Mi coche menos identificable. Como el pequeño Ford que se llevó montaña abajo.

—Mierda. —Molly no solía decir palabrotas, pero si en algún momento estaba justificado hacerlo, era ahora. Habían mirado en prácticamente todos los muebles de la casa.

Nada de radios. Al menos ninguna que sirviera de transmisor.

Y entonces entró Gina, radiante de entusiasmo.

—Hey, ¿habéis encontrado algún...? —dijo, y los vio junto al mueble—. Estupendo, es justo lo que buscaba.

—¿Pelis porno? —preguntó Jones.

—Cariño —le dijo Molly a Jones, con su voz de esposa de comedia televisiva—, Gina no necesita el porno para tener una vida sexual más emocionante.

—Ay, señor Repartidor de Pizzas... —dijo él, imitando a Gina, con voz temblorosa y aguda—. ¿De verdad? ¿Aquí mismo en la cocina? ¿Aunque mis amigos estén arriba? ¡Vale! Ñaca-ñaca, ñaca-ñaca.

—Anda, cállate —dijo Gina, riendo, aunque sonrojada—. Dame un respiro. Llevo un año y medio sin verlo.

—¿Así que lo primero que haces es tirártelo? Sin ni siquiera... —Jones se dio cuenta de lo que decía. Y Molly lo estaba mirando. Mejor quedarse callado.

—Lo que pasa es que no queremos que te hagan daño —le dijo Molly a Gina.

—Estoy atrapada en un búnker diseñado como una casa en una isla remota en Indonesia —dijo Gina—, rodeada por un ejército cuyo comandante ha recibido órdenes de disparar a matar, aunque nos entreguemos. Hay un tanque en camino hacia aquí con la intención de volarnos hasta pulverizarnos.

—Ya lo hemos entendido —dijo Jones—. Entonces, ¿por qué andas buscando pornografía? —preguntó, y le cogió el DVD a Gina—. *Ruksana visita el Vaticano*. ¿No ganó un premio por ésta? —preguntó—. ¿Como el bodrio más ordinario e insultante del año?

—Ay, señor —dijo Molly—. Eso no está nada bien.

—Abre la caja —dijo Gina.

Ajá. En el interior no había un DVD sino un disquete de ordenador.

—Pensamos que es un archivo de seguridad —dijo ella—. Estaba escondido en la despensa. Con un ordenador viejo. Uno que guardaban ahí. Se diría que alguien se consiguió un portátil pero no quería tirar el viejo directorio. Pensé que era raro esconder un DVD ahí adentro, así que... Desde luego, es porno, y supongo que la gente que está en el rollo los esconde en cualquier parte, pero entonces abrí la funda y...

Molly ya había cogido uno de los DVD de la estantería. Lo abrió y...

—Aquí hay otro —dijo.

Jones cogió un montón y empezó a mirar.

—Max está instalando el ordenador en la cocina —dijo Gina—. Si logra hacerlo funcionar, intentaremos ver qué hay en estos disquetes.

El ordenador era casi una pieza de museo, con una pantalla que hoy se calificaría de diminuta. Volvía lentamente a la vida con un resoplido cuando Gina entró con Molly y Jones en la cocina.

—¿Habéis encontrado algo más? —preguntó Max, sentado sobre una almohada. Le dolía sentarse, pero si conseguía que una parte reposara sobre el cojín, no era tan doloroso.

—La madre de todos los archivos —informó Gina—. Diez disquetes más.

Los contenidos de la despensa estaban esparcidos por el suelo de la cocina, desde montones de periódicos viejos hasta una bolsa de comida para perros y una caja llena de folletos, impresos mitad en indonesio y mitad en portugués, de lo que parecía una campaña política. Tuvieron que pasar por encima de todo para llegar a la mesa.

—¿Alguien quiere un té? —preguntó Molly, yendo hacia el fogón.

Gina dejó el disquete en la mesa cerca de Max.

—Sí, a mí me gustaría un poco, pero yo lo preparo. —Le tocó la nuca a Max al ir hacia Molly. Fue una caricia leve, pero a la vez posesiva e íntima, y Max se volvió repentinamente consciente de que aquella era la mesa donde acababan de...

De acuerdo. ¿Alguien más en la sala que pensara lo mismo? Max miró a Jones, que alcanzó a verlo e intentó no sonreír, y...

Sí, Jones también estaba pensando en ello.

—Tú, siéntate —le dijo Gina a Molly—. Y pon las piernas en alto.

—Gracias, cariño. —Molly se acercó para sentarse a la mesa, justo frente a Max.

Max fingía estar fascinado por la pantalla del ordenador, que seguía con el icono del reloj encendido. En su visión periférica, vio que Jones movía una silla para que Molly elevara las piernas.

—Mis tobillos han comenzado a hincharse —dijo Molly. Le hablaba directamente a él. Él no podía mirarla. Vaya, ¿de verdad se había sonrojado? —Me pasa desde hace poco.

Un momento. Los tobillos hinchados eran... ¿Acaso no tenía cáncer de mama?

Ella le sonrió desde el otro lado de la mesa.

—No mires con esa cara de preocupado, Bhagat, es normal. Es probable que sea por el calor. Pero se supone que tengo que cuidarme porque, bueno, ya tengo más de cuarenta años.

Ahora Max estaba completamente confundido.

La sonrisa de Molly se hizo más grande.

—¿Qué? Me estás mirando como si... —Pero entonces se le borró la sonrisa y se volvió hacia Jones—. No le has contado que estoy embarazada —dijo—. ¿Se lo contaste?

—¿Tú también estás embarazada? —preguntó Max. Y luego se giró hacia Jones—. No, no me lo había contado.

Jones se frotó la frente como si le doliera la cabeza.

—Mol, pensaba que era un asunto privado. Hasta que tuviéramos los resultados de la biopsia...

—¿Pensabas que serías capaz de convencerme para que pusiera fin a mi embarazo? —dijo Molly, que estaba muy enfadada.

—Yo pensé —dijo Jones elevando la voz por encima de ella—, que después de que hubieras hablado con un médico más, o con veinte, decidirías que salvar tu propia vida era una prioridad y que, en ese momento, quizá sí querrías tener tu *intimidad.*

—Lo que quiero es este bebé —dijo Molly.

Max miró a Gina al otro lado de la habitación. Estaría pensando lo mismo que él, a saber, que debían a Molly y Jones unas disculpas por reñir delante de ellos. Era algo muy difícil y doloroso de presenciar.

—Ya sé que lo quieres —dijo él, con tono sombrío—. Y lo siento, pero yo no. Joder, Molly...

—Vaya, me alegro de que finalmente hayas tenido el valor de decírmelo. —Molly se incorporó. Tenía una figura escultural, siempre muy recta, pero esta vez incluso parecía hasta más alta—. Perdón —le dijo a Max, y se dirigió a la puerta.

Como era de esperar, Jones se quedó frustrado. Y cabreado.

—Lo que iba a decir era, joder, Molly, no si tenerlo significa que mueras. Mierda, Mol, no…

Pero ella ya había salido de la cocina. Él salió detrás y, al moverse con demasiada prisa, saltó por encima de la bolsa de comida para perros. Al saltar, tiró por el suelo la caja con los folletos de propaganda política, que salieron despedidos por todas partes.

—Mierda, joder, lo siento.

—Yo los recogeré —dijo Gina, con la intención de salvarlo—. Tú, vete.

Pero Jones se detuvo. Se inclinó y recogió uno de los panfletos y se quedó mirando la foto del sonriente candidato.

—Mierda —volvió a decir. Abrió el panfleto, buscando la parte en inglés, pero no había versión inglesa—. ¡Molly! ¡Necesito que vengas! —gritó, y miró a Gina—. Ve a buscarla.

Gina no estaba convencida de que en ese momento fuera la mejor solución, pero Jones era rotundo.

—Dile que necesito que me ayude a leer esto —dijo—. Es mejor que yo con las lenguas. —Se giró hacia Max—. Creo que ya sé de qué va toda esta mierda. Creo que sé quién me persigue —dijo, y cogió uno de los panfletos—. ¿Ves a este tío? Le pagó a Chai una suma considerable de dinero para que yo me cargara a su amante.

—Se llama Heru Nusantara —les contó Jones—. No sé a qué elecciones se presenta pero es evidente que alguien ha invertido dinero en su campaña.

—No creo que sea una campaña —dijo Molly. Había vuelto y estaba sentada a la mesa, hojeando el panfleto—. Creo que es simplemente… propaganda. No dice a qué se presenta, al menos yo no lo veo. Quiero decir, hay algunas similitudes con el dialecto que yo sé leer, pero…

—Lo estás haciendo mucho mejor que yo —dijo Gina. El té estaba por fin preparado y sirvió dos tazas. Le pasó una a Molly.

—Esta parte de aquí tiene que ver con Timor Oriental —señaló Molly en la parte superior del panfleto—. Gracias —dijo, sonriéndole a Gina.

Gina se sentó a la mesa junto a Max, que estaba revisando los disquetes que habían encontrado.

Era más que evidente que Molly estaba sobreexcitada, y cansada, irritada y asustada. Gina lo entendía. Había sido un mes infernal, y el final no se veía por ninguna parte.

Como si le leyera el pensamiento, Max, que dejaba descansar el mentón en una mano, se giró y dejó su brazo apoyado detrás del respaldo de la silla. Hacía demasiado calor en la cocina para tocarse, pero él la tocó de todas maneras, con la yema de los dedos, ligeramente apoyados en su espalda, apenas rozándola.

Gina casi se echó a llorar.

Max estaba ahí. A su lado.

La amaba y, de alguna manera, estaba finalmente en paz con esa verdad.

No ansiaba nada más en la vida, excepto vivir otros cien años junto a Max.

El problema era que sólo tenían agua y comida suficiente para unas cuantas semanas. En el mejor de los casos. Y eso sin tener en cuenta que llegaría el tanque.

Aún así, Max estaba ahí. No era sólo una voz en la radio. No era producto de su imaginación.

—Aquí dice algo acerca de una empresa de Estados Unidos que viene a instalarse. —Molly miró a Jones—. ¿Timor Oriental no tiene...? Ya sé que no es petróleo...

—Gas natural —dijo él—. Pero nadie quiere tocarlo debido a la violencia y al estado de guerra permanente en la isla.

—Parece que dice que este político, Heru Nusantara, contribuyó a montar un negocio con una empresa llamada Alliance Co. —dijo Molly—. Eso significa que inyectará dinero y creará empleos en la región, y hará de Timor Oriental una parte de Indonesia como corresponde de una vez por todas.

—Sí —dijo Jones, con tono burlón—. Como si eso pudiera suceder. Alguien se hará rico, y no será el pueblo muerto de hambre de Timor Oriental. Eso os lo puedo garantizar.

—También hay algo acerca de cómo la embajada de Estados Unidos se ha instalado en Dili —les dijo Molly—. Es evidente que han venido para proteger a Alliance Co., lo cual significa que la presencia de Estados Unidos creará estabilidad en Timor Oriental.

—Y ¿qué tiene que ver este político contigo? —preguntó Max.

—Nusantara era uno de los… no sé, socios comerciales de Chai. Supongo que se le llamaría así —dijo Jones.

Molly hizo un ruido como de pedorreta.

—Dice aquí que devolverá la honestidad y la confianza a Indonesia. Este panfleto habla del tipo como si fuera un héroe. Incorruptible. Ja. Heru, el héroe del pueblo. Ya.

—Si eso es lo que sucede —dijo Jones— entiendo por qué me busca. Conozco algunos asuntos suyos muy sucios.

—¿Como, por ejemplo? —preguntó Max, que parecía más concentrado en la pantalla del ordenador—. Has hablado de… ¿su amante?

—Apenas tenía dieciséis años —dijo Jones, asintiendo con la cabeza—. Y estaba embarazada. Chai me la dio y me dijo que la matara.

—Madre mía —dijo Molly.

—No la maté, por cierto —dijo él, serio—. Pero gracias por el voto de confianza.

Daba la impresión de que Molly iba a echarse a llorar.

—Yo no quería…

—Lo sé —dijo él—. Mierda, lo siento. —Se frotó la frente. Miró a Molly—. Hay… cosas que nunca te he contado. Cosas por la que merezco… —dijo y calló. Volvió a empezar—. Sólo, déjame… intentar…

Molly asintió, con el rostro pálido. Sin la sonrisa que siempre lucía en su rostro, las arrugas de la cara parecían más pronunciadas. Estaba exhausta.

Y por primera vez desde que Molly había descubierto que tenía ese bulto en el pecho, Gina pensó que quizá su amiga se estaba muriendo.

Sin embargo, era evidente que, desde que se había enterado de que Molly necesitaba una biopsia, Jones era incapaz de pensar en otra cosa. También era evidente que Jones creía que su enfermedad era una especie de castigo cósmico. Un castigo por sus pecados.

Seguro que había un pecado o dos en la historia que iba a contarles ahora.

Desde que había conocido a Jones, Gina había sospechado que su reputación de hombre peligroso no era del todo una invención. Aún así, no sería fácil escuchar aquello.

Y le sería aún más difícil a él hablar de ello. Sobre todo con Molly, que ya estaba irritada.

Pero mientras Jones permanecía ahí sentado, buscando las palabras para comenzar, Molly le tomó la mano.

—Cuenta la historia —dijo, con voz queda—. Sabes que te quiero. Lo que ha pasado, ha pasado. Yo no te juzgaré; nadie aquí lo hará. Todos hemos cometido errores.

Jones le sostuvo largo rato la mirada. Y luego sacudió la cabeza.

—Fue en… —Tragó una bocanada de aire y la soltó—. Fue hacia el final de mi… asociación con Chai. Creo que es probable que sea la razón por la que decidió deshacerse de mí. Aunque creo que eso empezó cuando Chai se dio cuenta de que pasaba la mayor parte del tiempo en el hospital. Salvando vidas. Que no salía y… —dijo, con un gesto como si quisiera desprenderse del recuerdo.

—No lo sé, quizá pensaba que ya le había pagado suficiente por haberme sacado de esa cárcel. En realidad, no sé qué pensaba en aquel entonces. Es como si hubiera sucedido en otra vida. Pero yo me había apartado decididamente de los, eh…, aspectos más sucios de su negocio. Estoy casi seguro de que cuando esto sucedió, estaba poniendo a prueba mi lealtad —rió Jones—. Al parecer, fracasé.

»Verás, en aquella época Nusantara era… no lo sé, creo que alcalde —siguió Jones—. O quizá gobernador de… no puedo recordar la isla o la ciudad o lo que fuera, es una nebulosa. Pero era decididamente un lugar del tres al cuarto, pobre como la mierda. Aún así, el tipo iba a por la reelección y la carrera era cerrada. Así que supongo que jugaría la carta del héroe. Tenía una conexión.

—¿Nusantara? —aclaró Max.

—Sí —dijo Jones—. Eran más o menos colegas con otro capo del crimen que operaba en una isla cercana. Este tipo había creado un enorme caos, trabajaba sobre todo pirateando, que es un negocio muy importante en Indonesia. En cualquier caso, era alguien que estaba varios niveles más abajo que Chai. A Chai le importaba un bledo si ese bandido de poca monta le daban su merecido.

»Así que Nusantara le hizo una encerrona al tipo. Les pagó a unos pistoleros para que entraran y le volaran los sesos al señor del crimen mientras el tío estaba comiendo en su jardín. Salvo que, vaya, había un detalle. ¿Adivinad quién había venido a comer precisamente ese día, probablemente para intentar convencerlo de que se mantuviera alejado de los pescadores locales? El rival político de Nusantara. Había venido acompañado de su mujer y sus dos hijos.

—Dios mío —dijo Molly.

—Sí —convino Jones—. Fue un baño de sangre. Nadie sobrevivió. Nusantara se había asegurado de que no se le pudiera relacionar con los asesinatos. Le había hecho una encerrona a la pandilla que contrató para la matanza, ya que esa gente no se quedaba callada cuando los detenía la policía. Así que... los mataron a todos.

»Él estaba libre en casa. Pero cuando descubrió que había niños entre los muertos, le entró el pánico. Hizo una llamada por teléfono que su amante, Esma, escuchó.

»Tenía reparos en cometer un asesinato, lo cual fue una suerte para Esma —siguió Jones—. Sin embargo, nunca tuvo problemas para encargar a terceros sus muchos crímenes. Fue a ver a Chai con la chica, le dijo que la quería eliminada. Chai delegó la faena en mí.

Hizo una pausa y carraspeó.

—Si te digo que nunca me cobré una vida porque Chai dio la orden, mentiría —dijo Jones, con voz queda. Miraba a Molly—. Supongo que siempre lo justificaba... estaba librando al mundo de algunos elementos muy malos y... Pero esto, no podía hacerlo. Aún sabiendo que si yo no lo hacía, lo haría otro. Así que me aproveché de la semántica. El jefe me dijo que me deshiciera de ella para siempre. Y eso es lo que hice.

»Tomé prestado un avión y llevé a Esma lejos de la base de operaciones de Chai. La llevé a una aldea en una isla muy pequeña, donde había visto una iglesia desde el aire. Aterricé, dejamos el avión en una ensenada y subimos por los cerros...

»Les dije a los jefes de la aldea que era una viuda y que yo había matado a su marido. Les dije que había descubierto que estaba embarazada con un hijo suyo y que ahora ya no la quería. En lugar de matarla, la dejaría con ellos. Si volvía a verla, la mataría de verdad. Y luego los mataría a todos ellos. También les dije que si volvía y ella no estaba, los mataría a todos. Le di un poco de dinero, cortesía de Chai. No era mucho pero sí suficiente para comenzar de nuevo. Volví caminando al avión, despegué y eso fue todo —dijo Jones, y rió desganadamente.

—Bueno, no del todo. Supongo que por ser uno de los preferidos de Chai, su mascota estadounidense expatriada, pensé que los dos nos reiríamos de buena gana con nuestras diferentes definiciones de «deshacerse de ella». Le dije que era como si estuviera muerta, que no volveríamos a saber de ella.

»Para resumir, Nusantara se volvió loco de rabia. Él la quería muerta, y quería una prueba de que estaba muerta. Supongo que tenía miedo de que, algún día, volviera a aparecer con su hijo ilegítimo y una acusación de asesinato. —Jones sacudió la cabeza—. Resulta que Chai contaba con la colaboración de Nasuntara para un cargamento de droga que debía zarpar. Necesitaba que la policía estuviera lejos de ese punto de embarque, así que tenía que tener a Nasuntara contento.

Chai me zurró hasta dejarme hecho un trapo, lo cual... no era del todo inesperado. Pero no le dije dónde había llevado a la chica. No porque fuera un héroe —dijo, con voz queda y hablándole a Molly—, sino porque había previsto que eso pudiera ocurrir. Y decidí volar en círculos después de dejar la isla. No tenía ni idea de qué isla era. Quiero decir, sabía cuál era la zona, pero... Se lo dije a Chai y a Nusantara. Y sabía que al menos Nusantara no me creía.

»No pasó mucho tiempo antes de que me enterara de que Chai estaba montándome una encerrona. Pensaba venderme de vuelta en Estados Unidos como desertor, lo cual, después de haber pasado tres años en esa prisión, era como un chiste de mal gusto, pero... En cualquier caso, ahí lo tenéis. Heru Nusantara, héroe del pueblo, tiene las manos manchadas de sangre. Debe de estar pensando en algo grande. ¿Primer ministro? ¿Presidente? ¿Qué es lo que tienen en Indonesia? Nunca me he fijado.

—Presidente —dijo Molly. Quizá le había apretado la mano, porque él la miró. Intentó sonreír pero su mirada era sombría.

—Es como si hubiera sucedido en otra vida —dijo, pausadamente—. Odio incluso pensar en ello. —Soltó ruidosamente el aire y miró a Max—. Así que pienso que Nusantara está sacando todos los esqueletos potenciales del armario. ¿Qué pensáis? ¿Estoy loco o...?

—Creo —dijo Max, sin apartar la vista de la pantalla del ordenador—, que Emilio vendió recientemente información sobre la embajada de Estados Unidos en Yakarta, además de un buen cargamento de armas, a un comando de Al Qaeda muy poderoso, desaparecido de Afganistán en dos mil uno. —Alzó la mirada al sacar el disquete del ordenador y poner el siguiente—. Supongo que no está muerto.

—Tenemos que decírselo a alguien —dijo Molly.

—Se lo podríamos decir al coronel que viene en camino —sugirió Gina.

Jones se aclaró la garganta.

—Quiero decir, ¿qué pensáis de...?

—Creo que has entendido quién te quiere ver muerto y por qué —lo interrumpió Max—. Hasta ahora, he encontrado una conexión bastante sólida entre Emilio y Nusantara —dijo—. A Emilio le pagó para distribuir estos panfletos, tarea que no cumplió demasiado bien. ¿Adivinad a cuánto subían las tarifas por ese trabajo en concreto?

—Tiene que ser bueno —se burló Jones—. ¿Qué? ¿Diez, veinte mil?

—¿Qué te parece medio millón de dólares? —preguntó Max.

—Jooder —dijo Gina—. ¿Lo dices en serio? —Pero entonces lo entendió. El dinero era, en realidad, el primer pago de una recompensa por traer a Grady Morant de vuelta a esta isla.

—¿Nusantara le pagó eso directamente? —Jones quería saber.

—No —dijo Max—. Había una tercera parte. Alguien llamado Ram Subandrio. ¿Te dice algo?

Jones se reclinó en su silla.

—Sí —dijo, y a Gina le pareció que el nombre no le traía buenos recuerdos—. ¿Sois conscientes de que cuando llegue ese tanque estaremos hasta el cuello de mierda, y que no tenemos salvación? Y bien, os aviso que la canoa acaba de volcar. Mi viejo amigo Ramelan Subandrio antes trabajaba para Chai. Lo encontró a él en la misma prisión que a mí, salvo que Subandrio estaba al otro lado de los barrotes.

Jones no había terminado. Dejó caer la última bomba, con voz grave.

—Y lo último que supe de él es que lo habían nombrado coronel en alguna rama especial de una especie de policía secreta.

Capítulo 22

—Si creyeras que vamos a morir mañana, ¿me lo dirías sinceramente? —preguntó Gina, mientras preparaba la cena con Max.

Si abrir una lata y servir a cada uno una pequeña porción de estofado de mono se le podía llamar *preparar la cena*.

Racionaban la comida y el agua, lo cual parecía un poco absurdo. A menos, desde luego, que la amenaza del tanque no fuera más que un farol.

—No creo que vayamos a morir mañana. Creo que ese coronel vendrá y que yo negociaré con él y que arreglaremos esto pacíficamente. —Max se acercó a la enorme bolsa de comida para perro. La abrió, la inspeccionó hasta el fondo, seguramente con la intención de ver si había una radio oculta en el interior. Y mientras Gina miraba, olió un trozo e incluso lo mordisqueó.

Sonrió al ver la expresión de Gina. Le ofreció un puñado.

Ella negó con la cabeza.

—No, gracias.

—No sabe tan mal.

—Esperaré hasta que tenga que ser por necesidad —dijo ella, pero se le acercó, atraída por su sonrisa, por la calidez de su mirada.

La luz siempre cambiante de los monitores de seguridad se reflejaba en el rostro de Max. Aparte de la vela que titilaba en la mesa, era la única fuente de luz en la habitación.

Max estaba visiblemente agotado. Y distraído por los contenidos de los armarios de Emilio, todavía esparcidos por el suelo de la cocina. Ella sabía que él se sentía miserable por la situación que ahora vivían. Encontrarse sitiado era, por definición, una situación de pérdida del control, y ella conocía a Max lo suficiente para saber que aquello lo desquiciaba.

Gina sabía que aunque consiguiera convencerlo de saltarse la cena y encontrar una habitación con una puerta y una cama, dormiría sólo un rato. Se quedaría despierto, simplemente sentado (tomando sus precauciones, porque sentarse le dolía más de lo que daba a entender) y mirando todos aquellos objetos inútiles que habían encontrado en armarios y cajones.

Se sentaría e intentaría pensar en lo que no habían revisado. O cavilaría sobre cómo usar esos objetos dispares de la casa para fabricar una radio.

—No creas que no me he dado cuenta de que has ignorado mi pregunta —dijo Gina.

—La he contestado —dijo Max, cuando ella se acercó lo bastante para que él la cogiera en sus brazos y la estrechara.

Max la miraba de aquella manera que ella siempre había deseado. Como si no temiera hacerle saber que la amaba. Era maravilloso, o lo habría sido, si no hubieran estado rodeados de hombres armados dispuestos a matarlos.

Gina le rodeó el cuello con los brazos. Incapaz de resistir la tentación, lo besó. Su boca era cálida y dulce pero no, no se dejaría distraer de esa manera.

—No, no has contestado —insistió—. La pregunta era *¿Me lo dirías sinceramente?* La respuesta es muy sencilla. Sí o no.

Él volvió a besarla, esta vez más largo, demorándose, como si a él las tropas estacionadas allá afuera no lo asustaran lo más mínimo.

Desde luego, quizá no lo asustaban. Sólo lo cabreaban. Quizás ella era la única que estaba aterrorizada. O tal vez él nunca se había encontrado en una situación como ésa. Normalmente, él habría estado al otro lado del megáfono.

—Quizá deberíamos olvidar la cena —dijo Gina—, y sólo encontrar una habitación con una puerta. —Se apartó y quiso arrastrarlo hacia el pasillo, pero él no la soltó.

—Sí, te lo diría —dijo, como si supiera que en parte esa urgencia suya se debía a que creía que era su última noche juntos, su última noche en este mundo—. Te lo prometo. Y no, sinceramente no creo que vayamos a morir.

—¿Nosotros, tú y yo? —preguntó ella—, ¿o nosotros, todos, incluyendo a Jones… Grady? Ya sabes, el hombre de los mil nombres, el marido de mi mejor amiga.

Él la miró con otra sonrisa, pero que esta vez se desvaneció demasiado rápido.

—La razón por la que estamos aquí es Grady Morant —dijo, finalmente. Una vez más, no era del todo una respuesta.

—Es una buena persona —dijo Gina—. Puede que haya hecho algunas cosas malas…

—Cosas muy malas —convino él.

—Antes le hicieron cosas muy malas a él —señaló ella—. Lo abandonaron para que muriera… para que se pudriera en esa prisión donde unos monstruos lo torturaron. Durante tres años, Max. ¿Sabías que…?

—Sí —dijo Max—, lo sabía.

Molly le había contado algo, muy poco, acerca de los padecimientos de Jones. Palizas, torturas físicas y psicológicas. A Gina se le ponía la piel de gallina con sólo pensarlo.

—¿Crees que eso justifica que haya trabajado para Chai? —preguntó Max.

Gina no vaciló. Chai había sacado a Jones de la prisión, había puesto fin a su tortura.

—Sí, lo creo.

—Es un debate ético interesante —dijo Max.

—No es un debate ético —dijo Gina. Se apartó de él y pasó por encima de los montones de periódicos para volver al mostrador donde tenían los platos de comida—. Es la vida de un hombre.

—Sí —dijo Max—. Y aunque no me creas, a mí también me cae bien. Lo cual ya es algo, porque al principio no era así. Pero no estoy tan seguro como tú como para otorgarle un salvoconducto sin más, después de los crímenes que ha cometido.

—Por favor, te ruego que no se lo entregues al coronel y a ese tipo, Nusantara. —Gina repartió la comida que habían dejado para Molly y Jones entre los dos platos. Era evidente que no iban a bajar. Y, con ese calor, la comida no se conservaba. Desde que la habían apagado, la nevera tenía una temperatura apenas inferior a la del ambiente—. Si él dice que lo matarán, seguro que lo harán.

—Él parece dispuesto a hacer ese sacrificio —señaló Max.

Gina le pasó un plato y un tenedor.

—Pero él ama a Molly.

—Eso ya lo creo —dijo él—. Está dispuesto a morir por ella.

—Eso es un poco tonto —opinó Gina—. ¿Morir por alguien? Si quieres ser un héroe de verdad tienes que encontrar una manera de salvar a la persona que amas y a ti mismo. Y luego pasarte el resto de tu vida esforzándote hasta el culo para que esa relación se mantenga viva. Quiero decir, morir es fácil. El verdadero desafío es vivir.

Max asentía, mientras los dos consumían el estofado, ahí mismo, de pie. Estaba frío y un poco grasiento.

—La comida del perro es mejor —dijo él, y ella rió.

—Ya, me lo imagino —dijo, lamiendo el plato—. Iba a decir que no se te ocurriera morir por mí, pero he cambiado de opinión. Sólo diré que simplemente no mueras.

Max sonrió.

—Te amo —dijo, y esta vez parecía que no le doliera decirlo. Como si la idea ya no lo abrumara tanto.

Todo era un poco irreal.

—Y ¿qué pasó? —preguntó Gina mientras él también lamía su plato. Ella no lo había hecho para insinuar nada. Sencillamente parecía la mejor manera de lidiar a la vez con la falta de comida y de agua para lavar. Sin embargo, cuando Max la imitó, lo único que a Gina se le ocurrió pensar fue en una habitación con una puerta. Las bermudas verdes nunca habían sido tan atractivas. Gina carraspeó—. Quiero decir, desde que me fui hasta que decidiste que quieres, ya sabes, casarte conmigo. ¿Qué fue lo que cambió?

—Te añoraba —dijo él.

Gina lo miró mientras limpiaba los platos y tenedores con un paño. Su madre, la reina de la esterilización, se habría horrorizado, pero a su madre jamás había estado sometida a un sitio.

—¿Nada más? ¿Ninguna revelación en tu lecho de muerte, con Abraham Lincoln, Walt Whitman y Elvis Presley alejándote de la luz y diciéndote a coro y a tres voces que fueras a buscarme? Quiero decir, ¿cómo me encontraste?

La sonrisa de Max se hizo más generosa, y si ella no hacía caso de la corriente de tensión que lo envolvía, casi podría creer que el estaría feliz si pudiera quedarse ahí, nada más que mirándola.

—¿Cómo pude pensar que podía vivir sin ti? —se preguntó él, en voz alta.

Eran las palabras que ella nunca había esperado oír fuera de sus sueños. El corazón se le aceleró ligeramente y, al ver la sonrisa de Max, se sintió precipitándose al vacío en caída libre. No conseguía acostumbrarse a esa manera de mirarla que él ahora se permitía.

—Pues, sí, es lo que te he dicho durante años. —Gina se cruzó de brazos y se apoyó en el mostrador. Desde donde estaba, tenía una excelente perspectiva de la mesa de la cocina. Eso, además de la sonrisa de Max y su manera de lamer el plato y sus ojos y sus manos y su boca y sus bermudas verdes y su todo hacían inevitable que pensara en el sexo. Y sería demasiado embarazoso si Molly o Jones bajaban y se los encontraban una vez más dándole—. ¿Cómo me encontraste? ¿Jones te llamó, o…?

—No, la verdad es que… —Max se apoyó contra el mostrador, vigilando la herida de su trasero. Hizo una leve mueca que, desde luego, intentó ocultar—. Yo… ya estaba en Hamburgo.

—Ese atentado terrorista —dijo Gina—. Lo vi en las noticias. La televisión funcionaba cuando llegamos aquí… antes de que el Ejército de las Tinieblas volara la antena parabólica. Era por eso que estabas en Alemania, ¿no?

—En cierto sentido. —Guardó silencio un momento, y siguió—: Tú estabas en una lista de las víctimas del atentado.

—¿Qué? —preguntó Gina, con un hilo de voz, horrorizada.

—Había dejado de apoyarse en el mostrador.

—Viajé a Hamburgo a identificar tu cuerpo —le contó Max, con su voz tranquila y desapasionada de negociador. Sin embargo, su mirada no era ni desapasionada ni tranquila—. Resultó que encontraron a una mujer con tu pasaporte. Cuando huísteis del taller de Gretta, los terroristas que cometieron el atentado lo cogieron y…

A Gina le costaba respirar.

—No quería que Emilio supiera cuál de las dos era Molly —dijo. No podía creer lo que oía—. Max, Dios mío, entonces, ¿pensaste que yo había muerto?

Gina vio la respuesta en sus ojos cuando él asintió.

—Fue una revelación de otro tipo, que podría haber sido la muerte. Te habían colocado sobre una mesa y… tuve que entrar en una sala, en una morgue, supongo; se encontraba en el mismo aeropuerto, y… —La voz le tembló, se convirtió en un auténtico trémolo—. Sólo que no eras tú y…

Pero había pensado que lo era. Le habían dicho que… Gina se le acercó y él la acogió en sus brazos. La sostuvo así, estrechándola con fuerza.

—¿Cuánto tiempo? —preguntó ella, y Max entendió.

—Pasaron unas veinticuatro horas entre que recibí la noticia y el momento en que supe que no eras tú —dijo, forzando una sonrisa—. Fueron veinticuatro horas muy, muy duras.

—Cuanto lo siento —dijo Gina. Pero, oh, Dios—. Y ¿mis padres?

—Saben que estás viva —le aseguró Max, tocándole la cara, como si no acabara de creerse que Gina no estaba muerta.

Ella intuía, de alguna manera, lo que él sentía. En el hospital, cuando él había estado a punto de morir, ella había permanecido a su lado, tocándolo, contentándose con estar a su lado días y días.

—Jules se aseguró de mantenerlos informados de lo que pasaba —siguió Max—. Hasta que, ya sabes, perdimos los teléfonos móviles.

Jules.

Era evidente que Max también pensaba en él. El músculo de la mandíbula le tembló cuando apretó los dientes.

—Gina —dijo, apartándose y tomándola de las manos—. Sé que has dicho que me amas. Me amas entero y... justo anoche hablaba con Jules y le dije que tenía miedo de hacerte daño. Que no quería que... tuvieras que compartir mi vida, en mi mundo, con toda mi... mierda y... no puedo prometerte que no será horrible. Sólo puedo prometerte que lo intentaré. En una ocasión me acusaste de no haberlo intentado y... —asintió—. Tenías razón. Pero también siempre decías que yo... no te hablaba, y...

—Me equivocaba en eso —dijo ella, con voz queda, entrelazando los dedos de sus manos.

—Hablé contigo más de lo que nunca he llegado a hablar con nadie —reconoció Max—. No soy, ya sabes, como Jules. Él sí que podía... entrar. Sabía convertir una conversación en algo muy intensamente personal, y con mucha rapidez. Anoche pensaba, gracias a Dios que es gay... De otra manera, os habríais escapado juntos hace años. Sólo que... hay cosas de las que me cuesta hablar. Así que si eso es lo que quieres...

Gina no pudo evitar una risa.

—Cuando conocí a Jules —le dijo a Max—, ya estaba enamorada de ti. No importaba que fuera gay, o hetero o lo que sea. Yo te amo a ti. Lo que quiero eres tú. Y, por favor, deja de hablar de Jules como si hubiera muerto. Eso no lo sabemos.

Quizá no, pero Max lo sospechaba. Y Gina podía verlo en sus ojos.

—Yo también te amo desde hace años —reconoció él—. Probablemente desde el momento en que me preguntaste si yo era el portero. —Rió suavemente mientras sacudía la cabeza.

—¿Qué? ¿Cuándo...? —Gina no tenía ni idea de qué hablaba.

—Fue una de las primeras cosas que me dijiste por la radio, cuando estabas en el avión secuestrado —dijo Max—. Te pregunté si estabas bien y tú quisiste saber si yo era el portero del aeropuerto, porque era una pregunta muy estúpida. Teniendo en cuenta las circunstancias.

—No recuerdo eso.

—Yo sí —dijo él—. Recuerdo que pensé que eras la mujer más valiente que había en este mundo. Por hacer lo que hacías. Para sobrevivir a lo que sobreviviste y luego poder volver a reír y... No tener miedo de vivir —dijo, e hizo una pausa—. Y perdonarme por dejar que ocurriera.

—Tú dejaste que ocurriera tanto como yo —dijo Gina. Dios, por favor, que no vuelva a empezar con lo mismo.

—Lo sé. Pero eso no me impedía volver a pensar en ello. Había cosas que podría haber hecho de otra manera durante el secuestro. No es que *debiera* haber hecho... era un asunto arriesgado, eso lo sé. Lo *sabía*. —Max miró las manos entrelazadas—. Perdí mucho tiempo imaginando escenarios de *qué pasaría si*. ¿Qué pasaría si hubiera hecho esto de otra manera? ¿Qué pasaría si hubiera hecho *eso* en su lugar...?

—Si lo hubieras hecho de otra manera —señaló Gina—, podrían haberme matado, en lugar de...

—Lo sé —volvió a decir Max—. Eso lo sé. Lo sabía entonces. Lógicamente, racionalmente... y todo tenía sentido. Pero no podía dejar de pensar en ello. —Max ahora tenía lágrimas en los ojos—. Y luego... —balbuceó, haciendo un esfuerzo para seguir hablando—, y luego me dijeron que habías muerto. Víctima de un atentado terrorista en Hamburgo.

Max tragó saliva.

—Creo que antes de que eso ocurriera sencillamente esperaba que volvieras. Creo que esperaba... que contaba con ello... que tuvieras la sensatez, y la... *visión*, supongo, para volver a entrar en mi vida algún día. Y de pronto explotó una bomba y alguien había desaparecido. Tú habías desaparecido. Para siempre.

—Oh, Max —dijo ella, en un suspiro.

—Ya no importaba nada —murmuró él—. Nada de nada. Lo que podría haber hecho cuatro años antes, lo que podría haber hecho... Lo único que importaba era lo que no había hecho el año anterior, cuando tuve la oportunidad. Que era decirte cuánto te amaba y reconocer que quería que formaras parte de mi vida, si estabas lo bastante loca como para aguantarme.

Gina no podía decir palabra porque tenía el corazón apretado en el pecho. Lo que sí podía hacer, e hizo, fue llevarse la mano de Max a los labios y besarla. Sus dedos, la palma. Él le cogió la mejilla en el cuenco de la mano y, cuando ella alzó la mirada, vio un amor tan intenso en sus ojos que le quitó el aliento.

Amor, más pasión. Deseo.

Él se sintió un poco incómodo, o quizá pensó que sería inapropiado porque, aunque sonrió maliciosamente, desvió la mirada.

—Sabes, me fascina cuando me miras de esa manera —murmuró ella.

Él volvió a cruzar una mirada con ella y… Oh, sí, había decididamente llegado el momento de buscar una habitación. Con una puerta. La cama era del todo prescindible.

Salvo que…

—Jo —dijo Gina—, tengo que decirte algo.

Pero no tuvo la oportunidad porque la luz que proyectaban las pantallas de los monitores titilaron y luego se apagaron del todo.

—Es el generador —informó Jones, en voz baja, porque su mujer todavía dormía en la otra habitación—. No nos queda combustible.

Vio que Gina se sentía aliviada de que no fuera una maniobra de las tropas del exterior, por ejemplo, un ataque simultáneo contra todas las cámaras de seguridad, como preludio de un asalto nocturno mucho más violento y catastrófico.

—Creo que ni siquiera sabían que tenemos cámaras de seguridad. —Max cogió los prismáticos y, desde la ventana de la segunda planta, miró el contingente acampado al otro lado de la plaza.

Podían escapar aprovechando la oscuridad.

Era la opción más viable de todo lo sugerido durante aquel día, que habían dedicado a pensar en la manera de escapar, o en cómo tomar contacto con amigos o aliados.

Algunas ideas eran ingenuas, gracias a Molly que, a pesar de su enfado con Jones, intentaba mantener una actitud optimista.

Tenían cajas y cajas de papel. Podían fabricar miles de aviones de papel con el mensaje «¡Ayuda!» escrito en ellos y luego lanzarlos por las ventanas.

¿Podían intentar salir del túnel abriéndose paso con las armas? Quizá cavar un pasaje alternativo hasta la superficie. Era una posibilidad muy dudosa, aunque merecía la pena volver ahí dentro y echar un vistazo a la construcción. Fue lo que Jones hizo al cabo de un rato. Volvió anunciando que era imposible.

Dos de ellos podían realizar una maniobra de distracción, mientras los otros dos salían rompiendo las puertas del garaje con el Impala.

Momento en que el Impala, y todos sus pasajeros, serían acribillados por cientos de balas.

Esa opción, junto con la de jugársela frente a los pocos soldados que custodiaban la salida del túnel de escape, acabó en la papelera.

Molly pensó que podían cantar karaoke. Emilio tenía un CD de karaoke de los grandes éxitos de Whitney Houston. Sus versiones de *I Will Always Love You*, insistía, obligaría a los soldados a romper filas y salir huyendo despavoridos.

El problema era que el karaoke funcionaba con electricidad, que procuraban guardar sólo para el ordenador y los monitores de seguridad. Por otro lado, a esas alturas ya casi no quedaba combustible para el generador.

Sí, por *eso*, dijeron, era una mala idea.

Sin embargo, provocó grandes risotadas, algo que todos necesitaban urgentemente para desahogarse.

Gina propuso que utilizaran parte de su poder de fuego para intentar llamar la atención. Si no paraban de disparar sus armas, al aire o hacia la calle, quizás alguien vendría a ver qué pasaba. O le informarían a alguien de la embajada de Estados Unidos más cercana que en Pulau Meda se estaba produciendo un enfrentamiento a gran escala.

O, incluso mejor, podrían disparar sus armas siguiendo un patrón rítmico.

Gina les contó que tenía un amigo de las Fuerzas Especiales SEAL que en una ocasión había montado unos explosivos para luego detonarlos al ritmo de *A Shave and a Haircut*, bum-ba-da bum-bum, con la esperanza de que sus compañeros lo oirían y lo encontrarían.

En este caso, decía Gina, podrían componer algo identificable como típico de Estados Unidos, algo así como «Take Me out to the

Ball Game», o «The Star Spangled Banner», o «Hit Me Baby One More Time». Sería como participar en la sesión de percusión más violenta del mundo.

Desde luego, S.O.S. en código Morse tenía menos encanto, pero también podría funcionar.

O quizá, dijo Max, cuando llegara el coronel podían entregarle el disquete con la información sobre el ataque inminente a la embajada de Estados Unidos en Yakarta. Max había utilizado el ordenador para insertar un mensaje que decía «Estamos aquí». Con suerte, podría caer en buenas manos.

Jones señaló que hasta ese momento la suerte no había jugado de su lado. Tendrían que empezar a pensar en utilizarlo a él como pieza de negociación.

Molly había reaccionado inmediatamente, suponiendo que Jones sugería que Max empezara a pensar en entregarlo al coronel. Era una opción a la que Max no debía recurrir en ningún caso, y tenía que prometerlo.

Desde luego, Max no estaba en condiciones de hacer promesas que no podía cumplir, así que, por segunda vez aquel día Molly abandonó la reunión con gesto dramático.

Jones la siguió.

Molly estaba furiosa con él y se negaba a hablar. Sin embargo, se lo llevó a la cama, donde la visión de aquella venda sobre los puntos de sutura de su biopsia hizo que las cosas cobraran un giro aún más extraño.

Después, se puso a llorar, lo cual entristeció mucho a Jones.

Se quedó dormida justo antes de que se pusiera el sol, estrechándolo con fuerza como si nunca fuera a dejarlo ir.

Pero ahora estaba oscuro, y su opción más viable, escapar amparados por la oscuridad, ya no era una posibilidad viable.

Porque alguien allá afuera manejaba la situación, y no estaba oscuro. Habían apostado tres jeeps en la plaza. Los vehículos tenían los motores encendidos y los faros apuntando hacia la casa. También tenían sus faros de niebla encendidos, lo que significaba que eliminar las luces requeriría no seis balas bien puestas sino doce. Lo cual era una pena.

Max había estado observando los monitores de seguridad y le dijo a Jones que habían hecho lo mismo a la salida del túnel de escape, aunque en este caso no se podía ver si había más de un jeep.

Y en cuanto a las cámaras de seguridad…

Ahora que ya no estaban, él y Max tendrían que recurrir al viejo método de vigilar a las tropas que los tenían cercados.

—¿Quieres tomar el primer turno o lo hago yo? —preguntó Jones.

Max sostenía los prismáticos, pero no los estaba usando. Con el ceño levemente fruncido, miraba la pared.

Era posible que el tipo empezara a alucinar por la falta de sueño, así que Jones decidió por él.

—Yo haré el primer turno —dijo—. No estoy tan cansado. Asegúrate de que duerma —dijo, mirando a Gina.

Pero Max no le entregó los prismáticos.

—Espera —dijo—. Creo que sé cómo salir de aquí. —Miró a Gina—. Y quiero decir salir todos.

Max se giró hacia Jones, y era claro que no estaba delirando. Puede que le pesara todo el cansancio, pero estaba despierto y tenía los pies sólidamente plantados en el suelo.

—Tengo que volver a hablar con el comandante por el *walkie-talkie* —dijo—. Ayúdame a despertarlo.

—Molly. Mol.

Se despertó y sintió que Gina la sacudía suavemente. La luz de una vela proyectaba sombras que bailaban por la habitación y se reflejaban en su rostro demacrado. Molly se aferró a la sábana, de pronto temerosamente consciente de que Jones ya no estaba con ella en la cama.

—¿Qué pasa? ¿Dónde está Grady?

—No pasa nada —la calmó Gina—. Él y Max van a meter un poco de ruido disparando las armas. No quería que te despertaras y pensaras que nos están atacando.

Su alivio no duró mucho, porque a su alrededor estallaron los disparos de una metralleta. Aunque Molly lo estuviera esperando, se sobresaltó. Aquel ruido la ponía desquiciadamente nerviosa. Era un ruido horrible. Le cogió la mano a Gina y se quedaron las dos sentadas, estrechándose mutuamente, intentando no estremecerse.

Sabía que Gina también detestaba ese ruido.

Pero Max y Jones estaban mandando un S.O.S., y Molly reconoció el patrón.

Gina percibió su mirada de interrogación y asintió con la cabeza.

—Dos pájaros de un tiro —gritó, por encima del traqueteo de la ametralladora.

Siguió un silencio. Sólo por un momento, y luego Max y Jones repitieron toda la secuencia.

Molly sólo podía imaginar lo fuerte que sería el estruendo si tuvieran la puerta abierta.

—¿Qué está pasando? —le preguntó a Gina, cuando volvió a hacerse el silencio.

—Max quiere volver a negociar con el oficial al mando —dijo Gina—. ¿Sabes, esa información que encontró en los disquetes de Emilio sobre el ataque a la embajada?

La embajada de Estados Unidos en Yakarta. Molly asintió con la cabeza.

—Ha decidido no entregar la información en un disquete y esperar que caiga en manos de alguien que pueda descifrar su mensaje de «Enviad ayuda». Sólo le dirá al oficial al mando que tenemos información acerca de un inminente ataque terrorista. Si el comandante quiere los detalles, tendrá que traer a alguna autoridad de Estados Unidos para ayudar a negociar esta situación.

Dios mío.

—Una vez que Estados Unidos esté involucrado, esperemos que desaparezca esta orden de disparar a matar aunque nos entreguemos —siguió Gina—. Seguro que a Grady lo detendrán, pero estará bajo la custodia de Estados Unidos. Que es mucho mejor que estar muerto.

Molly asintió para mostrar su acuerdo.

—En realidad, Max le dará al oficial al mando una alternativa —dijo Gina—. Si entrega a Grady a los estadounidenses, Nusantara y su coronel misterioso se van a cabrear, ¿vale? Pero si tiene esta información sobre el ataque terrorista y atacan la embajada…

—Podría morir gente inocente —dijo Molly. Odiaba la sola idea.

—Sí —convino Gina—. Eso es lo que Max quiere que piense. Y, a la vez, amenazarlo con que si él recibe información de antemano y no adopta medidas, acabará sabiéndose. Lo sabrá el intérprete, así como sus lugartenientes. La gente lo sabrá y lo señalarán con el dedo. Siempre es así. Y puede que también señalen a Nusantara y al coronel. Es lo que le está diciendo Max en este momento a ese tipo, para que se ponga en contacto con Nusantara y se lo cuente. En lo que se refiere al control de los daños colaterales, tendrá que tomar una decisión. ¿Qué podría empañar más la carrera política de Nusantara? ¿La acusación de asesinato de un criminal de indigna reputación o el hecho de que sus asuntos privados le hayan impedido evitar un ataque terrorista?

El criminal de indigna reputación.

Gina siempre acertaba al adivinar lo que pensaba Molly.

—Ya sabes que no es eso lo que pienso de Jones, ¿no? —dijo—. Sólo intento que suene como si…

Como si lo hubieran llamado, Jones asomó la cabeza por la puerta.

—Hemos llegado demasiado tarde —dijo, con voz neutra—. El ataque a la embajada se produjo ayer.

—El Impala tiene gasolina —avisó Jones.

Molly lo miró.

—Y ¿quién va a entrar en el garaje a buscarlo?

—Mira, Mol…

—¡No me vengas con tus mira, Mol! Tú mismo me dijiste que el garaje no está blindado. Sólo abrir la puerta es un peligro. Si alguien sale…

—Escuchad —dijo Max, con voz calmada, mientras con los prismáticos miraba las tropas del asedio. Había pasado el revuelo, y ahora volvían a dormir.

—Yo sólo decía —explicó Jones—, que hay gasolina en el Impala, gasolina que necesitamos para hacer funcionar el generador...

Estaban reunidos en la habitación de la planta alta que daba a la calle, tirados en el suelo, lejos de la ventana. Todos excepto Max, que permanecía de pie a un lado de la puerta.

Durante la última negociación, Jones había sacado el espejo del botiquín en el cuarto de baño. Consiguió colocarlo para que reflejara la ventana, a salvo de las balas de un francotirador.

—Si pudiéramos poner en marcha el ordenador —siguió Jones—, quizás encontremos alguna otra información en esos disquetes.

—Yo debería ir a por la gasolina —dijo Molly.

Joder. Si Max tuviera a cuatro maleantes totalmente rodeados, no estaría relajándose y durmiendo una siesta.

Los obligaría a hablar por radio. Los mantendría a todos despiertos y en ascuas. El nivel de ruido sería alto, un traqueteo continuo, valiéndose de piezas musicales u otros ruidos estridentes por altavoces y con ráfagas intermitentes de armas ligeras.

Este tiempo de mutua espera era absurdo.

A menos que hubiera de verdad un tanque en camino.

—¿Qué piensas hacer? ¿Cebar tú misma la gasolina...? —preguntó Jones.

—Sé cómo se hace. —Molly se sentía insultada porque él creyera lo contrario.

Max miró los jeeps con sus faros encendidos. Midió la distancia, intentó un cálculo. Doce faros. ¿Cuánto tardarían entre el primer disparo? Doce disparos, divididos por dos tiradores...

—Nosotras podemos ayudar, ¿sabéis? —Molly pidió a Jones, y a Max también—. Gina y yo. Si no, es como si fuéramos... sacos de patatas, aquí echadas, esperando que nos rescaten unos hombres. También sabemos hacer cosas. Para que sepáis, yo sé cebar una manguera para sacar gasolina de un coche; me lo enseñó una monja del Tercer Mundo que se indignaba por la falta de fondos para sus proyectos. Seguro que a ti también te podría haber enseñado un par de cosas sobre los timos en el mercado negro.

Y si tuvieran tres tiradores.

—¿Qué tal puntería tienes? —preguntó Max.

Molly lo miró y parpadeó.

—¿Quieres decir, con un arma?

—Con un rifle —dijo él.

Ella negó con la cabeza.

—El uso de palos de fuego no está entre mis habilidades. Pero soy muy buena para darle a los globos con los dardos. Ah, sí, y para irritar a mi marido. Eso se me da muy bien.

—¿Gina? —preguntó Max, aunque sabía la respuesta.

—Lo siento —dijo ella.

—A mí no me irritas —corrigió Jones—. A mí me aterrorizas. Venga, tienes que volver a la cama. Estás a punto de desmayarte. ¿Cómo puedes bromear cuando...?

Cuando Molly y Jones salieron de la sala para continuar su riña, Gina se acercó. Se sentó en el suelo por debajo de la ventana y la espalda apoyada en la pared.

Con el pie, cogió la almohada que antes había usado Max y la puso a su lado, una invitación muda a que viniera a sentarse.

—¿En qué estás pensando?

—Que podríamos darle a los faros, pero que en realidad no funcionaría —dijo él, sacudiendo la cabeza—. Son demasiados. Yo soy bueno, pero no soy Alyssa Locke —dijo, mirándola—. Es muy buena tiradora, ¿lo sabías?

Claro que lo sabía. Alyssa había colaborado en el asalto final al avión secuestrado y actuado como tiradora de elite para eliminar a los terroristas de la cabina del piloto, donde retenían a Gina.

Gina tenía un conocimiento de primera mano de la puntería mortal de Alyssa con un rifle.

—¿Has hablado de tu antigua amiguita porque...? —empezó a preguntar, frunciendo el ceño.

Max se encogió de hombros y volvió a mirar con los prismáticos.

—Nos vendría bien un tirador de elite. Yo soy bueno, pero... Incluso Alyssa tardaría demasiado. ¿Doce disparos? Aunque lo hiciera muy rápido, una vez que las luces se apagan, ¿qué pasa después de todo ese ruido? Una cosa es burlar a las tropas mientras duermen. Pero totalmente despiertos... sería todo un desafío. Quizá podríamos vestirnos como Emilio, intentar que parezca que llevamos todos uniformes, y mezclarnos con la tropa... —Sacudió la cabeza y le pasó los prismáticos. Ella estaba más cerca del suelo y sentía que se le comenzaba a entumecer la pierna—. Tiene que haber una manera de salir de aquí, pero no es ésa.

Se agachó cuidadosamente junto a ella, y se apoyó en la almohada.

—Supongo que nos toca el primer turno —dijo, entre dientes, intentando encontrar el equilibrio perfecto entre la almohada y el aire.

—Lamento no poder disparar como Alyssa Locke —dijo Gina. Daba la impresión de que estaba más molesta que arrepentida. Molesta con él por haberla mencionado.

Incluso celosa.

Bien. Era preferible verla celosa en lugar de muerta de miedo por lo que traería el alba.

Max se inclinó, le cogió el mentón y la hizo girarse para que ella lo viera. Su piel era tan bella, y suave. Se inclinó más cerca.

Y la besó.

Ella se resistió. Más o menos una décima de segundo. Muchas décimas de segundo después, fue él quien tuvo que apartarse.

El primer turno significaba *vigilar*. Tenía que mantener los ojos abiertos. Miró la ventana por el espejo. Todo estaba exactamente igual. Ningún movimiento, ningún cambio.

—Dios, cómo odio que hagas eso —dijo Gina, cuando recobró el aliento—. Es que besas demasiado bien. Debería declararse ilegal. Primero me cabreas hasta decir basta hablando de tu ex novia y luego te pones, no sé, como... *bésame*, y yo, *no, no, sí, sí*.

—Alyssa no era una novia de verdad —dijo Max—. Yo la amaba, sí, pero en realidad no la amaba. No como te amo a ti. Me sentía atraído por ella, pero no era... Y me mantuve al margen, porque ella trabajaba para mí. Ya sabes que es mala política acostarse con los subordinados. En cualquier caso, sabía que debía mantenerme alejado, y eso hice. No fue nada demasiado importante para mí.

—Pero cuando intenté mantenerme alejado de ti... —dijo, y rió—. Podía dejar a cualquier otra mujer en el mundo. Pero no a ti.

—Ya, vale —dijo Gina, visiblemente apaciguada—. Porque yo te perseguía a ti.

—No —dijo Max—. Era más que eso. ¿Recuerdas aquella terapeuta de parejas que fuimos a ver? —preguntó, y la miró de reojo.

—Rita —dijo Gina, asintiendo.

Max imitó su movimiento de cabeza.

—Después de que saliste de su despacho, me preguntó de qué tenía tanto miedo —dijo, y volvió a mirarla. Gina ya no estaba molesta para nada. En realidad, parecía muy sorprendida de que él hubiera sacado el tema a colación.

—He tenido mucho tiempo para pensar en ello y… No es que pretenda justificar nada, pero… En mi mundo —dijo Max, con voz queda—, no merece la pena amar tanto a alguien o algo. Es demasiado… arriesgado. Si lo amas, lo perderás. Así que ahí estabas tú, y yo me moría de miedo. Estar contigo parecía mal por muchas razones, así que convertí esas razones, aquí, en mi cabeza, en enormes problemas. Así podía fingir que ignoraba que el mayor problema fuera mi miedo. Y luego, estaba Alyssa… que era bella e inteligente. Lo bastante fuerte para saber cómo lidiar con toda mis chorradas. Y, sobre todo, la amaba, pero no la amaba demasiado. Sabía que podía vivir sin ella.

»Le pedí que se casara conmigo porque pensé que me mantendría lejos de ti —confesó Max—. Porque tenía miedo de amarte tanto —dijo, y carraspeó.

Dios mío, pensó Gina, en un pasado no muy lejano, hubo un tiempo en que Max habría hecho cualquier cosa para que ella no se enterara de la verdad. Y ahora, ahí estaba, confesándolo todo.

Sólo quería que lo supieras —añadió.

Se quedaron sentados en silencio un largo rato.

—Tienes toda la libertad de besarme —dijo Gina—. Si tienes ganas, cuando quieras.

—¿Ah, sí? —rió él—. Se supone que tengo que vigilar.

—¿Vigilar qué? —preguntó ella—. No se van a mover antes de que llegue ese tanque.

—Da igual —dijo él.

—¿Alguna vez has intentado hacer el amor manteniendo los ojos abiertos todo el tiempo?

Él se la quedó mirando.

—¿Qué pasa? —dijo Gina—. Sólo quería comenzar una conversación.

—Ya. —Max volvió a mirarla y ella le sonrió de esa manera. Esa leve sonrisa llena de promesas, próxima parada el cielo, y Max supo que ella sabía en qué pensaba él...

—Ay —dijo, sabiendo que había sólo una manera de poner freno al asunto—. Me duele mucho la pierna.

—Vale —dijo Gina—. Tú ganas. Quiero decir, yo podría decirte la besaré y te sentirás mejor, pero no lo haré.

Vale, de acuerdo. Max asintió con la cabeza.

—Buena idea. Ya sabes, no decirlo.

Max quería reír. Era todo tan absurdo, esa sensación de alegría total.

Estaban metidos en un buen lío. Si ese tanque no era un mero farol (y su intuición le decía que no lo era), tendría que pensar en la necesidad de echarle a Grady Morant a esa manada de lobos.

Y si hacía eso, Gina nunca se lo perdonaría.

Se quedaron sentados, en silencio. Esta vez duró unos doce segundos.

—¿Te puedo contar algo divertido? —preguntó Gina. No esperó a que dijera sí o no—. Trata de, bueno... ya sabes, todo el tema de la edad.

—El tema de la edad —repitió Max—. ¿Estás segura de que es una historia divertida?

—¿Te sigue molestando? —preguntó ella—. ¿Ser un poco más viejo que yo? Y es más un divertido raro que un divertido de risa, ja, ja.

—Veinte años no es precisamente un poco más viejo —dijo él.

—Cuéntaselo a un paleontólogo —dijo ella.

Sí, le concedería esa réplica.

—Cuéntame de qué va la historia.

—Érase una vez, cuando Jones acababa de llegar a Kenia —dijo Gina—, yo no sabía quién era. Molly no me lo dijo, y él vino a tomar el té a nuestra tienda, y... Quizá ni siquiera sea una historia divertida y rara. Quizás es más una anécdota de «Soy una gilipollas», porque yo llegué inmediatamente a la conclusión de que Jones había venido a verme a mí. Nunca se me ocurrió pensar… nunca se me pasó por esta estrecha cabezota que podría tener algo con Molly. Y puede que ella le lleve a él unos diez años. Recuerdo que me quedé ahí sentada, pensando, *vaya*. Todos damos ciertas cosas por supuestas a propósito de la edad. No era que Max estuviera loco —dijo, y le sonrió—. Al menos no más loco que de costumbre. Supongo que… sólo quería pedirte disculpas por haberme reído de ti tantas veces.

—No importa —dijo Max—. No dejo de recordarme que el amor no siempre se detiene a hacer cálculos. —Le lanzó una mirada—. Intento asimilar ese principio. ¿Te parece convincente lo que digo?

—Ha estado bastante bien. —Se quedaron un rato sentados sin decir palabra, hasta que Gina volvió a hablar.

—Podría ponerme una camiseta que diga: «No soy su hija. Soy su mujer».

Max asintió mientras reían.

—Pero sigues haciendo chistes.

—Sí —dijo ella—. Porque me importa un bledo lo que piense la gente, y creo que a ti tampoco debería importarte.

El miró la noche reflejada en el espejo.

—Y entonces, ¿qué? ¿Ese comentario sobre la mujer ha sido una indirecta para decirme que te casarías conmigo?

—Espera un momento. —Gina cogió los prismáticos y se arrastró hasta la puerta. Se levantó y miró por la ventana, ajustando el foco—. Sólo quiero asegurarme de que no volverán a interrumpirnos —dijo.

—Ibas a decirme algo importante —recordó Max.

—Sí, y es como raro y complicado —dijo ella.

—¿Estás embarazada? —preguntó él.

A Gina la pregunta la cogió por sorpresa, y se le notó.

—¿Cómo has podido…? Eso es como parte de la historia, pero en realidad no sé si… —Volvió a arrastrarse por el suelo y se sentó a su lado—. No estoy absolutamente segura, pero sí, supongo que podría ser.

Max asintió con un gesto de la cabeza. No te pongas celoso. No te pongas celoso.

—No te enfades, pero cuando investigué en el hotel y… había un recibo de una clínica donde te habías hecho una prueba de embarazo.

Ahora era ella la que lo miraba con extrañeza.

—Quiero decir, podría estar embarazada porque cuando, ya sabes, en la cocina… Sexo caliente, ninguna prevención de embarazo.

—Pero… Te has hecho una prueba de embarazo. En Alemania.

—No me hice una prueba porque creía que estaba embarazada. *Sabía* que no estaba embarazada.

Max estaba muy cansado, pero aquello no tenía ningún sentido. Sabía que debería sentirse aliviado, pero estaba demasiado confundido.

—Entonces, ¿por qué te hiciste la prueba? —preguntó.

—¿De verdad creíste que estaba embarazada? —preguntó ella, como si empezara a entender—. Creías que… Madre mía, Max, ¿quién pensaste que era el padre?

—No lo sé —dijo él, sacudiendo la cabeza—. No importaba. Quiero decir, a menos que tú todavía estuvieras enamorada, lo que no parecía ser, así que…

—Dios —repitió ella. Se volvió para mirarlo—. ¿Con cuántas mujeres te has acostado desde que me marché a Kenia?

¿Lo preguntaba en serio?

—¿No te has dado cuenta con lo que ocurrió en la mesa de la cocina? —inquirió Max.

—¿Cero? —preguntó ella. Porque yo acabo de pasarme más de un año sin nada de sexo, y eso convertiría mi embarazo en algo muy especial. Y, para tu información, lo que ocurrió en la mesa de la cocina fue fabuloso. Espero que no tengamos que prescindir del sexo durante todo un año antes de volver a hacer algo así.

Max no pudo sino reír. Gina lo había desarmado.

—Ha acabado muy rápido —dijo.

—Me encanta rápido —dijo Gina—. Y venga, que me estoy poniendo celosa. ¿Para ti también fue nada de sexo el último año?

—Sí —reconoció él—. Te quiero a ti y no estabas. ¿Qué iba a hacer?

—Y ¿no me dirás que eso te avergonzaba? ¿Porque no eras una especie de machote y...?

—No —dijo él—. Me avergüenza que haya tenido que pasar todo un jodido año y medio y el peor susto de mi vida para que me diera cuenta de que no puedo vivir sin ti.

A Gina le brillaban los ojos, parecía asombrosamente feliz, teniendo en cuenta que estaban rodeados por un batallón que pretendía acabar con ellos.

—En realidad —dijo—, tardaste un año y medio no maldito. Te contaré lo que pasó con la prueba de embarazo, ¿vale? Cuando Molly descubrió que estaba embarazada, pero que quizá tenía cáncer de mama, hice mis investigaciones, porque sabía que Grady estaba fuera de combate. Él quiere que se someta a todo el tratamiento, la quimio, la radio, lo antes posible. Pero Molly no puede hacer eso hasta después de tener el bebé. A menos que ponga fin al embarazo.

—He leído acerca de algo llamado «útero de alquiler», que consiste en que una tercera persona, por ejemplo, yo, sería portadora del bebé hasta que nazca. No es lo mismo que ser una madre de alquiler, porque el bebé, tanto el óvulo como el espermatozoide, serían de Molly y Grady. Yo sólo pondría el útero y, bueno, nueve meses de mi vida. Al principio creí que podrían sacar el bebé de Molly y transplantarlo, pero eso no es posible. Quizás algún día tengan la tecnología.

—En cualquier caso, una de las cosas que asustaba a Molly de la idea de la quimio y la radio era que después quizá ya no podría tener hijos. Todo aquello podría acortar el camino hacia la menopausia o Dios sabe a qué otra cosa. En cualquier caso pensé que le aliviaría ese peso, aunque no fuera más que un poco, si ella sabía que yo estaría ahí para ayudarla si... Dios no lo quiera, ¿sabes?

—Las pruebas de embarazo son obligatorias para las mujeres que intervienen como útero de alquiler, además de un certificado de salud. Tiene bastante sentido, ¿no? Por eso fui a la clínica con Molly, me hice una revisión, puse la máquina a funcionar. Pero el médico me dijo que todavía era temprano. Les recomiendan a los pacientes de cáncer que esperen unos años después de sanar, para tener hijos.

Gina respiró hondo.

—Vale. Y entonces le hice una promesa a Molly. Lo cual significa que dentro de unos años tendremos que agregar «y está embarazada del bebé de su mejor amiga Molly» a esa camiseta que me pondré.

Max no sabía si reír o llorar. Consiguió no ceder ni a un impulso ni al otro.

—A mí me parece bien —dijo—. Y, por cierto, creo que ahora te amo más que nunca.

Ella apoyó la cabeza contra su hombro. Ahora era ella la que intentaba no llorar.

—¿Te puedo preguntar una última cosa?

—Desde luego —dijo él. No podía imaginar la pregunta que vendría. Conociendo a Gina, tenía que ser salada.

—¿Me pediste que me casara contigo sólo porque pensabas que estaba embarazada? —preguntó—. ¿Con el hijo de otro hombre?

Mierda.

Max sabía que tenía que decirle la verdad.

—No —dijo—. Te lo pedí porque te amo. —Hizo una pausa—. Y porque pensé que podrías estar embarazada de otro hombre, y no quería que te enfrentaras sola a ello. Y porque en realidad no importaba quién era ese otro, pero yo esperaba que fuera alguien que te gustara al menos un poco, y no alguien que no te gustara para nada. Y también esperaba, que en cualquiera de los casos, tú supieras que lo único que me importaba era que estuvieras a salvo y viva y presente en mi vida.

Ella guardó silencio un momento largo. Pero, al final, habló.

—Buena respuesta —dijo—. Si mañana vamos a morir…

—No vamos a morir mañana —dijo Max.

—Sí, pero si al final es que sí —dijo ella, sabiendo que para él también era una posibilidad real—, al menos habremos tenido esta noche.

Con la punta del pie, empujo la puerta, que se cerró con un «clic».

Gina le pasó los prismáticos. Y también le regaló su sonrisa única.

—Gina —dijo él.

—Shh. Tengo que mirar el vendaje —dijo ella, mientras le abría la cremallera del pantalón—. Seré muy suave, te lo prometo.

Y Max descubrió que mantener los ojos abiertos era, en realidad, todo un desafío.

Capítulo 23

Jules tenía la resaca más espantosa de toda su vida.

Lo primero que vio al abrir los ojos fue luz. Demasiada luz.

Eran velas, y sin duda aquello pretendía ser un decorado román-tico. Pero, no, eran demasiado brillantes. Tuvo que mantener los ojos cerrados. Apenas una raya de luz, o el cráneo se le partiría en dos.

Tenía que haber una manera de decirlo con una rima, pero tenía la cabeza a punto de estallar, y el estómago... Dios, le dolía por to-dos lados. Todo un lado del torso le ardía.

Estaba en una habitación desconocida, en una cama que no re-cordaba haber visto. ¿Qué le había pasado? Creía haber abandona-do ese tipo de conductas poco después de graduarse de la universi-dad.

Voces. Risas, distantes, como si vinieran de otra habitación, o quizá, de fuera... ¿Todavía seguía la fiesta?

Alguien se movió a su lado en la cama, y él se giró. Pero, joder, le dolió tanto la cabeza que tuvo que cerrar los ojos hasta que el ce-rebro volviera a su posición habitual.

Abrió lentamente los ojos, apenas un poco...

—¿Quién diablos era... ésa?

Abrió un poco más los ojos, y sintió que la cabeza casi se le par-tía en dos. Pero luego tuvo que mirar más detenidamente. Porque había una chica en la cama con él, de eso no cabía duda.

Sí, era la chica más bella que jamás había visto, de pelo largo y oscuro y delicados rasgos indonesios. Pero, además de ser mujer, no tendría más de dieciséis años y…

Sus recuerdos volvieron en un torbellino que le llegó hasta las entrañas.

Recordó a una chica, inclinada sobre él, con la preocupación marcada en su bello rostro, mientras hablaba con los hombres que lo llevaban. Hablaba una lengua que Jules no entendía.

Le apartó el pelo para mirarle la cara, sin dejar de hablar cuando lo dejaron en esa cama. Les daba órdenes a los hombres, sin duda. Pero entonces vio que Jules abría los ojos. O que al menos los tenía más abiertos que antes. Y sonrió.

—Ahora estará bien —dijo en un inglés casi perfecto.

Jules recordaba pies. Caras. Un indonesio con bigote y perilla.

El accidente, el coche cayendo por la ladera empinada.

Emilio.

Que caía muerto.

Emilio, no Jules. El dolor que sentía ahora era una prueba de que estaba muy vivo.

Se había roto la pierna y golpeado en la cabeza en aquel accidente no tan accidental. Y Emilio le había disparado.

Por eso le dolía tanto.

Recordó a Max. En el garaje de Emilio. Max estaría preocupado por él.

Siempre y cuando él y Gina y los otros no hubieran caído en la trampa de Emilio.

Si es que ya no estaban muertos.

Jules se dio cuenta de que había desaparecido la chaqueta de cuero y, con ella, su teléfono móvil y su arma. Tampoco tenía sus pantalones. Y le habían puesto los calzoncillos de otro.

Confiaba en que aquella miss Indonesia Junior no se hubiera dedicado a jugar con él, como si fuera un muñeco de Ken tamaño real. No por él sino por ella. De todo modos, ¿qué hacía en la cama con él?

Vale, estaba durmiendo. Encima de la sábana que lo tapaba a él. Al alcance de su mano, en caso de que despertara.

Estaba haciendo de canguro, para su alivio.

Estiró la mano para tocarla, para remecerla hasta que despertara, pero el movimiento le provocó un dolor horrible. Aunque no alcanzó a gritar, el ruido que salió de su boca se parecía bastante.

Con eso bastó. La chica se sentó en la cama. Tenía los ojos muy abiertos.

—Hola. —Jules articuló un sonido que venía de su garganta seca, a través de sus labios partidos e hinchados. ¿Alguien le había dado una patada en la cabeza?—. ¿Puedo usar tu teléfono?

Ella comenzó a hablar en voz alta y rápida esa lengua que él no entendía.

Mierda.

Aquel recuerdo que tenía de ella hablándole en un perfecto inglés debe de haber sido una alucinación.

—Me llamo —dijo, lentamente y con una mano en el pecho— Jules Cassidy. Necesito… —dijo, haciendo la señal universal de hablar por teléfono, algo muy similar al «Te amo» del lenguaje de signos de los estadounidenses, con el puño cerrado junto a la oreja— un teléfono.

Quizá si tuviera lápiz y papel podría dibujarle uno.

Dios, cómo le dolía la cabeza. Justo lo que necesitaba. Jugar al Diccionario de imágenes con el cráneo roto, con una cuestión de vida o muerte.

Entró una mujer mayor en la habitación. Llevaba una bandeja con un vaso que Jules esperaba fuera agua potable. La dejó junto a su compañera de cama, que seguía hablando sin parar.

La chica le ofreció el vaso para que bebiera.

Y luego vino la sorpresa que lo dejó helado.

—Lo siento, señor Cassidy —dijo, en un inglés perfecto—. No tenemos teléfono fijo y, al parecer las torres de repetición todavía no funcionan.

—Tío, deberías estar dormido —dijo Jones, cuando Max entró en la sala donde montaba guardia.

Se acercaba el alba. En cuestión de minutos, quizás una media hora, el cielo estaría color peltre en lugar de negro.

—O al menos —añadió Jones—, demostrándole a Gina cuánto la quieres y la adoras.

—Está durmiendo —dijo Max. Se había deslizado fuera de la cama en cuanto oyó que su respiración se volvía regular. Antes de eso, la había… adorado no poco. Tampoco se lo iba a contar a Jones. Pero, joooder, como solía decir Gina.

Max se vio a sí mismo sonriendo en la oscuridad.

—Es verdad que la quieres, ¿no? —preguntó Jones desde su asiento, debajo de la ventana. Le lanzó la almohada a Max para que pudiera sentarse también—. El mensaje de Molly es: si sólo estás jugando con Gina, será mejor que pares ahora mismo. Si le haces daño, te haré aborrecer el día en que naciste.

—¿Un mensaje de Molly, eh?

—Con una paráfrasis mía —dijo Jones.

—Yo la amo —dijo Max, y se sentó. ¡Ay!

—Sí, en realidad eso está bastante claro —dijo Jones—, pero le prometí a Molly que transmitiría la amenaza como lo haría un tipo duro. Por cierto, Gina es asombrosa. Eres un cabrón con mucha suerte.

Max sacudió la cabeza. Seguro que había un curso de Imprecaciones Creativas en la academia militar que, como civil, él no había tenido que seguir.

—Así que… al final, eres humano —dijo Jones—. Y por lo que sé de los cabrones integrales, tú eres un tío… legal. Ya te puedes imaginar mi sorpresa.

—Sí —dijo Max, aunque, ¿acaso no era ésa la frase que le tocaba decir a él?

Gina tenía razón. Aunque Jones no fuera un hombre bueno, era un hombre decente. También era interesante ver cómo había vuelto a adoptar al instante la actitud de un soldado profesional altamente eficiente.

Había una frase que se repetía en el mundo de la lucha contra el terrorismo: «Un buen entrenamiento es un entrenamiento perdurable»

Pero Max no estaba demasiado sorprendido. Sus años de experiencia con hombres de todas las ramas del sector militar y civil lo habían llevado a acuñar su propio lema: «Espera lo mejor de cada cual, y prepárate para la sorpresa porque superarán esas expectativas».

—Si este coronel que viene en camino —dijo Jones, hablando de cosas serias sin más rodeos—, es el que yo pienso...

Max esperó.

—Es importante —dijo Jones, con voz pausada—, cuando me entregues a él... se llama Ram Subandrio, que ya haya muerto.

Max se aclaró la garganta.

—No creo que...

—Sí —dijo Jones—, yo tampoco creo. Yo lo sé. Y he estado pensando en la mejor manera de hacerlo. Para hacerlo más... fácil para Molly... Pero, joder. No será fácil de ninguna manera... Lo único que sé es que te voy a necesitar a ti para hacerlo, porque soy un jodido cobarde, y no seré capaz de hacerlo solo.

—Escucha —dijo Max—. Grady. Quizá... —Joder.

—Esto es lo que pienso que deberíamos hacer —le explicó Jones. Me llevarás allá afuera. Me sacarás de la casa. Le diremos a Gina y a Molly que se metan en el túnel de escape, y así no podrán ver. Yo tendré las manos en alto cuando me saques a la plaza. Tú tendrás un arma y...

—Cuéntame algo de Subandrio —dijo Max—. Si es el coronel que viene en camino, es el hombre con que tendré que hablar.

—Es un cabrón maniático —dijo Jones—. Chai lo encontró en la misma prisión de donde me sacó a mí. Sólo que él trabajaba ahí. Por elección. ¿Me prometerás...?

—No te voy a matar —dijo Max—. Ya pensaremos en otra cosa.

Jones guardó silencio un rato.

—¿Cómo qué?

—Joder. Cualquier cosa.

Desde donde estaba sentado, Max no veía con nitidez la cara de Jones, pero vio que sacudía la cabeza.

—¿Qué pasaría si te digo que Subandrio me arrancará la piel a tiras para que le diga dónde está la amante de Nusantara —dijo Jones, en voz baja—. ¿Qué pasaría si te digo que me mantendrá vivo durante semanas? O meses. Me matará un poco y luego dejará que me recupere. ¿O si te digo que mientras yo siga vivo, intentará llegar a Molly? A Gina también. Me tendrá a mí pero igual derrumbará esta casa para entrar y arrancarles la piel a ellas, delante de mí, para hacerme sufrir todavía más. Y tú, tú tampoco eres inmune a esto, amigo. Te obligará a mirar mientras las tortura. Le arrancará a Molly mi bebé del vientre, ¿quieres ver cómo hace eso? Créeme. Lo ha hecho antes. Es probable que esté ansiando que llegue el momento.

Joder.

—No lo sé —dijo Jones, con voz temblorosa—. Es muy probable que Subandrio decida torturar a Molly y a Gina de todas maneras. Aunque yo haya muerto. Lo más generoso podría ser asegurarse de que para ellas el final sea rápido.

—Puede que no sea Subandrio el que viene —apuntó Max.

—Sí —dijo Jones, con tono burlón—. Y Molly no tiene cáncer de mama.

—Quizá no lo tenga.

—Sí —dijo él, e hizo un ruido desagradable.

Max dejó escapar una bocanada de aire.

—Mira, Grady, sé que estás asustado, pero yo no voy a...

—Eres un imbécil, siempre creyendo en milagros. Pensando en... ¿Qué? ¿Crees que no sé de qué hablo?

—No —dijo Max, pero Jones ya no escuchaba.

—Soy un cobarde, soy menos que un cobarde —exclamó, por lo bajo—, porque dejé que me quebraran. ¡Joder, eres un capullo arrogante! Crees que eres mejor que yo. ¿Crees que tú no te habrías derrumbado en esa prisión, eh? Tres años de tortura... joder, eso lo podrías aguantar tú haciendo el pino, ¿no? Pues, que te jodan, Bhagat. A pesar de lo que piensas, tú también eres humano. Y, como cualquier hombre en este mundo, tienes tu hora de la verdad.

—Escucha, Grady —intentó Max.

—¿Quieres descubrir de verdad dónde está el tuyo? Déjalos que te arranquen la piel de los pies. Que te den latigazos hasta tenerte al borde de la muerte y a la merced de un último latigazo. Ningún jodido problema. ¿Tú? Vaya, si tú eres indestructible. Tu sentido de la rectitud te mantendrá vivo. Pero, un momento. ¿Qué pasará cuando traigan a Gina a la habitación? ¿Cómo te sentirás entonces, campeón? ¿Tener que ver cómo la violan, tener que escucharla gritar y no poder hacer nada para ayudarla? ¿Cómo te gustaría asistir a esa sesión? Porque tendrás que hacerlo.

Silencio.

Max no sabía que decir. Como si pudiera decir, *Sí, eso ya lo he hecho*. Oír a Gina gritar y ser incapaz de ayudarla.

No se había detenido a pensar, mientras lo vivía, o cuando sufría de los efectos posteriores, que aquello tenía un nombre.

Tortura.

En toda su vida, sólo había tenido una experiencia más horrible.

Creer que Gina había muerto.

Jones se puso de pie, justo frente a la ventana.

—Agáchate —ordenó Max.

Pero él no hizo caso y se dirigió hacia la puerta.

—Termina mi turno —dijo—. Dímelo cuando finalmente te quedes sin opciones. Ahora pienso ir a pasar el rato que me queda de vida con mi mujer.

Jules miró al doctor Dewi Ernalia y luego a sus tres bellos hermanos, esperando que le creerían.

Joder, si alguien tenía derecho a ser pesimista, él debería ser el primero de la fila. Aquella chica delgaducha se había supuestamente licenciado por la facultad de Medicina de la Universidad de Tufts.

Desde luego, le había entablillado la pierna y lo había cosido, así que más valía creer lo de la facultad de Medicina. Otra cosa habría inspirado menos confianza, por ejemplo, que fuese una adolescente precoz haciendo sus pinitos como cirujano *girl scout*.

Con los tres hermanos de la doctora Ernalia reunidos a los pies de la cama, ella le contó a Jules que era la única médico en esa parte de la isla, y que esa pequeña choza sin electricidad era lo más parecido a un hospital que había en kilómetros a la redonda.

Dewi estaba preocupada porque el hermano número uno le había contado que unos terroristas se habían refugiado en una casa más arriba en la montaña. El hermano número dos le informó que los rumores decían que los militares habían pedido un tanque para sacar a los terroristas a golpe de cañonazos.

Lo cual significaba, según la experiencia de la doctora, que existía una alta probabilidad de que se produjeran bajas.

Aquello iba en serio.

Y lo peor de esas bajas serían Max, Gina, Jones y Molly. No eran terroristas lo que se había refugiado en aquella casa. Eran sus amigos.

Desde luego, dijo la doctora, el riesgo de bajas sería aún mayor si había ciudadanos de Estados Unidos involucrados.

Al parecer, se mantenía a los estadounidenses a distancia porque se creía que aquellos terroristas pertenecían a la célula que había atacado la embajada de Estados Unidos en Yakarta, donde había perecido un popular político de Pulau Meda. Si intervenían los estadounidenses, pondrían a los terroristas bajo custodia en lugar de impartir un castigo inmediato y justo.

—Soy agente del FBI —dijo Jules. Ojalá vistiera algo más digno que estos calzoncillos prestados, pensó, unos calzoncillos con el logo de los Red Sox de Boston. Estaban prendidos precariamente a un lado para acomodar el entablillado de la pierna—. He venido a Pulau Meda para investigar el secuestro de dos mujeres de Estados Unidos. —Esperó mientras la doctora traducía para sus hermanos.

Y luego esperó otro rato, y entró otro hombre en la habitación. Uno más de los hermanos de la joven médico. Todos tenían el mismo aspecto de familia y eran todos exóticamente bellos.

Se produjo una discusión, muchos gestos y miradas furtivas en su dirección.

Finalmente la doctora Ernalia los hizo callar. Se volvió hacia Jules.

—Mis hermanos quieren saber si usted fue quien mató a Emilio Testa —preguntó.

Jules miró aquellas caras a los pies de su cama y se sintió incapaz de descifrar su expresión. No vio ni la más mínima señal. Lo único que percibió fue una expectación vacía. Aquella familia podría haber formado el mejor equipo de póquer del mundo.

Y, francamente, Jules esperaba que no fueran grandes amigos de Emilio Testa.

Molly se despertó y se encontró sola en la cama.

Pero no estaba sola en la habitación. Jones estaba agachado junto a la puerta, un bulto en la oscuridad que la miraba.

—Hola —dijo, un poco grogui, y se apartó el pelo de la cara—. ¿Qué pasa? ¿Ya ha acabado tu turno? ¿Me toca a mí?

—No, es… no —dijo él—. Siento haberte despertado.

—No me has despertado. —Había una vela en la mesilla junto a la cama, y ella palpó hasta encontrarla, y luego las cerillas. La luz no alcanzaba a iluminar la pared, y no pudo verle la cara a Jones—. ¿Qué haces ahí? —preguntó y se apoyó sobre un codo.

—Eres muy bella —murmuró él.

—Si eso es el comienzo de unas disculpas —dijo ella—, acepto. Estás perdonado.

—Lo siento —dijo él—. Debería haberme mantenido lejos de ti. Nunca debería haber ido a Kenia.

Aunque Molly no tenía especiales ganas de abordar esa conversación, se la esperaba. El ánimo de Jones había caído en picado al enterarse de que Max no podría utilizar su información sobre los planes del ataque terrorista contra la embajada en Yakarta como carta de negociación, porque el ataque ya había tenido lugar.

Quizá Jones lo veía todo muy negro, y la idea de Max le había dado verdaderas esperanzas.

Esperanzas que se habían visto rápidamente truncadas.

—Y bien —dijo Molly—, vale. Quizá si no hubieras hecho ese viaje a Kenia, ninguno de los dos estaría aquí en este momento.

—Ya lo creo que no.

—Pero tienes que saber que yo no habría cambiado los últimos cuatro meses contigo por nada del mundo —dijo ella, con aire de feroz convicción.

—En realidad, preferirías morir —dijo él, con voz cansina—. ¿Sólo con tal de pasar cuatro asquerosos meses viviendo una mentira?

—No —dijo ella—. En realidad, no preferiría morir, gracias. Y ¿en qué consistía, concretamente, esa mentira? ¿Tu nombre? ¿Tu acento falso? Qué cosa más horrible. Deja de castigarte por hacerme la mujer más feliz del mundo. Bueno, quizá la excepción sería Gina, cuando estaba sobre la mesa de la cocina…

Jones no rió. Ni siquiera un asomo de sonrisa. Dejó descansar la cabeza entre los brazos.

—Venga —dijo Molly—. ¿De dónde ha salido esa actitud derrotista?

Quitó de en medio las sábanas, cogió la vela de la mesa y cruzó la habitación. Con sus cuarenta y pico de años y esa barriga suave y redonda de quizá-ha-comido-demasiada-tarta-de-chocolate, que todavía no era el vientre de una embarazada. Sus pechos crecían por minutos. Siempre había tenido una figura robusta, pero el embarazo la estaba convirtiendo en una gorda grotesca. Al menos así se sentía.

Sin embargo, cuando Jones la miraba, se sentía bella. A veces, incluso esbelta. Y siempre increíblemente sexy.

A pesar de los parches que le cubrían los puntos de sutura estilo Frankenstein.

El problema era que Jones no quería mirarla en ese momento. Estaba enfadado y tenía miedo, y no había lugar en su alma para otra cosa que su miseria y su desprecio de sí mismo.

—Debería haber muerto hace muchos años —dijo Jones, cuando ella se sentó en el suelo a su lado—. Supongo que así debiera haber sido, pero era demasiado hijo de puta para saberlo.

—Si se suponía que tenías que morir —dijo ella—, habrías muerto. Suponiendo que en la vida existe eso de «se suponía que». Pero, vale, aceptémoslo cómo válido. ¿Cuándo se suponía que tenías que morir?

—Cuando tuve esa infección, casi me muero de verdad.

Molly asintió con la cabeza. Lo recordaba.

La primera vez que había visto su recuerdo de ese acontecimiento —una nueva cicatriz en su vasta colección— fue en su noche de bodas. Era en la espalda, una marca irregular que todavía tenía aspecto de pocos amigos, mucho tiempo después de haber sido herido.

—Acuchillado, en realidad.

Jones le contó que había sufrido esa herida en uno de sus viajes a África. Hacía años.

Sucedió poco después de que Molly dejara Indonesia. Después de que a ella le hubieran disparado y a él lo cogieran y lo golpearan casi hasta la muerte. Después de que los dos malograran sus vidas y su relación debido a una mutua falta de confianza.

Jones abordó un barco rumbo a Oriente, intentando lo que fuera para encontrarla, dispuesto a arrastrarse y a implorar su perdón.

Sin embargo, los hombres de Chai dieron con él. Lo encontraron y casi lo mataron. Y, mientras luchaba por su vida, lo acuchillaron por la espalda.

En ese momento, mientras bajaba arrastrándose de aquel barco de carga en Sri Lanka, sangrando de una herida de arma blanca que casi lo mataría una segunda vez cuando acabara infectándose, Jones supo que Chai no descansaría hasta verlo muerto.

No podía esconderse. Sólo podía huir. Y si seguía rumbo a África, le dijo, sabía que llevaría a ese hijo de puta directo a Molly, y eso la expondría a ella a peligros horribles.

Jones se había jurado en ese lugar y momento que no volvería a cometer ese error.

Molly sabía que él pensaba en eso ahora.

—No se suponía que tenías que morir —dijo—. Deja de culparte… esto no es culpa tuya.

—Sí —dijo él—. No vas a convencerme de eso. Maldita sea, Mol, me siento como si te hubiera matado. De una u otra manera. Si sobrevives a esto, pues, ¡mierda! Entonces habrá llegado el momento de luchar contra el cáncer… sólo que, si yo estoy vivo, ¿dónde estaré? Será difícil cogerte la mano desde la cárcel —dijo, con voz temblorosa—. Si no hubiera venido a Kenia, no te habría dejado embarazada, y entonces te preocuparías de tu salud, ¡en lugar de preocuparte por esta horrorosa semilla del diablo que ahora llevas dentro!

—Vaya —dijo ella—. Eso ha sido muy duro.

—Dios, lo siento —murmuró—. ¿Crees que me ha escuchado? Joder, probablemente esté mejor… Habría sido un padre horrible y malo.

—No —dijo ella, ignorando deliberadamente el uso derrotista del tiempo pasado y, al contrario, se centró en el hecho de que, por primera vez, Jones había reconocido la vida, su bebé, que ella llevaba como una persona—. Creo que ni siquiera tiene orejas todavía. Y si las tiene, podrá familiarizarse con el inglés. Quise decir que eres muy duro contigo mismo. Hombre, venga, ¿si yo llevo esa «horrorosa semilla del diablo», tú qué eres?

Jones se giró para mirarla.

—Estás desnuda —dijo, como si acabara de darse cuenta de esa realidad.

—Así es como empieza —dijo Molly, con un suspiro exagerado—. El comienzo del fin. Al principio, es «¡Oh, pero si estás desnuda!» —dijo, poniendo mucha emoción en la voz—. Y luego, al cabo de unos meses de casado, te giras y dices: «¿Qué, estás desnuda? ¿Otra vez?»

Él finalmente sonrió.

—No es eso lo que quise decir —dijo—. Sólo que... Mol, tengo un miedo horrible.

—Eso no significa que debamos renunciar —dijo ella, con voz suave.

Y ahí estaba, otra vez. El bebé se había movido.

Molly le cogió la mano a su marido y se la llevó al vientre.

—¿Lo sientes? —preguntó.

—No lo sé —dijo él, respirando apenas. Y luego la miró, como buscando algo, como si el contacto visual le ayudara a sentir lo que sentía ella.

—Es como una... mariposa batiendo las alas. Casi como si tuviera algo volando dentro de mí. Como si mi comida se revolviera un poco.

—¿Eso? —preguntó él.

Molly sonrió.

—Sí —dijo—. ¿No te parece asombroso?

—Dios mío —dijo—. Tenía lágrimas en los ojos—. Dios Santo. Es...

—Nuestro bebé —dijo ella.

—Es increíble.

—Hay alguien dentro de mí que está vivo, Grady. Alguien que no existiría si tú no me amaras y yo no te amara a ti. Es asombroso. Fantástico. Hemos hecho esto los dos. Tú no lo hiciste, yo no lo hice. Lo hicimos juntos. Piensa en eso. Si podemos hacer algo como esto, entonces sin duda podemos hacer frente a estos otros problemas más banales que enfrentamos.

Él rió al escuchar esas palabras.

—¿Problemas banales? ¿Cómo sobrevivir a los cañonazos de un tanque? ¿Y ganarle al cáncer? Dios mío, eres adorable.

—Bien. Nunca lo olvides. Vamos a buscar a Max —sugirió Molly—. A ver si se le ha ocurrido alguna otra idea para sacarnos vivos de aquí.

—¿Podemos sentarnos un momento? —Jones le preguntó—. Sólo quería...

Deseaba sentir el milagro del bebé moviéndose en el vientre de su madre.

Y Molly supo en ese momento que si el bebé era chica, le pondría el nombre de Hope.

Siempre y cuando, claro está, su papá estuviera de acuerdo.

Capítulo 24

Gina no creía lo que acaba de escuchar.

—¿Debería preocuparme —preguntó— que, ahora mismo, Grady esté a solas con Molly en la otra habitación?

Max negó con la cabeza.

—No creo que de verdad pudiera hacerlo. Creo que estaba sondeando... si llegaba el momento... si yo estaría dispuesto.

—¿Puedes matar a mi mujer de mi parte, vale? —dijo Gina, sacudiendo la cabeza—. Es una locura.

—No, no lo es —dijo Max, mientras miraba por la ventana con los prismáticos.

En un breve espacio de tiempo, el sol se había encumbrado en el cielo. Ya hacía un calor insoportable y la temperatura seguía subiendo.

—Jones ha vivido una experiencia horrible —siguió Max, todavía sin mirarla—. Creo que verdaderamente insoportable. Me habló un poco acerca de ello y... no estoy seguro, pero creo que le hacía más daño ver cómo torturaban a otros que ser torturado. Creo que sus captores lo sabían, y lo utilizaban en su contra. He oído unas historias espeluznantes sobre esa prisión donde estuvo. Historias de hombres que eran obligados a ver cómo sus mujeres e hijos eran violados sistemáticamente y luego asesinados. —Max la miró—. En cierto sentido, lo comprendo.

Gina se acercó a él y Max le cogió la mano. En ese momento, el *walkie-talkie* recobró vida.

—Grady Morant —dijo una voz a través de la estática. Qué agradable que haya venido de tan lejos para volver a conversar conmigo.

Max apretó una tecla.

—¿Es el coronel Subandrio?

—¿Me has reconocido, pedazo de comemierda?

Había maneras y maneras de insultar. Gina le hizo una mueca a Max, como si fingiera estar más escandalizada por la horrible palabrota que por el hecho de oír la voz del hombre que iba a matarla.

Lenta y dolorosamente.

Mientras obligaban a mirar a Max.

—¿Oyes ese ruido? —siguió el coronel—. Es el ruido del tanque que se acerca y que os volará al infierno.

—No lo oigo —dijo Gina—. ¿Es un farol?

—Escucha —dijo Max—. Es un ruido sordo y bajo.

Oh, Dios, el tanque existía de verdad.

—Para que se sepa. Preferiría jugármela a la tortura. Mientras estemos vivos, hay una posibilidad de que sigamos vivos. Si tú...

Max la besó.

—Lo sé —dijo—. Estoy contigo en eso. Ahora, shh, déjame hablar con este tipo —pidió, y le dio a la tecla.

—Señor —dijo—. Me llamo Max Bhagat. Soy ciudadano de Estados Unidos y jefe de sección de alto nivel del FBI. No nos hemos conocido, pero mis superiores me han dicho que usted vendría a hablar acerca de la situación de Heru Nusantara y Grady Morant. En este momento, señor, tendré que pedirle que espere porque estoy recibiendo una llamada de radio del presidente Bryant.

Cortó la conexión.

Vaya.

—Se coge antes a un mentiroso que a un cojo —dijo Gina.

—Necesito mis pantalones —dijo Max—. No me importa si todavía están mojados. ¿Me los puedes traer? Y mirar si Emilio tiene una chaqueta y camisa que me pueda poner. Ah, y una corbata, sin chicas estampadas, ¿vale? Y tiene que ser ya.

Gina salió corriendo. Y cuando se alejaba por el pasillo, oyó que Max llamaba a Jones y a Molly a gritos.

Jules era el nuevo héroe del día.

Al parecer, el descubrimiento del cadáver de Emilio Testa era motivo de una gran fiesta en casa de la doctora Ernalia.

Sus hermanos habían arrastrado el coche destrozado hasta el patio, y ya empezaban a desguazarlo para vender las piezas. Era su acto final de venganza contra un enemigo odiado desde hacía mucho tiempo.

—Necesito encontrar un teléfono —repitió Jules—. Y estaría bien algo con que vestirme.

La doctora dijo algo a los tres hermanos que seguían en la casa y éstos empezaron a quitarse la ropa.

—Un momento —dijo Jules.

Pero la joven ya los había detenido, después de tomar la camisa hawaiana de su hermano menor y los pantalones cortos negros de su hermano del bigote. A una orden de la doctora, uno de los jóvenes cortó una de las perneras del pantalón para que Jules no tuviera que ponérselo sobre la tablilla.

La doctora y el hermano menor lo ayudaron a ponerse la camisa y le abrocharon los pantalones. Bigotes fue a la otra habitación y volvió con un par de muletas.

Mis hermanos creen que el teléfono más cercano está en el puerto, en la comisaría de policía —le informó—. Y también pensamos que si ese teléfono no funciona, podría alquilar un hidroavión y dirigirse a Soe o a Kupang. Mi hermano, Daksa, le sugiere que no se acerque a Dili. Rexi lo llevará a la ciudad en su Mini.

Dios, la cabeza todavía le martilleaba. Levantarse era todo un desafío. Imposible pensar en andar con muletas.

Pero ya había pasado demasiado tiempo inconsciente.

Jules fue hacia la puerta, pero volvieron los dos hermanos gritando acerca de algo, y sosteniendo...

—Sé que preferiría el teléfono —dijo la doctora Ernalia—. Pero ¿qué le parece una radio? Umar ha encontrado este transmisor de onda corta en el coche de Emilio Testa.

—Necesitaremos una cuerda —dijo Max, al ajustarse la corbata.

—He visto una en la cocina —dijo Gina, y bajó corriendo las escaleras.

—Oye —llamó Jones—, Nueva York, todavía no he acabado con tu aleccionamiento…

Molly le cogió la metralleta de las manos.

—Siempre apuntar al suelo y lejos de otras personas —recitó, mientras hacía precisamente eso—. Hacer esto… y… jalar el gatillo. Disparar por la ventana, hacia la calle, no hacia arriba, porque podría herir a alguien. No disparar dentro de la casa. No es cuestión de mala suerte, como abrir un paraguas, pero las paredes están blindadas así que las balas pueden rebotar y nosotros acabar como Max, con una en el culo. O peor. Hay más municiones en la mochila. Disparar contando hasta cuatro, no más, y luego, al suelo. —Molly lo miró—. Cariño, si yo me lo he aprendido, Gina también se lo aprenderá.

Que imagen más demencial. Molly con una metralleta en las manos. Jones tuvo que reprimirse para no mirar por la ventana y ver si estaba nevando. No era julio todavía, pero aquel día frío sin duda había llegado temprano. En cuanto a saber si hacía frío en el infierno, Jones rogaba que no fuera a tener la oportunidad de verificarlo, al menos por mucho tiempo. Se volvió hacia Max:

—Sigo pensando que ellas deberían meterse en el túnel de escape hasta que esto termine.

—Perdóname un momento —dijo Molly, haciendo señas—. Esta mitad de «ellas» de las que estáis hablando está aquí mismo. Estamos preparadas y dispuestas a ayudar, aunque quisiera señalar que suele pasar que si el grupo A dispara al grupo B, el grupo B tiene la tendencia a dar media vuelta y responder a los disparos. ¿No es eso un problema si vais a estar en medio de la plaza?

Max se arreglaba el pelo y ahora devolvió el espejo a su lugar.

—En realidad —dijo—, lo primero que harán será buscar refugio. Por lo que puedo ver, sólo hay una persona investida de cierta autoridad en esta operación, y es el coronel Subandrio, que decididamente trabaja para Heru Nusantara. A todos los demás les interesa sobre todo no dejarse matar. —Se giró para incluir a Jones en el grupo—. Esto lo utilizaremos a nuestro favor.

—Aquí está la cuerda —dijo Gina, que había vuelto.

—Bien —dijo Max—. Córtala en tres trozos. Átale un trozo a cada muñeca y deja el tercero suelto a su alrededor. Queremos que parezca que está atado, pero no queremos que le sea imposible liberarse de la cuerda, ¿vale?

Se puso la chaqueta de Emilio, comprobando las diferentes armas que había ocultado en los bolsillos y en la espalda cuando Jules estiró las manos.

—Hablemos de tanques —dijo Max.

Jones había tenido la oportunidad de examinar el tanque con los prismáticos.

—Parece un modelo fabricado en la Unión Soviética a finales de los años ochenta. La tripulación tiene una visión muy limitada de lo que sucede en el exterior. Dependen del contacto por radio para orientarse y recibir órdenes.

—Bien —dijo Max.

Molly dejó la metralleta y ayudó a Gina con la cuerda. De pronto cruzó una mirada con Jones.

—Reconoce que lo estás disfrutando… dos mujeres atándote…

—Estoy demasiado asustado —dijo Jones—. Pero cuando esto termine, si sobrevivimos, ¿te importaría volver a hacerlo? Pero sólo nosotros dos. Quiero decir, Gina no está mal, pero si la invitamos a ella, también tendríamos que invitar a Max y eso lo echaría a perder para mí.

Molly rió, pero había lágrimas en sus ojos. Sabía lo difícil que sería para Jones hacer chistes en ese momento.

—Necesitaremos algo que parezca sangre. —Max no les prestaba atención o ignoraba deliberadamente la conversación.

—Lo tengo listo —dijo Jones, girando los nudos hacia el interior de las muñecas.

—Hay ketchup en la nevera —sugirió Gina.

El ketchup no sólo parecía ketchup sino que olía a ketchup. No era lo bastante bueno. Si pretendían que aquello funcionara bien, si pretendían engañar a Ram Subandrio, tenía que parecer real. Subandrio había visto correr ríos de sangre durante su vida.

—¿Quieres que vaya a buscarlo? —preguntó Gina.

—Oh —dijo Jones—, no. Gracias. Tendremos que salir por ahí, así que… será mejor tenerlo fresco. —Se giró hacia Max y los dos cruzaron una mirada—. Vamos allá.

Molly esperaba sin decir palabra. Ahora que no empuñaba el arma, su aspecto era bastante menos feroz. Estaba muy inquieta y no paraba de retorcerse las manos. Pero consiguió sonreír.

—Gracias por amarme tanto como para correr este riesgo por mí —le dijo a Jones.

—Sí —respondió éste—. Y bien. —No se lo quería decir, pero él y Max tenían un plan alternativo que, de haberlo conocido, ella lo habría rechazado rotundamente—. Si algo va mal, escondeos en el túnel. Quizá no encuentren la entrada.

—Si el bebé es un niño —dijo Molly—, creo que deberíamos llamarlo Leslie.

—¿*Qué*? —El desastre se cernía sobre sus cabezas, y ¿Molly pensaba en los nombres del bebé? Pero, joder, seguro que podría encontrar algo más… normal. De niño, él siempre había querido llamarse John, o Jim. Tom. Dan.

Molly le sonreía, como si supiera exactamente la naturaleza de sus cavilaciones. Pensándolo bien, quizá sí lo sabía.

Jones entendió que Molly había comenzado un poco temprano con la diversión que supuestamente debía crear, arrancándolo a ese futuro donde él estaría muerto y ella refugiándose en el túnel, y proyectándolo hacia otro futuro, donde tenían un bebé que necesitaba un nombre.

—Siempre me ha gustado el nombre de David —dijo él, porque deseaba entrañablemente esa segunda versión del futuro, tanto que casi podía saborearla.

Y, al otro lado de la habitación, Max cogió el *walkie-talkie*.

—Vamos allá.

Max era un mentiroso consumado.

Gina lo observaba mientras se comunicaba por el *walkie-talkie* y le ordenaba al intérprete que lo dejara hablar directamente con el coronel Subandrio.

Con chaqueta y corbata y esa camisa blanca impecable, se parecía más al Max que había conocido cuatro años antes.

Aún así, la chaqueta y corbata con los pantalones vaqueros y zapatillas deportivas era algo que Gina nunca había creído que viviría para ver. No cabía en los pantalones de Emilio.

Max sorprendió a Gina mirándolo y, mientras esperaba al coronel, dijo:

—Ya me gustaría tener un traje de verdad.

—Tienes buena pinta —dijo ella, intentando sonreír para disimular su miedo—. Por favor, no te mueras hoy.

—Eso no estaría bien —convino él, y entonces se oyó la voz del coronel.

—No hemos captado ninguna señal de radio en toda esta zona —dijo el hombre, sin preámbulos—. Si cree que…

Max apretó la tecla para hablar y el aparato emitió un ruido agudo.

—Coronel —dijo, cuando el silbido cesó—. Supongo que usted sabrá que los últimos sistemas de comunicación de Estados Unidos no utilizan ondas de radio convencionales. Hemos tenido un ligero fallo, pero hemos recuperado la señal sin problemas. He hablado con el presidente Bryant y sus principales asesores en asuntos indonesios. Me han dado toda la información necesaria sobre esta situación. Entiendo perfectamente por qué el asunto es de suma importancia para el señor Nusantara y por qué hay que darle una solución inmediata.

Max no paró para respirar.

—Le he pedido disculpas al presidente, y deseo hacer lo mismo con usted, señor. Cuando comencé a investigar lo que parecía un mero secuestro, no sabía que Grady Morant era buscado por tantas causas, tanto por su gobierno como por el nuestro. Le ruego extienda mis disculpas al señor Nusantara y le asegure que el presidente Bryant y Estados Unidos de América siguen apoyando plenamente su candidatura. Creemos que es el mejor hombre para dirigir este país, a pesar de las indiscreciones cometidas en el pasado. El presidente Bryant y yo mismo estamos dispuestos a hacer todo lo posible para garantizar la elección del señor Nusantara.

Y tampoco esta vez dejó que el coronel metiera una palabra.

—Dicho esto —siguió Max—, le hago saber que me han dado órdenes para actuar sin la mediación de la embajada de Estados Unidos y entregar a Grady Morant directamente a las autoridades indonesias, que usted aquí representa. ¿Está usted preparado para tomarlo bajo custodia, coronel, o necesita adoptar medidas para sacarlo de la isla?

Max soltó la tecla y Gina aguantó la respiración.

—Ahora es cuando descubrimos —dijo Max a todos—, si de verdad Nusantara está detrás de todo esto.

Pero del otro lado sólo había silencio.

Jones tenía los prismáticos. Miraba hacia el tanque.

—Ningún movimiento —dijo—. Están ahí sentados, sin más.

—¿Por qué tarda tanto en responder? —preguntó Gina.

A Jules le martilleaba la cabeza mientras intentaba comunicarse con el imbécil de la oficina de la CIA en Kupang.

—Sí, ya sé que todos están en alerta —dijo—, pero ¿no es ésta la razón por la que están en alerta? Para estar preparados para intervenir. —Aquello era demasiado—. Déjeme hablar con su superior. Cambio.

—En este momento, soy yo. Tenemos problemas de personal. ¿Está informando sobre una situación de atentado terrorista? Cambio. —La voz en el otro extremo sonaba de pronto como si se hubiera despertado.

—Afirmativo. —Cuando muriera, Jules iría al infierno. Ahora, con esa mentira, se lo tenía asegurado. Aunque quizá no era del todo una mentira redonda—. He recibido varios informes sobre células terroristas que han quedado atrapadas en las montañas aquí en Pulau Meda. ¿No hay aviones en la vecindad? Cambio.

—Señor, estas ondas no son seguras. No puedo darle esa información.

Claro, como si los gobiernos hostiles del mundo no tuvieran acceso a imágenes por satélite de hasta el último navío de Estados Unidos en los mares del mundo.

—Necesito al menos tres helicópteros con Marines para que se encuentren conmigo en la isla Meda, lo antes posible —dijo Jules—. ¿Puede usted conseguirme eso? Cambio.

Se produjo un silencio. El tipo de silencio que viene antes de una negativa.

Y, joder, había empezado a sangrar nuevamente. Eso explicaba su mareo.

La radio chisporroteó. Y se oyó la respuesta...

—Lo siento, señor. Me es imposible. Cambio.

—De acuerdo. Gracias, coronel. Ahora lo sacaremos —avisó Max, y apagó el *walkie-talkie*.

Había llegado el momento por el que tanto había rezado. Y que tanto temía.

Molly estaba llorando, pero sólo porque Jones ya había bajado. Se había incorporado al escuchar que el coronel anunciaba que estaba preparado para asumir la custodia de Grady Morant. Éste le pidió a Molly que se quedara arriba y se despidió con un beso. Después, bajó a la cocina para cambiar su aspecto por el de un hombre muerto.

Ahora le tocaba salir a Max.

Gina también se esforzaba por no llorar.

—Mantén la puerta cerrada —dijo Max, estrechándola—. Se cerrará cuando yo salga. No la abras por nada del mundo.

—Salvo para ti. Te la abriré a ti.

—Ni siquiera a mí —dijo él—. No sé qué tendré que decir para que el coronel crea que estamos en el mismo bando. Si Jones tiene razón acerca de él, puede que pida que tú y Molly también seáis detenidas. Y eso no lo queremos para nada. Así que no me abras la puerta.

—Y si nos damos una contraseña —sugirió ella, acariciándole el pelo, apretándose suavemente contra él—. Si me la dices, yo sabré que te puedo dejar entrar.

—¿Sabes que una de las cosas que me gusta de ti es que eres muy lista? —preguntó Max.

Gina sonrió, pero él sabía que era forzado. Quería quedarse ahí, en sus brazos para siempre. Él lo sabía, porque también lo deseaba.

Lamentablemente, no era una de las opciones.

Max la besó y ella se aferró a él porque sabía que había llegado la hora. Ninguno de los dos se había atrevido a decirlo, pero eran muy conscientes de que era, quizá, su último beso.

Nunca más.

—La contraseña será un tema de Elvis —dijo Gina, separándose. Cualquier canción de Elvis. Si me cantas un tema de Elvis, te abriré la puerta. Si no…, se encogió de hombros.

—Lo que pasa es que tú quieres oír cómo canto —dijo él, riendo.

—Absolutamente. Y si bailas también… Pues, nadie sabe qué puede pasar una vez que se abra esa puerta. —Lo empujó hacia el pasillo—. Pronto nos veremos, Salvaje.

Cuando Max bajó a buscar a Jones, se dio cuenta de que tenía una sonrisa de oreja a oreja.

Y en lugar de preocuparse por el encuentro con el coronel Subandrio, empezó a pasar revista mentalmente a todas las canciones de Elvis que sabía, intentando adivinar cuál de todas le arrancaría a Gina la sonrisa más grande.

Al parecer, se estaba divirtiendo demasiado.

Joder, estaba hecho un verdadero lío.

Pero no importaba. Él sabía que Gina lo amaba de todas maneras.

El disparo en la cocina asustó a Molly.

Lo había estado esperando, temiéndolo, pero aún así la sobresaltó.

Gina se inclinó y le tomó la mano.

—Funcionará —dijo.

—Lo sé —dijo Molly, intentando que sonara como si ella también lo creyera—. Confío en Max. Ha estado increíble hablando con el coronel. Casi le creí… que iba a entregar a Grady.

Se arrastró para acercarse al espejo, girándolo para ver la calle frente a la casa.

Las dos oyeron cómo se cerraba la puerta y Gina también se acercó a mirar.

—Oh, Dios —murmuró Molly.

Max llevaba a Jones sobre los hombros.

La cabeza de Jones colgaba y, a medida que Max se alejaba lentamente de la casa, Molly pudo verle una parte de la cara.

Estaba cubierto de sangre, que le humedecía el pelo.

—Eso no es ketchup —dijo Molly, sintiendo que le entraba el pánico—. Madre de Dios, Gina, ¿qué ha hecho Max?

Max llegó a un punto intermedio.

Había marcado mentalmente un lugar en la plaza que era casi equidistante de la casa a sus espaldas y de la barricada de jeeps, camiones y ese enorme tanque frente a él.

El hecho de que hubiera llegado hasta ahí sin que lo hubieran acribillado ya era, al menos, una primera victoria.

Sobre todo si a eso se añadía el hecho de que, además de Jones, Max llevaba una pequeña pistola calibre veintidós. La llevaba en la mano, a la vista y desafiando la paciencia de los que miraban.

Desde luego, el alcance de ese chisme era como el de un tirachinas.

Y él siguió avanzando.

Caminar ya era todo un desafío, debido a su herida de bala, además de los ochenta y cinco kilos de peso muerto de Jones.

Pero se movía. Estaba cumpliendo con su tarea.

Estaba todo sudado y la chaqueta y la corbata ya no importaban. Además, Jones lo había manchado todo de sangre.

El sol de la mañana era absurdamente intenso. Después de llover la noche anterior, la humedad se había evaporado en las primeras horas de la mañana.

Gracias a la descripción que le había dado Jones, Max identificó al coronel Subandrio, que oteaba desde detrás del tanque. Un hombre pequeño y fornido, con una de esas papadas que parecían tragarse el cuello y unas mejillas mofletudas que le colgaban hasta los hombros.

Max siguió avanzando, un penoso paso tras otro.

Gina fue con Molly hasta la cocina.

—Era sangre —dijo Molly—. ¡Max le ha disparado a Grady!

—No, no le ha disparado —dijo Gina, aunque no estaba tan convencida de que no lo hubiera hecho. ¿Esto es lo que los dos hombres habían discutido en voz baja y tan seriamente mientras le decían a Molly y a Gina que bajaran a escoger del arsenal las armas con que se sentían más cómodas?

¿Qué pasaría si había dos planes, uno que Max y Jones les habían contado a Gina y Molly, y otro en que Max entregaba de verdad a Grady Morant al coronel?

—Ay, Dios mío —suspiró Molly. Era sangre lo que había en el suelo de la cocina, en la mesa, en la puerta de un armario.

Era sangre la que teñía el agua de un cuenco junto a la fregadera.

Como si alguien se hubiera limpiado las manos después de cometer un crimen horrendo.

—Grady dijo que tenían que hacer que pareciera real —le recordó Gina a Molly y, de paso, a sí misma.

Max no haría algo así.

¿Lo haría?

Molly se echó a llorar.

—Lo mataré —sollozó—. ¡Lo mataré!

—¡Molly, espera! ¿Adónde vas? —llamó Gina cuando Molly salió corriendo hacia las escaleras.

—Alto.

La orden finalmente había llegado y Max no estaba lo bastante cerca. Pero se detuvo, porque lo último que quería era que el coronel se cabreara.

El hombre seguía mirándolos desde detrás del tanque, a unos veinte metros, rodeado de oficiales.

—Deje caer el arma. —El intérprete tradujo la orden del oficial que había dirigido el asedio hasta la llegada del coronel Subandrio.

—Estamos todos en el mismo bando —le recordó Max—. Morant no tenía demasiadas ganas de reunirse con usted, coronel. Resistió y… Bueno, me habían dicho que lo buscaban vivo o muerto, así que decidí ahorrarles esfuerzos a todos para reducirlo.

Gina corrió escalera arriba detrás de Molly.

—Un momento —dijo, y se agachó al entrar en la habitación—. Espera, no sabes…

Pero afuera, al otro lado de la ventana, vio a Max que dejaba caer a Jones al suelo polvoriento.

El cuerpo cayó como un peso muerto, totalmente inerte.

—Dios mío.

—Es todo falso —dijo Gina a su amiga, y se lo dijo a sí misma—. No está muerto de verdad. Sólo quieren convencer al coronel. Mol, mira, había un cuchillo allá abajo. Creo que lo usó para cortarse la mano… ves, tiene algo alrededor de la mano. Y si Max le hubiera disparado, habría un chorro de sangre. En la pared, en… alguna parte.

Max estaba hablando. Ella lo sabía por su manera de gesticular.

Veía al pequeño coronel, que no estaba dispuesto a salir de detrás del tanque, probablemente porque Max tenía una pistola.

Y luego vio a Max que dejaba de mirar al coronel. Apuntaba con esa arma a Jones y…

¡Bum!

El disparo dejó un eco en el aire y Gina y Molly se quedaron agachadas, totalmente mudas.

Y entonces Molly perdió completamente la chaveta.

¡Joder!

¡Ese cabrón psicótico de Max le había disparado de verdad!

Y ¡le había dado en toda la pierna!

Jones tuvo que recurrir a todo el autocontrol que poseía, y a otro tanto que no poseía, para no dejar escapar un grito de dolor. Ni siquiera se movió.

El dolor era como un fuego, y Jones se concentró en respirar bocanadas cortas y lentas. El coronel Subandrio sin duda se daría cuenta si el hombre muerto empezaba a dar muestras de ahogo.

—Está muerto —oyó que Max le decía a Subandrio. Luego oyó el ruido del velcro cuando Max enfundó el veintidós y se volvió hacia el hombre con gesto de familiaridad—. Me alegro de conocerlo, finalmente, coronel. He oído hablar mucho de usted. Desde luego, ha llamado la atención del presidente Bryant. Habló de una reunión con usted en Yakarta.

—No nos hemos conocido —dijo el hombre, con esa voz gelatinosa que Jones todavía escuchaba en sus pesadillas.

—Le habré entendido mal —dijo Max, sin liarse—. Mencionó un viaje a Yakarta… debe ser algo que está planeando. Pero ha mencionado su nombre. Seguramente será porque quiere conocerlo. Perdone mi confusión. Han sido unos días duros, dar con Morant y… rió.— Estoy seguro de que sabe qué…

—¡Max! ¡Cabrón!

Jones descubrió que todavía le quedaban reservas de autocontrol cuando se quedó completamente inmóvil. Era la voz de Molly. Aguda y distante, pero del todo clara.

—¡Te mataré! —gritó—. ¡Te mataré! ¡Prometiste que no le harías daño! ¡Lo prometiste!

¿Acaso Molly pensaba que…?

—¡Molly, venga, para ya, aléjate de la ventana!

Pero Gina dio un paso atrás cuando, llorando descontroladamente, Molly cogió una de las metralletas que Jones les había enseñado a disparar.

—Vale —dijo Gina a la persona menos violenta que había conocido en toda su vida—. Ya basta. Baja esa arma. Ahora mismo. Molly, mírame. Mírame. Ten fe en Max, ¿vale? Tienes que tener fe en Max.

—Es su mujer —explicó Max al coronel. Tuve que dejarla fuera de juego antes de coger a Morant. Supongo que habrá vuelto en sí.

El coronel Subandrio se lo creyó.

Max ignoraba de quién era la idea de gritar así por la ventana, pero había quedado muy bien.

Porque hizo que el coronel saliera de detrás del tanque.

El oficial al mando, un hombre débil, salió detrás de él, ansioso por demostrar que no era débil. Lo seguía el intérprete, que sostenía el *walkie-talkie*.

Max movió el cuerpo de Jones con el pie.

—Grady Morant ya no parece tan peligroso, ¿no?

—Era culpable de crímenes horribles —dijo el coronel—. No lo echarán de menos. —Se acercó, miró hacia el otro lado de la plaza—. Excepto su... ¿mujer, ha dicho usted?

Joder, era el tipo de situación donde no debía darse voluntariamente ninguna información, y él le acababa de lanzar a Subandrio un hueso muy suculento.

Jones no se movió, pero Max sintió la rabia que irradiaba desde el suelo.

El coronel se había acercado.

—No suele casarse con ellas. Suele matarlas cuando ha acabado. Al menos es lo que hizo con mi hermana. Nunca encontramos el cuerpo.

Aquella mierda de mentiroso.

Jones no se movió. No se levantó de un salto ni se lanzó a despotricar contra ese mentiroso hijo de puta, ni a declarar que el primer lugar donde él buscaría a la hermana muerta de ese cabrón sería en su propio jardín, bajo los rosales.

Pero entonces se le ocurrió algo siniestro, y era que Max se creyera a Subandrio. Un coronel vistiendo un uniforme fantasioso, contra un reconocido ex socio de un capo de la droga asesino... ¿Qué pasaría si Max pensara que...?

Pero Max emitía los sonidos de condolencia apropiados, cuando el hombre que Jones había visto torturar a niños delante de sus madres desesperadas trajo la conversación de vuelta a Molly.

—Me gustaría conocerla, a esta mujer de Morant.

Iba a ser difícil conseguir eso... desde el infierno.

Max se desvió hábilmente del tema.

—No creo que podamos convencerla de que salga hasta que lleguen los helicópteros —dijo.

Sus palabras no eran del todo una mentira. Max simplemente omitía el hecho de que todavía no habían establecido contacto con los Marines que volaban en esos helicópteros. Pero lo harían. En cuanto echaran mano de una radio.

—¿Helicópteros? —preguntó Subandrio.

—Procedimiento estándar —avisó Max—. Están al caer en cualquier momento. Vienen de un portaaviones que se encuentra frente a la isla de Meda. ¿Eso es al este?

Jones tenía los ojos cerrados, así que no vio a Max señalando hacia la montaña, pero sabía que había hecho el gesto.

Era la señal. Como estaba previsto, Molly y Gina abrieron fuego desde la ventana de la casa.

Y, de pronto, Jones volvió milagrosamente a la vida.

—¡Cuidado! —gritó Max, y se abalanzó contra el oficial al mando. Le dio con el hombro en el vientre y ambos cayeron rodando por el polvo. Max se retorció para neutralizarlo, con el arma desenfundada (no el pequeño calibre veintidós sino un letal calibre cuarenta y cuatro), a la vez que fingía proteger al oficial de un ataque.

Jones saltó sobre el coronel, como una especie de zombie enloquecido. En su rostro cubierto de sangre, brillaba el blanco de sus ojos, mientras arrastraba al coronel Subandrio a punta de pistola, de modo que tenía la espalda contra el tanque. Bien pensado.

—¡No disparéis! —gritó Jones, cuando los disparos cesaron.

Max se incorporó hasta plantarse a su lado, usando al oficial al mando como escudo y rodeándole el cuello con el brazo.

—Las manos donde pueda verlas —ordenó. Jones le repitió la orden al coronel en un lenguaje más colorido.

El intérprete permanecía aplastado contra el suelo, y Jones le lanzó tierra con la punta de la bota.

—¡Hey, tú! —¡Diles que paren de disparar, o mataré al coronel Subandrio y después te despacharé a ti también, maldita sea!

452

Disparar las armas contando hasta cuatro, no más, y luego al suelo.
La voz de Jones retintineaba en los oídos de Gina, aparte el zumbido en los oídos que le habían dejado cuatro segundos de destrucción de altos decibelios.

Agarró a Molly y tiró de ella hasta que estuvieron las dos debajo de la ventana.

—Se ha movido. ¿Lo has visto? —le preguntó a Molly, que asintió, con las lágrimas todavía bañándole la cara.

—Creí que estaba muerto de verdad.

—Lo sé —dijo Gina, y abrazó con fuerza a su amiga—. Está bien. Los dos están bien.

Por ahora.

Pero aquello todavía no había terminado.

El coronel Subandrio jugaba la carta del desdén del valiente, mientras que el rehén de Max se había mojado los pantalones.

—Debería haberlo sospechado —le dijo el coronel Subandrio a Jones—. No pensaréis que de verdad podréis huir de mí. ¿Dos hombres contra doscientos?

Jones apretó su pistola contra el mentón de Subandrio mientras le revisaba los bolsillos. Lanzó a la calle una navaja, unos billetes y un revólver con culata de madreperla.

—¿Dónde está la radio para contactar con el tanque?

—No la tengo —dijo el coronel, aunque miró fugazmente al intérprete.

Vale.

—Y si creéis que...

—Cierra el jodido pico —dijo Jones, y le apoyó el cañón contra la oreja.

—Ordene a sus tropas que se retiren —ordenó Max a Subandrio. Ordene al personal del tanque que abra la escotilla y que salgan. Ahora.

—No pienso hacerlo —dijo el coronel Subandrio, como mofándose de la órden—. Entreguen las armas u ordenaré al tanque que dispare contra la casa. Lo único que tengo que hacer es dar la orden para...

Max miró a Jones.

Éste ni siquiera parpadeó cuando le descerrajó dos tiros en la cabeza a Subandrio.

Dejó caer suavemente al suelo el cuerpo del que había sido coronel.

Max centró su atención en el oficial al mando, que quizás había vuelto a mojarse los pantalones.

—Ordénele a sus tropas que se retiren. Ordene a los efectivos del tanque que abran la escotilla y salgan. Rápido. Sólo era una cuestión de tiempo hasta que uno de los cientos de soldados que los rodeaban decidiera dárselas de héroe.

El oficial al mando miró el cuerpo de Subandrio y luego a Jones, que se acercó.

—¡Hágalo ya! —dijo Jones.

Capítulo 25

Jules llegó demasiado tarde.

Cuando el Mini de Rexi Ernalia derrapó hasta detenerse, Jules vio un cuerpo tendido en la plaza cerca de lo que era, en efecto, un tanque muy grande.

Bajó a duras penas del coche y se golpeó la pierna con tal fuerza que estuvo a punto de vomitar. Pero no había tiempo para eso. Se irguió apoyándose en las muletas y se acercó cojeando a...

No era Max. Tampoco era Jones.

Era un hombre pequeño con cara de sapo. Llevaba un uniforme fantasioso y tenía un aspecto bastante más feo que el que debía tener al comenzar el día. La mitad de la cabeza había volado en pedazos.

Sin embargo, la casa al otro lado de la plaza, la casa de Emilio, seguía en pie. Era claro, por la posición de las tropas, que era el lugar donde los terroristas se habían «refugiado».

Al parecer, Max y compañía no habían conseguido salir después de que Jules emprendiera su alegre viaje montaña abajo con Emilio.

—¿Quién manda aquí? —gritó Jules.

Nadie contestó. Desde luego, había hablado en inglés.

Oyó que el pequeño coche aceleraba marcha atrás y miró justo a tiempo para ver a Rexi que lo saludaba haciendo la señal de la paz mientras retrocedía. Muchas gracias, colega. Tampoco podría haberle ayudado con su problema de traducción.

Era una locura, casi como estar en un plató de rodaje. Como si los soldados posicionados estratégicamente alrededor de la plaza fueran extras tomando un descanso, charlando en sordina y rascándose las axilas, tomando un refresco o fumando.

Uno de los oficiales finalmente se acercó a él.

—¿De Estados Unidos? —preguntó.

—Sí —dijo Jules. Pero el tipo ya se había lanzado en una larga explicación, gesticulando con grandes ademanes hacia el cuerpo en el suelo, las tropas, los jeeps, el tanque y la casa. Después, señaló hacia el camino que se perdía subiendo por el monte y luego hacia el que bajaba.

Y no era todo en inglés. Ni siquiera en castellano, una lengua que Jules hablaba bastante bien.

—Inglés, por favor —dijo Jules, cuando por fin logró meter una palabra—. ¿Alguien aquí habla inglés?

El oficial volvió a señalar el tanque.

Como si obedeciera a una señal, éste rugió cuando el motor se puso en marcha.

Genial.

—Dígale a sus hombres ahora mismo —dijo Jules, expresándose con mímica, señalando su boca y luego a los soldados—, que se retiren. —¿Cómo diablos iba a comunicar eso? Volvió a intentarlo—. Que no disparen. —Señaló el arma del oficial, fingió que disparaba con algo similar, seguido de un expresivo signo de *No*.

El hombre parecía feliz de tener algo que ordenar a sus hombres.

Pero ¿qué pasaría con el tanque? ¿Quién se lo iba a decir a ellos?

Cuando Jules se acercó, el coloso echó marcha atrás y se detuvo con una sacudida. Avanzó y volvió a detenerse. Y luego la torreta del cañón giró todo lo que pudo hasta la derecha y lo mismo a la izquierda, como si estuvieran probando su funcionamiento.

Ahora Jules se había situado justo al lado pero ¿qué hacer para llamar la atención de los soldados dentro de un tanque?

¿Dar golpecitos en el blindaje?

El tanque volvió a moverse. Muy lentamente. Se dirigía recto hacia la casa de Emilio.

Un tanque no tardaría mucho, sobre todo a corta distancia, en convertir aquella casa en escombros.

—Hey —le dijo Max a Gina—. Mira por la ventana.

Ella y Molly estaban tendidas de espaldas en el suelo de la habitación de la primera planta en la casa de Emilio, y no paraban de llorar.

La voz de Max, que se escuchó con claridad por el *walkie-talkie* era el sonido más bello que jamás llegara a oídos de Gina.

Molly cogió el aparato y le pidió disculpas por amenazar con matarlo. ¿Le había disparado de verdad a Grady allí en la plaza?

Jones cogió el relevo y le aseguró a Molly que sí y que, aunque Max le había disparado, la herida era superficial. Todos sus órganos vitales estaban donde tenían que estar.

La parte A del plan había sido un éxito rotundo. Max y Jones tenían control absoluto del tanque. La parte B era un poco más problemática, ya que se basaba en el supuesto de que hubiera una radio en el tanque.

Pero no había radio en el tanque.

Nada más, en cualquier caso, que el mismo tipo de *walkie-talkie* que ya tenían.

De modo que ahora se trataba de maniobrar con el tanque frente a la casa, como un gigantesco perro guardián.

Tarde o temprano llegaría la ayuda.

Y, hasta que llegara, estarían en posesión del arma más potente de la isla.

Max le había advertido a Gina que esperaba que la ayuda llegara más temprano que tarde. Sobre todo teniendo en cuenta que habían tomado como rehenes al oficial al mando y al intérprete.

Pero ahora Max quería que Gina mirara por la ventana.

—Ha llegado la caballería —dijo.

Había alguien parado directamente frente al tanque. Quien quiera que fuera, un chico vestido de surfista, con muletas, tenía una mano en alto, como un poli del tránsito haciendo la señal de *pare*.

El tanque, desde luego, se había detenido.

Y Gina vio que no era un surfista cualquiera, sino… ¡Jules Cassidy!

¡Jules estaba vivo!

Y ella que pensaba que ya no le quedaban lágrimas.

Max rió al mirar por la ranura que servía de mirador del tanque.

—No tiene ni idea de que estamos aquí dentro —dijo.

Joder, Jules tenía el aspecto de haber sido atropellado por un autobús.

—Vaya. Sí que tiene huevos. —Jones se giró hacia el intérprete, que todavía no se creía que no iban a matarlo—. Abre la escotilla.

—Sí, señor —dijo, y asomó la cabeza.

—¿Habla usted inglés? —preguntó Jules, y Max lo oyó por la abertura.

—Sí, señor.

—Dígale a su oficial que retroceda. En realidad, dígale que abandonen el área. Estoy al mando de esta situación a partir de ahora. Me llamo Jules Cassidy y soy agente del FBI, de Estados Unidos. Hay helicópteros de combate de los Marines en camino, pero no tardarán en llegar. Tienen artillería antitanque, os podrían volar de aquí al infierno, así que retiraos.

—Dile que Jones quiere saber si los helicópteros vienen de verdad o si es algo que aprendió en el Manual ciento uno de Mentirillas del FBI.

El intérprete transmitió el mensaje.

Mientras Max miraba, vio que en la cara de Jules se pintaba la sorpresa, seguida del alivio.

—¿Max también está ahí dentro? —preguntó Jules.

—Sí, señor —dijo el intérprete.

—Y… mierda —sonrió Jules—. Debería haberme quedado en el hospital.

—¡Oigo helicópteros! —Era la voz de Gina por el *walkie-talkie*—. Y ¡puedo verlos! ¡Son de los nuestros!

Max respiró hondo y pulsó la tecla para hablar. Y cantó.

—*Love me tender, love me sweet, never let me go…*

Jones estaba sentado en la cocina de Emilio con los brazos alrededor de Molly.

Ella le había ayudado a limpiar las diversas heridas y se sintió aliviada al ver que ya no tenía la bala que Max le había disparado en la pierna con su calibre veintidós.

—¿Sabías que iba a hacer eso? —preguntó—. ¿Dispararte?

—No, pero ha estado muy inspirado.

—Creí que te había matado de verdad —dijo Molly—. Es la primera vez en mucho tiempo que he estado tan enfadada. Lo bastante como para hacerle daño a alguien.

—Bienvenido a mi mundo —dijo él—. Deben ser las hormonas.

Molly rió, aunque con cierta sombría desgana.

—Espero que sea la última vez que digas eso. Nunca más —repitió, y luego miró a su alrededor—. Estamos solos, ¿sabes?

—Ya. —Jones sabía a dónde iba Molly, y no quería seguir aquella conversación. Intentó darle un giro diferente—. ¿Por qué? ¿Quieres un *round* encima de la mesa?

Ella rió, pero su semblante se ensombreció demasiado rápido.

—Sé que me has dicho antes que has hecho un trato con Max, pero...

—Nada ha cambiado —dijo Jones, con voz queda—. Si hay algo, es que le debo más ahora que antes.

—¿No se te ha ocurrido que sigue hablando con el capitán de los Marines a propósito para darte una oportunidad de escapar?

—Y ¿qué hay si así fuera? —dijo Jones—. Le he dado mi palabra. Y, Mol, hemos hablado un poco en el tanque, de la posibilidad de hacer un trato. Información sobre Nusantara a cambio de un expediente limpio. Una posibilidad de volver a casa. Criar a este bebé contigo.

—Parece... arriesgado.

—¿Más arriesgado que comenzar una quimioterapia cuando el bebé haya nacido?

—Me parece justo —dijo ella.

Quedaron en silencio un momento, Molly carraspeó.

—¿Quizá quieras hablar de...?

—¿Estabas mirando? —preguntó Jones. Una vez más, sabía

exactamente lo que estaba pensando. En la ejecución de Ram Subandrio.

—No. Quiero decir, *estaba*, pero no lo vi. Un instante estaba y, al instante siguiente, ya estaba en el suelo.

—Es así como ocurre.

—¿Te molesta? —preguntó Molly.

—¿Quieres decir si me siento culpable por haberlo matado? No. En una ocasión, lo vi asesinar a un niño de dos años. Creo que cuando salimos con Max, yo estaba esperando que las cosas acabaran cobrando ese giro.

—Noc, noc. —Gina asomó la cabeza por la puerta.

—Entra —dijo Jones—. Todos tenemos la ropa puesta, para variar. Espera, ¿no eres tú la que estaba aquí en la…?

—Vale —dijo Gina—. ¿Algún día se acabarán las pullas?

—Con el tiempo —dijo Molly—. Pero ¿oír a Max cantando viejos temas de Elvis por el *walkie-talkie*? Cariño, eso sí que será un recuerdo difícil de olvidar.

—Creo que es un encanto —dijo Jones.

—¿A qué te refieres, a las canciones o a lo de la mesa? —preguntó Gina.

—A las dos cosas —dijo él—. Hablando seriamente, Gina. Es un buen tío. Siempre lo odié por hacerte tan infeliz, pero… es un tío legal.

Gina asintió con la cabeza.

—Es muy considerado y atento y… hablando del rey de Roma, me ha pedido que os dé esto. —Le entregó a Molly un teléfono móvil—. Me ha dicho que os cuente que los Marines han instalado torres provisionales y que a esta hora son las siete y cuarenta y siete en Hamburgo, y la clínica abre a las siete, así que… —dijo, y le entregó también un papel—. Ahí tenéis el número. Preguntad por el doctor Bloom.

—No me darán los resultados de una biopsia por teléfono —dijo Molly—. ¿Tú crees?

Se refería a los resultados de la prueba que le diría si Molly tenía cáncer o no, y cuán grave era. Jones se alegró de estar sentado.

—No estábamos seguros —dijo Gina—. Max ha mandado a alguien de la oficina de Hamburgo a hablar con ellos y explicarles lo que está pasando. El doctor Bloom espera tu llamada. Sabe que no estás en la ciudad, por decirlo de alguna manera.

Le dio un fuerte abrazo a Molly y se giró para irse. Pero Molly le cogió la mano.

—Quédate, ¿vale?

Jones cogió el móvil y el papel de sus manos y marcó.

Ben Webster, el capitán de los Marines, parecía bastante relajado para tratarse de un tipo que tenía pinta de ser capaz de aplastar entre sus brazos a una buena parte del hemisferio occidental.

No se planteaba grandes problemas por el hecho de que, aunque él y sus Marines habían sido enviados a la isla de Meda para volarles el culo a unos terroristas, habían acabado recogiendo los platos rotos de un incidente confuso. Por lo visto, un oficial de alto rango del ejército indonesio, el coronel Subandrio, aparecía implicado en un secuestro y un asesinato, en connivencia con pistoleros y terroristas.

Max se había asegurado de que los disquetes de Emilio estuvieran a buen resguardo. Los Marines se estaban instalando para vigilar la casa, al menos hasta que llegara un equipo de la CIA en Yakarta para revisarla más exhaustivamente.

—Perdón, señor Bhagat. Lamento molestarlo, señor.

Max interrumpió su conversación con Webster para atender a uno de los paramédicos de los Marines.

—¿Qué pasa, cabo? —preguntó.

—Su socio, el señor Cassidy, señor. He recomendado que se le traslade al hospital del barco —dijo el diligente cabo—. Hay que entablillarle la pierna adecuadamente. Sí, está entablillada, pero el dolor tiene que estar matándolo. Además, ha perdido mucha sangre por esa herida de bala, y tiene una lesión craneal que puede jugarnos una mala pasada.

—Bien —dijo Max—. Trasládelo.

—Sí, señor. Ése es el problema. Él no quiere ir. Ha insistido en que tiene que hablar con usted y el capitán Web.

Hablando del diablo, de pronto Jules entró cojeando. Le tendió la mano al capitán.

—Capitán Webster, una vez más, ha sido un placer, señor. Sus hombres y mujeres lo tienen en gran estima. —Los dos hombres se dieron un apretón de manos—. No quería irme sin agradecérselo, señor —dijo Jules.

—Quizá debiera ser yo quien dé las gracias —dijo Webster, sonriendo—. Mi gente se alegra de pisar tierra firme, para variar. Hemos estado acuartelados y en alerta desde las noticias de las bombas sucias. Esperábamos que nos ordenaran volver a San Diego, y por un momento pareció que eso iban a hacer. Pero luego fue atacada la embajada en Yakarta, y nosotros estábamos perdidos por aquí, demasiado lejos para echar una mano.

Jules miró a Max.

—No sé si te lo han dicho, jefe, pero sólo ha habido unas pocas bajas durante ese ataque.

—Ha sido frustrante —reconoció Webster—. Pero no sucede todos los días que recibimos órdenes directamente de la Casa Blanca.

¿De qué? Max miró a Jules.

—Sí, bueno… —Jules cruzó una mirada brevísima con él.

—Me gustaría seguir charlando —dijo Webster—, pero, ya sabéis, Barney, aquí, es un chico listo. Si él dice que debería ir al hospital, es que debería.

—Gracias, una vez más —dijo Jules, y volvió a estrecharle la mano.

—No hay de qué, una vez más —dijo el capitán, con una sonrisa cálida—. Yo mismo volveré al barco hacia las siete. Si le parece bien, pasaré a ver qué tal le ha ido.

Grandísimo cabrón. ¿Jules estaba ligando? Max volvió a mirar a Webster. Tenía el aspecto de un Marine. Músculos, uniforme impecable, bien peinado. Eso no hacía de él un gay. También a Max le había sonreído con calidez. Era un tipo amistoso, se fijaba en los individuos. Y, sin embargo…

Jules estaba un poco nervioso.

—Gracias —dijo—. Sería… Sería agradable. ¿Me permite, sólo un segundo? Tengo que hablar con Max, antes de… Pero en seguida estoy en el helicóptero.

Webster estrechó las manos con Max.

—Ha sido un honor conocerlo, señor —dijo. Volvió a sonreírle a Jules.

Vale, a Max no le había sonreído así.

Max esperó hasta que el capitán y el paramédico estuviesen lejos.

—¿Es…?

—No lo preguntes, no lo cuentes… —dijo Jules—. Pero, oh, Dios mío.

—Parece un buen tipo —dijo Max.

—Sí —contestó Jules—. Lo parece, sí.

—Y bien. ¿La Casa Blanca?

—Sí, a propósito de eso —dijo Jules, y respiró hondo. Tengo que hacerte saber que puede que recibas una llamada del presidente Bryant.

—Podría ser —repitió Max.

—Sí —dijo Jules—. Absolutamente. —Habló rápido, intentando hilar sus frases—. Tuve una interesante conversación en que di a entender que habías vuelto a dimitir. A él no le gustó nada la idea así que le dije que podría persuadirte para que volvieras al trabajo si enviaba tres helicópteros llenos de Marines a la isla Meda lo más pronto posible.

—Has llamado al presidente de Estados Unidos —dijo Max—. En un momento de crisis internacional, como si lo estuvieras chantajeando para que enviara a los Marines.

Jules se quedó pensando en eso.

—Sí. Así es. Aunque fue una llamada por teléfono muy rara, porque estaba hablando por radio con un tío de la CIA. Le dije que me conectara con el Presidente, y él me conectó.

—Has llamado al Presidente —repitió Max—. Y conseguiste hablar…

—Sí, verás, tenía tu móvil. Los había cambiado sin querer y… la línea directa del Presidente estaba en tu agenda, así que…

—Vale —dijo Max, asintiendo con la cabeza.

—¿Ya está? —preguntó Jules—. Entonces, ¿volverás? ¿Puedo llamar a Alan para contárselo? Ahora nos hablamos de tú a tú con el Presi.

—No —dijo Max—. Hay más. Cuando llames a tu amigo Alan, dile que estoy interesado, pero que quiero conseguir un trato con un ex suboficial de las Fuerzas Especiales SEAL.

—Grady Morant —dijo Jules.

—Tiene información sobre Heru Nusantara que le interesará al Presidente. Como contrapartida, queremos un perdón total y una nueva identidad.

Jules asintió.

—Creo que podría arreglarlo —dijo. Iba a partir hacia el helicóptero, pero se volvió—. ¿Cómo se llama Webster, nombre de pila? ¿Lo sabes?

—Ben —dijo Max—. Que tengas unas agradables vacaciones.

—Recuperarse de una herida de bala no son vacaciones. Tendrías que escribirlo, en la mano, en alguna parte. Joder.

—Oye, Jules —dijo Max, riendo.

Jules volvió a girarse.

—¿Sí, jefe?

—Gracias por ser tan buen amigo.

La sonrisa de Jules era bella.

—No hay de qué, Max. —Sin embargo, la sonrisa se desvaneció demasiado rápido—. Oh,… este,… tienes una novia llorando a tus dieciocho horas.

Oh, Dios, no. Haz que sean lágrimas de alegría.

—¿Cuál es el veredicto? —preguntó él.

Gina pronunció la palabra que él pedía en sus oraciones.

—Benigno.

Max cogió en sus brazos a aquella mujer, el amor de su vida, y la besó.

Delante de los Marines.

Capítulo 26

LOS ÁNGELES, CALIFORNIA
29 DE JUNIO DE 2005

Cuando el avión tocó tierra en el aeropuerto internacional de Los Ángeles, Molly le cogió la mano a Jones.

—¿Estás bien? —preguntó.

Él se había pegado a la ventanilla, mirando cómo Los Ángeles crecía y no paraba de crecer a medida que se acercaban a la pista, pero ahora la miró a ella.

—Creo que todavía espero que venga un grupo de la policía militar, me rodeen, me esposen, me encierren en un furgón y me ordenen que mantenga la cabeza pegada al suelo.

—Eso no ocurrirá —dijo ella.

Jones asintió con la cabeza. Incluso consiguió sonreírle.

Pero no acababa de creérselo.

Y, en efecto, cuando transmitieron el mensaje de permanecer sentados hasta que el avión llegara a la manga, se acercó una auxiliar de vuelo.

—Señor, hemos recibido un mensaje de la seguridad del aeropuerto, pidiéndole que permanezca en el avión hasta que hayan bajado todos los pasajeros —dijo.

Jones le lanzó una mirada a Molly. *Ya empezamos.*

—Gracias —le dijo a la mujer.

Pero Molly se inclinó hacia delante.

—Perdón, ¿hay algún problema?

La sonrisa de la auxiliar era radiante.

—No, en absoluto. Al parecer, el señor que lo espera quiere estar seguro de no perderlo entre la multitud.

—Ves —dijo Molly—, no es nada.

Pero él no acababa de creérselo.

—Pase lo que pase —le dijo Jones a su mujer—, tú coge ese vuelo a Iowa mañana, ¿de acuerdo? Él quería que visitara a su madre antes que nada, y luego al médico de su madre.

—De acuerdo —dijo ella, que prefirió tomárselo a risa.

—Lo digo en serio.

—Lo sé —dijo ella, y lo besó—. Hey, Byron se ha despertado. *¿Byron?*

—¿No te parece? —preguntó ella, a todas luces provocándolo.

Jones sacudió la cabeza. Pero se aferró a las últimas briznas de su paciencia mientras el avión se vaciaba lentamente tocándole el vientre a Molly, intentando sentir al bebé que se movía.

—Perdón, ¿señor y señora Jones? —El hombre que se acercó por el pasillo era un agente del FBI. Tenía que serlo. Traje oscuro, corbata convencional, iba vestido como un agente y caminaba como un agente—. Me llamo George Faulkner. Trabajo con Max Bhagat. Él lamenta no haber podido venir en persona. Quería asegurarse de que todo marchara sobre ruedas y de que tuvieran todo lo que necesitaban.

—Gracias —dijo Molly en lugar de Jones, porque aunque éste le había estrechado la mano al tipo, todavía no se lo creía—. Tenemos todo lo que necesitamos.

No había manera de que fueran a salir de ese avión sin problemas.

Pero Faulkner llevaba una maleta y la abrió, sacando lo que parecían documentos de todo tipo.

—Estos son para ustedes —dijo, y se los entregó.

—Pasaportes. Carnés de conducir. Certificados de nacimientos. Tarjetas de la Seguridad Social. Documentos del servicio militar, licenciado con honores, con fecha actual, para un tal sargento...

Su nuevo nombre, que también figuraba en todos los otros documentos nuevos, era William David Jones.

Faulkner estaba diciendo algo que Jones no escuchaba, pero Molly asentía, aparentemente prestando atención.

—Pagas atrasadas —dijo ella, lanzando una mirada de curiosidad al sobre que le entregaba Faulkner.

Jones lo abrió y... Mierda. Eso sí que no se lo esperaba.

Él esperaba que le aplastaran la mejilla contra el suelo. Que le esposaran las manos a la espalda y lo metieran en un furgón policial.

Volvió a mirar la suma más bien abultada del talón y...

Todavía no acababa de creérselo.

Molly había cogido sus bolsos y libros, y Faulkner les cogió la maleta del compartimento de arriba. Jones los siguió camino a la salida y las auxiliares de vuelo sonrieron y dijeron adiós.

La rampa hacia la salida era de película de ciencia ficción. Hacía tiempo que Jones no había pasado por el aeropuerto internacional de Los Ángeles. La salida estaba aislada del resto de la terminal, con unos paneles provisionales que conducían a la recogida del equipaje, como un pasillo por donde las reses avanzan hacia la hecatombe.

Faulkner hablaba de un coche que los esperaba, charlaba con Molly acerca de la fecha de su parto, y recomendaba restaurantes cerca de su hotel.

Molly le cogió la mano a Jones.

—¿Estás bien? —volvió a preguntar.

Él asintió. Pero mentía y ella lo sabía. Molly no lo soltó.

—No hemos facturado ningún equipaje —le dijo a Faulkner.

—Lo sé —dijo él—, pero necesito que me acompañen los dos aquí y...

Era el momento. Jones sacó de su bolsillo el sobre con el talón por las llamadas pagas atrasadas y se lo pasó a Molly.

—Será mejor que guardes esto —dijo, al girar en una esquina y prepararse para...

¿Una orquesta militar?

Tocando «Star and Stripes Forever»...

Con un enorme lienzo que decía: BIENVENIDO A CASA, SARG. JONES.

—Lo siento por el subterfugio —gritó Faulkner por encima de las trompetas y las tubas—. Max quería asegurarse de que recibieran el mensaje. —Le estrechó la mano a Jones. Y a Molly—. El coche está ahí fuera... cuando ustedes quieran. Si necesitan alguna otra cosa, llámenme.

Y desapareció.

Dejando a Molly y a Jones en medio del aeropuerto de Los Ángeles. Estaban rodeados, sí, pero no por la policía militar con las armas desenfundadas sino por otros viajeros que ahora les regalaron una ronda de aplausos.

Algunos incluso le estrechaban la mano, agradeciéndole por los servicios prestados al país.

Cuando la orquesta tocó los primeros compases de «America the Beautiful», Molly le tiró de la manga. Salieron por las puertas automáticas hacia los coches estacionados donde, efectivamente, un chofer sostenía un cartel que decía JONES.

Sintió el cálido sol de California en la cara cuando le entregó sus bolsos al hombre.

—¿De dónde vienen? —preguntó el chofer.

—De Kenia —le informó Jones—. Vía Yakarta y Hong Kong.

—Mmm —dijo el taxista—. Suena como un viaje interesante. Aún así, no hay nada como volver a casa.

—Sí —dijo Jones, y se sentó junto a Molly—. No hay nada como volver a casa.

—¿Estás bien? —volvió a preguntarle ella.

—Sí —dijo él—. Estoy bien.

Y esta vez ella le creyó.

EAST MEADOW, LONG ISLAND
16 DE JULIO DE 2005

Hasta ahí las cosas iban bien.

Max estaba junto a la barra, y tenía aspecto de estar atrapado entre los dos hermanos mayores de Gina. Sin embargo, resultaba difícil saber si lo estaban interrogando o protegiendo del resto de la familia.

Había que ser un valiente para entrar en la sala de actos del restaurante italiano de Anthony y conocer a la familia Vitagliano en pleno.

Max parecía sereno y tranquilo, como de costumbre. Sólo Dios sabía en qué estaría pensando, sobre todo después de conocer a las tías abuelas, Lucía y Tilly, que querían saber de qué parte de Italia venían los Bhagat. Y luego estaba el tío Arturo, que no paraba de preguntarle cuánto ganaba al año un agente del FBI.

Gina cruzó una mirada con Max, y él sonrió, gracias a Dios. Pero entonces tuvo que girarse porque el camarero por fin estaba a su lado.

Tenía una bandeja con estilizadas flautas de cristal llenas de champán.

—Lo siento —dijo ella—. Una media hora antes pedí una ginger ale. ¿Me la puede traer lo más pronto posible?

Él murmuró algo ininteligible al dirigirse... no hacia la barra sino hacia la multitud.

Diablos.

Tenía que tragar algo rápido o aquella fiesta de compromiso se convertiría en un absoluto desastre.

Sin embargo, si iba a la barra, tendría que pararse a hablar con el padre Timothy, y con sus primos Mario y Ángela, y con la señora Fetterson, que había sido vecina de los abuelos de Gina cuarenta y cinco años...

—¡Gina! —Su madre le hacía señas desde un rincón, donde discutía con las mujeres de Rob y Leo —las cuñadas malvadas— sobre el mejor lugar en Long Island para celebrar una boda—. Debbie dice que La Maison tiene algunos días libres en diciembre de 2007...

—Un momento, mamá... —Gina hizo un largo rodeo. Escapar, escapar... Dios, ¿dónde estaba el lavabo de señoras?

Sintió una mano en la cintura y se giró. Max estaba a su lado.

—¿Te encuentras bien? —preguntó él, inclinándose para hablarle en voz baja.

Ella sacudió la cabeza, totalmente incapaz de hablar.

Pero él la llevó hasta la cocina y... sí. Ahí estaba.

Ella salió corriendo, rogando que, a diferencia de la mayoría de los lavabos de señoras en este mundo, no hubiera cola.

En su carrera, casi derribó a una atractiva chica afroamericana al abalanzarse hacia el único retrete vacío.

—¿Gina?

Oh, mierda. La mujer a la que había lanzado hacia la pila era Alyssa Locke en persona.

Max le había dicho que Alyssa y su marido Sam estaban en Nueva York esa semana, y Gina los invitó a la fiesta que sus padres daban para celebrar su compromiso. Jules no había podido venir. Tampoco Molly ni Jones. Gina pensó que sería justo tener como invitada al menos a una persona que Max conociera.

—Hola —dijo Gina, al cerrar la puerta—. Eres Alyssa, ¿no?

—Sí, ¿cómo estás? —dijo Alyssa—. Felicidades.

—Oh —dijo Gina—, gracias… perdón…

No había manera de vomitar en silencio.

Podría haberse disculpado con un alegre comentario sobre su alergia a los mariscos, y un aviso sobre los raviolis, que estaban rellenos de gambas.

Quizá se habría disculpado si no hubiera sufrido un súbito bajón de presión, de los que se tiene cuando uno se incorpora demasiado rápido, salvo que esta vez a ella le ocurrió mientras intentaba sentarse.

El resultado final fue que tomó contacto con el suelo demasiado rápido y con demasiada fuerza, y no sólo con el trasero.

Max esperaba apoyado en la pared, intentando pasar desapercibido para que el tío Arturo no se acercara a pedirle un trabajo en el FBI.

Miró su reloj. ¿Cuánto rato llevaba ahí dentro? El hermano de Gina, Leo, lo había entretenido contándole lo de el virus estomacal que estaba haciendo estragos en su empresa.

Se abrió la puerta y él se enderezó, pero no era Gina.

—¡Max! ¡Ven aquí!

Era Alyssa. Tiró de él hacia el lavabo de señoras donde…

Gina estaba en el suelo en uno de los compartimentos. La puerta estaba cerrada, así que Max se metió por debajo.

Gina justo empezaba a incorporarse.

—Aag, qué asco, he tenido la cara apoyada en el suelo.

Max la ayudó hasta que se apoyó en la pared.

—¿Qué ha pasado? —Corrió el cerrojo a la puerta y la abrió.

—Lo siento. Este lavabo está provisionalmente cerrado —escuchó que decía Alyssa para que la gente no entrara—. Hay otro en la planta alta. Lo lamento por las molestias y, perdón ¿no le importaría esperar aquí afuera un minuto y…? Muchas gracias.

—Estoy bien. Sólo que no… debería haberme saltado la comida —dijo Gina.

Apareció Alyssa con un puñado de toallas de papel húmedas y otro puñado de secas.

—Voy a buscar unas galletas saladas —avisó—. Y un poco de ginger ale. Eso va bien. —Y desapareció.

—¿De verdad que estás bien? —preguntó Max.

Gina asintió y se limpió la boca con una de las toallas húmedas.

—¿Sabes, a propósito de cómo has intentado que me matricule en la facultad de derecho?

Él dijo que sí con la cabeza. Ya no hablaba de la Universidad de Nueva York. Quedaría demasiado lejos. Pero había muchas buenas facultades en Washington D.C.

—¿De verdad es necesario que haga una carrera? —preguntó—. Quiero decir, ¿hay algún Manual de la Esposa del FBI que requiera un máster o algo así?

—Desde luego que no —dijo Max—. Sólo que… trabajo largas horas y estoy mucho fuera de la ciudad. No me… —dijo, y vaciló. Pero se obligó a decirlo—. No quiero que te canses de mí. Siempre has parecido tan… inquieta. Yendo a Kenia y… ¿Quieres que vaya a buscar el coche y te lleve a casa?

Ella negó con un gesto de la cabeza.

—No, estaré bien cuando vuelva Alyssa con los… Dios, supongo que se lo habrá imaginado. Es una suerte que fuera ella la que estaba aquí y no mi cuñada Debbie, la maruja más grande del mundo.

Él empezaba a tener dificultades para seguirla.

—¿Imaginarse qué? Si no te sientes bien, deberíamos irnos, sin más.

Gina dio señas de querer levantarse, así que él la ayudó.

—No encontré lo que buscaba en Kenia.

—Y ¿se puede saber qué es lo que buscabas? —Max la sujetó mientras iban hasta la pila. Todavía parecía muy débil.

Gina lo miró en el espejo mientras se lavaba las manos. Y mientras se enjuagaba la boca.

—Esto —dijo ella—. Mírate. Preparado para cogerme si caigo. Junto a mí. —Se secó las manos y tiró las toallas a la papelera—. Sé que me quieres proteger de todas las cosas malas que hay en la vida, y sé que te vuelve loco ponerte a pensar en todas las cosas atroces que podrían pasar, aunque la mayoría son cosas que no podemos controlar. Pero lo que sí puedes hacer es estar a mi lado cuando ocurren cosas malas. Es lo que yo quiero hacer por ti también.

Max asintió. ¿A dónde conducía esa conversación? Estaba esperando. Fuera lo que fuera, ahí venía.

Gina hurgó en su bolso hasta encontrar un paquete de dulces de menta. Se metió uno en la boca y le ofreció el paquete. Él dijo que no con la cabeza.

—Verás, durante mucho tiempo he sentido esta… responsabilidad de vivir una vida que tuviera sentido —dijo Gina—. Creo que sobreviví a ese secuestro por alguna razón. Sin embargo, en los últimos tiempos he pensado que quizás he buscado demasiado. Una vida *con sentido* no significa que tenga que ir a Kenia o convertirme en Mata Hari o en la Madre Teresa. Ni siquiera en Ally McBeal. Lo único que tengo que hacer es vivir bien. Ser feliz. Y eso es lo que me pasa —dijo, volviéndose a mirarlo—, cuando estoy contigo.

—Si todavía hablamos de que no quieres estudiar derecho —dijo Max—, no tienes por qué convencerme. Si no quieres…

—Estaba pensando —interrumpió Gina—, que quizá quiera ser una mamá que se queda en casa.

Y, de pronto, todo encajaba.

Desde luego, Gina no tenía el virus estomacal de su hermano Leo.

Gina estaba embarazada.

Dios me libre. Max se precipitó en caída libre. El caos. El terror.

—¿Estás segura? —preguntó.

—No —dijo, pero al mismo tiempo asintió con la cabeza—. Todavía no he hecho la prueba en casa, pero lo sé…

—Vaya —dijo él—. Vaya. —Iba a ser padre—. No sé cómo ser padre. Un buen padre. Quiero decir, cómo ser un buen mal padre…

—¿Bromeas? Con Ajay eras espectacular.

Ajay había muerto. Y Max todavía no se sobreponía a ello.

—Sé lo que estás pensando —dijo Gina, tirando de él hacia ella—. Otra persona que amar, otra persona que perder, ¿es eso? Recuerda lo que acabo de decir acerca de la pérdida del control. Te propongo un trato: como padre, haces todo lo posible para mantener a tus hijos seguros, sabiendo que hay cosas que no podemos controlar. Si algo le ocurre a nuestra hija, Max, no será porque no hayamos sabido protegerla. Será porque, bueno, así es la vida.

Así es la vida.

—¿Te has quedado completamente pasmado, o qué? —preguntó ella.

—No —dijo Max, pero enseguida se retractó—. Sí, pero es un pasmado bueno.

Gina rió.

—Buena respuesta —dijo, y lo besó.

Así es la vida.

Max se sentía vapuleado por el caos a su alrededor. Siempre pasaría lo mismo. Pero Max estrechó con fuerza aquella mujer increíble que había traído luces y risas a su vida.

—¿Quieres darle tú la noticia a mi madre de que diciembre de dos mil siete no nos servirá como fecha de matrimonio, a menos que queramos incluir al bebé entre las niñas del séquito que llevan las flores…

Así era la vida para Max, y se llamaba Gina.

Sobre la autora

Desde su irrupción en la escena editorial hace más de diez años, SUZANNE BROCKMANN ha escrito más de cuarenta libros, y actualmente se le reconoce como una de las principales voces del suspense romántico. Su obra le ha valido varias veces un lugar en las listas de títulos más vendidos de *USA Today* y el *New York Times*, así como diversos galardones, como el de Mejor Libro del Año del «Romance Writers of America» (así como candidata al mismo premio en los años 2000, 2001 y 2002), dos premios RITA y varios premios otorgados por los lectores en el *Romantic Times.* Suzanne vive al oeste de Boston con su marido y sus dos hijos. Se puede consultar su página web en *www.suzannebrockmann.com.*

www.titania.org

Visite nuestro sitio web y descubra cómo ganar
premios leyendo fabulosas historias.

Además, sin salir de su casa, podrá conocer
las últimas novedades de
Susan King, Jo Beverley o Mary Jo Putney,
entre otras excelentes escritoras.

Escoja, sin compromiso y con tranquilidad,
la historia que más le seduzca
leyendo el primer capítulo de cualquier libro
de Titania.

Vote por su libro preferido y envíe su opinión
para informar a otros lectores.

Y mucho más…